TUNNELS

Tome III : *Chute libre*

Roderick Gordon & Brian Williams

Traduit de l'anglais par Arnaud Regnauld

Déjà parus

Tunnels, tome I
Tunnels, tome II : *Profondeurs*

À paraître

Tunnels, tome IV

Titre original :
Freefall

Première publication par Chicken House en Grande-Bretagne, 2009
Texte © Roderick Gordon et Brian Williams, 2008
Illustrations intérieures © Brian Williams, 2008
Tous droits réservés.

© Éditions Michel Lafon, 2009, pour la traduction française
7-13, boulevard Paul-Émile-Victor – Île de la Jatte
92521 Neuilly-sur-Seine Cedex
www.michel-lafon.com

« Pour arriver à ce que vous n'êtes pas
Vous devez passer par la voie dans laquelle vous n'êtes pas.
Et ce que vous ne savez pas est la seule chose que vous sachiez
Et ce que vous possédez est ce que vous ne possédez pas
Et là où vous êtes est là où vous n'êtes pas. »

T.S. ELIOT, *Quatre Quatuors*, « East Coker »
Traduction Pierre Leyris.

« On ne fait que passer jusqu'à la prochaine scène,
Mais où allons-nous, eh bien, tout est arrangé.
On ne fait que passer, mais il faudra triompher quand même,
Faut-il continuer, ou se tenir à l'écart, bien en sécurité ? »

Joy DIVISION « *From Safety to Where…?* »

Première Partie

Plus loin, plus proche

Chapitre Premier

– A^{rgl} !

Chester Rawls poussa un grognement sourd. Il avait la bouche tellement sèche qu'il lui fallut plusieurs minutes avant de pouvoir articuler ne serait-ce qu'un mot.

– Maman, laisse-moi tranquille, tu veux, dit-il faiblement.

Lorsqu'il ne réagissait pas au bip de son réveil, sa mère lui chatouillait la cheville, et Chester savait bien qu'il ne connaîtrait pas le moindre répit avant d'avoir repoussé sa couette. Il fallait qu'il se prépare pour l'école.

– S'il te plaît, maman, encore cinq minutes… supplia-t-il, tout en gardant les yeux fermés.

Son lit était si douillet qu'il voulait y rester aussi longtemps que possible et savourer chaque seconde. À dire vrai, il faisait souvent mine de ne pas avoir entendu son réveil, car il savait que sa mère finirait par venir dans sa chambre pour s'assurer qu'il était bien levé.

Chester adorait cet instant. Il ouvrait les yeux et la trouvait là, assise au pied de son lit. Il aimait tant sa nature pétillante et son sourire radieux comme le soleil matinal.

– Moi, je suis du matin, déclarait-elle d'un ton enjoué, pas comme ton vieux grognon de père. Il lui faut plusieurs tasses de café avant de recouvrer ses esprits.

Elle prenait alors un air mauvais, rentrait la tête dans les épaules et poussait des grognements semblables à ceux d'un ours blessé. Chester l'imitait, et ils riaient tous deux de bon cœur.

Mais à peine Chester eut-il retrouvé l'odorat que son beau sourire s'effaça.

– Pouah ! Maman, mais c'est quoi, ce truc ? C'est dégueu ! souffla-t-il sans toutefois identifier l'origine de cette odeur nauséabonde.

L'image de sa mère s'évanouit brusquement. Chester ouvrit les yeux et se retrouva dans l'obscurité la plus totale.

– Quoi ? murmura-t-il d'une voix inquiète.

Plongé dans des ténèbres impénétrables, il parvint malgré tout à apercevoir une faible lueur à la périphérie de son champ visuel. *Pourquoi fait-il si noir ici ?* se demanda-t-il. Même s'il n'y avait pas le moindre indice lui indiquant qu'il fût bien dans sa chambre, il cherchait néanmoins à s'en convaincre par tous les moyens. *Se pourrait-il que cette lumière provienne de la fenêtre, mais cette odeur... la cocotte avait-elle débordé dans la cuisine située au rez-de-chaussée ? Que se passait-il donc ?*

Il y avait une puissante odeur de soufre, derrière laquelle on décelait aussi quelque chose d'autre... comme les relents acides de quelque pourriture. Ces deux effluves entremêlés lui emplissaient les narines et lui retournaient l'estomac. Chester essaya de relever la tête pour voir ce qu'il y avait autour de lui. En vain – quelque chose l'en empêchait –, comme s'il avait le corps, les bras et les jambes cloués au sol. Il se crut d'abord paralysé, mais il s'efforça de ne pas hurler et de contenir sa frayeur en inspirant profondément à plusieurs reprises. Il n'avait pas perdu le sens du toucher, il était donc peu probable qu'il fût paralysé. Il pouvait aussi remuer très légèrement les doigts et les orteils, ce qui le confortait dans cette idée. Il avait l'impression qu'une matière compacte l'enveloppait tout entier, refusant de céder sous la pression.

Quelque chose lui chatouilla de nouveau la cheville, comme si sa mère se trouvait encore là, et l'image floue de son visage resurgit dans ses pensées.

– Maman ? demanda-t-il d'un ton hésitant.

Les chatouillis cessèrent aussitôt. Un long râle inhumain empreint de tristesse s'éleva dans les airs.

– Qui est-ce ? Qui est là ? lança-t-il d'un ton plein de défi à l'adresse des ténèbres.

Il entendit alors distinctement un miaulement.

– Bartleby ? hurla-t-il. Bartleby, c'est toi ?

Chester retint son souffle. Au moment même où il prononçait le nom du chat, les derniers événements lui revinrent soudain en mémoire. Il se revoyait avec ses amis, Will, Cal et Elliott.

Les Limiteurs styx les avaient acculés au bord d'un gouffre, baptisé le Pore.

– Oh, mon Dieu, gémit-il.

Ils étaient promis à une mort certaine. Chester avait l'impression de vivre un cauchemar qui refusait de se dissiper après son réveil. Cette scène lui semblait si proche, comme si tout s'était déroulé à peine quelques minutes plus tôt.

Puis d'autres souvenirs se bousculèrent dans sa tête.

– Oh, mon Dieu ! murmura-t-il encore.

Chester se remémora le moment où Rébecca, cette jeune Styx qui avait infiltré la famille de Will, leur avait révélé qu'elle avait une jumelle. Ces deux sœurs sans pitié s'étaient moquées de Will et avaient pris un plaisir cruel à lui faire part de leurs projets : elles comptaient se servir d'un virus mortel, le *Dominion*, pour rayer de la carte des milliers de Surfaciens. Elles avaient demandé à Will de se rendre, et c'est alors que son frère Cal était soudain sorti à découvert, gémissant qu'il voulait rentrer à la maison.

Chester revit le jeune garçon fauché par le tir des styx.

Cal était mort, à présent.

Chester frémit d'horreur, mais il s'efforça de reconstituer la suite des événements. Il se vit alors en compagnie de son ami, Will – ils étaient reliés l'un à l'autre par une corde et tentaient en vain de s'attraper les mains. Il y avait encore de l'espoir… mais pourquoi ? *Pourquoi y avait-il donc encore de l'espoir ?* Il ne savait plus. Ils se trouvaient dans une situation inextricable, sans aucune issue possible. Chester avait l'esprit si confus qu'il lui fallut quelques minutes pour remettre un peu d'ordre dans ses idées. *Oui ! C'était cela !* Elliott comptait les entraîner au fond du Pore… Il leur restait encore un peu de temps… Ils allaient pouvoir s'échapper.

Mais tout était allé de travers. Ils s'étaient retrouvés pris sous le feu des puissants canons styx. Chester plissa les paupières comme s'il avait encore les rétines enflammées par les éclairs rougeoyants et la lumière aveuglante des explosions. Il sentait encore le tremblement du sol sous ses pieds. Il revit soudain l'image floue de Will qui planait au-dessus de sa tête, puis sombrait dans le Pore.

Pris de panique, Chester et Elliott avaient tenté de résister à la force qui les attirait inexorablement vers l'abîme. En vain. Ils ne pouvaient faire contrepoids aux corps de Cal et de Will qui les entraînaient dans leur chute. Ils étaient en effet tous encordés, ils avaient donc dégringolé tous les quatre dans le vide du Pore, au fond des ténèbres.

Chester se souvenait maintenant du souffle incessant qui l'empêchait de respirer, des éclairs de lumière rouge et de cette chaleur d'une extraordinaire intensité, mais à présent…

… *À présent*… il devait être *mort*, à présent.

Que se passait-il ? Où diable se trouvait-il donc ?

Bartleby miaula de nouveau et Chester sentit la chaleur de son haleine sur son visage.

– Bartleby, c'est bien toi, n'est-ce pas ? demanda Chester d'une voix hésitante.

L'énorme tête arrondie du chat n'était qu'à quelques centimètres.

Évidemment que c'était Bartleby. Chester avait oublié qu'il avait basculé dans le gouffre avec eux… et il était là, maintenant.

Chester sentit tout à coup le frottement de sa langue râpeuse et humide contre sa joue.

– Dégage ! beugla-t-il. Arrête !

Mais Bartleby, au contraire, le lécha de plus belle, manifestement ravi de voir que Chester réagissait enfin.

– Va-t-en, espèce de chat débile ! hurla Chester, pris d'une panique grandissante.

Non seulement il ne pouvait rien faire pour arrêter l'animal, mais la langue de Bartleby était aussi abrasive qu'une feuille de papier émeri. C'était vraiment douloureux, et Chester se débattait comme un beau diable en hurlant à pleins poumons.

Mais ses cris ne semblaient pas le moins du monde effrayer le chat. Il ne lui restait plus qu'une solution : Chester se mit à cracher et à siffler telle une furie, et Bartleby finit par s'éloigner.

Puis le silence des ténèbres s'abattit à nouveau sur la scène.

Chester ne savait pas si ses amis avaient survécu à leur chute. Il tenta malgré tout d'appeler Elliott, puis Will. Il avait le sentiment atroce d'être le seul survivant, à l'exception du chat, évidemment. La situation en était presque pire. Dire qu'il se trouvait là, seul, en compagnie de cet animal gigantesque et dégoulinant de bave.

Une idée lui traversa soudain l'esprit… Avait-il atterri par miracle tout au fond du Pore ? Elliott leur avait dit que le gouffre mesurait plus d'un kilomètre de diamètre, et qu'il était si profond que personne, mis à part un seul homme, n'était jamais parvenu à en ressortir. C'était du moins ce qu'affirmait la légende.

Malgré la substance invisible dans laquelle il était englué, Chester tremblait de tous ses membres. Voilà qu'il se retrouvait pris au piège de son pire cauchemar.

On l'avait enterré vivant !

Tel un naufragé qui se serait échoué au fin fond des entrailles de la Terre, il était coincé dans une sorte de sarcophage qui épousait la forme de son corps. Comment allait-il pouvoir ressortir du Pore et remonter à la surface ? Comme si la situation n'était pas déjà assez compliquée comme ça dans les Profondeurs, voilà qu'il était descendu encore plus bas sous terre. Il ne retournerait sans doute jamais chez ses parents, ne retrouverait jamais sa petite vie confortable et prévisible qui lui semblait de plus en plus lointaine.

– S'il vous plaît ! Je veux juste rentrer chez moi, bredouilla-t-il.

Terrorisé à l'idée qu'il pût rester ainsi pris au piège d'un espace clos, il eut soudain des sueurs froides. Non, il ne devait pas céder à la peur, lui susurra une petite voix intérieure ; il cessa alors de geindre. Il devait d'abord essayer de se dégager de cette substance qui l'engluait comme du ciment à prise rapide. Il retrouverait les autres ensuite. Ils avaient peut-être besoin d'aide.

À force de se tortiller en contractant et relâchant successivement ses muscles, il finit par relever partiellement la tête au bout de dix minutes et réussit même à remuer une épaule. Puis, au prix d'un effort surhumain, il parvint à dégager son bras de cette matière spongieuse et visqueuse dont il se décolla avec un bruit dégoûtant – on aurait cru une ventouse qu'on arrache.

– Oui ! s'exclama-t-il.

Ignorant un instant la substance qui entravait ses mouvements, Chester se palpa le visage et le torse pour vérifier que tout allait bien. Il trouva les lanières de son sac à dos et en défit les deux boucles. Peut-être cela faciliterait-il sa tentative d'évasion ? Puis il s'efforça de dégager le reste de son corps à grand renfort de soupirs et de grognements. À force d'effectuer de minuscules mouvements, Chester s'échauffa peu à peu, tant et si bien qu'il finit par avoir l'impression de s'extraire d'un moule de fonderie.

À plusieurs kilomètres au-dessus de Chester, le vieux Styx qui se tenait au bord du Pore scrutait les ténèbres du gouffre sous un fin crachin incessant. Quelque part dans le lointain, on entendait hurler des meutes de chiens.

Cet homme, en dépit de son visage strié de rides profondes et de ses cheveux veinés d'argent, n'avait rien de fragile. Son grand corps maigre se dressait tel un roseau sous son long manteau de cuir boutonné jusqu'au cou. Ses petits yeux luisaient dans la lumière telles deux perles de jais poli. Il émanait de tout son être une impression de puissance qui semblait irradier les ténèbres alentour comme pour les soumettre à sa volonté.

Le vieux Styx fit un geste de la main, et un autre homme se rangea à ses côtés. Ils restèrent ainsi côte à côte au bord du vide. Bien que le visage du soldat ne comportât aucune ride et que ses cheveux fussent encore noirs et plaqués sur son crâne – on aurait d'ailleurs pu croire qu'il s'agissait d'une calotte –, sa ressemblance avec le vieillard avait quelque chose de surnaturel.

Ils appartenaient tous deux au peuple secret des Styx. Ils enquêtaient sur un incident survenu peu de temps auparavant. Le vieux Styx avait en effet perdu ses deux petites-filles jumelles, lesquelles avaient été entraînées dans le vide.

Il savait qu'il était fort peu probable que l'une d'elles ait survécu, mais on ne décelait pas la moindre trace de chagrin ni d'angoisse sur son visage, et il continuait à aboyer ses ordres.

Les Limiteurs qui encerclaient le Pore lui obéirent et forcèrent l'allure. Ces soldats faisaient partie d'un détachement spécialisé qui s'entraînait dans les Profondeurs et menait des opérations clandestines à la Surface. Ils portaient des treillis d'un brun grisâtre – de lourdes vestes et des pantalons très épais – en complet décalage avec la température élevée qui régnait à cette profondeur. Leurs visages maigres demeuraient impassibles. Ils avaient l'air concentrés. Certains d'entre eux sondaient les profondeurs du Pore à l'aide des lunettes à amplification lumineuse de leurs carabines, tandis que d'autres examinaient la partie supérieure du gouffre en y plongeant des globes lumineux retenus par des câbles. Il était peu probable que les jumelles aient réchappé de leur chute mortelle, mais le vieux Styx voulait en avoir le cœur net.

– Alors ? aboya-t-il dans sa propre langue, nasillarde et râpeuse.

Le son de sa voix retentit dans tout le Pore et se réverbéra sur les flancs de la colline située derrière lui, où les autres soldats démontaient déjà leurs énormes canons avec l'efficacité qui les caractérisait – ces armes qui avaient tout détruit à l'endroit même où se tenait à présent le vieux Styx.

– Elles ont manifestement péri, dit le vieil homme d'une voix calme à son jeune assistant, puis il recommença aussitôt à hurler. Concentrez tous vos efforts sur ces fioles ! ordonna-t-il.

Il espérait que l'une des deux jumelles avait eu le temps de détacher le petit récipient en verre qu'elle portait à son cou avant de sombrer dans le vide.

– Il nous faut ces fioles !

14

Le vieil homme regardait d'un air intransigeant les Limiteurs qui s'affairaient à quatre pattes tout autour de lui et passaient le sol au peigne fin. Ils retournaient le moindre bris de pierre et tamisaient la terre remuée où gisaient des éclats d'obus encore fumants, qui s'animaient parfois et crachaient de petites flammes s'élevant du sol avant de disparaître subitement.

Des cris d'alerte retentirent soudain, et plusieurs Limiteurs se jetèrent en arrière tandis qu'une bande de terre se détachait du bord dans un grondement sourd. Des tonnes de roche et de terre que les tirs d'obus avaient ameublies se détachèrent et glissèrent dans l'abîme. Les soldats qui venaient de frôler la mort ne semblaient pas perturbés pour autant. Ils se relevèrent et reprirent leurs activités comme si de rien n'était.

Le vieux Styx se tourna pour contempler le sommet de la colline plongée dans le noir.

– Cela ne fait aucun doute. C'était bien elle, lui dit son jeune assistant en regardant dans la même direction. C'est Sarah Jérôme qui a entraîné les jumelles dans sa chute.

– Qui d'autre veux-tu que ce soit ! rétorqua sèchement le vieux Styx en agitant la tête. Le plus remarquable, c'est qu'elle y soit parvenue alors même qu'elle avait reçu une blessure mortelle, ajouta-t-il avant de se tourner vers son jeune assistant. Nous avons joué avec le feu en la lançant à la poursuite de ses deux fils, et nous nous sommes tout bonnement brûlé les doigts. Avec ce jeune Burrows, rien n'est jamais simple… *Rien n'a jamais été simple*, corrigea-t-il aussitôt.

Le vieux Styx présumait en effet que Will avait lui aussi trouvé la mort. Il plissa le front, puis se tut et prit une longue inspiration avant de poursuivre.

– Mais dis-moi, comment Sarah Jérôme est-elle arrivée jusqu'ici ? Qui était chargé de la surveillance de cette zone ? demanda-t-il en pointant du doigt le sommet de la colline. Je veux qu'ils répondent de leurs actes.

Son jeune assistant acquiesça en inclinant la tête avant de s'en aller.

Il fut aussitôt remplacé par une créature si difforme et voûtée qu'on avait peine à dire à première vue s'il s'agissait vraiment d'un homme. Deux mains noueuses émergèrent de sous un châle raidi par la crasse. La créature se mit à gesticuler tel un volatile, découvrant alors sa tête déformée par tant de kystes qu'ils semblaient pousser les uns sur les autres par endroits.

Son visage était encadré de quelques touffes de cheveux mous et humides, et ses deux yeux blancs, dépourvus d'iris et de pupille, roulaient sur eux-mêmes comme s'ils pouvaient encore voir.

— Mes condoléances… siffla la créature avant de retomber dans un silence plein de respect.

— Merci, Cox, répondit le vieux Styx, cette fois en anglais. Tout homme est l'architecte de sa propre fortune, et nous ne sommes pas à l'abri des infortunes.

Cox essuya soudain du revers de la main le filet de salive laiteuse qui pendait à ses lèvres noircies, l'étalant sur sa peau grise. Son bras grêle resta suspendu en l'air, puis il se mit tout à coup à tapoter d'un doigt griffu la grosseur qui lui poussait au front. Elle avait la taille d'un melon.

— Vous avez au moins éliminé Will Burrows et cette truie d'Elliott. C'est toujours ça, dit-il. Mais z'allez ben purger le reste des Profondeurs jusqu'à ce que z'ayez éradiqué tous les renégats, pas vrai ?

— Jusqu'au dernier, grâce aux informations que vous nous avez données, dit le vieux Styx en lui lançant un regard entendu. Mais pourquoi une telle question, Cox ?

— Pour rien, rétorqua aussitôt la chiffe molle.

— Oh, je n'en crois pas un mot… Vous vous inquiétez « pour rien » parce que Drake nous a échappé jusqu'à présent. Et vous savez qu'il s'en prendra à vous tôt ou tard, afin de rétablir l'équilibre des pertes.

— Sûr, et je l'attends de pied ferme, répondit Cox d'un ton assuré que démentait le battement d'une veine bleue sinuant sous son œil. Drake pourrait nous mettre des bâtons dans les roues…

Le vieux Styx leva la main pour le faire taire, alors que son jeune assistant revenait vers lui en toute hâte, une triade de Limiteurs à sa suite. Les trois soldats s'alignèrent puis se mirent au garde-à-vous en attendant de recevoir leurs ordres, le regard fixe et leur longue carabine au côté. Il y avait là deux jeunes subalternes et un officier vétéran, dont les cheveux grisonnants témoignaient de nombreuses années de service.

Les poings serrés, le vieux Styx les passa lentement en revue, puis il s'arrêta devant le dernier homme de la rangée. Il se tourna pour lui faire face, avançant son visage à quelques centimètres à peine du sien. Il resta ainsi immobile pendant plusieurs secondes, jusqu'à ce que son regard se pose enfin sur la tunique de combat du vétéran. Juste au-dessus de la poche frontale de son uniforme, on pouvait voir trois courts fils de coton de différentes couleurs qui dépassaient du tissu. Il s'agissait de décorations décernées pour ses actes de bravoure – l'équivalent des médailles surfaciennes. Le vieux Styx referma ses doigts gantés sur les fils, les arracha et les lui jeta à la face. Le vétéran resta de marbre.

Le vieux Styx fit un pas en arrière, puis il désigna le Pore d'un geste de la main comme pour chasser une mouche agaçante. Les trois soldats rompirent les rangs, posèrent leurs carabines les unes contre les autres pour former une pyramide, puis ils défirent leurs lourds ceinturons et les déposèrent en un tas bien ordonné au pied de leurs armes. Sans attendre un autre ordre de la part du vieux Styx, ils se mirent en file indienne au bord du Pore puis s'avancèrent l'un après l'autre pour sauter dans le vide. Ils ne poussèrent pas le moindre cri, et pas un seul de leurs camarades ne cessa son activité pour regarder les trois soldats sombrer dans l'abîme.

– Le châtiment est rude, commenta Cox.

– Nous n'exigeons rien de moins que l'excellence, répliqua le vieux Styx. Ils avaient échoué. Ils nous étaient donc devenus inutiles.

– Vous savez que les filles ont peut-être tout simplement survécu, suggéra Cox.

– C'est cela. Votre peuple croit vraiment qu'un homme peut tomber dans l'abîme et survivre à sa chute, n'est-ce pas ? dit le vieux Styx en se tournant vers lui.

– C'est pas mon peuple, grogna Cox, mal à l'aise.

– Quelque mythe au sujet d'un splendide jardin d'Éden qui vous attendrait au fond du gouffre, dit le vieux Styx sur le ton de la plaisanterie.

– Balivernes et superstitions, marmonna Cox en toussant.

– Vous n'avez jamais songé à aller voir vous-même ?

Sans attendre sa réponse, le vieux Styx tapa dans ses mains gantées et se tourna vers son jeune assistant.

– Envoyez un détachement au bunker pour prélever des échantillons du *Dominion* sur les cadavres qui y gisent. Nous pouvons toujours remettre le virus en culture et mener ainsi à bien nos projets. Nous ne voudrions pas que les Surfaciens ratent le jour du Jugement, n'est-ce pas ? ajouta-t-il avec un sourire mauvais en avançant la tête vers Cox, lequel se mit à glousser en crachotant des postillons.

Malgré la texture huileuse de la substance qui l'enserrait, Chester continuait à se débattre, ne s'accordant pas le moindre répit. Il était de plus en plus convaincu qu'elle était à l'origine de cette atroce puanteur. Alors qu'il s'efforçait de dégager son bras, il réussit d'un seul coup à décoller son autre épaule. Il poussa un cri rauque et triomphal, puis se dressa avec un gros bruit de succion.

Chester se mit à tâtonner tout autour de lui dans le noir complet. La substance caoutchouteuse l'enveloppait tout entier. Il tendit le bras et vit qu'il parvenait tout juste à atteindre le bord de la dépression qui semblait s'aplanir. Il arracha de petites lamelles latérales – elles étaient fibreuses et graisseuses au toucher. Il n'avait pas la moindre idée de ce dont il s'agissait. Mais quoi qu'il en soit, cette substance semblait avoir amorti l'impact de sa chute au fond du Pore. Aussi fou que cela pût paraître, c'était sans doute à cela qu'il devait la vie.

– Impossible ! s'exclama-t-il, incrédule.

Ça lui semblait bien trop tiré par les cheveux. Il devait y avoir une autre explication.

La lanterne naguère accrochée à sa veste demeurait introuvable. Il fouilla aussitôt ses poches en quête des globes lumineux qu'il lui restait.

– Bon sang ! s'exclama-t-il en découvrant que sa poche latérale était déchirée et que tout son contenu, les globes y compris, avait disparu.

Chester se parlait à lui-même pour se redonner du courage.

– Oh, fiche-moi la paix ! gémit-il en s'efforçant de se mettre debout et constatant ainsi qu'il avait les jambes encore prisonnières de cette matière spongieuse.

Mais ce n'était pas tout.

– Qu'est-ce que c'est ? dit-il en découvrant la corde enroulée autour de sa taille.

Elle appartenait à Elliott, et ils s'en étaient servis pour s'encorder au sommet du Pore. Fermement enfoncée dans la substance visqueuse, la corde entravait ses mouvements. Comme il n'avait pas de couteau sous la main, il devait défaire le nœud. Mais avec les mains pleines d'huile, c'était plus facile à dire qu'à faire ; la corde n'arrêtait pas de lui glisser entre les doigts.

Après plusieurs tentatives et nombre de jurons, Chester la dénoua et se libéra du nœud qui l'enserrait.

— Enfin ! beugla-t-il avant de dégager ses jambes à grand bruit… on aurait cru entendre quelqu'un qui aspire le fond d'un verre avec une paille.

L'une de ses bottes resta si bien collée qu'il dut s'aider des deux mains pour l'extirper de cette substance. Il l'enfila et se remit debout.

Il prit alors conscience que son corps était tout endolori — il avait l'impression d'avoir disputé le match de rugby le plus rude de sa vie contre une équipe de gorilles des plus belliqueux.

— Ouille ! gémit-il en se frottant les bras et les jambes.

La corde lui avait également brûlé le cou et les mains. Il s'étira le dos avec un grognement sonore, levant les yeux pour distinguer l'endroit d'où il était tombé. Plus étrange encore, il ne se rappelait pas grand-chose de ce qui s'était passé après sa chute, si ce n'est l'air qui soufflait si fort contre son visage qu'il pouvait à peine respirer. Il était resté inconscient jusqu'à ce que Bartleby le réveille en se frottant contre sa cheville.

Mais où diable est-ce que je suis tombé ? se demanda-t-il à plusieurs reprises, toujours au fond de la tranchée.

Chester remarqua deux zones faiblement éclairées. Il ne savait pas d'où provenait cette lumière, mais elle le réconfortait un peu au milieu des ténèbres. À mesure que ses yeux s'habituaient à l'obscurité, il parvint à distinguer la silhouette furtive du chat qui tournait en rond autour de lui tel un jaguar en chasse.

— Elliott ! appela-t-il. Elliott ? T'es là ?

Il entendit un écho sur sa gauche, mais il n'y avait manifestement rien sur sa droite Il hurla encore à plusieurs reprises, dans l'espoir d'une réponse.

— Elliott ? Tu m'entends ? Will ! Ouh ouh ! Will, t'es là ?

Mais personne ne lui répondit.

Il ne pouvait pas rester là à hurler ainsi toute la journée, se dit-il. L'une des sources lumineuses se trouvait non loin de lui. C'est pourquoi il décida qu'il devait parvenir à l'atteindre. Il s'arracha à la fosse dans laquelle il s'était trouvé pris au piège, sans tenter pour autant de se mettre debout, tant il était couvert d'huile. Chester progressa donc à quatre pattes sur la surface élastique. Chemin faisant, il s'aperçut qu'il se sentait étonnamment léger. Il avait l'impression de flotter. Il se demanda si les chocs qu'il avait reçus à la tête ne lui avaient pas donné le vertige, mais décida de se concentrer d'abord sur son projet.

Il avança tout doucement, les doigts tendus vers la lumière qui semblait éclairer l'intérieur de sa paume. L'objet lumineux se trouvait enchâssé dans la matière caoutchouteuse, tout comme lui-même quelques instants plus tôt. Il remonta sa manche et plongea son bras dans le trou pour le récupérer.

– Beurk ! dit-il en extrayant la lampe, le bras couvert d'un liquide onctueux.

Il s'agissait d'une lanterne styx. Il ne savait pas si c'était la sienne ou si elle appartenait à l'un de ses camarades, mais cela n'avait guère d'importance à présent. Il leva la lanterne pour examiner les alentours puis, reprenant courage, décida de se mettre enfin debout.

Chester vit à la lumière qu'il se tenait sur un sol grisâtre à la surface striée et grêlée, assez semblable au cuir d'un éléphant. De petits galets, mais aussi de gros blocs de roche se trouvaient pris au piège de cette substance qu'ils avaient manifestement percutée avec force pour s'y enfoncer, tout comme lui.

Chester constata en levant sa lanterne que le sol formait tout autour de lui un plateau moutonneux. De peur de perdre l'équilibre, il s'avança avec prudence et retourna à l'endroit où il était resté coincé pour l'examiner d'un peu plus près. N'en croyant pas ses yeux, il gloussa d'étonnement en découvrant sa silhouette qui se découpait parfaitement à la surface du matériau – l'image lui rappela un dessin animé qu'il regardait tous les matins. Il s'agissait des aventures d'un coyote malchanceux qui finissait toujours par tomber d'une hauteur vertigineuse, laissant son empreinte dans le sol du canyon qu'il venait de percuter. Et voilà qu'il se retrouvait devant sa propre trace, bien réelle cette fois ! Ce dessin animé lui semblait nettement moins drôle, à présent.

Chester sauta dans le trou pour y récupérer son sac à dos, non sans difficulté, tout en marmonnant. Après l'avoir enfin délogé, il l'enfila et remonta sur le plateau. Il se pencha pour ramasser la corde.

– À droite ou à gauche ? s'interrogea-t-il en regardant la corde qui disparaissait dans le noir.

Chester prit une direction au hasard et, s'armant de courage, suivit la corde qu'il arrachait à la surface caoutchouteuse à mesure qu'il avançait.

Il avait parcouru une dizaine de mètres environ lorsqu'elle lui échappa soudain des mains. Il tomba à la renverse sur son séant, ravi que le tapis caoutchouteux ait amorti sa chute. Il se releva et examina l'extrémité de la corde. Elle était effrangée comme si on l'avait tranchée, mais on pouvait encore suivre la trace qu'elle avait laissée dans le sol. Il découvrit alors une profonde dépression dont il fit le tour en s'éclairant de sa lanterne.

Quelqu'un devait être tombé là, car une silhouette se découpait tout aussi nettement que celle de Chester à la surface du sol. Cette personne avait visiblement atterri sur le ventre.

– Will ! Elliott ! appela-t-il encore.

Toujours rien. Bartleby reparut tout à coup et fixa Chester de ses grands yeux immobiles.

– Qu'est-ce qu'il y a ? Qu'est-ce que tu veux ? rugit Chester avec impatience.

Le chat lui tourna le dos, puis avança lentement, le flanc plaqué au sol.

– Tu veux que je vienne avec toi ? C'est ça ? demanda Chester qui venait de comprendre que Bartleby se comportait comme s'il était à l'affût.

Chester suivit le chat jusqu'à une paroi verticale couverte de la même matière grise et caoutchouteuse qui ruisselait de filets d'eau.

– Où on va, maintenant ? demanda-t-il.

Chester commençait à se dire que le chat l'avait fait courir pour rien, alors qu'il ne voulait pas trop s'éloigner, par peur de se perdre. Cependant, il savait bien que tôt ou tard il lui faudrait prendre son courage à deux mains et partir explorer le reste.

Bartleby pointa le museau vers une brèche masquée par un torrent continu et crépitant, tandis que sa queue osseuse s'agitait derrière lui.

– Là-dedans ? interrogea Chester, essayant de voir ce qu'il y avait derrière la chute d'eau à l'aide de sa lanterne.

En guise de réponse, Bartleby franchit le torrent, et Chester lui emboîta le pas dans une sorte de grotte. Bartleby avait trouvé de la compagnie, car quelqu'un d'autre était assis là, penché sur des feuilles de papier éparpillées sur le sol.

– Will ! souffla Chester, presque incapable de parler.

Quel soulagement ! Son ami avait survécu.

Will leva la tête, desserrant ses doigts du globe lumineux qu'il tenait à la main. La lumière lui éclaboussa le visage. Il ne dit rien et se contenta de regarder fixement Chester.

– Will ? répéta Chester avant de s'accroupir à ses côtés, alarmé par le silence de son ami. T'es blessé ?

Will continua de le regarder fixement, passa la main dans sa crinière blanche et huilée, grimaça, puis cligna de l'œil comme s'il lui était trop pénible de parler.

— Qu'est-ce qui ne va pas ? Dis-moi quelque chose, Will !

— Ouais, ça va, même si j'ai une migraine atroce et horriblement mal aux jambes. Et puis mes tympans n'arrêtent pas de se boucher, ajouta-t-il en déglutissant à plusieurs reprises. Ça doit être la différence de pression.

— C'est pareil pour moi, répondit Chester, avant de s'apercevoir que tout ça n'avait guère d'importance au vu de la situation. Mais, Will, ça fait combien de temps que t'es là ?

— J'en sais rien, répondit-il en haussant les épaules.

— Mais pourquoi... que... tu... bafouilla Chester en s'emmêlant les pinceaux. Will, on a survécu ! s'exclama-t-il en partant d'un grand éclat de rire. On y est arrivés, bon sang !

— On dirait bien, rétorqua Will, les lèvres pincées.

— Qu'est-ce qui ne va pas au juste ? demanda Chester.

— Je ne sais pas, marmonna Will. Je ne sais vraiment plus très bien ce qui ne va pas, ni ce qui va, d'ailleurs.

— Qu'est-ce que tu veux dire ?

— Je croyais que j'allais revoir mon père, répondit Will en inclinant la tête. Pendant tout ce temps, et malgré toutes ces choses terribles, c'est le seul espoir qui m'aidait à continuer. Je croyais vraiment que j'allais retrouver mon père, ajouta-t-il en brandissant une brosse à dents crasseuse à l'effigie de Mickey. Mais tout est fini, à présent. Il est mort, et voici tout ce qui reste de lui : cette brosse à dents à la noix qu'il m'avait fauchée... et les trucs débiles qu'il écrivait dans son journal.

Will préleva une feuille humide et lut l'une des phrases que son père y avait griffonnée.

— Un « second soleil »... au centre de la Terre ? Qu'est-ce que ça veut dire ? interrogea-t-il avec un profond soupir. Ça n'a aucun sens. Et Cal... ajouta-t-il d'une voix à peine audible, entrecoupée par un sanglot involontaire. Il est mort par ma faute. J'aurais dû faire quelque chose pour le sauver. J'aurais dû me rendre à Rébecca, dit-il en faisant claquer sa langue avant de se reprendre. Aux deux Rébecca.

Il leva la tête et regarda Chester d'un œil morne.

— Chaque fois que je ferme les yeux, je revois leurs visages, comme s'ils étaient tatoués sur la face intérieure de mes paupières... ces deux visages odieux, proférant des chapelets d'injures à mon encontre. Je n'arrive pas à les oublier, dit-il en se frappant le front avec force. Oh, mais ça fait mal ! grogna-t-il. Qu'est-ce qui m'a pris ?

— Mais… commença Chester.

— Autant laisser tomber. À quoi bon ? l'interrompit Will. Tu ne te souviens pas de ce que disaient les jumelles à propos du *Dominion* ? On ne peut pas les empêcher de répandre le virus à la Surface, pas depuis là où nous sommes maintenant.

Will laissa tomber d'un air solennel la brosse à dents à l'effigie de Mickey dans une mare graisseuse, comme s'il voulait noyer l'animal à traits grossiers qui en formait le manche.

— À quoi bon ? répéta-t-il.

Chester commençait à perdre son sang-froid.

— À quoi bon ? Eh bien, on est là, ensemble, et on leur a montré ce qu'on savait faire, à ces deux morues malfaisantes. C'est comme… c'est comme… bredouilla-t-il un instant en cherchant ses mots. C'est comme quand on gagne une vie dans un jeu vidéo… Tu peux revenir en seconde série. On nous a donné une deuxième chance, et on peut encore tenter d'arrêter les jumelles et de sauver tous ces gens à la Surface.

Chester sortit la brosse à dents de la flaque, la secoua et la rendit à Will.

— On y est arrivés, Will, on a survécu, pour l'amour du ciel ! Voilà à quoi bon !

— Qu'est-ce que ça change… marmonna Will.

— Mais ça change tout ! rétorqua Chester en agrippant son ami par l'épaule pour le secouer. Allez, Will, c'est toi qui as toujours mené la troupe tandis que nous, on suivait derrière en traînant la patte, c'est toi le cinglé qui…

Chester marqua un temps d'arrêt et prit une brève inspiration. Il était très agité.

— … toi qui voulais toujours pousser plus loin. Tu te souviens ?

— C'est pas justement pour ça qu'on s'est retrouvés dans un tel pétrin ? rétorqua Will.

Chester marmonna quelque chose à mi-chemin entre « hum » et « oui », puis il secoua vigoureusement la tête.

— Et je veux que tu saches… dit Chester d'une voix tremblante, évitant le regard de son ami…

Il retomba dans le silence, jouant avec un morceau de roche qui se trouvait à ses pieds.

– Will… Je me suis comporté comme un imbécile, reprit-il enfin.

– Ça n'a pas d'importance à présent, répondit Will.

– Si. J'ai agi comme un triste idiot… J'en avais marre de tout… de toi. J'ai dit des tas de trucs que je ne pensais pas, continua-t-il d'une voix plus assurée. Mais maintenant, je te demande de reprendre tes explorations, et je te promets que je ne me plaindrai plus jamais. Je suis désolé.

– T'inquiète, marmonna Will, quelque peu embarrassé.

– Fais donc ce que tu sais faire de mieux… trouve le moyen de nous sortir d'ici, pressa Chester.

– J'essaierai.

– J'y compte bien, Will, ajouta Chester en le regardant droit dans les yeux. Et tous ces gens à la Surface aussi. N'oublie pas que mon père et ma mère sont toujours là-haut. Je ne veux pas qu'ils chopent ce virus et qu'ils en meurent.

– Non, évidemment que non, répondit aussitôt Will comme si cette allusion aux parents de Chester avait rendu les choses un peu plus claires dans son esprit.

Will savait à quel point Chester les aimait. Leur destin, comme celui de centaines de milliers, voire de millions de gens serait scellé si jamais les Styx menaient à bien leur plan.

– Allez, mon pote ! le pressa Chester en tendant la main à Will pour l'aider à se relever.

Ils traversèrent ensemble la chute d'eau et se retrouvèrent sur la surface caoutchouteuse.

– Chester, dit Will qui avait recouvré ses esprits, il faut que je te dise quelque chose.

– Quoi ?

– T'as pas remarqué un truc bizarre, ici ? demanda Will en lui adressant un regard interrogateur.

Chester ne savait pas par où commencer, il secoua donc la tête en guise de réponse. Une mèche de cheveux ruisselante d'huile vint se coller au coin de sa bouche. Il l'écarta aussitôt d'un air dégoûté, puis il cracha à plusieurs reprises.

– Non, si ce n'est ce truc dans lequel on est tombés. Ça pue et ça a sacrément mauvais goût.

– Je crois qu'on est sur un énorme champignon, poursuivit Will. On a atterri sur une sorte de corniche qui avance au-dessus du vide, au milieu du Pore. J'ai déjà vu un truc comme ça à la télévision, un gigantesque champignon qui s'étirait sur plusieurs milliers de kilomètres sous terre en Amérique.

— C'est ça que tu voulais ?...

— Non, l'interrompit Will. Regarde attentivement. Voilà un truc intéressant.

Il lança le globe lumineux qu'il tenait dans sa paume à cinq mètres au-dessus de lui. Chester regarda d'un air ébahi le globe qui semblait redescendre en flottant vers son point de départ, comme s'il observait la scène au ralenti.

— Hé, comment t'as fait ça ?

— À ton tour, dit Will en lui tendant le globe. Mais ne le lance pas trop fort, ou tu le perdras.

Chester s'exécuta et le lança en l'air, un peu trop fort malgré tout. Le globe s'éleva à vingt mètres au-dessus d'eux et illumina un autre champignon avant de retomber comme par magie vers eux en éclairant leurs visages.

— Comment ?... souffla Chester en écarquillant les yeux.

— Tu ne sens pas, euh, l'apesanteur ? hésita Will qui cherchait le mot juste. La gravité est faible. D'après mes déductions, je crois qu'elle fait environ deux tiers de moins qu'à la Surface, précisa Will en pointant du doigt vers le haut. Ce qui explique, en plus de notre atterrissage en douceur, pourquoi on s'est pas aplatis comme des crêpes. Mais fais attention à la façon dont tu te déplaces, parce que tu risques de quitter ce plateau et de retomber directement dans le Pore.

— Faible gravité, répéta Chester en essayant de comprendre ce que disait son ami. Qu'est-ce que ça veut dire, au juste ?

— Ça veut dire que nous sommes descendus très profond.

Chester lui adressa un regard perplexe.

— Tu t'es déjà demandé ce qu'il y avait au centre de la Terre ? demanda Will.

Chapitre Deux

Drake avançait à pas furtifs le long de la galerie de lave lorsqu'il crut entendre un bruit. Il s'immobilisa aussitôt, à l'affût.

Rien, se dit-il après un moment, puis il décrocha sa gourde de sa ceinture et but une gorgée d'un air songeur, le regard perdu dans les ténèbres de la galerie alors qu'il se remémorait ce qui s'était passé en haut du Pore.

Drake était déjà parti lorsque le vieux Styx avait ordonné aux Limiteurs de sauter dans le vide, mais il avait été le témoin des événements terribles qui avaient précédé. Tapi au sommet de la colline qui surplombait le Pore, il n'avait rien pu faire pour empêcher Cal de trouver une mort aussi soudaine que brutale. Les soldats styx avaient abattu le frère cadet de Will sans merci alors que, dans un accès de panique, il était sorti de sa cachette et s'était retrouvé en plein dans leur ligne de mire. Quelques minutes plus tard, Drake avait éprouvé la même impuissance : il n'avait rien pu faire pour sauver Will et les autres tandis que le chaos se déchaînait sur le Pore. Il avait vu les gros canons de la division styx cracher leurs obus. L'instant d'après, le souffle de l'explosion avait propulsé Elliott, Will et Chester dans le vide.

Drake avait traversé tant d'épreuves dans les Profondeurs en compagnie d'Elliott qu'il pouvait généralement anticiper ses gestes quelle que fût la situation. Même si l'heure n'était pas à l'optimisme, Drake gardait malgré tout un peu d'espoir ; peut-être était-elle parvenue à s'accrocher à la paroi avec les garçons, peut-être n'avaient-ils pas sombré tout au fond de ce gouffre gigantesque. Plutôt que de quitter les lieux comme le lui dictait son instinct,

Drake était donc resté là où il était, alors que la zone grouillait de Styx accompagnés de leurs féroces chiens d'attaque.

Drake resta sur le qui-vive pendant que les Limiteurs fouillaient le périmètre du Pore, espérant les entendre rapporter qu'ils avaient localisé Elliott et les garçons et les avaient hissés hors du gouffre. En cas de capture, il pourrait au moins tenter de les libérer.

Mais alors que s'égrenaient les minutes et que se poursuivaient les recherches en bordure du Pore, Drake se découragea peu à peu. Il fallait accepter la réalité. Elliott et les garçons avaient disparu pour de bon. Ils avaient fait une chute mortelle. Bien sûr, il y avait toujours cette histoire vieille de plusieurs décennies d'après laquelle un homme serait tombé par mégarde dans le Pore et aurait reparu comme par miracle à la gare des mineurs, racontant des histoires incohérentes à propos de terres merveilleuses, mais Drake n'en avait jamais cru un mot. Il avait toujours pensé qu'il s'agissait d'une rumeur lancée par les Styx pour occuper l'esprit des Colons. Non, pour lui, personne ne pouvait survivre à une chute dans le Pore.

Drake était de plus en plus inquiet, car les Limiers des Styx risquaient de détecter sa présence. La férocité de ces brutes haineuses n'avait d'égale que leur extraordinaire capacité à traquer leur proie. Ils n'avaient pas encore repéré sa trace grâce aux nuages de fumée laissés par le récent barrage de tirs. Mais le vent dispersait rapidement ce rideau qui ne le protégerait plus très longtemps des chiens.

Au moment même où Drake se demandait s'il devait partir, il entendit une explosion. Il en conclut aussitôt qu'on avait repéré Elliott et les garçons, et son cœur bondit dans sa poitrine. Il se releva en prenant appui sur ses coudes pour jeter un coup d'œil par-delà le menhir derrière lequel il s'était caché. La lumière des lanternes des nombreux soldats massés là lui permettait de distinguer ce qui se passait, et il comprit bien vite l'origine de toute cette effervescence.

Il aperçut en contrebas la silhouette d'une femme qui courait à toute allure vers le Pore, les bras étendus.

– Sarah ? dit-il dans sa barbe.

On aurait bien dit la mère de Will, Sarah Jérôme, mais comment avait-elle pu se relever et, mieux encore, comment pouvait-elle courir ainsi ? Elle était si grièvement blessée qu'il la croyait sincèrement déjà morte.

Mais d'après ce qu'il avait pu entrevoir, Sarah semblait bel et bien vivante et filait à toute allure sur le terrain accidenté. Les Styx couraient vers elle, carabines en joue, mais elle ne leur avait pas laissé le temps de tirer. Elle avait sauté dans le vide, entraînant dans sa chute les deux petites silhouettes qui se tenaient en bordure du Pore. Elles avaient disparu toutes les trois en un clin d'œil.

– Dieu du ciel ! marmonna Drake entre ses dents lorsqu'il perçut des cris aigus, croyant entendre Sarah.

D'autres cris s'élevèrent alors – les hurlements des soldats styx retentissaient sur les flancs de la colline. Drake se recroquevilla derrière le menhir dès qu'il entendit des bruits de pas à quelques mètres. Mais il ne put s'empêcher de jeter un autre coup d'œil.

Tous les soldats de la zone étaient apparemment en train de se rassembler autour de l'endroit où elle avait sauté. Un Styx juché sur un éclat de roche débitait des ordres en hurlant à l'adresse des hommes armés qui s'attroupaient tout autour de lui. Il semblait plus vieux que le reste des troupes, et arborait les vêtements traditionnels des Styx – chemise blanche et manteau noir – et non la tenue de combat des Limiteurs. Drake l'avait déjà vu dans la Colonie. Il s'agissait manifestement d'un homme très important qui siégeait tout en haut de la hiérarchie. Avec l'aisance d'une personne habituée à commander, rapide et efficace, le vieil homme divisa aussitôt les soldats en deux groupes. Les premiers inspecteraient le Pore pendant que les autres passeraient les flancs de la colline au peigne fin avec l'aide des Limiers.

Il était grand temps de déguerpir.

Drake n'avait eu aucun mal à gagner le sommet de la colline sans se faire repérer. Il avait ensuite quitté la caverne. Arrivé dans les tubes de lave, il avait progressé d'autant plus prudemment qu'il n'avait rien d'autre que des canons-culasses pour se défendre. Ces armes à feu étaient en effet très rudimentaires.

Tout en buvant une dernière gorgée avant de reboucher sa gourde, Drake s'efforça d'analyser ce qu'il venait de voir dans le Pore.

– Sarah, dit-il à voix haute en pensant à la manière dont elle avait emporté les deux Styx dans sa tombe.

Il comprit enfin ce qui s'était passé.

Les cris suraigus qu'il avait entendus n'étaient pas du tout ceux de Sarah.

Il s'agissait des deux jeunes filles. Des jumelles ! Sarah s'était vengée sur les deux Rébecca ! Sachant qu'il ne lui restait probablement plus que quelques minutes à vivre et que ses deux fils avaient accompli leur destin, Sarah avait trouvé la vengeance idéale.

C'était donc ça !

Sarah s'était sacrifiée pour éliminer les jumelles. Drake savait qu'elles détenaient le *Dominion*, ce virus mortel qu'elles affichaient fièrement pour tourmenter Will. Elles lui avaient révélé leur projet : elles comptaient contaminer les Surfaciens et n'avaient besoin que d'une fiole de *Dominion*. D'après Sarah, l'une des jumelles venait tout juste de recevoir le virus récemment dupliqué en arrivant dans les Profondeurs. Drake aurait parié que cette fiole était la seule souche dont disposaient les Styx. Il était donc possible que sans même le savoir, Sarah ait assouvi sa soif de vengeance sur ce que les Styx avaient de plus cher, déjouant ainsi leur plan contre les Surfaciens.

C'était parfait !

Sarah était parvenue à accomplir l'impossible.

Drake se faufilait le long des tubes de lave, lorsqu'il s'arrêta soudain comme s'il venait de recevoir une décharge électrique.

– Mon Dieu ! Quel idiot ! s'exclama-t-il.

Il restait une chose qu'il avait complètement oubliée. Tout n'était pas aussi parfait qu'il ne le croyait, il lui fallait encore finir ce que Sarah avait commencé.

– Le bunker… murmura-t-il.

Il pouvait encore subsister des traces du virus dans les cellules hermétiquement scellées qui se trouvaient au cœur de cet immense complexe. Les Styx avaient testé cette souche virale sur quelques Colons et renégats infortunés. Le virus sommeillait peut-être encore dans leurs cadavres. Les Styx le savaient aussi, il devait donc arriver le premier pour détruire ce qu'il en restait.

Drake se mit à courir, dressant un plan de bataille. Il pourrait récupérer quelques explosifs dans une cache secrète sur le chemin du bunker. Il y aurait sans doute encore des patrouilles styx dans la Grande Plaine, mais il devait se rendre aux cellules aussi vite que possible. Il allait devoir enfreindre quelques règles – l'heure n'était pas aux subtilités.

Les enjeux étaient bien trop importants.

Dans le couloir de Humphrey House, Mme Burrows était en pleine tergiversation. Elle qui d'ordinaire brûlait d'envie de regarder la télévision semblait moins impatiente que d'habitude en ce samedi après-midi. Elle ne se rappelait plus ce qu'elle voulait regarder et trouvait cette situation quelque peu perturbante. Oublier quelque chose, voilà qui ne lui ressemblait pas.

Elle secoua la tête, fit quelques pas traînants sur le lino vert et trop ciré, puis prit la direction de la salle commune où se trouvait l'unique télévision du lieu.

— Non, dit-elle en s'arrêtant soudain.

Elle écouta les voix et les bruits qui provenaient de différents endroits du bâtiment, vagues échos semblables à ceux que l'on entend dans les bains publics, et se sentit soudain très seule. Elle se trouvait là, dans ce bâtiment sans âme, avec son personnel et sa ribambelle de dérangés, sans personne pour s'intéresser à elle. Le personnel soignant portait bien entendu un intérêt clinique à son bien-être, mais elle n'en était pas proche pour autant. Elle n'était qu'une patiente parmi tant d'autres, un autre lit à libérer en vue du prochain internement. Ils la renverraient chez elle dès qu'ils l'auraient décrétée guérie.

— Non ! dit-elle en brandissant le poing. Je vaux mieux que ça ! proclama-t-elle d'une voix forte alors qu'un garçon de salle passait devant elle d'un pas vif, sans même lui adresser un regard.

Les gens qui parlaient tout seuls étaient la norme dans cet endroit.

Mme Burrows pivota sur les talons de ses chaussons usés, et partit d'un pas traînant dans la direction opposée. Elle fouilla dans la poche de sa robe de chambre et en sortit la carte que lui avait donnée le policier. Sa dernière visite remontait à trois jours, il était grand temps qu'il trouve quelque chose de concret. En atteignant la cabine, elle plia la carte à l'impression bon marché.

— Inspecteur Rob Blakemore, murmura-t-elle.

Mme Burrows songea un instant à la femme non identifiée qui était venue la voir quelques mois plus tôt. Elle avait prétendu travailler pour les services sociaux, mais elle n'avait pas réussi à tromper la vigilance de Mme Burrows, qui avait découvert sa véritable identité. Il s'agissait de la mère biologique de Will, qu'elle avait accusée d'avoir assassiné son frère. Justifiée ou non, cette accusation était plutôt tirée par les cheveux, mais là n'était pas son problème. Mme Burrows était bien plus préoccupée par deux autres questions. D'une part, elle ne comprenait pas pourquoi cette femme avait attendu jusqu'alors pour se faire connaître, après la disparition de Will. D'autre part, Mme Burrows avait été très impressionnée par la passion de cette femme. Elle était comme possédée, et c'était encore peu dire.

Voilà ce qui avait fini par tirer Mme Burrows de la torpeur tranquille de son monde sans danger, telle une bourrasque de vent frais venue d'un pays inconnu. À l'occasion des brefs instants passés en compagnie de la mère biologique de Will, elle avait entraperçu quelque chose qui n'avait rien à voir avec la vie par procuration que lui offrait la télévision, quelque chose de tellement plus réel et immédiat, quelque chose d'irrésistible.

Mme Burrows inséra sa carte de crédit dans la fente du téléphone et composa le numéro.

Chose prévisible le week-end, l'inspecteur Blakemore n'était pas à son bureau. Mme Burrows laissa néanmoins un long message incohérent à l'infortunée qui eut le malheur de prendre son appel.

– Commissariat de police de Highfield, que puis-je faire pour vous ?...

– Célia Burrows à l'appareil. L'inspecteur Blakemore m'a dit qu'il me rappellerait vendredi. Et comme il n'en a rien fait, je veux qu'il m'appelle lundi sans faute, parce qu'il a dit qu'il allait examiner la séquence enregistrée par les caméras de sécurité – il l'a emportée avec lui – et essayer d'obtenir une photo correcte du visage de la femme ; et puis demander à un artiste d'en faire le portrait, pour le diffuser sur l'Intranet de la police dans l'espoir que quelqu'un puisse l'identifier, et puis il voulait aussi réfléchir à une couverture médiatique. Ça pourrait aider, mais au fait, si jamais vous ne l'avez pas encore noté, je m'appelle Célia Burrows. Au revoir.

Mme Burrows avait à peine marqué une pause pour reprendre son souffle, sans laisser le temps à la jeune fille de placer le moindre mot, avant de lui raccrocher au nez.

– Bien, se félicita-t-elle en s'apprêtant à reprendre sa carte de crédit. Elle s'arrêta cependant pour réfléchir un instant, puis composa le numéro de sa sœur.

– Ça sonne ! s'exclama Mme Burrows.

C'était déjà en soi un grand pas en avant, car cela faisait plusieurs mois qu'elle n'arrivait pas à la joindre à ce numéro, ce qui signifiait sans doute que sa sœur avait encore oublié de régler sa facture téléphonique.

Le téléphone continuait à sonner, mais personne ne répondait.

– Décroche, Jeanne, décroche ! hurla Mme Burrows dans le combiné. Où es-tu ?...

– Allô ? répondit une voix peu aimable. Qui est-ce ?

– Jeanne ? demanda Mme Burrows.

– Connais personne de ce nom-là. Vous avez fait un faux numéro, répondit tantine Jeanne.

Mme Burrows entendit un bruit de mastication, comme si sa sœur était en train de manger un toast.

– Écoute-moi, c'est C...

– Je ne sais pas ce que vous vendez, mais je n'ai besoin de rien !

– Non ! hurla Mme Burrows au moment même où sa sœur lui raccrochait au nez. Jeanne, espèce de sombre idiote ! ajouta-t-elle, furieuse, à l'adresse du combiné qu'elle avait éloigné de son visage.

Elle s'apprêtait à composer de nouveau le numéro lorsqu'elle aperçut l'infirmière en chef qui s'affairait au fond du couloir.

Mme Burrows reposa le combiné, récupéra sa carte de crédit et s'avança vers la femme à la chevelure grise. Elle avait pris sa décision d'un coup.

– Je pars.

– Ah oui ? Et pourquoi ça ? demanda l'infirmière. À cause de la mort de Mme L. ?

Mme Burrows semblait incapable de répondre, ce qui était inhabituel. Elle resta bouche bée tandis qu'elle se remémorait la patiente qui avait contracté le *Supervirus*. Ce mal mystérieux avait frappé tout le pays, et même le reste du monde. Mais si la plupart des gens s'étaient retrouvés alités pendant une semaine ou deux, souffrant d'infections buccales et oculaires chroniques, le virus avait atteint le cerveau de Mme L., ce qui l'avait achevée.

– Oui, j'imagine que c'est en partie pour ça, finit par admettre Mme Burrows. Elle est morte si brutalement que j'ai compris que la vie était infiniment précieuse, et que j'étais passée à côté de tant de choses...

L'infirmière en chef inclina la tête d'un air plein de compassion.

– Mais après tous ces mois sans aucune nouvelle de mon mari ni de mon fils, j'ai oublié que j'ai encore quelqu'un dans ma famille – ma fille, Rebecca, dit Mme Burrows. Elle est chez ma sœur, vous savez, et je ne lui ai pas même parlé depuis des mois. Je crois que je devrais rester auprès d'elle. Elle a probablement besoin de moi, maintenant.

– Je comprends, Célia, acquiesça l'infirmière avec un sourire. Elle arrangea ses cheveux gris et ondulés qu'elle avait ramassés en un chignon impeccable au sommet de son crâne.

Mme Burrows lui rendit son sourire. Mais l'infirmière ignorait – et cela ne la regardait pas le moins du monde –, que Mme Burrows n'avait nullement l'intention de laisser la police se charger de retrouver son mari et son fils. Elle était convaincue que cette femme non identifiée qui lui avait rendu visite détenait la clé de toute cette affaire. Peut-être était-ce elle qui avait enlevé Will. La police répétait sans cesse à Mme Burrows qu'ils « étaient sur le coup » et qu'ils « faisaient tout leur possible », mais elle était déterminée à lancer sa propre enquête. Or, elle ne pouvait pas agir depuis Humphrey House avec un simple téléphone public à sa disposition.

— Vous savez qu'il est de mon devoir de vous conseiller de consulter votre thérapeute avant de partir, mais... cela dit, il ne pourra pas vous recevoir avant lundi, dit-elle en jetant un coup d'œil à sa montre, et je vois que vous avez déjà pris votre décision. Je vais de ce pas chercher les formulaires de sortie à signer.

Elle fit volte-face, avança de quelques pas dans le couloir, puis marqua un temps d'arrêt.

— Je dois avouer que nos petites conversations vont me manquer, Célia.

— À moi aussi, répondit Mme Burrows. Je reviendrai peut-être demain.

— J'espère pour vous qu'il n'en sera rien, répondit l'infirmière avant de poursuivre son chemin.

— Il faut qu'on trouve Elliott, dit Chester en faisant quelques pas hésitants.

— Attends un peu.

Will s'efforça de lever un bras en grognant de douleur.

— Qu'est-ce qu'il y a ? demanda Chester.

— Mes bras, mes épaules et mes mains, se plaignit Will. J'ai mal partout. C'est atroce.

— M'en parle pas, rétorqua Chester.

Will poussa un gémissement sourd. Il était enfin parvenu à atteindre son cou.

— Je veux vérifier si ça fonctionne encore, dit Will en démêlant la bandoulière de sa lunette de vision nocturne.

Elle s'était en effet enroulée tout autour de son cou au cours de sa chute.

— La lentille de Drake ? demanda Chester.

— Drake ! souffla Will en s'interrompant aussitôt. Tu te souviens de ce qu'ont prétendu les deux Rébecca ? Tu crois qu'elles disaient la vérité, pour une fois ?

— Quoi ?... Que tu avais abattu quelqu'un d'autre ? demanda Chester d'une voix mal assurée.

C'était la première fois qu'il parlait à Will de la fusillade dans la Grande Plaine, mais cette histoire le mettait toujours aussi mal à l'aise.

— Chester, je ne sais pas qui était cet homme que torturaient les Limiteurs, mais, honnêtement, je pense que j'ai manqué ma cible d'au moins un kilomètre.

— Ah bon, marmonna Chester.

Will avait l'air songeur.

— S'ils avaient capturé ou même tué Drake, les deux Rébecca n'auraient pas manqué de me le faire savoir, raisonna Will.

Chester haussa faiblement les épaules.

— Peut-être qu'il ne leur a pas échappé, et qu'ils le détiennent quelque part. Peut-être que ce n'était qu'un autre de leurs sales petits mensonges.

— Non, je ne crois pas, dit Will, une lueur d'espoir dans les yeux. Pourquoi mentir ? Ça ne leur aurait servi à rien, ajouta-t-il en regardant Chester. Ça veut dire que... si Drake a survécu à leur embuscade... et qu'il a réussi à échapper aux Limiteurs... Je me demande bien où il se trouve à présent.

— Peut-être qu'il se cache quelque part dans la Grande Plaine ? suggéra Chester.

— Ou peut-être qu'il est remonté en Surface. Ne me demande pas pourquoi, mais j'ai toujours eu l'impression qu'il pouvait y retourner à sa guise.

— Eh bien, où qu'il soit, on aurait bien besoin d'un peu d'aide, soupira Chester en scrutant les ténèbres. Si seulement il était ici avec nous.

— Franchement, je ne souhaiterais ça à personne, déclara Will en grognant, tandis qu'il ajustait l'appareil sur son visage.

Il plaça la lanière sur son front, puis rabattit la lentille sur son œil droit. Avant de l'allumer, Will s'assura que le câble relié à la petite boîte rectangulaire qui se trouvait dans la poche de son pantalon était bien connecté.

— Jusque-là tout va bien, dit-il dans un souffle, alors que la lentille commençait à luire d'une faible lumière iridescente et orangée.

Il ferma l'œil gauche et attendit que l'image se stabilise, puis que la neige disparaisse de l'écran.

— Je crois que c'est bon... Ouais, c'est bon ! Ça marche, dit-il à Chester en se relevant.

Le casque lui révéla toute l'étendue du plateau fongique qui semblait baigner dans une lumière jaune citron.

– Mon Dieu, Chester, t'as vraiment une drôle de dégaine, gloussa-t-il en examinant son ami nimbé d'une lueur orangée à travers la lentille. Tu ressembles à un pamplemousse méchamment talé… avec une coupe afro !

– T'inquiète pas pour moi… dit Chester avec impatience. Contente-toi de me dire ce que tu vois.

– Eh bien, cet endroit est plat, et puis sacrément grand, observa Will. Ça ressemble un peu à… euh, hésita-t-il en cherchant la bonne comparaison… On dirait qu'on est tombés sur une plage à marée basse. Plutôt lisse, mais avec quelques dunes.

Ils se trouvaient sur un plateau moutonneux dont la superficie était difficile à estimer – sans doute l'équivalent de deux terrains de football.

Will repéra un gros morceau de roche non loin d'eux. Il lui suffit de quelques enjambées pour le rejoindre. D'un bond, il en atteignit le sommet presque sans effort à la faveur de la faible gravité.

– Oui, je crois que je vois le bord là-bas… à une trentaine de mètres environ.

Depuis son promontoire, il distinguait l'extrémité du champignon géant, mais son appareil lui permettait de voir bien plus loin encore. Il distinguait le gouffre gigantesque du Pore, et même la paroi opposée qui semblait escarpée et luisante comme si elle ruisselait d'eau.

– Mon Dieu, Chester, nous sommes tombés au fond d'un trou immense ! chuchota-t-il en se remémorant la taille du Pore.

Il avait l'impression d'apercevoir la face la plus à pic du mont Everest depuis le hublot d'un avion qui passait dans le ciel.

– Je remarque aussi qu'il y a une autre corniche juste au-dessus de nos têtes, ajouta Will en levant les yeux.

Chester regardait dans la même direction en plissant les yeux, mais il ne parvenait pas à percer le manteau de ténèbres qui l'enveloppait.

– Mais elle n'est pas aussi large que celle sur laquelle nous nous trouvons, l'informa Will. Il y a des trous dedans.

Will se demandait si ces trous étaient dus à la chute de rochers et de cailloux dont l'impact aurait causé ces larges déchirures.

– Tu vois autre chose ? demanda Chester.

– Attends un peu, répondit Will en tournant la tête pour mieux voir.

– Alors ? pressa Chester. Tu vois quoi ?…

– Tais-toi un peu, tu veux ? rétorqua Will d'une voix distraite.

Il venait d'apercevoir une série d'objets de forme régulière. Ils étaient manifestement artificiels, car même les forces étranges de cette nature souterraine qui ne laissait pas de le surprendre n'auraient pu produire pareilles choses. Ils contrastaient trop avec le reste du paysage.

— Il y a un truc très bizarre là-haut, dit-il rapidement en pointant du doigt. Là-haut, pile au bord de la corniche.

— Où ça ? demanda Chester.

Plusieurs secondes s'écoulèrent avant que la neige ne se dissipe et que l'image de la lentille de Will ne retrouve sa netteté initiale.

— Oui, il y en a des tas. Ça ressemble à…

Will hésita. Il ne semblait pas très sûr de lui.

— Eh bien ? pressa Chester.

— D'après ce que je vois, il pourrait s'agir de filets, tendus dans des sortes de cadres. Alors nous ne sommes peut-être pas seuls ici-bas, ajouta-t-il, aussi loin sous terre que nous ait entraînés cette chute.

— Tu crois que ce sont les Styx ? cria Chester après avoir digéré cette dernière information, soudain terrifié à l'idée qu'ils puissent se trouver à nouveau en danger.

— Je ne sais pas, mais il y a…

— Quoi ?

Lorsque Will reprit la parole, c'est à peine si Chester entendit sa voix.

— Je crois qu'il y a un corps là-haut, murmura-t-il.

Devinant la suite, Chester resta silencieux. Will tremblait.

— Oh, mon Dieu ! Je crois que Cal est là-haut, dit Will en regardant avec horreur le corps étalé sur le filet que Chester ne pouvait voir.

— Euh… Will, risqua Chester d'un ton hésitant.

— Oui ?

— Ce n'est peut-être pas Cal. Ça pourrait être Elliott.

— C'est vrai, mais ça ressemble à Cal, confirma Will avec hésitation.

— De toute façon, il faudra qu'on les retrouve l'un comme l'autre. Si ce n'est pas Elliott, elle est peut-être encore…

Chester avala la fin de sa phrase, mais Will ne savait que trop bien ce qu'il s'apprêtait à dire.

— En vie, compléta-t-il avant de se retourner vers son ami, le souffle court et la voix prise par l'émotion. Mon Dieu, Chester, tu te rends compte ! On est là à discuter de la vie et de la mort comme d'une fichue note d'examen. Tous ces trucs nous ont rendus dingues.

Chester tenta de l'interrompre en vain.

— Mon frère est probablement là-haut, et il est mort. Comme mon père, comme l'oncle Tam, comme mamie Macaulay... ils sont tous morts. Tous ceux qui nous entourent meurent les uns après les autres, et on continue comme si de rien n'était. Que sommes-nous devenus ?

Chester en avait assez entendu, il hurla à l'adresse de Will.

— On ne peut rien y faire maintenant ! Si ces jumelles putrides avaient réussi à nous mettre le grappin dessus, on serait tous morts maintenant, et on n'aurait certainement pas cette conversation à la noix !

Sa voix forte retentissait dans le Pore tandis que Will, étonné par la colère soudaine de son ami, se contentait de l'observer.

— Alors descends de là et aide-moi à retrouver la seule personne qui puisse nous aider à retourner chez nous !

Will regarda son ami en silence avant de sauter du rocher.

— Oui, tu as raison, dit-il. Comme d'habitude.

Ils arpentèrent le champignon, terrifiés à l'idée de retrouver Elliott.

— Voici l'endroit où j'ai touché le sol, dit Chester en indiquant la zone où il avait atterri.

Chester s'accroupit et tira sur la corde qui devait les conduire jusqu'à Elliott, à moins qu'elle ne se soit rompue. Il tira d'un coup sec, et une ligne se dessina à la surface du champignon. Ils la suivirent à contrecœur, mais tombèrent presque aussitôt sur Elliott. Elle avait atterri sur le flanc, tout comme Will, et sa forme frêle s'était profondément enfoncée dans le champignon.

— Oh non ! je crois qu'elle a la tête coincée dans cette substance, dit Chester.

Il se jeta à terre et tenta de lui tourner la tête pour lui dégager le nez et la bouche.

— Vite ! Il est possible qu'elle ne puisse plus respirer.

— Est-ce qu'elle est ?... demanda Will qui se tenait de l'autre côté de son corps.

— Je sais pas, répondit Chester. Aide-moi à la sortir de là !

Chester commença à la soulever, et Will l'attrapa par les jambes. Ils dégagèrent enfin son corps dans un gros bruit de succion.

— Dieu du ciel ! hurla Chester en voyant l'état de son bras.

Elliott n'avait manifestement pas voulu lâcher sa carabine, ce qu'elle avait payé chèrement lorsqu'elle avait percuté le champignon. La lanière de son arme s'était enroulée tout autour de son avant-bras, lequel était atrocement déformé.

— Elle a le bras dans un sale état, ajouta Chester.

— Cassé, c'est sûr, acquiesça Will en débarrassant le visage d'Elliott de l'infâme bouillie de champignon dont les fibres s'étaient collées à ses lèvres et ses narines. Mais elle est en vie. Elle respire encore, dit-il à Chester qui semblait incapable de s'arracher à la contemplation du membre mutilé.

Will contourna Elliott, poussa Chester et défit délicatement la lanière de la carabine de son avant-bras.

— Fais très attention ! le pressa Chester d'une voix étranglée.

Will lui tendit la carabine, puis il défit la corde nouée autour de sa taille, ôta le sac à dos qu'Elliott transportait en dégageant d'abord son bras encore indemne.

— Mettons-la à l'abri, déclara Will en soulevant la jeune fille pour l'emporter dans la grotte.

Ils la déposèrent sur un lit de vêtements de rechange. Sa respiration était régulière, mais son corps était glacé.

— Qu'est-ce qu'on fait, maintenant ? demanda Chester, les yeux toujours rivés sur son bras retourné.

— Je ne sais pas. On attend qu'elle se réveille, j'imagine, suggéra Will en haussant les épaules. Je vais voir Cal, dit-il brusquement en poussant un soupir.

— Will, pourquoi est-ce que tu ne laisses pas tomber ? Ça ne fera plus aucune différence, à présent.

— Je ne peux pas faire ça. C'est mon frère, répondit Will en quittant la grotte.

Will tourna en rond un moment, scrutant la corniche qui se trouvait juste au-dessus de lui jusqu'à ce qu'il ait repéré l'un des plus gros trous. Puis il prit son élan et bondit dans les airs. Dans un autre contexte, le fait de filer ainsi tel un homme canon l'aurait empli de terreur, mais c'est à peine s'il y songeait, maintenant. Il était obnubilé par ce qu'il s'apprêtait à découvrir.

Au moment même où il franchit l'orifice percé dans le plateau, il se rendit compte qu'il avait pris trop d'élan et s'élevait dans les airs bien au-dessus de la corniche.

— Ohhhh ! cria-t-il dans un accès de panique, moulinant des bras pour ralentir sa course.

Puis il perdit son élan et commença à redescendre. Il filait droit sur une zone où plusieurs constructions semblables à des mâts se dressaient à la surface du champignon. Il s'agissait de tiges de six ou sept mètres de haut terminées par des boules de la taille d'un ballon de basket. Une voix venue de quelque recoin de son cerveau l'informa qu'il s'agissait de basides – organes reproducteurs du champignon. Mais ce n'était pas le moment de s'attarder sur ce sujet. Fonçant au milieu, Will tenta désespérément de saisir les tiges caoutchouteuses. Mais soit elles se brisaient à la base, soit les ballons de basket dont elles étaient coiffées se détachaient et filaient en tous sens. Elles contribuaient néanmoins à ralentir sa progression, beaucoup trop rapide.

Alors que la dernière tige lui échappait, Will émergea de la forêt de basides et finit par toucher terre. Mais sa situation n'était guère plus enviable. Voilà qu'il glissait à genoux sur la surface graisseuse, filant droit vers le bord de la corniche. Il n'y avait plus rien sur sa trajectoire pour le freiner ; alors il se jeta à plat ventre, tentant de s'agripper à la peau du champignon avec les mains et d'y planter la pointe renforcée de ses bottes. Il commença à hurler, pensant qu'il allait franchir la bordure légèrement incurvée du plateau et basculer dans le Pore, mais il parvint à s'arrêter au tout dernier moment.

– Mon Dieu, c'était moins une ! souffla-t-il en restant parfaitement immobile.

Will l'avait en effet échappé belle. Sa tête dépassait du bord, et il pouvait voir très nettement le champignon qu'il avait laissé en contrebas.

Il se hissa sur le plateau et resta un instant allongé, immobile.

– Faut que je continue, dit-il en se remettant debout.

Il avança d'un pas prudent et mesuré vers les cadres. Après cette aventure, il n'allait sûrement pas se risquer à faire le moindre mouvement brusque.

Les cadres formaient de simples structures rectangulaires de la taille d'une cage de but de football. On les avait construits avec des rondins d'environ dix centimètres de diamètre que l'on avait noués ensemble. Ils ressemblaient aux troncs de jeunes arbres, mais Will n'aurait su dire s'ils étaient en bois car ils étaient entièrement carbonisés. Les filets tendus entre chaque cadre formaient un maillage lâche de cordes épaisses, rugueuses et fibreuses au toucher. Will pensait qu'il s'agissait de l'écorce de quelque plante, peut-être même de la peau de ce champignon géant. En longeant la série de filets, il vit que nombre d'entre eux étaient déchirés, mais celui dans lequel gisait Cal semblait en parfait état.

Will s'arrêta devant le corps de son frère. Il se força à le regarder, puis détourna rapidement les yeux. Il se mordit la lèvre, se demandant s'il n'aurait pas mieux fait de partir retrouver Chester. Après tout, rien de ce qu'il ferait maintenant ne changerait la situation. Il pouvait tout aussi bien laisser ce cadavre là où il se trouvait.

Will entendit soudain la voix de stentor de Tam. On eut dit que l'homme à l'imposante stature se tenait juste à côté de lui.

— Vous êtes frères, ah, frères, mes neveux, leur avait-il déclaré lorsque Will avait retrouvé Cal après tant d'années de séparation dans la maison de la famille Jérôme, au cœur de la Colonie.

Juste avant que Tam n'ait sacrifié sa vie pour permettre à Will et Cal de s'échapper, Will lui avait promis de veiller sur son frère.

— Je suis vraiment désolé, Tam, dit Will à voix haute. Je n'ai pas pu tenir ma promesse. Je... je t'ai laissé tomber.

— Tu as fait de ton mieux, mon garçon. Tu n'aurais rien pu faire de plus, lui répondit la voix rocailleuse de Tam.

Will savait parfaitement que cette conversation n'était que le fruit de son imagination troublée, il y puisait néanmoins un certain réconfort.

Cependant, il hésitait encore à s'approcher du corps de Cal, se demandant s'il ne devait pas le laisser ainsi.

— Non, je ne peux pas faire ça. Ce ne serait pas juste, se dit Will.

Avec un soupir, il s'avança vers le filet et s'assura que le cadre pouvait supporter son poids en posant un pied dessus. La structure grinça un peu sous la pression, mais elle semblait fermement enfoncée dans le champignon. Il se mit à quatre pattes et grimpa prudemment dans le filet. Cal se trouvait dans un coin. Sentant les lanières fibreuses glisser sous son poids, Will ralentit encore sa progression. Le cadre se projetait loin dans le vide, ce qui était angoissant. Il essaya de se rassurer en se disant que si jamais il cédait, il tomberait tout simplement sur le plateau suivant... s'il avait de la chance.

Will se rapprocha du corps de son frère, allongé sur le ventre, et fut soulagé de ne pas voir le visage de Cal. Il saisit l'extrémité de la corde encore nouée autour de la taille du jeune garçon et se mit à la suivre. Il vit rapidement qu'elle s'était rompue sur le coup. Plutôt que de devoir affronter l'énormité de la situation — le cadavre de son frère gisait à quelques centimètres de lui —, Will entreprit de reconstituer l'enchaînement des événements. Cal s'était manifestement pris dans le filet tandis que Chester, Elliott et lui-même s'étaient retrouvés suspendus au-dessus de la corniche en contrebas. Cal leur avait servi de point d'ancrage, et il leur avait très probablement sauvé la vie en arrêtant ainsi leur chute.

Will tenait l'extrémité effrangée de la corde sans savoir que faire. Son frère avait l'air si fragile et si petit, la tête tournée de côté, une jambe de guingois. Will tendit la main et toucha du bout du doigt l'avant-bras du jeune garçon avant de la retirer aussitôt. Cal avait la peau dure et froide, ce qui ne lui ressemblait en rien.

Les souvenirs défilaient dans sa tête comme autant d'éclairs brillants, comme s'il visionnait les scènes d'un film montées au hasard. Il se souvenait du rire de Cal lorsqu'ils regardaient la tempête de vent noir depuis la fenêtre de sa chambre. D'autres images des mois passés ensemble à la Colonie affluaient, comme le souvenir du jour où Cal était venu chercher Will dans sa prison pour l'emmener chez lui et lui présenter la famille dont il ne connaissait pas l'existence. C'était tout au début.

— Je les ai laissés tomber, dit Will en lâchant entre ses dents un grognement étouffé. Oncle Tam, mamie Macaulay, et même ma véritable mère.

Will se souvenait de la façon dont ils avaient dû abandonner Sarah, mortellement blessée, dans le tunnel battu par les vents.

— Cal, c'est à ton tour maintenant, dit-il au cadavre qui se balançait légèrement au gré des bourrasques de vent.

Will était si bouleversé qu'un torrent de larmes jaillit soudain de ses yeux.

— Qu'est-ce que je fais, maintenant ? s'interrogea-t-il à voix haute. Tam, dis-moi ce que je devrais faire.

Mais cette fois, la voix imaginaire resta silencieuse. Will savait d'instinct ce qu'aurait fait son oncle en pareil cas. Will devait se montrer pragmatique, comme lui, même si c'était la dernière chose dont il avait envie.

— Vérifie s'il n'y a pas quelque chose dont on pourrait avoir besoin, marmonna Will.

Alors il fouilla le cadavre de Cal sans le déplacer. Il trouva le canif du jeune garçon, un sachet de cacahuètes et quelques globes lumineux. Et, dans une autre poche, une barre de Caramac, encore entière mais toute déformée. À voir la façon dont elle avait fondu, Cal devait l'avoir sur lui depuis un bon moment.

— Ma friandise préférée, Cal ! Dire que tu m'avais caché ça ! s'exclama Will, souriant malgré son chagrin.

Il rangea la barre dans la poche de sa veste, puis, voulant éviter de retourner le corps, il trancha la lanière de la gourde accrochée à son épaule et en renoua les deux bouts pour pouvoir la transporter à son tour. Il défit ensuite les boucles du sac à dos de Cal pour le dégager. En examinant l'un des côtés du sac, il remarqua qu'il comportait d'innombrables petits trous – le tissu en était criblé. Il comprit alors en tressaillant qu'il avait les mains couvertes d'une substance collante et noire : le sang de Cal. Il s'essuya rapidement les mains sur son pantalon. C'en était trop. Il n'allait certainement pas continuer à fouiller son cadavre.

Will resta aux côtés de Cal pendant un moment, les yeux rivés sur son frère. De temps à autre, une grêle de roches s'abattait au milieu du Pore avec un sifflement, suivie par des averses aux formes changeantes, qui étincelaient comme des étoiles filantes. À l'exception de ces interruptions sporadiques, tout était très calme en bordure du champignon.

Tout à coup, Will entendit un bruit sourd quelque part sur le plateau derrière lui. L'ensemble de la corniche sembla ployer et frémir, tandis que le filet s'agitait sous lui.

– Bon sang ! C'était quoi ce truc ? Un rocher ? s'exclama Will en regardant nerveusement tout autour de lui.

Il conclut qu'un gros objet avait dû heurter la surface du champignon, et que l'onde de choc produite par l'impact s'était répercutée sur toute la corniche. Will se remit aussitôt en route. Mieux valait ne pas trop s'attarder dans cet endroit. Il décida de ce qu'il devait faire ensuite. Il se cala en s'accrochant au filet puis repoussa le corps de Cal avec les pieds jusqu'à la limite du cadre.

Will scruta les profondeurs du Pore et frémit à l'idée d'y sombrer, puis il jeta un coup d'œil à Cal.

– Tu n'as jamais aimé les hauteurs, n'est-ce pas ? murmura-t-il.

Il prit une profonde inspiration.

– Adieu, Cal ! hurla-t-il avant de propulser son frère par-dessus la bordure du cadre en s'aidant des deux pieds, puis il le regarda tomber lentement au fond du Pore.

C'était à peine si Cal perdait de la hauteur. Comme s'il s'agissait de funérailles intersidérales, son corps en état d'apesanteur tournoyait sur lui-même, entraînant la corde dans son sillage. C'est seulement après s'être éloigné du bord qu'il entama un plongeon sans fin et s'abîma au fond du gouffre, jusqu'à n'être plus qu'un point minuscule englouti par les épaisses ténèbres.

– Adieu, Cal ! cria Will de nouveau, mais sa voix se perdit dans l'immensité du Pore – la paroi opposée lui renvoya à peine un écho.

Bartleby poussa un gémissement aigu et pitoyable comme s'il savait que son maître partait rejoindre sa dernière demeure.

Au comble du désespoir et anéanti par le deuil, Will détourna la tête et rebroussa chemin jusqu'au plateau que formait le champignon, en traînant le sac à dos derrière lui.

Soudain il s'immobilisa.

Il ferma les yeux et posa la main sur son front comme s'il souffrait d'une migraine lancinante. Mais non, ce n'était pas cela.

– Non, tais-toi ! souffla-t-il. Non !

Une petite voix l'incitait à sauter dans le vide pour rejoindre son frère. Will crut tout d'abord que c'était sa façon de réagir à la mort prématurée de Cal – il aurait pu sauver son frère s'il avait agi autrement et il était rongé par la culpabilité. Il comprit soudain qu'il était lui aussi sujet au vertige, tout comme Cal, mais cela n'expliquait pas tout. Il y avait autre chose. La voix qui résonnait dans sa tête s'était à présent muée en un désir irrépressible.

Comme s'il était extérieur à la scène, Will se regardait obéir à ce que lui dictait son instinct. C'était comme s'il ne ressentait plus rien, plus aucune émotion, comme si l'idée de se jeter dans le vide était tout à fait raisonnable. Cela résoudrait tous ses problèmes et mettrait un terme à tant de malheurs et d'incertitudes. Sur le fil, Will s'efforçait frénétiquement de lutter contre cette impulsion.

– Arrête, espèce d'idiot ! supplia-t-il en pinçant les lèvres.

Will ne comprenait pas ce qui lui arrivait. La bataille faisait rage dans sa tête, et son corps était secoué de spasmes. Il avait perdu le contrôle de ses membres qui s'animaient sous l'impulsion de ce désir irrationnel. Lentement mais sûrement, Will rebroussa chemin et reprit la direction de l'abîme. Il s'agrippait si fort au filet qu'il en avait les mains douloureuses. Au moins parvenait-il encore à réaffirmer sa volonté et à réagir à cette folie.

– Pour l'amour de Dieu ! hurla-t-il, le corps secoué de spasmes de plus en plus violents.

Quand, tout à coup, il pensa à Chester qui l'attendait en contrebas. Sans savoir si cette pensée l'avait aidé, ou bien s'il avait remporté seul la bataille qui faisait rage dans sa tête, Will constata qu'il avait recouvré le contrôle de ses membres. Il relâcha son emprise sur le filet et se précipita à quatre pattes vers la corniche, terrorisé à l'idée que cette victoire ne fût que de courte durée.

Will continua d'avancer ainsi avant de se relever prudemment. Il était effrayé et ruisselait d'une sueur froide. Il ne comprenait pas ce qui lui avait pris. Il n'avait jamais ressenti cette irrépressible envie, ce besoin irrationnel de mettre un terme à ses jours.

En contrebas, Chester épongeait le visage d'Elliott avec l'une de ses chemises de rechange. Alors qu'il lui humectait les lèvres avec un peu d'eau, elle marmonna soudain. Chester faillit laisser tomber la gourde. Les yeux mi-clos, elle s'efforçait de lui dire quelque chose.

– Elliott, dit Chester en lui prenant la main.

Elle tentait toujours d'articuler quelques mots, mais sa voix était trop faible pour être audible.

– N'essaie pas de parler. Tout va bien. Tu as juste besoin de repos, lui dit-il d'un ton aussi rassurant que possible, mais elle grimaça comme pour exprimer sa colère. Qu'est-ce qu'il y a? demanda-t-il.

Elliott referma les yeux, laissa retomber sa tête en arrière et sombra de nouveau dans l'inconscience.

Au même moment, Will traversait la chute d'eau et entrait dans la grotte.

– Elliott s'est réveillée pendant un instant… Elle a dit quelques mots, lui indiqua Chester.

– C'est bien, répondit Will d'un ton apathique.

– Et puis elle s'est évanouie, poursuivit Chester, remarquant le changement d'attitude de son ami. Will, tu n'as pas l'air très en forme non plus. C'était vraiment terrible… de voir Cal?

Will se déplaçait comme s'il était à bout de forces, à deux doigts de s'effondrer.

– Elliott tiendra le coup, Chester. Elle est solide, répondit Will en éludant la question de son ami. On va s'occuper de son bras, ajouta-t-il en fouillant dans le sac à dos de Cal.

Il lui lança la gourde, puis un sachet de cacahuètes.

– Tu ferais mieux d'ajouter ça à nos provisions, dit-il en chancelant avant de se laisser glisser contre la paroi.

Bartleby traversa à son tour le torrent et lança un regard morose à chacun des deux garçons, comme pour s'assurer que Cal n'était pas avec eux. Il s'ébroua en agitant sa peau flasque, puis se dirigea droit sur Will et se blottit contre lui, posant son énorme tête sur sa cuisse. Will caressa machinalement le front massif du chat. C'était la première fois que Chester le voyait témoigner de l'affection à l'animal.

— Tu m'as pas répondu, dit Chester. Alors, Cal ?

— Je me suis occupé de lui, répondit son ami d'une voix monocorde avant de fermer les yeux avec un long soupir. Puis il sombra dans le sommeil.

Chapitre Trois

D rake s'immobilisa soudain. Il venait de repérer un soldat
isolé en tournant à l'angle d'une caverne.

– Bon sang ! articula-t-il en silence avant de retourner dans la
galerie.

Drake avait reconnu l'uniforme gris-vert de la Division styx. Il
était inhabituel qu'on déploie ces soldats dans les Profondeurs, car
ils avaient pour principale fonction de surveiller les frontières de la
Colonie et de garder un œil sur la Cité éternelle. Mais depuis ce
dernier mois, plus rien n'était *habituel*. Non seulement on avait vu
débarquer de terribles Limiteurs par wagons entiers à la Gare des
mineurs, mais on avait aussi appelé en renfort deux régiments de la
Division. Drake n'avait jamais vu pareille activité.

Il se mit à plat ventre et risqua un autre coup d'œil. Le soldat
lui tournait le dos. Il avait posé la crosse de sa carabine sur le sol.
Même si l'homme n'était guère vigilant, il était trop risqué de
s'attaquer à lui. Drake grimaça. Quelle guigne ! Il lui faudrait au
moins une heure de plus pour rejoindre la Grande Plaine s'il devait
rebrousser chemin.

Tout à coup, un moteur se mit en marche, emplissant la grotte
d'un bruit tonitruant. Drake se glissa un peu plus près pour voir ce
qui se passait. L'une des énormes excavatrices des Coprolithes se
trouvait juste à côté du soldat. De la fumée s'échappait des multiples tuyaux situés à l'arrière, formant un voile noir derrière lequel
Drake pouvait à peine distinguer quelques Coprolithes. Ce soldat
surveillait donc une opération minière.

Drake savait qu'il était crucial de détruire les cellules d'expérimentation du bunker avant que les Styx ne les atteignent, et aussi

46

vite que possible. Il n'avait plus le choix, il devait régler son compte au soldat.

Drake se releva lentement, puis il se faufila vers l'homme en longeant la paroi de la grotte. À la faveur du vrombissement du moteur et d'un moment d'inattention du Limiteur qui regardait un Coprolithe sortir de l'excavatrice, Drake parvint à l'atteindre sans se faire repérer. Il l'assomma d'un seul coup à la base de la nuque et fondit aussitôt sur sa carabine. Il arma la culasse pour vérifier qu'elle était bien chargée et s'autorisa un sourire. Il se sentait mieux, à présent qu'il avait une arme digne de ce nom entre les mains. Il ne dépendait plus de ses seuls canons-culasses rudimentaires.

Drake passa la bandoulière de la carabine sur son épaule puis se tourna vers les quatre Coprolithes rassemblés non loin de là où était tombé le soldat styx. Comme il s'y attendait, ils n'avaient pas manifesté la moindre réaction. Ils se tenaient tous parfaitement immobiles, à l'exception de l'un d'eux qui agitait lentement la tête telle une branche sous l'effet de la brise. La passivité et le détachement de ces êtres doux ne laissaient pas d'étonner Drake. Ils étaient maîtres dans l'art de l'extraction minière, travaillant dur pour fournir la Colonie en charbon, minerai de fer et autres matières premières vitales. En retour, les Styx les traitaient comme des esclaves, leur jetant de temps à autre un chargement de fruits et légumes et les équipant juste assez en globes lumineux pour assurer leur survie. Les Coprolithes les inséraient dans des fentes situées juste à côté des fentes oculaires de leurs épaisses combinaisons couleur de champignon. C'est pourquoi personne ne savait dire avec précision ce qu'ils regardaient. Toutefois, à ce moment précis, ils ne fixaient ni le Limiteur inconscient, ni Drake, ni même l'énorme machine dans laquelle ils s'apprêtaient à monter.

– Planquez-vous, les gars ! hurla Drake pour couvrir le bruit du moteur. Retournez à votre campement. Les Styx sauront que c'est un renégat qui a fait ça, et vous n'aurez à subir aucunes représailles, dit-il en désignant le soldat inconscient d'un geste de la main. Retournez chez vous !

Drake pivota sur ses talons pour faire face à l'énorme machine à vapeur. Un véritable monstre dont la coque cylindrique était composée d'épaisses sections d'acier renforcé. L'engin était propulsé par trois rouleaux compresseurs massifs et comportait une énorme foreuse à pointe de diamant d'environ dix mètres de diamètre. Elle pouvait percer des galeries dans les roches les plus dures.

L'écoutille arrière était ouverte. Alors que Drake contemplait l'engin, une idée commença à germer dans son esprit. Il devait atteindre rapidement le centre du bunker où se trouvaient les cellules d'expérimentation, ce qui lui prendrait beaucoup de temps s'il s'y rendait à pied.

– Je me demande… se dit-il à voix haute.

Même s'il n'avait jamais piloté pareil véhicule auparavant, il en avait vu l'intérieur plus d'une fois, et les commandes ne semblaient pas particulièrement compliquées à manœuvrer. Qui plus est, le moteur de celui-ci était déjà en marche : les quatre Coprolithes s'apprêtaient visiblement à démarrer lorsqu'il avait assommé leur superviseur styx.

Drake s'avança vers l'écoutille, pénétra dans le véhicule et jeta un coup d'œil à l'intérieur tapissé de métal martelé. Les parois étaient nues et couvertes d'une couche de crasse, à l'exception des zones qui servaient régulièrement, lesquelles brillaient comme de l'acier poli. Il posa les yeux sur les leviers de commande et les différents cadrans situés juste au-dessus.

– C'est parti pour un tour, dit-il.

Alors qu'il s'apprêtait à refermer l'écoutille, une main aux doigts boursouflés se posa sur le rebord et rabattit le clapet. Il vit alors un Coprolithe qui se tenait face à lui. Ses deux globes lumineux étaient manifestement orientés vers lui.

– Quoi ! s'exclama Drake.

Voilà qui était fort inhabituel. Aussi sinistre que soit cette créature, avec ses gros membres et ses yeux phosphorescents, Drake ne se sentait pas menacé. L'idée qu'un Coprolithe puisse se retourner contre lui ne lui traversa pas l'esprit. Il les connaissait mieux que ça. Ils étaient incapables de faire du mal à une mouche. Quoi qu'il en soit, il avait fait de son mieux pour les aider toutes ces années durant, leur fournissant tous les globes lumineux excédentaires qui lui passaient entre les mains en échange de nourriture. Il savait très bien, tout comme les Coprolithes, d'ailleurs, qu'il n'effectuait ce troc que pour la forme, car il n'avait nul besoin de leurs vivres, alors que ses globes leur étaient indispensables.

Le Coprolithe se tenait là, une main toujours posée sur l'écoutille, lorsqu'une autre de ces étranges créatures le rejoignit, bientôt suivie par les deux autres, si bien que toute l'équipe se trouva au complet devant lui. Tel un groupe d'automates à qui l'on aurait donné un ordre silencieux, ils avancèrent en chœur.

– Qu'est-ce que vous faites ? Vous êtes en danger ici ! hurla Drake tout en se rangeant sur le côté, voyant qu'ils semblaient bien déterminés à entrer dans le véhicule.

Le dernier Coprolithe referma et verrouilla l'écoutille arrière, et Drake les regarda s'installer. Deux d'entre eux se glissèrent dans les sièges qui se trouvaient de part et d'autre de l'écoutille, puis ils bouclèrent leur harnais. Les deux autres se dirigèrent vers l'avant du véhicule. L'un d'eux tourna la tête vers Drake – celui qui agitait la tête quelques instants plus tôt. Il dépassait ses congénères de quelques centimètres.

– Vous ne devriez pas être ici. C'est trop risqué, lui dit Drake.

Mais le Coprolithe posa sa main boursouflée sur le siège du conducteur et le fit pivoter comme pour inviter Drake à y prendre place. Celui-ci secoua la tête. C'était sans précédent. D'ordinaire les Coprolithes ne se mêlaient pas aux autres et pratiquaient le culte de la neutralité. Ils ne savaient que trop bien qu'une mort certaine les attendait s'ils se faisaient les complices d'un renégat en lui prêtant main-forte. Leur campement tout entier pourrait en subir les conséquences. Ces quatre créatures mettaient en danger leurs femmes et leurs enfants ; pourtant, sans un mot, ils avaient décidé de l'aider !

Drake haussa les épaules et s'installa sur le siège du conducteur tandis que le plus grand des Coprolithes prenait place sur celui du copilote, juste à côté de lui. Son autre compagnon s'assit devant ce qui ressemblait à un tableau de bord, à voir l'étrange carte déployée sur une tablette juste devant lui et la série de boussoles disposées à hauteur de ses yeux.

Drake hésita devant la rangée de commandes, puis il appuya sur la plus grosse pédale qui se trouvait à ses pieds. Le moteur vrombit, mais il ne se passa rien. Son copilote coprolithe se pencha en avant pour enfoncer et tourner un levier sur le tableau de bord, et le véhicule avança.

– D'accord ! hurla Drake pour couvrir le bruit du moteur, puis il relâcha quelque peu la pression sur la pédale d'accélération en tirant sur le levier de gauche.

Le véhicule commença à virer lourdement. Les phares illuminèrent un pan de la grotte qui se trouvait face à lui, et il visa le tube de lave qui menait à la Grande Plaine. Drake voyait à peine où il allait derrière le pare-brise de pur cristal d'une épaisseur de plusieurs centimètres. La tâche était d'autant plus ardue qu'il était salement rayé et couvert de poussière, mais aussi parce que l'énorme foreuse à tête de diamant montée à l'avant du véhicule lui bouchait la vue. Le véhicule racla plusieurs fois la paroi du tube de lave, faisant sauter les occupants sur leurs sièges.

Lorsqu'il émergea enfin du tube de lave pour pénétrer dans la Grande Plaine, Drake écrasa le champignon, et le véhicule bondit en avant. Il fut surpris de la vitesse à laquelle il traversait le terrain lunaire de la plaine. Malgré le vacarme du moteur, Drake entendait les rochers se briser sous les trois rouleaux compresseurs qui les réduisaient en poudre. À l'arrière du véhicule, à chaque fois que les deux Coprolithes ouvraient les portes de la chaudière pour y enfourner du combustible, Drake sentait des vagues de chaleur lui caresser la nuque.

Après plusieurs kilomètres, il entendit un premier crépitement ; quelque chose venait de percuter le pare-brise de cristal. Puis encore un autre, mais cette fois c'était la coque du véhicule qui avait été touchée. Elle résonna comme une cloche en sourdine. On leur tirait donc dessus.

À la lumière des phares, Drake aperçut un Limiteur, sa puissante carabine à l'épaule. Drake eut un rire : on aurait dit un moustique tentant d'abattre un éléphant. Il tira sur l'un des leviers, vira de bord, puis fila droit sur le Limiteur qui fit encore feu. Le soldat parut moins sûr de lui lorsqu'il comprit que l'énorme machine fonçait droit sur lui et qu'il était temps de filer. Il prit ses jambes à son cou, changeant sans cesse de direction tel un lièvre pris en chasse.

Mais Drake n'allait pas le laisser s'en tirer à si bon compte. Il maîtrisait désormais les leviers de commande et suivit le Limiteur sans effort. Le Styx se montrait de plus en plus frénétique, il trébucha et tomba sur le sol. Drake fonça droit devant, mais le Limiteur esquiva le véhicule au dernier moment en roulant sur lui-même. Sa carabine n'eut pas cette chance et se retrouva aplatie comme une crêpe sur le sol rocheux.

— C'est ton jour de chance, mon pote ! hurla Drake en actionnant un levier.

Ils repartirent à toute allure en direction du bunker.

Deux kilomètres plus loin, Drake aperçut enfin le mur du bâtiment qui occupa bientôt tout l'horizon du pare-brise. Un épais ruban gris se déroulait dans la plaine. Il ralentit un peu et s'arrêta au pied de la muraille. Ne sachant trop que faire ensuite, il jeta un coup d'œil au Coprolithe à ses côtés. La créature se pencha en avant et actionna un autre levier. Tout le véhicule se mit à trembler tandis que la foreuse entamait sa lente rotation.

Les vibrations augmentaient toujours plus, à tel point que Drake finit par en avoir la vue brouillée. Le Coprolithe lui indiqua l'accélérateur quand la foreuse eut atteint sa vitesse maximale. Drake appuya doucement sur la pédale, et le véhicule partit en marche avant. La tête de la foreuse rencontra le mur, et les pointes biseautées commencèrent à mordre dans le béton, soulevant d'énormes nuées de poussière. Drake était fasciné : la foreuse y pénétrait comme dans du beurre. Mais c'est seulement lorsque ses dents rencontrèrent l'armature en fer coulée à l'intérieur du béton armé qu'elle révéla toute son incroyable puissance, arrachant sans effort d'énormes blocs de pierre.

Il lui fallut cinq minutes pour transpercer le mur extérieur du bunker, puis la foreuse découpa les cloisons suivantes comme s'il s'agissait de simples feuilles de papier. Lorsqu'il estima avoir pénétré assez loin à l'intérieur du bâtiment, Drake se rangea dans un couloir et réduisit les gaz. Il détacha son harnais, puis se dirigea vers l'écoutille arrière. Il découvrit alors l'étendue du chaos que le véhicule avait semé dans son sillage. Il avait démoli les colonnes qui soutenaient le plafond, si bien que de grosses dalles de béton étaient tombées à terre. Au moins, les Styx auraient du mal à suivre sa piste. Il se tourna vers les Coprolithes.

– Je ne sais pas comment vous remercier, dit-il.

L'une des deux créatures qui se trouvaient à côté de la chaudière acquiesça. Drake ne put réprimer un gloussement. Pour un Coprolithe, voilà qui était fort bavard. Il les salua, puis débarqua.

Il ne lui fallut pas longtemps pour localiser le couloir des cellules d'expérimentation que Cal et Elliott avaient découvertes par hasard. Les lumières vives le firent cligner des yeux. Contrastant fortement avec le reste du bunker, tombé en ruine après avoir été laissé à l'abandon des décennies durant, cette pièce était propre et d'une étonnante blancheur. Il traversa la zone centrale d'une superficie de vingt mètres sur dix et découvrit des rangées de portes de part et d'autre de la salle. Une rapide inspection révéla qu'il n'y avait aucun survivant. Derrière les meurtrières, il vit des cadavres putréfiés gisant dans leurs propres fluides. Drake secoua la tête. Les Styx avaient sûrement trouvé ce qu'ils cherchaient. À en juger par ces cobayes, le *Dominion* était un virus mortel et constituait de fait une véritable menace pour la population surfacienne.

Drake se dit soudain qu'il pouvait tenter d'extraire une souche viable de l'un des cadavres. Avec ce virus, il pourrait confectionner un vaccin et déjouer le plan des Styx. Mais on avait scellé chaque cellule par d'épaisses soudures, et il ne voyait pas très bien comment il pourrait y entrer à moins de faire sauter l'une des portes. S'il procédait ainsi, mis à part le fait qu'il serait contaminé à son tour, le virus se disperserait dans l'atmosphère par sa faute. Les courants d'air pourraient très bien le diffuser jusqu'à la Surface. Drake secoua la tête, abandonnant aussitôt cette idée, et entreprit d'inspecter les ustensiles de laboratoire que l'on avait déposés sur un banc contre le mur opposé de la salle. Mais il n'y avait rien là-bas qui ressemblât à un échantillon viral.

Pas le temps, se dit Drake.

Les Styx pouvaient surgir d'un moment à l'autre, il fallait agir vite. Il sortit tous les explosifs de sa besace, disposant des charges à la base de chaque cellule. Il ne voulait prendre aucun risque ; la chaleur de l'incendie tuerait les derniers virus en stérilisant la zone. Sans compter le fait que les cellules se retrouveraient ensevelies sous des tonnes de roches et de béton.

Drake amorça les mèches et déguerpit. Il était déjà loin de la zone lorsque les charges se déclenchèrent, mais encore assez près pour que le souffle de l'explosion l'envoie valdinguer dans les airs. Il en avait eu la respiration coupée, mais cela n'avait aucune importance. Il était soulagé d'avoir atteint son objectif. À supposer que Sarah Jérôme se soit bien chargée de l'unique autre source de *Dominion* lorsque, dans un ultime élan, elle avait emporté les jumelles avec elle au fond du Pore, cette menace était désormais neutralisée. Tout au moins jusqu'à ce que les Styx parviennent à dénicher d'autres souches virales mortelles dans la Cité éternelle, ou à développer un autre agent pathogène dans leur laboratoires souterrains.

Drake traversa la plaine à pied. Il lui fallut à peine deux jours pour atteindre la gare des mineurs. Il se cacha alors dans un wagon vide situé au milieu du train. Le départ ne se fit pas attendre. Quelques soldats de la Division embarquèrent dans la voiture des gardes, et le véhicule quitta enfin la gare. Muni de la carabine du Limiteur, Drake se tenait paré au cas où l'un d'eux aurait eu l'envie subite de procéder à l'inspection du reste du train, mais personne ne vint jamais rien vérifier. Une telle négligence était inhabituelle de la part des Limiteurs.

Le train entra enfin en gare dans la Colonie. Drake sortit du gigantesque wagon, se laissa choir sur le remblai et découvrit à sa grande surprise qu'on avait laissé le portail sans surveillance. Ce fut donc un jeu d'enfant que d'entrer dans les rues de la Colonie. Cependant, il s'aperçut qu'une épaisse fumée noire flottait dans l'air. Un étrange tableau l'attendait dans l'immensité de la Caverne sud : de larges colonnes de fumée s'élevaient en plein milieu de la zone dont le rougeoiement illuminait la canopée de pierre loin au-dessus de sa tête.

Les Taudis, se dit alors Drake.

Il se passait quelque chose de stupéfiant, et il lui fallait en avoir le cœur net. Il se rapprocha, s'arrêtant à la périphérie de la zone. Il vit des légions de soldats de la Division styx brandissant des torches pour barrer la route à ceux qui tentaient de se frayer un chemin hors des Taudis. Drake entendait leurs cris tandis qu'on les massacrait. Toujours et encore, les habitants désespérés des Taudis, les vêtements en feu et le visage noirci par la fumée, tentaient de forcer le barrage impénétrable des soldats. Mais à chaque fois que l'un d'eux émergeait d'une ruelle, les Styx le fauchaient d'un coup de faucille, imitant la façon dont les fermiers des anciens temps récoltaient le maïs.

D'autres Styx vêtus de leurs longs manteaux noirs et de leurs cols blancs marchaient d'un pas impérieux derrière les lignes de soldats, hurlant leurs ordres. La destruction systématique des Taudis était en marche. Pendant des siècles, les Styx avaient laissé vivre les rebelles et les mécontents de la Colonie dans ce ghetto autonome, mais ils avaient manifestement pris la décision d'éradiquer ce talon d'Achille. Drake regarda s'effondrer un immeuble de quatre étages et aperçut des formes humaines au milieu des débris de vieille maçonnerie. Des adultes… et, pire encore, des enfants agitant leurs petits membres impuissants, écrasés par les cascades de blocs de plâtre.

Caché dans l'ombre, cet homme pourtant des plus coriaces, qui avait survécu des années durant dans les Profondeurs, et à toutes les épreuves que lui avaient infligées les Styx, s'effondra en pleurs. L'inhumanité de ce qu'il venait de voir lui était insupportable. Mais il ne pouvait absolument rien faire, seul contre tant de Styx, pour mettre un terme à cette atrocité.

Le taxi filait à travers les rues de la ville, la radio réglée à plein volume sur une station turque et le chauffage poussé au maximum. Comme s'il connaissait la synchronisation de chaque feu, le chauffeur parvenait toujours à passer de justesse à l'orange, ou pile au moment où il virait au rouge. Il ne semblait pas se soucier des nombreux dos-d'âne qui ponctuaient leur trajet, et Mme Burrows sautait sur son siège comme sur un chameau lancé au galop.

Malgré la pluie battante, elle abaissa sa vitre et posa la tête contre l'encadrement pour sentir le vent sur son visage. Elle se délectait de sentir ainsi la brise et les gouttes de pluie, laissant errer son regard sur les trottoirs luisants. Elle se perdit dans le reflet des lignes et taches de lumière des vitrines, sans penser à rien en particulier. Après tout ce temps à Humphrey House, elle se sentait enfin libre.

Mme Burrows leva soudain les yeux, étonnée de reconnaître l'endroit.

– Highfield ?

– Oui, les routes, elles étaient dégagées aujourd'hui, commenta le chauffeur.

– J'habitais ici avant, répondit-elle.

Ils venaient de traverser une rue qui l'aurait conduite jusqu'à Broadlands Avenue.

– Avant ? demanda le chauffeur. Plus de maison ?

– Non, c'est fini, répondit-elle.

La maison s'était vendue au plus haut du marché, lui procurant ainsi un pécule suffisant pour continuer à vivre confortablement. Elle n'en était plus propriétaire, mais Mme Burrows eut soudain envie d'y retourner pour contempler une dernière fois les lieux. Ce chapitre de sa vie avait pris fin, mais il y avait encore tant de points qui restaient en suspens.

– Plus de maison, murmura Mme Burrows en se disant que le moment était mal choisi pour s'accorder une petite visite ; elle avait des affaires plus urgentes à traiter.

Ils descendirent la Grand-Rue, et elle regarda les boutiques qu'elle connaissait si bien : les pressings à sec, les magasins de journaux où la famille se procurait son quotidien. Puis elle remarqua que la vitrine des Clarke avait été murée comme s'ils avaient cessé leur activité. Ce magasin de primeurs vieillot était l'un des préférés de Rébecca, ce qui ne laissait pas d'étonner Mme Burrows. Après tout, le supermarché aurait très bien fait l'affaire, et ils livraient à domicile. Ils dépassèrent enfin le musée où travaillait son mari, mais Mme Burrows détourna la tête. Il s'agissait pour elle d'un échec, d'un monument érigé à la mémoire de ses attentes frustrées.

Ils quittèrent enfin Highfield et rejoignirent bien vite le périphérique nord. Une voiture toute cabossée, la radio à plein régime, se rangea à côté d'eux tandis qu'ils attendaient que le feu repasse au vert. Le véhicule était bondé. Une jeune fille fixa Mme Burrows d'un regard insolent derrière une fenêtre ouverte. Elle avait probablement à peine deux ou trois ans de plus que Rébecca. Elle avait l'air fatiguée, les yeux cerclés de noir et le cheveu mou coupé à hauteur d'épaule. Un bon shampoing n'aurait sans doute pas été du luxe. Elle fixait encore Mme Burrows d'un œil glacial et agressif lorsqu'elle cracha un chewing-gum qui percuta la porte du taxi.

– Qu'est-ce que tu viens de faire, espèce de cochonne ! s'exclama le chauffeur en appuyant sa remarque d'un geste.

Il accéléra furieusement.

– Je ne laisserais pas ma petite fille faire des trucs pareils, moi !

La jeune fille tentait toujours, en vain, de contraindre Mme Burrows à baisser les yeux.

– Non, moi non plus, déclara cette dernière. Je sais toujours précisément où se trouve ma fille : en sécurité à la maison.

– Moi aussi, mais ces gens-là n'ont aucun respect, dit le chauffeur en se penchant sur son volant pour lancer un regard furieux en direction de l'autre véhicule. Aucun respect, répéta-t-il en appuyant sur le champignon pour couper la route à la voiture blanche en klaxonnant.

Quarante minutes plus tard, Mme Burrows et le chauffeur franchissaient le fleuve pour se retrouver à quelques pâtés de maisons du groupement de logements sociaux. Trois énormes barres d'immeubles dominaient le paysage. Mme Burrows croyait savoir quel était celui où habitait tantine Jeanne, mais quelle que soit la route qu'ils empruntaient, ils semblaient s'en éloigner toujours plus. Le conducteur avait laissé tomber son guide pratique et comptait entièrement sur Mme Burrows pour lui indiquer le chemin.

– Ça me dit vaguement quelque chose, dit-elle.

– Le sud de Londres… Tout se ressemble, répondit le chauffeur avec un gloussement tout en secouant la tête. Habiter là ? Très peu pour moi.

– Attendez un peu. Je me souviens de ça. Prenez à gauche, là, indiqua Mme Burrows. Oui, j'en suis à peu près sûre, c'est bien là, dit-elle en voyant la tour baptisée Mandela Heights.

Parvenu au fond d'un cul-de-sac, le chauffeur fit demi-tour et s'arrêta.

— Nous y sommes, annonça-t-il.

Mme Burrows sortit du véhicule et récupéra ses bagages dans le coffre, puis elle donna un pourboire beaucoup trop généreux au conducteur.

— Que Dieu vous bénisse, vous et votre famille ! lui lança-t-il tandis qu'elle traînait ses bagages dans l'entrée.

La plupart des boutons de sonnette avaient été vandalisés, mais les portes principales étaient ouvertes, de toute façon. Mme Burrows fonça droit devant et découvrit, ô miracle, que l'ascenseur fonctionnait. Il était néanmoins tout aussi nauséabond que dans son souvenir. Il grimpa jusqu'au treizième étage en tremblant, et les portes s'ouvrirent enfin.

— Pour l'amour du ciel ! marmonna Mme Burrows en enjambant une flaque de vomi au pied de l'ascenseur.

Elle appuya sur la sonnette et attendit. Puis elle recommença, en maintenant le bouton enfoncé plus longtemps cette fois. En vain. La porte ne s'ouvrait toujours pas. Après un moment, elle entendit un bruit de pas derrière la porte et remarqua qu'on l'observait à travers le judas.

— Tu veux bien m'ouvrir, Jeanne ! s'exclama Mme Burrows en direction du judas.

Mais la porte demeurait close. Mme Burrows resta donc ainsi, le doigt appuyé sur la sonnette. Sa sœur ouvrit enfin, après plusieurs minutes.

— Vous vous prenez pour qui, au juste ? hurla-t-elle en soufflant furieusement, une cigarette toujours fichée au coin des lèvres.

Elle portait un vieux manteau et ses cheveux étaient en bataille comme si elle venait de se réveiller.

— Bonjour, Jeanne, dit Mme Burrows.

Tantine Jeanne la regarda en plissant les yeux, puis elle fit un pas en arrière en traînant des pieds comme pour accommoder sa vue sur le visage de la personne qui se tenait là devant elle.

— C'est donc toi ! hurla-t-elle en ouvrant si grand la bouche qu'elle en perdit la cigarette qui pendait à ses lèvres.

Le mégot jeta quelques étincelles rouges en s'écrasant sur la moquette élimée.

— Bon, je peux entrer, alors ?

— Bien sûr, bien sûr, entre.

Mais il fallut d'abord que sa sœur éteigne la cigarette incandescente qui était en train de brûler la moquette.

— Comment tu savais que je serais chez moi, au fait ?

— Depuis quand est-ce que tu sors de chez toi, Jeanne ? répondit Mme Burrows en ramassant ses bagages.

Le hall était encombré de piles de vieux journaux, comme toujours, et ça sentait le renfermé.

— Tu aurais dû me passer un coup de fil d'abord, au cas où, dit Jeanne, prise d'une soudaine quinte de toux.

— C'est ce que j'ai fait, mais tu m'as raccroché au nez.

Tantine Jeanne ne semblait pas avoir entendu cette remarque.

— Tu veux du thé ? proposa-t-elle en se dirigeant vers la cuisine. Je croyais que t'étais dans cette maison de repos, Herbert House, avec tous ces docteurs ? Ils t'ont laissée sortir ?

— J'ai décidé qu'il était temps que je parte, répondit Mme Burrows en examinant l'état lamentable dans lequel se trouvait la cuisine. J'aurais cru qu'avec Rébecca cet endroit aurait été nickel. Où est-elle, à ce propos ? Dans sa chambre ?

Jeanne se tourna vers elle en clignant des yeux.

— Non, rétorqua-t-elle, d'un ton à mi-chemin entre la surprise et la dénégation.

— Quoi ?

— Elle est partie.

— Qu'est-ce que tu veux dire, au juste ?

Mme Burrows avait blêmi d'un coup. Elle avança soudain vers sa sœur, renversant au passage un saladier de bois poli rempli de bananes à moitié pourries et un cendrier plein à ras bord que Jeanne avait posés sur la table.

— Elle est partie d'elle-même, il y a des lustres de ça. Elle a fait ses valises et s'est tirée, comme ça.

Tantine Jeanne n'osait pas regarder sa sœur dans les yeux, comme si elle avait fait quelque chose de mal.

— Je suis désolée, Célia, mais je ne veux plus jamais avoir à faire avec elle. Cette graine de délinquante a bousillé toutes mes clopes et déversé…

— Mais Jeanne ! s'exclama Mme Burrows en la secouant par le bras. Tu étais censée veiller sur elle à ma place. Pour l'amour du ciel, elle n'a que douze ans ! Quand et où est-elle partie ?

— Je viens de te le dire, ça fait des lustres. Et je sais pas où elle a filé. J'ai laissé un message à une dame des services sociaux, mais elle ne m'a jamais rappelée.

Mme Burrows lui relâcha le bras et tira violemment une chaise rangée sous la table, renversant au passage encore d'autres objets qui s'abattirent sur le sol. Elle se laissa retomber lourdement sur son siège, la bouche ouverte. Elle articulait des paroles silencieuses.

Appuyée contre l'évier, tantine Jeanne agitait les mains en bafouillant.

— Et puis Will a débarqué avec son cousin, dit-elle soudain.

Mme Burrows tourna lentement la tête vers sa sœur.

— Pardon, tu as bien dit Will ? Mon fils, Will ?

— Ouais, il est venu avec son cousin. Ils ont rappliqué avec ce délicieux chaton, Bartleby.

— Mais ça fait six mois que Will est porté disparu. Tu le sais bien. Une enquête est en cours dans tout le pays. On recherche aussi son ami, Chester.

— Je peux pas te dire. Chester, connais pas. Mais Will était ici il y a deux mois de ça. Il n'allait pas bien lorsqu'il a débarqué, mais ce Cal — quel gentil garçon —, eh bien, il l'a soigné et remis d'aplomb. Et puis Bartleby ! J'avais jamais vu un chat aussi gros, à part au zoo.

— Un gros chat ? demanda Mme Burrows d'une voix atone. Un gros chat ?

Elle prit l'une des nombreuses bouteilles de vodka vides posées sur la table et resta un instant silencieuse, les yeux rivés sur l'étiquette rouge et argent. On entendait le bourdonnement sourd du système de refroidissement du réfrigérateur qui venait de se remettre en route.

— C'est marrant, mais notre pauvre Bessie a des ennuis avec son aîné, elle aussi. Il est passé par une sacrée phase, et puis…

Tantine Jeanne ne poursuivit pas. Il était inutile d'essayer de détourner l'attention de sa sœur en lui racontant les derniers potins de la famille.

Les yeux toujours rivés sur l'étiquette rouge et argent, Mme Burrows fit un petit mouvement de la tête, mais ne dit rien, ce qui rendit tantine Jeanne d'autant plus nerveuse.

— Célia, parle-moi ! s'exclama-t-elle enfin. Comment tu veux que je sache qu'on l'avait porté disparu ? Pourquoi tu ne dis rien ?

Mme Burrows reposa prudemment la bouteille vide et la fit glisser sur la table comme s'il s'agissait d'un objet de valeur. Elle prit une profonde inspiration suivie d'un long soupir. Elle leva enfin les yeux vers sa sœur.

– Parce que, je ne sais pas si je devrais appeler la police maintenant, ou bien si... s'il faut que je t'envoie dans un asile car tu as manifestement perdu le sens de la réalité, Jeanne. Je devrais peut-être faire les deux.

Suite aux messages affolés de Mme Burrows au commissariat de Highfield, quelqu'un finit par retrouver l'inspecteur Blakemore. Il la rappela, et ils eurent une longue conversation au cours de laquelle elle lui exposa ce qu'elle venait d'apprendre. Une demi-heure plus tard, il débarquait accompagné d'un autre inspecteur venu d'un commissariat local et d'une équipe médico-légale.

– On dirait qu'on a déjà commencé à mettre en pièces cet endroit, déclara-t-il à peine entré dans le hall en voyant les lettres et les journaux éparpillés sur le sol. On a affaire à un stockeur, les gars, dit-il à ses collègues. Vous feriez mieux d'appeler vos femmes pour leur dire que vous rentrerez tard ce soir.

Quelques secondes plus tard, la police fouillait les moindres recoins de l'appartement. On conduisit Mme Burrows et sa sœur au commissariat pour leur faire subir des interrogatoires séparés, puis on leur demanda, à l'une et à l'autre, de signer une déposition.

On ne les ramena pas chez elles avant le dimanche matin, dans un fourgon. La police avait emballé et emporté pas mal d'objets appartenant à tantine Jeanne. Cependant, l'appartement paraissait bien mieux rangé qu'avant l'intervention de l'équipe médico-légale, même s'il était encore en désordre. Les policiers avaient au moins trié les vieux journaux et les lettres pour former des tas. Ils avaient emporté les sacs poubelle de la cuisine pour en examiner le contenu. Ils avaient laissé de la poudre à empreintes à peu près sur toutes les surfaces, mais il aurait été assez ardu d'essayer de la différencier des couches de poussière qui s'y trouvaient déjà.

Sans se donner la peine d'ôter leur manteau, les deux sœurs se laissèrent choir dans les fauteuils du salon. Elles avaient l'air épuisées.

– Je meurs d'envie de fumer une clope, annonça tantine Jeanne.

Elle dénicha un paquet dont elle sortit une cigarette, puis l'alluma.

– Ah ! je me sens mieux, dit-elle après quelques bouffées.

La cigarette coincée entre les dents, elle regarda tout autour d'elle jusqu'à ce qu'elle trouve enfin la télécommande.

— Tiens, dit-elle en la tendant à Mme Burrows, qui la prit machinalement. Regarde ce que tu voudras.

Mme Burrows posa un doigt tremblant sur chaque bouton, mais sans appuyer.

— Voilà que j'ai non seulement perdu mon mari, mais aussi mes deux enfants. Et la police croit que je suis responsable. Ils pensent que c'est moi qui ai fait le coup.

— Non, ils ne croient tout de même pas que... dit tantine Jeanne en levant le menton derrière un nuage de fumée qui lui masquait le visage.

— Oh, que si, Jeanne ! l'interrompit Mme Burrows d'une voix forte. Ils m'ont demandé des aveux complets. L'un d'eux a même employé l'expression « cracher le morceau ». Ils ont élaboré des théories fantaisistes dignes d'un dessin animé et s'imaginent que mes complices ont enlevé Will, mais qu'il est venu ici après avoir réussi à leur échapper. Et ne me demande pas ce qu'ils s'imaginent à propos de Roger, de Rébecca ou encore de Chester. J'ai l'impression qu'ils me voient comme le premier tueur en série de Highfield !

Tantine Jeanne risqua un grognement indigné, ce qui déclencha une vilaine quinte de toux.

— Tu es sûre que Will ne t'a rien dit ? Tu ne sais pas où il était avant ? questionna Mme Burrows quand sa sœur eut cessé de tousser.

— Non, Célia, pas la moindre idée. Mais j'ai l'impression qu'il avait bien l'intention d'y retourner, dit tantine Jeanne. Et qu'il a emmené le petit gars, son cousin, Cal, avec lui.

— Je te l'ai déjà dit, il n'y a personne dans la famille du côté de Roger qui s'appelle Cal.

— Comme tu voudras, marmonna tantine Jeanne en clignant des yeux d'un air las. Je me souviens que Cal ne se sentait pas bien, ici. Il voulait vraiment repartir vers le Sud.

— Le Sud ? reprit Mme Burrows d'un air songeur ? Et tu dis que ce jeune garçon était le portrait craché de Will ?

— Ils se ressemblaient comme deux gouttes d'eau ! acquiesça tantine Jeanne.

Mme Burrows regarda l'écran noir de la télévision tandis qu'elle multipliait les hypothèses.

— Donc, si cette femme mystérieuse qui a débarqué à Humphrey House était la vraie mère de Will, cet autre garçon pourrait très bien être son frère ? proposa-t-elle.

– Son frangin ? demanda tantine Jeanne en haussant le sourcil.

– Oui, pourquoi pas ? Ce n'est pas impossible. Et tu dis que Will était furieux contre Rébecca ?

– Oh, oui, dit tantine Jeanne en soufflant un nuage de fumée. On aurait dit qu'il ne pouvait plus la supporter, mais aussi qu'il en avait peur.

Mme Burrows secoua la tête d'un air perplexe.

– Il faut que je tire ça au clair. C'est comme quand je manque le début d'un film, il faut que je découvre ce qui s'est vraiment passé.

Tantine Jeanne marmonna quelque chose, puis elle bâilla bruyamment. Elle avait besoin d'un stimulant.

– Et pour retrouver le fil de toute cette histoire, il faut que je remonte à l'origine de l'affaire, déclara Mme Burrows en se mettant debout.

Elle regarda la télécommande qu'elle tenait encore à la main.

– Et je n'aurai sûrement pas besoin de ce truc, dit-elle en la lançant sur les genoux de sa sœur, avant de quitter précipitamment la pièce.

– Comme tu voudras, maugréa tantine Jeanne en allumant une autre cigarette au mégot de celle qu'elle venait de fumer.

Chapitre Quatre

– Un cheval employé à fort mauvais escient sur pareille route, dit le vieux Styx en se penchant pour examiner la large trace que l'excavatrice des Coprolithes avait laissée dans son sillage.

Il la suivit des yeux et découvrit un cercle presque parfait découpé dans le mur du bunker, lequel était resté par ailleurs intact. Il enjamba les blocs de béton éparpillés sur le sol jusqu'à ce qu'il puisse enfin toucher l'intérieur de ce passage récemment creusé. Il retira sa main et palpa la poussière entre ses doigts gantés.

Une ombre passa à l'intérieur du bâtiment.

– Les Coprolithes n'auraient jamais fait ça de leur propre chef, déclara le vieux Styx, n'est-ce pas, Cox ?

– Jamais de la vie, répondit l'homme voûté en pénétrant malgré lui dans le cercle de lumière que projetait la lanterne du vieux Styx.

Un Limiteur s'avança d'un pas déterminé dans le passage. Il s'arrêta à hauteur du vieux Styx et se mit au garde-à-vous.

– Au rapport ! dit le vieux Styx dans la langue nasillarde de son peuple.

– Une forte explosion a causé l'effondrement du plafond qui surplombait les cellules et les couloirs alentour. Il faudrait plusieurs semaines pour procéder à des fouilles. Mais…

– Mais quoi ! aboya impatiemment le vieux Styx.

Le Limiteur poursuivit en accélérant le débit.

– L'explosion provenait des cellules d'expérimentation. Il est donc très probable que les températures atteintes dans cette zone aient dénaturé les poches de *Dominion* qui auraient pu y subsister.

Le vieux Styx prit une longue inspiration sans desserrer les lèvres.

– Dans ce cas, c'est une perte de temps. Nous ne trouverons aucun virus là-dedans. Laissez tomber, ordonna-t-il.

Incapable de comprendre cet échange, mais sensible à la réaction du vieux Styx, Cox fit rouler ses yeux sans pupilles sous l'ourlet de sa capuche.

– Mauvaises nouvelles ? demanda-t-il.

Le vieux Styx prit une autre inspiration avant de poursuivre en anglais.

– Oui, et je crois que nous savons l'un comme l'autre qui a fait ça.

– Drake, répondit Cox. Faut qu'on s'occupe de son cas, une bonne fois pour toutes.

– Je ne vous le fais pas dire, grogna le vieux Styx.

– On devrait jeter un dernier coup d'œil dans le coin, suggéra Will alors qu'ils s'attardaient devant la caverne. Pour s'assurer de n'avoir rien oublié.

– D'accord, dit Chester.

Il leva la carabine d'Elliott et colla son œil à la lunette pour scruter le plateau formé par le champignon.

– Au moins, maintenant, j'y vois, ajouta-t-il, ravi de disposer enfin d'un instrument à la hauteur du casque de Will.

Chester n'était plus dépendant des globes lumineux à la portée limitée.

Ils partirent chacun dans une direction sur la corniche, en quête de leurs affaires qui s'étaient peut-être éparpillées au cours de leur chute. Will remarqua que le chat ne le quittait pas d'une semelle. À présent que Cal n'était plus là, Bartleby semblait lui avoir fait allégeance, et à son grand étonnement, sa présence constante à ses côtés le réconfortait.

– J'ai trouvé une autre carabine, ici ! lança Chester.

– Cool ! rétorqua Will en le voyant extraire quelque chose du champignon.

– La lunette est cassée, mais elle a l'air en bon état, sinon, ajouta Chester un instant plus tard.

Will continua son inspection. Il ramassa une bouteille d'eau vide, de la corde et un globe qu'il lui fallut un moment pour déterrer. Puis il jeta un coup d'œil pour voir où se trouvait Chester. Son ami était à présent de l'autre côté de la corniche. Il faisait de curieux sauts de lapin tandis qu'il testait les effets de l'apesanteur.

À le voir rebondir ainsi, on aurait dit qu'il était monté sur ressorts, et c'était parfaitement ridicule.

— Hé, le novice ! hurla Will avec impatience. Je crois qu'on a fini !

— Ouais, répondit Chester.

Aidé par le peu de gravité, il se précipita vers Will avec la grâce d'une autruche dégingandée. C'était à peine si ses pieds touchaient le sol. Hilare, il exécuta un dernier bond de géant et s'arrêta enfin en un ultime dérapage.

— C'est trop cool. T'as raison. On a l'impression d'être sur la Lune.

— Ou plutôt sur la planète Zog, suggéra Will.

— Mais réfléchis deux minutes, Will. C'est comme si on avait des super pouvoirs, comme des super héros, tu vois. On peut sauter par-dessus les immeubles, et tout ça.

— C'est vrai, mais faudrait au moins qu'il y ait des immeubles pour commencer, marmonna Will en lui faisant les gros yeux tandis qu'ils retournaient dans la caverne.

Will se servit de la corde qu'il avait trouvée pour caler le bras d'Elliott contre son torse et procéda du mieux qu'il put. Elle ne broncha pas.

— Ça devrait faire l'affaire, dit-il. Maintenant, on range tout et on s'en va.

Will refermait le rabat d'une des poches latérales de son sac à dos lorsqu'il fut interrompu par Chester.

— Will, dit-il, j'ai fouillé dans les affaires d'Elliott, il y a pas mal d'explosifs et de canons-culasses.

— Oui, et alors ? répondit Will sans trop savoir où voulait en venir Chester.

— Eh bien, ça m'a fait réfléchir… Tu crois qu'il reste encore des feux d'artifice ?

— Des chandelles romaines ?

— Non, des fusées.

— Oui, deux. Pourquoi ? demanda Will.

— Je me demandais juste… commença Chester. Si on les tirait, quelqu'un pourrait les apercevoir en haut du Pore et nous envoyer de l'aide.

— J'imagine qu'on ne risque rien à essayer, répondit Will après un temps de réflexion. Je ne sais pas si elles sont encore en bon état. Elles sont peut-être fichues à cause de l'humidité.

Will plongea la main dans son sac à dos et en sortit deux fusées qu'il renifla.

– Elles semblent encore bonnes, dit-il. J'espère seulement que les bâtonnets sont toujours en un seul morceau.

Will fouilla à nouveau dans son sac. L'un des bâtonnets s'était cassé et il était un peu trop court.

– Quel dommage ! s'exclama-t-il d'un ton désapprobateur ; il les enfila néanmoins chacun dans le corps d'une fusée.

Tandis qu'il s'approchait du bord du plateau avec Chester, Will sentit monter à nouveau en lui l'envie irrationnelle de se jeter dans le vide. Il ralentit le pas. Il aurait bien voulu expliquer à Chester ce qui lui arrivait, mais il ne voulait pas l'inquiéter pour rien. Et puis, son ami penserait sans doute qu'il avait perdu les pédales, ce qui était d'ailleurs fort possible. Il voulait rebrousser chemin et retourner dans la caverne plus que tout au monde ; au lieu de cela, il se laissa tomber à genoux et avança à quatre pattes. Il se sentait un peu plus en sécurité ainsi, car il avait l'impression de garder le contrôle de lui-même et de mieux résister à l'envie de sauter dans le vide.

– Qu'est ce que tu fais à quatre pattes ? demanda Chester en remarquant la posture de son ami.

– Tu devrais faire attention. Les vents sont vraiment très forts au bord de la corniche, mentit Will. Je ne resterais pas debout si j'étais toi.

Chester regarda tout autour de lui. Il ne sentait rien d'autre qu'une légère brise occasionnelle.

– Très bien, si tu le dis, répondit-il en haussant les épaules, puis il se mit à son tour à quatre pattes.

Dès qu'ils eurent dépassé le surplomb qui se trouvait au-dessus de leurs têtes, Will suggéra de s'arrêter. Il était bien assez près du vide à son goût. À l'aide de son canif, il perfora par deux fois la peau du champignon.

– On n'a pas de bouteilles de lait pour caler les fusées, il va falloir faire sans, dit-il.

Il planta les fusées dans les trous qu'il venait de creuser en s'assurant que les bâtonnets étaient parfaitement droits.

– Vérifie bien l'inclinaison, conseilla Chester.

– Merci, professeur Hawkins, rétorqua Will avec bonne humeur.

Il procéda à d'ultimes réglages pour caler la fusée montée sur le plus court des deux bâtonnets. Elle faisait piètre figure comparée à l'autre. Après s'être assuré que toutes deux pointaient bien vers le centre du Pore, Will amorça la plus courte en actionnant la molette de son briquet.

— Dans cinq secondes, annonça-t-il avec un accent américain.

— Imagine un peu que quelqu'un la repère et qu'on vienne nous chercher, dit Chester d'un ton plein d'optimisme.

— Hum, j'ai deux remarques à ce propos, Chester. Premièrement, on a probablement atterri à des kilomètres sous terre, il faudrait donc qu'ils descendent sacrément loin pour nous atteindre, dit Will en regardant le gouffre gigantesque devant eux. Deuxièmement, on pourrait récolter bien plus que nous n'avons semé. Il est fort possible que les Styx repèrent nos fusées, ajouta-t-il avant d'allumer à nouveau son briquet.

Chester se rapprocha de Will comme pour l'empêcher de lancer la fusée.

— Dans ce cas, peut-être qu'on ferait mieux de ne…

— Mais je veux voir jusqu'où elles montent, dit Will avec l'enthousiasme d'un écolier.

— Ouais, on s'en fiche, après tout. Allons-y ! acquiesça Chester.

— Je ne suis pas sûr que ça marchera, de toute façon, indiqua Will en constatant que le papier nitraté refusait de prendre feu. Ah, ça y est, annonça-t-il.

La mèche venait enfin de s'enflammer.

Chester et Will s'éloignèrent de la fusée à quatre pattes, le regard plein d'espoir.

Elle décolla dans un souffle, mais elle vira rapidement vers la paroi du Pore. Le plateau qui se trouvait au-dessus de leurs têtes leur bouchait la vue, et ils ne purent voir jusqu'où elle était montée. Ils entendirent un bang, et le Pore fut baigné d'une vague lueur rouge.

— Inutile ! s'exclama Will. J'espère qu'on s'en tirera mieux avec celle-ci.

Will parvint à allumer presque aussitôt la fusée, qui fila dans les ténèbres. Elle s'élevait toujours plus haut, si bien que les deux garçons durent tendre le cou pour pouvoir suivre sa progression.

Ils avaient l'impression de regarder une fusée s'élever dans le ciel nocturne depuis la surface de la Terre. Elle était remontée sur plusieurs centaines de mètres lorsqu'elle explosa dans un grondement de tonnerre. Quelques couleurs pâles déchirèrent les ténèbres. Des jets de lumière rouge, blanche et bleue se succédèrent, ce qui permit aux garçons d'apercevoir un bref instant les parois du Pore loin au-dessus d'eux. Les éclairs de lumière crue révélaient d'autres champignons qui poussaient sur la paroi et s'avançaient au-dessus du vide. Puis tout replongea dans l'obscurité. La détonation retentit durant quelques secondes, puis ils n'entendirent plus que le mugissement du vent mêlé au doux crépitement de la pluie.

Will rabattit la lentille de son casque et se tourna vers Chester. Il avait l'air abattu, comme si l'intensité de cet instant lui avait rappelé qu'ils se trouvaient à une profondeur extraordinaire, confrontés à une situation des plus graves.

— Allez, on ne sait jamais... Quelqu'un l'aura peut-être vue là-haut, lui dit Will en lui tapotant l'épaule.

Alertées par la première fusée, les deux Rébecca s'étaient lentement avancées vers le bord du petit plateau fongique sur lequel elles avaient atterri. Comme elles étaient vêtues à l'identique de la veste marron à motif camouflage des Limiteurs, il était impossible de les différencier, si ce n'est que l'une d'elles boitait et prenait appui sur sa jumelle pour marcher.

— Des feux d'artifice ? dit la boiteuse.

Elles s'arrêtèrent toutes deux au bord de la corniche pour scruter les ténèbres. Une minute plus tard, une deuxième fusée explosa, pas très loin au-dessus de leurs têtes.

— Oui, des feux d'artifice, conclut la jumelle boiteuse.

Elles tendirent l'oreille quelques instants, la tête levée dans l'attente d'un autre signe d'activité. En vain.

— Je ne connais qu'une personne assez bête pour faire un truc pareil.

— Oui, *fubtil*... très *fubtil*, acquiesça sa jumelle. Notre *fer frère* vient de nous envoyer une *invitafion*, et il va le regretter.

Elles éclatèrent de rire, mais la jumelle boiteuse se tourna soudain vers sa sœur, le visage grave.

— T'es ridicule ! Qu'est-ce qui t'arrive ? dit-elle sans la moindre trace de compassion dans la voix. Tu zézayes !

— *Che* crois que *ch*e me *fuis caffé* plusieurs dents, répondit sa sœur en se touchant aussitôt la bouche.

— Enlève ta main et laisse-moi voir ! ordonna la boiteuse en portant sa lanterne à hauteur du visage de sa sœur. Oui, tes deux incisives sont brisées, remarqua-t-elle, impassible.

— *Ch*'ai dû me cogner pendant ma chute, dit-elle agacée. *Che* m'en occuperai une fois de retour en *ch*urfache.

— Si nous y retournons un jour... corrigea la boiteuse d'un ton poignant. Mais qu'est-ce que tu as au bras ?

– *Che* crois que *ch*'ai l'épaule déboîtée.

– Pas de problème. Réglons d'abord ça, dit-elle.

Elle prit la faucille que sa sœur tenait à la main, le bras pendant. La jumelle boiteuse contempla un instant l'arme menaçante qui devait faire une quinzaine de centimètres de long. Sa surface parfaitement polie et dégoulinante d'huile de champignon brillait d'une lueur grisâtre. Contre toute attente, elle porta la lame à ses lèvres et y déposa un baiser.

– Ma petite chérie, dit-elle d'un ton affectueux pour lui témoigner sa gratitude.

Cette arme leur avait sauvé la vie. La jumelle qui zézayait était parvenue à la planter dans une corniche, mais leur vitesse était telle que la lame avait tranché net dans la chair du champignon. Ce geste avait toutefois suffi à dévier leur trajectoire, et c'est ainsi qu'elles avaient atterri sur la corniche suivante située en contrebas.

Elles en avaient payé le prix. La jumelle qui zézayait avait non seulement dû supporter son propre poids, mais aussi celui de sa sœur : son bras avait donc subi une traction considérable.

Le témoignage d'affection de la boiteuse à sa faucille ne dura guère, cependant.

– Beurk ! C'est répugnant ! cria-t-elle en crachant le jus de champignon qu'elle avait sur les lèvres.

Elle modifia sa prise et se débarrassa de la faucille d'un geste habile du poignet. À dix mètres de là environ, se dressait sur le plateau fongique un petit bosquet de basides. La faucille tournoya dans les airs avant d'aller se planter profondément dans l'une des boules qui ornaient l'extrémité des tiges. Si Will s'était trouvé sur le plateau, la boule se serait trouvée à peu près à la même hauteur que sa tête, ce qui n'avait sans doute rien de fortuit.

– Bien vi*fé*, la félicita la jumelle qui zézayait en voyant osciller la baside d'avant en arrière. Mais *fa* ne fait pas l'ombre d'un doute. On va trouver le moyen de sortir d'*ich*i.

– Je sais, répondit la boiteuse. Mais pour l'amour du ciel, arrête un peu de zézayer, et fais-moi voir ton bras.

Elle aida sa sœur à se débarrasser de son long manteau, puis lui tâta doucement l'épaule.

– T'as raison, elle est bien déboîtée. Tu connais la suite.

Elle lui tendit la lanterne styx qu'elle cala sous son aisselle. La boiteuse se rangea ensuite à côté de sa sœur et lui saisit le haut du bras pour bien assurer sa prise sur l'humérus.

– Prête ? demanda-t-elle en prenant son élan.

– Oui, *ch'uis* prête, répondit-elle, puis elle secoua la tête en fronçant les sourcils. Pardon, je voulais dire : « Je *suis* prête », corrigea-t-elle d'un air concentré.

D'un mouvement vif, la boiteuse lui rabattit le bras contre le corps. L'humérus pivota autour de la lanterne cylindrique, et l'os retrouva son logement dans l'épaule avec un petit claquement sec, comme si une brindille venait de se briser. En dépit de la terrible douleur qu'elle avait dû éprouver, la jeune fille lâcha à peine un gémissement.

– C'est fait, dit la boiteuse. Ça devrait aller, maintenant.

– Tu veux que je jette un coup d'œil à ta jambe ? proposa la jumelle qui zézayait en essuyant les grosses gouttes de sueur qui perlaient sur son front.

– Non, c'est juste une foul…

Elle s'interrompit soudain, car elle venait d'apercevoir quelque chose dans le noir au-dessus d'elles.

– Regarde ! ajouta-t-elle en basculant vivement la tête en arrière.

– Oui, j'ai vu. Une lumière.

– Ce ne sont pas les restes de cette fusée. Ça pourrait être…

– Un globe lumineux…

– Ou peut-être… une lanterne… l'une de *nos* lanternes ?

Elles se turent et regardèrent se rapprocher le point lumineux que la force gravitationnelle attirait vers le bas. Lorsqu'il fut à peu près à hauteur de la corniche, elles constatèrent qu'il s'agissait bien d'un globe lumineux. Un homme le tenait dans sa main.

Sans avoir besoin de se consulter, les jumelles pensèrent très exactement la même chose au même moment et aboyèrent leurs ordres à l'unisson dans la langue nasillarde des Styx.

Le Limiteur avait beau se trouver assez loin des jumelles, il les entendit malgré tout et reçut le message cinq sur cinq, tout comme lorsque le vieux Styx lui avait donné l'ordre de se suicider en sautant dans le vide. À quelques mètres au-dessus de lui, le deuxième Limiteur en chute libre entendit lui aussi les ordres des jumelles. Malheureusement, le troisième Limiteur, qui n'était autre que l'officier en chef, avait mis fin à ses jours d'un coup de faucille quelques kilomètres en amont. N'ayant plus aucune raison de continuer ainsi, les deux survivants avaient envisagé de faire de même, mais voilà qu'un nouvel objectif s'offrait désormais à eux, leur donnant même une excellente raison de vivre. S'aidant de leurs bras et de leurs jambes avec l'habileté propre aux parachutistes, ils dévièrent leur trajectoire vers la corniche qui se trouvait juste en dessous de celle où se tenaient les jumelles.

— La fortune *ch*ourit aux *ch*ustes, dit la jumelle qui zézayait d'un air ravi.

— En effet, oui, en effet, répondit la boiteuse en palpant la fiole de *Dominion* qui pendait à son cou.

Sa jumelle l'imita, mais sa fiole était différente : elle contenait le vaccin antiviral.

Les deux Rébecca n'eurent nul besoin de poursuivre leur échange, elles tournèrent les talons en chœur et partirent au fond du plateau. Elles arboraient le même large sourire. À présent qu'elles avaient deux soldats à leur disposition, elles savaient qu'elles venaient de multiplier considérablement leurs chances de trouver une issue hors du Pore, munies de leur cargaison mortelle. L'horizon s'éclaircissait.

Chapitre Cinq

À cette heure fort matinale, il y avait très peu de circulation dans les rues de Hampstead. Au volant de sa Range Rover, Drake passa devant l'hôpital Saint-Edmund, puis remonta la colline de Rosslyn avant de s'engager dans Pilgrim's Lane. Arrivé au bout de la rue, il ralentit puis s'arrêta enfin. Il se gara à côté de la portion de lande connue sous le nom de Preacher's Hill. Les herbes hautes et les quelques arbres étaient couverts de givre, comme si on les avait saupoudrés de sucre glace.

Drake s'apprêtait à tourner la clé de contact pour couper le moteur, lorsqu'il fut interrompu par un bulletin radio concernant le *Supervirus*. Le présentateur parlait du coût des journées de travail perdues pour l'économie, qui s'élevait à plusieurs millions de livres.

— Ah ! ils s'inquiètent toujours pour l'argent ! déclara Drake avec mépris, puis il ferma les yeux et s'adossa contre l'appuie-tête. Ils ne comprennent donc rien à rien !

Il bâilla. Il n'avait pas dormi correctement depuis des jours, piquant un petit somme dans la voiture dès qu'il en avait l'occasion, et il commençait à accuser le coup. Il laissa glisser sa tête contre la vitre et sombra soudain dans un demi-sommeil.

Il fut réveillé en sursaut par la vibration du téléphone mobile qu'il avait rangé dans le sac posé sur le siège du passager. Trempé d'une sueur froide, il mit plusieurs minutes à le localiser. Le moteur de la voiture tournait encore. Il s'aperçut alors qu'il avait manqué la fin du bulletin concernant le *Supervirus*.

— Reprends-toi ! grogna-t-il, furieux contre lui-même de s'être ainsi endormi.

Il regarda ses différents téléphones en jurant jusqu'à ce qu'il trouve enfin celui qui sonnait. Il le sortit du sac et répondit, coupant le moteur de son autre main pour faire taire la radio.

— Allô ? dit-il en se frictionnant le visage pour se réveiller.

— Allô, répondit une voix féminine sans se présenter.

— Oui.

— J'appelle de la part de…

— Pas de nom, l'interrompit brusquement Drake. Je sais qui vous êtes. Pourquoi ne m'appelle-t-il pas lui-même ?

— Il n'est… il n'est pas disponible, répondit-on tristement d'une voix étranglée.

— Oh, mon Dieu ! s'exclama Drake qui savait précisément ce que cela signifiait.

Son contact était soit mort, soit porté disparu. Pas un seul des membres qu'il avait contactés jusqu'alors n'était encore en activité dans son ancienne cellule. On avait démantelé son réseau.

— Et n'allez pas à Hill Station, poursuivit la femme d'un ton plus dur et plus appuyé.

— Pourquoi ? demanda Drake en serrant si fort son téléphone que la coque en plastique émit un craquement.

— Cette cellule a été déconnectée, dit-elle avant de raccrocher.

Drake contempla son téléphone pendant quelques instants, observant les briquettes qui fluctuaient à l'écran en fonction de l'intensité du réseau. Puis il retourna le téléphone, en retira le cache et fit glisser la carte SIM hors de son logement. Il sortit de la voiture, laissa tomber la carte sur la chaussée et la foula sous sa botte. Il longea la voiture en scrutant la rue et le parc à découvert, ouvrit le panneau arrière et sortit un revolver d'un fourre-tout avant de le glisser bien vite dans la poche arrière de son pantalon. Il verrouilla la voiture et s'avança à grands pas vers la colline de Preacher's Hill qu'il gravit en se cachant derrière les quelques buissons épars, laissant derrière lui l'empreinte de ses bottes dans l'herbe gelée.

Parvenu au sommet de la colline, Drake marqua une pause pour inspecter de nouveau la zone avant de fixer son regard sur son point de destination. Hill Station, comme la nommaient les membres de son réseau, était une grande demeure de l'époque du prince Édouard, située tout au bout d'une rangée de propriétés du même style. Drake quitta la pente herbue pour rejoindre la route. Même si le message que lui avait transmis son interlocutrice était sans équivoque, il devait en avoir le cœur net… tout en se montrant prudent, car ils surveillaient peut-être l'endroit. Il passa donc devant la maison sans même y jeter ne serait-ce qu'un coup d'œil nonchalant. Il lui suffisait de voir la barricade devant l'entrée de l'allée et la pancarte sur laquelle on lisait : « Entrée interdite – Structure instable ». On avait cloué des planches sur toutes les fenêtres du rez-de-chaussée. Il poursuivit son chemin et dépassa plusieurs maisons, puis il regarda furtivement sa montre comme s'il était en retard et rebroussa chemin à toute allure.

À hauteur de l'allée, il sauta sans effort par-dessus la barrière aux rayures rouges et blanches. Il longea une haie de buis hirsute qui bordait le chemin de graviers et se dirigea vers le flanc de la maison. Arrivé devant l'entrée de la cave, il vit qu'il ne restait plus qu'un simple chambranle carbonisé en guise de porte. Il ouvrit son pardessus et dégaina son revolver.

Il entra prudemment, couvrant tous les angles avec son arme. Il ne restait plus que les squelettes métalliques de bureaux et de petites mares de plastique fondu, restes des séries d'unités centrales qui y étaient jadis entreposées. Tout semblait réduit en cendres. Les parois étaient noircies par la fumée, et le plafond s'était effondré en plusieurs endroits là où les solives avaient complètement brûlé. On aurait dit que toute cette zone avait été engloutie par un incendie dévastateur et fortement localisé.

Drake savait qu'il était inutile de vérifier s'il restait du matériel ou des archives. Il sortit de la cave et retourna à la voiture.

Les Styx avaient fait preuve de leur minutie habituelle. Pendant qu'il était dans les Profondeurs, tout son réseau avait été démantelé. Drake se sentait réduit à l'impuissance la plus totale. La seule issue qui lui restait à présent était de prendre contact avec l'une des autres cellules opérant de manière autonome dans le pays. Mais il risquait aussi de les compromettre.

Il était désespéré.

– Ce sera le pays de Galles, dit-il d'une voix lasse, et il redémarra la voiture.

– Je peux la transporter si tu veux, proposa Chester en voyant que Will s'apprêtait à soulever Elliott.

– Ça ne change pas grand-chose, n'est-ce pas ? répondit Will en secouant la tête. Elle ne pèse pas très lourd, ici-bas.

Chester enfila les trois sacs à dos sur ses épaules. À la Surface, il n'aurait jamais pu transporter pareil fardeau, mais à présent il sautillait sur place comme si de rien n'était. Il se releva et saisit sa carabine entre le pouce et l'index.

— Ouais, tu trouves pas ça génial ? Elle est aussi légère qu'un crayon à papier. T'as raison. Rien ne pèse très lourd, ici !

Sans savoir où ils allaient, si ce n'est que la caverne s'enfonçait loin dans la paroi du Pore, ils se mirent en route.

Ils avaient déjà parcouru plusieurs kilomètres et marchaient encore sur la surface élastique du champignon qui tapissait le moindre recoin de la galerie.

Ils contournèrent un coude et se trouvèrent nez à nez avec le champignon qui formait cette fois une paroi verticale.

— Cul-de-sac... Y a pas grand champ... derrière ce pignon, plaisanta Chester.

— Très drôle. Mais ce n'est pas un cul-de-sac, marmonna Will en indiquant l'ouverture au-dessus de leurs têtes. Réduis l'intensité de ta lanterne un instant, dit-il en déposant Elliott sur le sol, puis il rabattit la lentille de son casque pour inspecter les lieux. On dirait que ça va quelque part, mais je n'arrive pas à voir ce qu'il y a tout en haut.

— Bon, ben ça s'arrête là, alors, répondit Chester avec découragement.

— Tu oublies quelque chose.

Will prit un peu d'élan et rebondit contre la paroi. Il décolla et disparut hors de vue. Bartleby le suivit aussitôt. Il n'allait certainement pas rester en arrière, sans son nouveau maître.

— Oh, trop cool ! Laissez-moi ici tout seul, marmonna Chester en scrutant les ténèbres compactes.

Il augmenta l'intensité de sa lanterne et sifflota pour se réconforter. Comme Will ne donnait toujours pas signe de vie, il finit par s'inquiéter.

— Hé ! hurla-t-il. Qu'est-ce qu'il y a là-haut ? Ne me laisse pas tout seul en bas !

Will redescendit lentement et se posa avec légèreté à côté de Chester.

— On peut essayer plusieurs ouvertures. Allons-y !

— Bon, ben on vient d'apprendre à voler, maintenant, dit Chester. Et tout ça en une journée.

Ils découvrirent d'autres veines verticales, et malgré le champignon qui recouvrait presque tout, Will finit par y déceler un motif. Elles semblaient rayonner en cercles concentriques dont le Pore constituait le centre. C'était l'équivalent géologique d'un bassin dans lequel on aurait lancé un galet. Will se demandait si ces fractures circulaires avaient pour origine le refroidissement rapide de la pierre.

— Ça veut dire que la Terre n'est pas du tout compacte, dit Will à Chester en marchant. Elle ressemble plutôt à un méga emmenthal plein de trous.

— Faut vraiment que tu parles de nourriture ? répliqua Chester.

Mais Will commençait à soupçonner l'existence de brèches bien plus nombreuses que celles-là. Ce champignon à la croissance insatiable les avaient envahies au fil des siècles. Will était émerveillé à l'idée que ce champignon pût n'être qu'un seul et même gigantesque organisme qui s'étendait sur des centaines, voire des milliers de kilomètres, enveloppant le Pore et s'insinuant dans la roche avoisinante.

— Tu te rends compte qu'on est peut-être à l'intérieur de la plus grosse plante du monde ? remarqua-t-il en une autre occasion, mais Chester ne réagit pas.

Ils arrivèrent enfin à un embranchement. La galerie se subdivisait en trois passages, et ils s'arrêtèrent pour choisir une direction.

— Eh bien, cette fois, on a vraiment l'embarras du choix, dit Will.

Son ami se contenta de signifier son approbation en marmonnant quelques mots.

— Écoute, Chester, très franchement, je me fiche pas mal de la direction qu'on prendra. Ça m'est complètement égal. Quelle que soit la voie qu'on choisira, ça ne fera pas une très grande différence au final, n'est-ce pas ?

Will examina de nouveau les galeries. Elles avaient toutes à peu près les mêmes dimensions et semblaient s'étendre sur un axe horizontal, même s'il était impossible de prévoir ce qui les attendait tout au bout. Ils avaient déjà dû rebrousser chemin à plusieurs reprises, soit parce que le champignon à la croissance excessive leur bloquait le passage, soit parce que la galerie était si étroite que même le plus motivé des hommes n'aurait pu s'y frayer un chemin.

— C'est moi qui ai choisi, la dernière fois. À ton tour ! proposa Chester.

— À dire vrai, c'est Bartleby qui a choisi, la dernière fois, lui rappela Will.

— Dans ce cas, laissons-le choisir de nouveau, suggéra Chester.

Ils se tournèrent vers Bartleby qui humait l'atmosphère, la tête relevée, fouettant vigoureusement l'air de sa queue.

– Allez, Bart, fais ton choix ! le pressa Will.

– *Bart ?* demanda Chester. D'où est-ce qu'il sort, ce nom ?

– Ça vient de Cal, répondit calmement Will.

– Oh, oui, d'accord.

Chester jeta un coup d'œil à Will en se demandant comment il surmontait la mort de son frère. Mais Will semblait bien déterminé à explorer le réseau de galeries, comme s'il avait quelque plan en tête. S'il était aussi préoccupé que lui par cette situation fâcheuse, il n'en montrait rien. Au moins, ils savaient maintenant que des gens avaient vécu ici, comme l'indiquaient les filets découverts sur le plateau fongique, même s'ils étaient morts depuis. Mis à part cela, comment nier l'évidence : ils erraient au hasard sans savoir où ils allaient, mais Chester n'allait certainement pas lui en parler maintenant. Ils avaient besoin de s'occuper.

– Si tu n'arrives pas à te décider, je vais m'en charger, dit Will au chat qui ne semblait guère pressé et continuait à humer l'atmosphère.

C'est alors que l'animal détala tout à coup et s'engouffra dans l'une des galeries. À peine avait-il parcouru quelques mètres qu'il s'arrêta net. Les deux garçons qui le suivaient de près s'immobilisèrent tout aussi brusquement.

– Mon Dieu ! souffla Will, frappé de plein fouet par une odeur de pourriture. C'est un sacré bestiau qui est venu crever ici !

Chester remarqua alors le bruit de ses bottes sur le sol.

– Il y a une substance gluante sur le sol. Ça a l'air carrément fétide.

– Regarde là, chuchota Will qui venait d'apercevoir une série de structures le long du mur.

Il y avait quatre établis en bois contre la paroi. Cela ressemblait au type d'installations qu'on pouvait trouver dans une boucherie. De construction solide, les pieds et les plans de travail des établis comportaient d'épaisses pièces de bois. Les taches de sang et la couche de vieille viande séchée – d'une épaisseur de plusieurs centimètres par endroits – dont ils étaient recouverts renforçaient cette impression. Un énorme hachoir était fiché dans le bois de l'un des établis, comme si son propriétaire l'y avait planté là en attendant de s'en servir à nouveau.

– Oh non ! s'écria Chester en posant les yeux sur le hachoir.

Il avala sa salive et jeta un regard terrifié à Will.

Will avait tout de suite cru qu'ils étaient tombés sur une tribu de cannibales souterrains, mais il ne comptait pas en faire part à son ami, déjà pétrifié d'horreur. Il recula d'un pas pour s'éloigner des établis et trébucha sur les débris qui jonchaient le sol. Il tomba à genoux, mais parvint à rattraper Elliott au dernier moment. Il put ainsi examiner d'un peu plus près ce sur quoi ils avaient marché jusqu'alors.

Il s'agissait d'une masse de membres découpés, mais Will ne parvenait pas à identifier quoi que ce soit.

– Des quartiers d'animaux ? s'interrogea-t-il en remarquant un énorme œil composite et des sections de pattes articulées recouvertes de poils hirsutes qui atteignaient presque la taille de son petit doigt. Non, des insectes... des insectes géants ? dit-il, incrédule, d'une voix étranglée.

Le plus gros morceau comportait environ une dizaine de segments insectoïdes avec des pattes de chaque côté. Il aurait pu s'agir d'un mille-pattes titanesque. Étant donné que chaque segment mesurait cinquante centimètres de long, il se demandait quelle pouvait bien être la taille de la créature à laquelle ils appartenaient.

– On sort d'ici, tout de suite, déclara Chester en aidant Will à se relever.

C'était sans appel.

– Et on file aussi loin que possible ! ajouta-t-il.

Ils foncèrent jusqu'à l'embranchement d'où ils venaient.

Chester pointait du doigt l'une des autres galeries lorsqu'un cri perçant les fit sursauter d'effroi.

– Bon sang ! Qu'est-ce que c'était que ça ? murmura-t-il, rompant le silence qui avait suivi.

Ils levèrent aussitôt les yeux et remarquèrent pour la première fois une large fissure juste au-dessus de leur tête. D'autres cris retentirent, semblables au crissement des ongles sur un tableau noir – un très long tableau noir. Outre le fait que les garçons ne savaient pas d'où provenaient ces sons, ils étaient très pénibles pour les tympans et leur mettaient les nerfs à vif. Puis l'écho s'évanouit peu à peu.

– Ça n'a rien à voir avec les craquements de la roche, n'est-ce pas ? demanda très calmement Chester.

Will tarda à lui répondre. Il regardait Bartleby. L'animal était très agité.

Ils entendirent alors d'autres effroyables appels, plus forts cette fois.

– Non, ça n'a rien de géologique, murmura Will. Ça a peut-être quelque chose à voir avec ces morceaux d'insecte, murmura Will. Chester, prépare la carabine, reprit-il sur le ton de l'urgence. Et puis les canons-culasses.

Will emporta Elliott dans la galerie qui se trouvait sur leur gauche face à eux. Bartleby s'était couché à plat ventre sur le sol, si bien que Will faillit trébucher.

À son retour, il trouva Chester en train de manipuler son arme. Il s'efforçait d'armer la culasse de sa carabine. Chester logea une cartouche dans le chargeur, puis, marchant toujours à reculons, il souleva le rabat qui masquait les canons-culasses et sortit deux engins de la gaine qui était nouée sur sa hanche.

Ce qui suivit les prit tous par surprise.

Will entendit d'abord le claquement d'une corde. Le sol se déroba sous ses pieds, et il se retrouva la tête en bas. Il s'accrocha à Elliott, s'efforçant tant bien que mal de ne pas la laisser tomber. Il appela Chester de ses cris. Quelque chose l'enserrait de tous côtés. Il venait de se faire prendre au piège d'un filet semblable à ceux qu'il avait vus en bordure du plateau fongique.

Bartleby cracha et se débattit dès qu'il se retrouva ainsi ficelé en compagnie de Will qui continuait à crier. Il découvrit que plus il se débattait, plus les mailles se resserraient, si bien qu'il fut bientôt complètement immobilisé. Par-dessus le son de ses propres cris et le crissement du filet, il était sûr d'avoir entendu un son métallique, comme si on cognait des boîtes de conserve les unes contre les autres. L'épaule d'Elliott touchait son visage tandis que Bartleby se tortillait contre ses jambes, et il était incapable de dire si Chester était à l'origine de ce boucan. Il essaya de voir où était son ami, et surtout s'il avait été capturé lui aussi dans un autre piège, mais le filet tournoyait si vite que tout était flou autour de lui.

Dès que Chester comprit que Will avait des ennuis, il voulut voler à son secours. Mais son ami criait si fort qu'il ne doutait pas qu'il fût bel et bien vivant. Chester était désormais plus préoccupé par ce qui se passait au-dessus de lui. Des pierres et des morceaux de terre tombaient du plafond, comme si quelque chose se rapprochait peu à peu. Les cris se faisaient de plus en plus perçants et de plus en plus rapprochés. Chester laissa tomber les sacs à dos qu'il portait sur ses épaules et s'avança de quelques pas en direction de Will, pointant fort heureusement son arme vers le plafond.

À travers sa lunette, Chester vit quelque chose glisser le long de la fissure sans faire le moindre bruit, telle une ombre sur un mur. Il repéra rapidement l'endroit où avait atterri la créature.

– Bon s… ! bafouilla Chester en essayant de comprendre de quoi il retournait.

La bête mesurait environ trois mètres de large et possédait plus de pattes parcheminées que ne pouvait en compter Chester d'un seul coup d'œil. Trois taches, semblables à des réflecteurs, brillaient à la surface de son corps circulaire et semblable à un disque épais. Mais il y avait plus étrange encore : elle arborait une longue tige plantée juste au-dessus des « yeux », et dont la pointe diffusait une douce lumière jaune.

La créature sembla s'aplatir au sol sous ses yeux tandis que son appendice luminescent s'agitait doucement. Puis elle se releva lentement sur ses multiples pattes.

Chester s'agrippa à la carabine. Lui qui ne supportait pas les bêtes rampantes se trouvait face à un monstre qui était l'incarnation même des pires cauchemars de son enfance. Submergé par des vagues successives de dégoût, Chester frémit d'horreur.

– T'es finie ! rugit-il. Je déteste…

Ces derniers mots moururent sur ses lèvres, car la créature s'affala sur le sol. Elle s'apprêtait à se jeter sur lui, mais rien au monde ne l'empêcherait d'appuyer sur la gâchette.

– Saleté d'araignée ! hurla-t-il en déchargeant son arme sur le corps circulaire.

La balle trancha la créature en deux d'un seul coup.

Chester regarda les deux sections tomber de part et d'autre tandis que les pattes s'agitaient frénétiquement. Son taux d'adrénaline était si élevé qu'il partit d'un fou rire hystérique, ce qui ne lui ressemblait guère.

Les cris perçants avaient cessé, et l'on n'entendait plus que les hurlements de Will.

Chester venait tout juste de reprendre ses esprits lorsqu'une autre créature atterrit dans un bruit sourd, pile au même endroit que la précédente. Chester arma instinctivement la culasse et appuya sur la gâchette.

Clic !

Son sang ne fit qu'un tour. Son arme s'était enrayée.

La charge n'était pas partie. Il tenta en vain d'armer la culasse, elle restait bloquée. Le monstre se relevait lentement sur ses pattes segmentées. Même s'il savait que c'était en pure perte, Chester risqua une nouvelle tentative.

Clic !

En désespoir de cause, Chester tenta le tout pour tout. Il essaya d'asséner un coup de carabine à la bête, mais elle para habilement son attaque en levant l'une de ses pattes antérieures et envoya la carabine valdinguer au loin. L'arme retomba sur le champignon avec un bruit sourd… désormais hors de portée.

Tout se jouait donc entre la créature et lui, maintenant. Pris de panique, Chester riva ses yeux aux sphères cristallines et malveillantes de la créature qui brillaient comme deux grosses gouttes d'eau à la lumière de sa lanterne. Elle émit un léger sifflement en ouvrant la gueule, découvrant une rangée de méchants crochets, aussi gros que le pouce de Chester.

– Oh non ! bredouilla-t-il.

Il tomba à la renverse et s'étala sur le dos. Il s'efforça de sortir l'un des deux canons-culasses de la gaine qu'il avait nouée sur sa hanche. Sans quitter des yeux la créature, il finit par attraper un canon-culasse et lâcha un juron en voyant qu'il avait laissé tomber l'autre au passage. Il tenta ensuite de se remémorer ce que lui avait appris Drake quant au maniement de ces armes.

– Tiens-la dans ta paume, se dit Chester, s'assurant d'abord qu'elle était orientée dans la bonne direction.

La créature s'élança au moment même où il enroulait son doigt sur le levier de tir.

Chester actionna le levier, déclenchant ainsi le mécanisme de mise à feu alors même que la créature se jetait sur lui. Le canon-culasse lui sauta dans la main tandis que le projectile frappait la créature en plein vol. Chester aurait eu peine à rater sa cible qui se trouvait à moins de deux mètres de lui. À cette portée, l'explosion avait réduit son corps en bouillie, éclaboussant Chester au passage. Il était désormais trempé de sang.

– Dieu tout-puissant ! s'exclama-t-il d'une voix étranglée.

Il s'essuya le visage, les yeux rivés sur les fragments de créature dont il était couvert. Deux longues pattes maigres qui remuaient encore lui barraient tout le corps. Elles ressemblaient aux pattes d'un poulet géant qu'on aurait plumé, bien qu'elles fussent recouvertes d'une peau sombre et calleuse, hérissée çà et là de gros poils noirs. Chester crut bien qu'il allait vomir en s'en débarrassant, puis il s'efforça de s'éloigner au plus vite de la scène de carnage en s'aidant de ses pieds.

Il bafouillait des paroles incohérentes, incapable de répondre aux appels frénétiques et assourdis de Will. C'en était presque plus qu'il ne pouvait en supporter. Il était à deux doigts de se recroqueviller sur lui-même pour tout oublier. Seule le retenait l'idée qu'il devait sortir Will et Elliott de leur piège.

C'est alors qu'il entendit un autre son sourd.

– Non ! Pas encore ! hurla-t-il.

Il n'eut pas besoin de regarder pour savoir ce qui l'attendait.

L'instant d'après, il grattait frénétiquement le sol à la recherche de l'autre canon-culasse, mais au milieu de tous ces fragments de corps éparpillés sur toute la surface irrégulière du champignon il restait introuvable.

Chester se força à regarder. La créature fléchit sur ses pattes, le corps animé d'un léger tremblement. *Elle est sur le point d'attaquer*, se dit Chester.

Alors elle se jeta sur lui.

Il entendit un sifflement. Quelque chose d'incandescent venait de frapper la créature en plein vol et les flammes consumaient à présent son corps à une vitesse phénoménale. Elle se débattait en poussant son cri perçant et caractéristique, d'une intolérable intensité.

Sans avoir la moindre idée de ce qui venait de se passer, Chester se remit sur ses pieds. Il s'avança d'un pas chancelant jusqu'à l'endroit où Will et les autres se trouvaient pris au piège du filet lorsqu'un autre monstre apparut soudain. L'air sembla frémir quand un second projectile lui frôla la tête avant de transpercer la créature. Chester se jeta sur le sol, un instant persuadé que cette flèche lui était destinée. L'araignée s'embrasa d'un coup puis s'effondra à côté du corps encore secoué de spasmes de sa congénère.

Chester était comme paralysé, fasciné par le corps incandescent et crépitant des deux bêtes.

Une silhouette informe émergea du rideau de fumée.

– Styx ? interrogea simplement Chester en levant les yeux vers la femme qui se tenait devant lui.

Elle tenait une sorte d'arbalète en joue, prête à décocher une nouvelle flèche enflammée, et cette fois, c'est bien lui qu'elle avait pris pour cible.

Elle s'avança vers Chester.

– Mais... tu n'es qu'un petit garçon, dit-elle d'un ton bourru qui trahissait son étonnement.

Elle portait un long manteau en loques et le bas de son visage était enveloppé dans un foulard d'un tissu plus léger.

– Vous êtes styx ? finit par demander Chester.

– Quelle affreuse question ! répondit-elle sèchement.

La femme défit son foulard en riant aux éclats. Elle souffla la pointe enflammée de sa flèche et abaissa son arbalète, qu'elle tenait à présent contre sa cuisse.

Chester vit alors sa chevelure rousse et ondulée, son visage généreux aux bonnes joues ridées par un large sourire. Elle avait l'air gentille. Chester n'aurait su dire son âge, mais elle devait avoir la quarantaine. Abstraction faite de ses guenilles, elle aurait très bien pu faire partie des amies de sa mère, une de celles qui la ramenait chez elle après l'un de ses nombreux cours du soir.

– Tu as de la chance d'être tombé sur le jour où je vérifie les pièges, sans quoi tu aurais servi de repas aux araignées, dit-elle en tendant la main à Chester. Allez, hop, mon chéri !

– Vous n'êtes pas styx, alors ? demanda-t-il d'un ton hésitant, en la regardant droit dans les yeux.

Alors qu'elle répondait à Chester, les cris inarticulés de Will s'élevèrent dans le lointain.

– Non, je ne suis pas styx. D'ailleurs, ce n'est pas moi qui essayais d'anéantir des araignées-singes avec la carabine d'un Limiteur, dit-elle d'une voix légèrement étranglée, comme si elle n'avait guère l'habitude de parler.

– Elle n'est pas à moi… je veux dire, bégaya Chester en essayant de s'expliquer.

– Ne t'inquiète pas, mon chou, je vois bien que tu n'es pas un de ces Cols d'albâtre. Ah, tu ne sais pas à quel point ça me fait du bien, ajouta-t-elle en le regardant à nouveau droit dans les yeux.

– Quoi donc ? demanda-t-il en saisissant sa main tendue pour se relever.

– De voir une autre personne ! répondit-elle comme si c'était l'évidence même.

Elle lui tenait encore la main lorsque Will se remit à hurler.

– Euh… Will… mes amis, lui rappela Chester en retirant sa main.

Mais il la regardait toujours aussi fixement, abasourdi. Elle jeta son arbalète sur son épaule, préleva quelques brindilles séchées dans l'épaisse ceinture qui ceignait sa taille ample et les jeta sur le tas de créatures incandescentes. Une odeur intense se diffusa instantanément dans l'air. Elle n'avait rien de déplaisant, cela dit.

– Voilà qui devrait tenir à distance le reste des mendiants, informa-t-elle Chester en se dirigeant vers l'endroit où était suspendu le filet.

Quelque part dans l'obscurité, elle détacha la corde, puis ramena doucement au sol le ballot que formaient Will, Elliott et le chat.

— Ne vous en faites pas. On va vous sortir de là en moins de deux, dit-elle en tirant sur le haut du filet pour en défaire le nœud.

Bartleby fut le premier à sortir du piège en grognant et en montrant les crocs à la femme.

— Un chasseur, dit-elle en laissant tomber le filet pour applaudir, visiblement aux anges. Moi qui croyais que jamais je ne reverrais un chasseur !

Bartleby décréta qu'elle n'était pas dangereuse et la contourna en la reniflant au passage. Il était bien plus intéressé par les araignées-singes, comme elle disait, et tournait prudemment autour des restes.

Will avait réussi à s'extraire du filet sans l'aide de la femme. Il se remit debout puis se frotta la cuisse.

— Espèce de chat débile ! Il m'a mordu ! Chester, qu'est-ce qui ?… commença-t-il avant de s'arrêter net en posant les yeux sur la femme. Bon sang, mais vous êtes qui au juste ?

— Martha, répondit-elle. Mais on m'appelle Ma.

— Martha ? répéta Will en secouant la tête d'un air incrédule. Ma ?

— Oui, c'est ça. Ma. C'est comme ça qu'on m'appelait, dit-elle en examinant Will. Regarde-toi un peu. Ces cheveux blancs et ces yeux délicieusement pâles. Aucun doute là-dessus, tu es né sous les herbes.

— Qu'est-ce que ça veut dire ? demanda Chester, perplexe.

— Ça veut dire que je suis né à la Colonie, lui dit Will. Tu sais, sous les herbes, sous Terre, donc.

— Oh, d'accord, je comprends, dit Chester.

Martha avait remarqué le corps inerte d'Elliott dans le filet.

— Vous êtes donc trois ! Qu'est-ce qu'il a, celui-là ? demanda-t-elle en plissant le front. J'espère que mon piège ne l'a pas blessé.

Will reprit enfin ses esprits et se pencha aussitôt sur Elliott pour dénouer les mailles grossières du filet dans lequel elle était prise. Puis il la souleva de terre.

— Mais c'est une jeune femme ! s'exclama Martha en voyant le visage d'Elliott. Qu'est-ce qu'elle a ?

— Et bien, euh, madame, euh, Ma… Martha, commença Will avant de se lancer dans une longue explication.

Il lui raconta comment les Limiteurs les avaient pourchassés et comment ils avaient été projetés dans le Pore par les obus de l'artillerie styx.

Les bras croisés, elle l'écouta attentivement pendant une minute, puis elle leva la main pour l'arrêter.

— Je suis désolé, mon petit, mais je dois t'avouer que je ne comprends rien à ce que tu me racontes, dit-elle en agitant la tête. Tu sais à quand remonte la dernière fois que j'ai entendu une autre voix ?

Elle décroisa brusquement les bras puis, après avoir glissé la main sous son manteau, se gratta l'aisselle de façon fort peu distinguée.

— Il y a très longtemps ? demanda Will en la regardant de travers tandis qu'elle se suçait les doigts, maintenant qu'elle avait fini de se gratter.

— T'as vu juste, mon chéri, dit-elle. Vous feriez mieux de me suivre, mais il faut d'abord que je récupère toute cette nourriture. On dirait bien qu'on va avoir besoin du moindre bout de viande. On a plus de bouches à nourrir, maintenant.

Will et Chester échangèrent un regard pendant qu'elle détachait un sac de sa ceinture tout en marmonnant qu'elle n'avait pas le temps de découper la viande.

— Ces trucs sont donc à vous ? demanda Will en indiquant les établis sanguinolents.

Mais la femme ne lui répondit pas. Elle inclina la tête et adressa un large sourire affectueux à Chester.

— Tu es un grand garçon costaud. Tu me rappelles tellement mon fils ! dit-elle avec un profond soupir. Tu veux bien le tenir ouvert, mon chéri ? demanda-t-elle en lui tendant le sac.

Elle se mit ensuite à ramasser tous les morceaux d'araignée-singe encore fumants pour les mettre dans le sac.

— À manger ? articula silencieusement Chester à l'attention de Will en tenant le sac à bout de bras avec une moue de dégoût.

On aurait dit qu'il était sur le point de vomir.

Mais Will ne réagit pas, parcourant du regard ce qui restait des créatures, qui visiblement avaient piqué sa curiosité.

— C'est bizarre. On dirait qu'elles sont insectoïdes, ou peut-être arachnéennes, mais ces longues choses blanches, ce sont des dents ?

— Oui, des crochets, répondit la femme en continuant à s'affairer, ramassant les restes macabres. Ce sont des leurres dont elles se servent pour attraper leurs proies, tout comme l'organe lumineux qu'elles arborent au sommet d'une tige.

— Fascinant, marmonna Will.

Sans la moindre hésitation, il plongea les yeux dans le sac que son ami trouvait si répugnant.

— Et c'est reparti pour un tour ! grommela Chester à mi-voix.

Chapitre Six

— L e détail est dans la poussière… Le détail est dans la poussière… répétait sans cesse le Dr Burrows, à genoux devant
un squelette humain à demi enterré.

Il dégageait des couches de champignon tout en ôtant le
limon pour mettre au jour les os, lorsqu'il entendit un bruit
sourd dans le lointain. Il s'arrêta. Il n'avait pas la moindre idée
de ce qui avait pu produire un tel son, mais il se releva et cria à
tue-tête :

— Hé ho ! Y a quelqu'un ?

Il avait parcouru de nombreux kilomètres, descendant toujours
plus bas, car il voulait rester aussi près que possible du Pore pour
ne pas perdre ses repères.

C'est alors qu'il était tombé sur un trésor : il avait déniché un
squelette, et entrepris de le mettre au jour.

Le Dr Burrows tendit l'oreille, à l'affût d'un autre bruit, mais le
silence régnait à nouveau sur les lieux. Il haussa les épaules et
retourna à sa découverte en se disant qu'il devait avoir rêvé. Il arrachait d'autres couches de champignon et soufflait sur la fine poussière d'argile qui s'était accumulée sur les vieux ossements, quand
son visage s'illumina tout à coup.

— Qu'est-ce que c'est que ça ? dit-il en découvrant quelque
chose dans la main du squelette.

Écartant les phalanges – tous ces petits os qui formaient auparavant des doigts –, il en extirpa délicatement un objet. Un tesson de
poterie qui ressemblait à une lampe d'Aladin. Il comportait un
bec, et un couvercle qui refusa de s'ouvrir. Le Dr Burrows gratta
l'extrémité du bec du bout d'un ongle crasseux.

– La mèche se trouvait là, dit-il à voix haute. Donc, vous, les Phéniciens, ou qui que vous fussiez, vous vous éclairiez à la lampe à huile.

Après avoir soigneusement posé la lampe sur le côté, il continua à dégager la terre, les mains tremblantes sous l'effet combiné de l'excitation et de la faim. La triste silhouette du Dr Burrows penché au-dessus du squelette se découpait dans la lumière du globe luminescent tandis qu'il sifflotait faiblement. Ses lunettes étaient légèrement de travers – elles avaient subi un choc pendant sa chute dans le Pore –, et des meurtrissures et des égratignures affleuraient sous sa barbe éparse. Sa chemise était déchirée dans le dos, et l'une de ses manches ne tenait plus que par quelques fils. Il avait toujours été d'une carrure assez fine, mais il avait perdu tant de poids qu'il commençait à ressembler au squelette sur lequel il travaillait.

– Bingo ! s'exclama-t-il en dégageant une boîte en bois.

Il l'arracha à la terre avec un peu trop d'enthousiasme : elle tomba en morceaux. Cependant, il trouva parmi les débris une série de petites tablettes plates de la taille de cartes à jouer, aux bords arrondis.

– De l'ardoise travaillée, c'est manifeste, observa-t-il en essuyant la première tablette sur sa chemise pour en ôter la poussière.

Puis il l'examina de plus près et découvrit qu'on y avait gravé de minuscules lettres qu'il reconnut. Elles étaient identiques aux caractères qu'il avait trouvés dans les Profondeurs, ces mêmes caractères qu'il était parvenu à traduire à l'aide de sa « pierre de Burrows » – il l'avait lui-même baptisée ainsi. Il avait perdu son journal en dégringolant dans le Pore, mais il avait assez de souvenirs pour se faire une idée générale de ce qui était écrit sur ces tablettes.

Cependant, il avait beau se concentrer, les lettres minuscules semblaient danser devant ses yeux, et il lui fallut des heures pour identifier ne serait-ce que quelques mots. Il ôta ses lunettes pour les essuyer en prenant garde de ne pas extraire les verres de la monture toute tordue, mais ça ne parut pas l'aider le moins du monde ; il abandonna donc.

– Qu'est-ce que j'ai ? grommela-t-il en inspectant les autres tablettes sur lesquelles figuraient de minuscules diagrammes. Des indications… Ce serait donc des indications ? dit-il en les tournant dans tous les sens. Oh, je n'en sais rien… souffla-t-il en constatant que tous ses efforts étaient vains.

Le Dr Burrows enveloppa les tablettes dans un mouchoir et les replaça soigneusement dans sa poche, puis il reprit ses fouilles. Mais il n'y avait rien d'autre de remarquable, si ce n'est une paire de sandales en cuir dans un état de putréfaction très avancé.

Le Dr Burrows se releva et s'éloigna. Trébuchant alternativement sur des bandes de champignon, de roche nue et les dunes de fin limon, il se demandait si cet endroit recélait d'autres artefacts. Peut-être trouverait-il quelque chose qu'il pourrait relier à la carte figurant sur les tablettes, s'il s'agissait bien de cela, évidemment. À l'affût du moindre repère, il se dit que le champignon les masquait peut-être. En fonction de sa croissance au fil des millénaires, il pouvait fort bien avoir recouvert toutes sortes de choses. Il se demandait si le pauvre misérable dont il avait trouvé le squelette se trouvait là car il ou elle s'était arrêté(e) au mauvais niveau du Pore, ou s'il ou elle s'était perdu(e). Si c'était le cas, le Dr Burrows se trouvait lui aussi au mauvais endroit, et cette carte ne lui serait d'aucune utilité.

Le Dr Burrows se redressa vivement en se rappelant sa propre dégringolade dans le Pore, complètement terrorisé, englouti par des ténèbres apparemment sans fin, jusqu'à ce qu'il atterrisse à plat ventre sur la corniche formée par le champignon. Il n'avait souffert d'aucune blessure grave, mais il était bien mal préparé à poursuivre son exploration. C'était bien pire. Il avait laissé derrière lui son sac à dos contenant tous ses vivres et son eau, son équipement et les journaux auxquels il avait tant travaillé. Il avança de nouveau d'un pas chancelant. Son estomac gargouillait pitoyablement. Si la gravité n'avait été aussi faible, il n'aurait pas eu la force de se déplacer. Il avait bu aux ruisseaux qui couraient le long des parois des galeries, mais il avait besoin de manger quelque chose, et vite.

Parvenu au pied d'une grande fissure, il plongea son regard dans l'abîme avec un sentiment de terreur.

— Plus bas, toujours plus bas… se rappela-t-il en tenant le globe lumineux devant lui pour voir jusqu'à quelle profondeur elle descendait.

Après être descendu déjà si loin sous terre, il n'allait sûrement pas abandonner maintenant. Il était déterminé à poursuivre sa quête et à trouver des preuves de l'existence de ce peuple antique. Et, à en juger par ce squelette, il ne devait plus être très loin de ce qu'il cherchait. Il se demandait parfois s'il n'allait pas finir par tomber sur tout un tas de squelettes, à l'endroit même où les âmes mal avisées avaient trouvé le repos éternel dans leur quête du

Jardin du second soleil dont il avait appris l'existence dans les ruines du temple.

– Prions pour que l'atterrissage se fasse en douceur, dit-il en s'apprêtant à sauter.

Le Dr Burrows prit son courage à deux mains, puis il sauta au centre de la brèche. Il aperçut au passage des vrilles de champignon qui couraient sur les parois et les différentes strates rocheuses. Il atterrit avec fracas dans un petit bassin d'eau, fléchissant les genoux pour amortir le choc, puis il roula sur le côté.

– J'y suis arrivé, dit-il.

Mais il ne semblait pas vraiment soulagé.

Le Dr Burrows était à présent complètement trempé. Lorsqu'il tenta de se relever, il fut pris d'un vertige soudain et s'effondra sur le sol, inconscient.

– Papa ! Papa ! entendit crier le Dr Burrows tandis qu'on le hissait hors du bassin.

Quelqu'un lui avait redressé la tête et s'assurait que ses lunettes étaient bien ajustées.

Il ouvrit les yeux, accommoda un instant, mais sa vue se brouilla aussitôt.

– Rébecca, murmura-t-il d'une voix faible. Je rêve... je dois être en train de rêver.

– Non, papa. C'est moi.

Il rouvrit péniblement les yeux et regarda au prix d'un effort surhumain la personne qui se tenait devant lui.

– Je dois être en plein délire.

– Non, c'est moi, dit la jumelle en lui pressant fortement la main. Tiens, tu vois que je suis bien réelle.

– Rébecca ? Que... qu'est-ce que tu fais là ? dit-il.

Le Dr Burrows n'en croyait pas ses yeux.

– Je t'ai entendu crier, répondit-elle.

Il remarqua soudain sa tenue.

– Des vêtements de Limiteur... de Styx ? dit-il en se frottant le front d'un air confus.

– Oui, papa. Je suis bien styx, dit-elle sans hésiter. Et on dirait que tu as besoin de manger quelque chose.

Elle claqua des doigts, et le Dr Burrows vit une silhouette émerger de l'ombre.

– Un Limiteur ? s'étrangla-t-il.

L'homme au visage décharné croisa le regard confus du Dr Burrows sans manifester la moindre émotion. Le soldat tendit quelque chose à Rébecca.

— Tiens, prends un peu de viande. Mieux vaut ne pas en connaître l'origine, mais une fois cuite elle devient mangeable, dit-elle en détachant un morceau qu'elle fourra dans la bouche du Dr Burrows.

Il mâchonna d'un air reconnaissant tout en observant Rébecca et le Limiteur, et reprit aussitôt des forces.

— Comment es-tu… ?

— Encore ? demanda-t-elle en lui fourrant un autre morceau de viande d'araignée-singe dans la bouche sans lui laisser le temps de réagir.

— Je ne comprends pas ce que tu fais ici. Tu devrais être à la maison, gronda-t-il sans grand effet, vu qu'il parlait la bouche pleine. Est-ce que ta mère sait où tu es ? demanda-t-il.

La jumelle ne put réprimer un gloussement.

Mme Burrows était assise face à un micro, éblouie par la lumière vive des spots dont la chaleur la faisait transpirer. Elle n'avait jamais imaginé que cela se déroulerait ainsi : c'était la première fois qu'elle passait à la télé. Elle réalisait ce dont elle avait toujours rêvé : elle apparaissait dans la lucarne du petit écran ! Mais plus important encore, son histoire recevait enfin l'attention qu'elle méritait. Cet appel public à quiconque aurait des informations sur sa famille disparue constituait la dernière partie du programme établi par la police. Mme Burrows se trouvait dans un vaste studio, entourée de gens qui s'affairaient en tous sens, affublés d'une oreillette et un écritoire à la main, comme si aucun d'eux ne savait où se trouvait sa place. Elle avait repéré que bon nombre de policiers chargés de « l'affaire de la famille Burrows », comme on l'avait surnommée, tournaient en rond dans les coulisses. Chaque fois qu'elle croisait leurs regards, ils lui lançaient des coups d'œil sournois. Il était manifeste qu'elle était la principale suspecte dans cette affaire, même s'il n'y avait pas la moindre preuve contre elle. Cependant, s'ils ne croyaient pas ce qu'elle leur avait dit, pourquoi lui permettaient-ils de lancer cet appel public ? Espéraient-ils qu'elle se laisserait conforter par cette fausse impression de sécurité et lâcherait quelque aveu ? Mais pourquoi se donner tant de peine ?

Concentre-toi, se dit-elle en lisant le dernier paragraphe du discours que le psychologue de la police l'avait aidée à rédiger.

— ... car quelqu'un doit bien savoir où ils sont allés ou ce qui leur est arrivé, dit Mme Burrows d'une voix tremblante en fixant l'objectif de la caméra comme si elle était trop bouleversée pour pouvoir continuer. S'il vous plaît, si vous savez quelque chose, si vous savez quoi que ce soit, vous devez absolument contacter la police. Je veux juste retrouver ma famille.

Le témoin rouge situé en haut de la caméra s'éteignit, puis un autre voyant s'alluma alors que l'inspecteur Blakemore reprenait la parole. Il portait son plus beau costume et arborait une nouvelle coupe de cheveux, spécialement pour l'occasion. Il s'adressait à la caméra d'un air sérieux en haussant le sourcil comme s'il se prenait pour James Bond. Mme Burrows ne l'avait jamais vu se comporter ainsi auparavant.

— Nous estimons à présent que les circonstances de la disparition du Dr Roger Burrows, de Will et Rébecca, et de Chester Rawls, camarade de classe de Will, sont extrêmement suspectes.

Mme Burrows observait le moniteur situé sur le côté de la caméra qui relayait les images diffusées à l'antenne tandis que l'inspecteur Blakemore continuait à parler. Les photos de famille qu'elle avait fournies se succédaient à l'écran, puis ce fut au tour d'un récent portrait de Chester dans son uniforme d'écolier du lycée de Highschool. L'inspecteur Blakemore reparut enfin. Il marqua une pause théâtrale avant de reprendre la parole, haussant le sourcil si haut qu'on aurait pu croire qu'il allait s'envoler.

— Voici un agrandissement que nous avons réussi à isoler à partir des bandes d'enregistrement d'une caméra de surveillance.

Une photographie granuleuse en noir et blanc apparut à l'écran.

— Nous aimerions parler de cette affaire à la femme que vous voyez. Elle doit mesurer environ un mètre soixante-cinq. Elle est de carrure fine et ses cheveux sont teints en brun, probablement, même s'ils sont sans doute naturellement blonds, voire blancs. Elle doit avoir entre trente et trente-cinq ans, et se trouve peut-être encore dans la région de Londres. Voici un portrait d'artiste qui vous donnera une idée plus précise de ce à quoi elle ressemble.

Une autre image s'afficha sur le moniteur.

— Si vous détenez la moindre information sur l'endroit où elle se trouve actuellement, veuillez composer le numéro d'urgence suivant...

Mme Burrows cessa d'écouter lorsque, en dépit des lumières éblouissantes des spots, elle aperçut les parents de Chester sur le seuil de la salle de tournage. Mme Rawls prenait appui sur son mari. Elle tenait à peine debout et paraissait en pleurs.

Mme Burrows salua l'inspecteur Blakemore et les autres officiers. Elle se dirigeait vers Mme Rawls, lorsque M. Rawls, le bras sur l'épaule de sa femme, se tourna pour lui lancer un regard furibond et secoua la tête. Madame Burrows s'arrêta net. Elle l'avait déjà croisé une ou deux fois au commissariat de Highfield, mais il était resté de marbre et fort peu communicatif. L'un des officiers chargés de l'enquête l'avait informée par la suite que les parents de Chester étaient furieux. Ils avaient appris qu'elle était complètement sonnée par ses somnifères le soir où on avait découvert que les deux garçons avait disparu. Ils lui reprochaient de ne pas avoir gardé un œil sur eux, mais Mme Burrows n'acceptait pas ces reproches. Will s'occupait de ses fouilles, et pendant ce temps-là au moins, il ne commettait pas de bêtises avec les autres enfants qui jouaient au bas de la Grand-Rue.

Mais la réaction de M. Rawls l'avait secouée. Elle repéra une fontaine à eau à côté de la salle de tournage et s'approcha pour se servir un verre. Tandis qu'elle se désaltérait, elle surprit une conversation qu'elle ne put s'empêcher d'écouter. Deux hommes discutaient derrière une rangée de machines.

– Tu crois que c'est elle, alors ?

– Oui, elle est coupable comme le péché, répondit un homme à l'accent écossais. Neuf fois sur dix, c'est un membre de la famille qui est l'assassin, tu sais bien. On a eu tellement de parents en détresse qui sont venus raconter leurs histoires larmoyantes dans ce studio, et je te le donne en mille, un mois plus tard, on les flanquait au trou.

– Ouais, t'as raison.

– Tu l'as bien regardée ? Cette bonne femme est du genre de celles qui ne se posent pas de questions, typique de la banlieue chic, emplie d'une haine rentrée, n'en pouvant plus de sa petite vie factice et dénuée d'intérêt. Elle aura sûrement eu une petite aventure, son mari l'aura découverte, et du coup elle l'a buté. Les enfants en savaient trop long, et elle s'est occupée de leur cas pendant qu'elle y était. Le meilleur pote de son fils, Charley, enfin je sais plus comment il s'appelle, ce pauvre petit bonhomme s'est retrouvé pris au milieu de tout ça.

Mme Burrows longea les machines pour voir les deux interlocuteurs. Il y avait un petit homme trapu et corpulent au crâne rasé mais à la barbe fournie – il enroulait un câble électrique tout en parlant –, tandis que l'autre, maigre, portait un tee-shirt blanc et l'écoutait, tapotant un micro sur sa cuisse. Deux techniciens de studio.

– Ouais, elle avait l'air d'un vieux dragon, dit le plus maigre des deux en se grattant la nuque avec la pointe du micro.

Le barbu aperçut Mme Burrows et s'éclaircit bruyamment la voix.

– On ferait mieux d'aller voir ce qu'ils veulent au studio 13, Billy, ajouta-t-il.

L'homme maigre reposa lentement le micro à côté de lui.

– Mais il n'y a pas de studio 13…, dit-il d'un air confus.

Il jeta un coup d'œil de biais, et lorsqu'il vit Mme Burrows, il comprit que son collègue tentait de l'avertir.

– O.K., j'y vais, Dave. Je file, marmonna-t-il.

Ils se bousculèrent en sortant de la pièce.

Mme Burrows les regarda partir sans broncher, son gobelet en plastique froissé à la main.

Deuxième Partie

La cabane de Martha

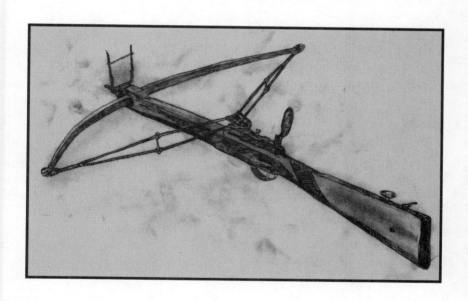

Chapitre Sept

Martha se déplaçait de façon tout à fait étonnante. Elle se propulsait dans les galeries tel un roulement à billes dans un tuyau, et malgré son apparence elle filait à la vitesse d'un léopard. De toute évidence, elle vivait depuis longtemps dans cet environnement à faible gravité et s'y était parfaitement adaptée.

Bartleby l'observa en silence, puis il essaya de l'imiter tandis qu'elle bondissait d'une paroi à l'autre. Mais il prenait à chaque fois trop d'élan et perdait le contrôle de sa trajectoire, filant droit sur le plafond ou la paroi opposée. Will et Chester finirent par s'habituer au spectacle de ce chat impuissant qui faisait des cabrioles dans les airs en poussant des miaulements étonnés.

Les deux garçons s'efforçaient de suivre Martha, mais Will ne voulait pas aller trop vite car il craignait de secouer Elliott. Leur guide improbable s'arrêta de nouveau pour leur donner le temps de la rattraper, et ils l'entendirent se parler à elle-même. Ils avaient du mal à saisir ce qu'elle disait, et Will comprit qu'elle n'en avait sans doute pas même conscience.

– Qu'est-ce qu'on peut faire pour la fille ? murmura-t-elle avant de pivoter sur elle-même.

– Eh bien, comme je vous l'ai dit, elle a le bras cassé… commença Chester.

– Quoi ? l'interrompit Martha en se tournant vers lui.

– Vous m'avez posé une question à propos d'Elliott. Elle a le bras cassé.

– Je ne t'ai rien demandé, et d'ailleurs tu me l'as déjà dit, répondit Martha en fronçant les sourcils comme si son comportement avait quelque chose d'étrange. C'est le moment d'en brûler une autre, dit-elle en arrachant une brindille à sa ceinture.

Martha se servit de sa torche pour l'allumer, puis elle la jeta sur le sol. L'odeur âcre envahit rapidement l'atmosphère de cet espace clos.

— Pouah ! s'exclama Will en tordant le nez. C'est sacrément puissant. Ça me rappelle la réglisse, ou un truc dans ce goût-là !

— C'est vrai, n'est-ce pas ? On appelle ça du feu d'anis, indiqua Martha d'un regard entendu. Tu as le nez d'un colon, pas vrai, mon chéri. Tu as l'odorat d'un Limier.

— Oui, j'imagine, répondit Will. Mais pourquoi est-ce que vous faites brûler ce truc ? À quoi ça sert ?

— Si on n'y prend pas garde, les araignées se massent dans les cheminées du plafond et elles vous tombent dessus par surprise. Les fumées du feu d'anis les tiennent à distance. J'en cultive dans mon jardin, tu sais, dit-elle en s'élançant à nouveau dans la galerie.

— Jardin ? Votre jardin ? lui cria Chester tandis qu'elle s'éloignait déjà. Elle a vraiment dit « jardin » ? demanda-t-il à Will.

Ce mot si commun avait quelque chose d'extrêmement réconfortant dans cet univers qui n'avait rien de familier.

— Qui sait ? chuchota Will en louchant au cas où Chester n'aurait pas compris que cette femme n'avait manifestement pas toute sa tête.

— Attention à vous en passant par là, dit-elle pour les mettre en garde alors que Will et Chester venaient de la rattraper. Le rabord est étroit et le vent y souffle fort.

— Le rabord ? demanda Chester.

— Oui, il est étroit.

— Je crois qu'elle veut dire « rebord », suggéra Will en chuchotant.

Ils débouchèrent sur une corniche fongique d'un mètre de large à peine, au-delà de laquelle Will distinguait un abîme.

— Le Pore ? s'interrogea-t-il à mi-voix.

Mais il y avait quelque chose de différent. L'atmosphère était incroyablement humide, et au lieu des averses qu'il avait vues jusqu'alors, des nuages de vapeur s'élevaient dans les airs. La paroi opposée était baignée d'une intense lueur rouge ; c'est alors qu'il sentit la chaleur sur son visage. Non, ce ne pouvait pas être le Pore.

À ce moment précis, Chester se décida à parler, interrompant le flot de ses pensées.

– On n'est pas retournés sur nos pas ? demanda-t-il. C'est pas le Pore, n'est-ce pas ?

– Non, répondit Martha en gloussant. Non, ce n'est pas *le* Pore. C'est l'une des Sept Sœurs. On l'appelait Mary l'essoufflée… Pas vrai, Nat ? ajouta-t-elle entre ses dents en tournant la tête sur le côté.

Chester lança un regard alarmé à Will qui savait exactement ce que pensait son ami. Cela ne faisait aucun doute : ils étaient entre les mains d'une vieille femme à l'esprit plutôt confus qui ne semblait pas même capable de se rappeler leurs prénoms.

Ils franchirent la corniche en longeant la paroi avec une extrême prudence, car elle était luisante d'humidité. L'éclairage limité du globe de Chester et de la torche enflammée de Martha donnait à Will l'impression que cet abysse était à l'échelle du Pore. Il s'efforçait de ne pas regarder les ténèbres qui s'étendaient en bordure du chemin, mais il se sentait attiré par elles. Voilà que le reprenait cette inexplicable envie de se jeter dans le vide. Cette voix qui n'en était pas vraiment une, mais quelque chose de bien plus profond et de plus puissant, de l'ordre d'un besoin irrépressible, cherchait à reprendre le contrôle de ses membres et l'incitait à sauter.

– Non, marmonna-t-il en grinçant des dents. Reprends-toi.

Il devait penser à Elliott. Qu'est-ce qu'il avait donc à l'esprit ? *Qu'est-ce qui ne tournait pas rond dans sa tête ?*

Après avoir progressé à pas lents le long de la corniche pendant vingt minutes, Will fut soulagé en voyant que le chemin s'engouffrait dans une brèche creusée dans la paroi ! Laissant le vide derrière lui, il trébucha soudain et vint se cogner contre le dos de son ami.

– Tout va bien ? demanda Chester.

– Oui, j'ai juste trébuché, lui répondit Will.

Ils suivirent ensuite Martha dans une longue galerie. Le champignon se faisait de plus en plus rare sur les parois, et Will vit enfin des zones de roche noire et dénudée. Après quelques minutes, le champignon semblait avoir complètement disparu. Le crissement des graviers sous leurs pieds avait quelque chose de réellement nouveau tandis qu'ils grimpaient le long d'une pente douce.

– Nous y voilà, dit Martha.

Ils venaient d'entrer dans une vaste caverne dont une sorte de barricade, ou de fortification incurvée, couvrait toute une paroi. Elle s'étirait sur une trentaine de mètres et s'élevait jusqu'au plafond. Il s'agissait de bandes verticales superposées et soudées ensemble, toutes d'un métal différent. Mates ou brillantes, elles comportaient souvent des perforations circulaires ou carrées qui couraient sur toute leur longueur tandis que d'autres étaient maculées de traces de peinture bleue ou verte.

À côté de ce qui ressemblait à une porte, se dressait une lourde cloche en laiton suspendue à un crochet situé à hauteur des yeux. Martha sonna deux fois. Les garçons attendirent avec impatience tandis que les derniers tintements s'évanouissaient peu à peu, mais personne ne parut.

— De vieilles habitudes, indiqua Martha en ouvrant la porte.

— Vous la laissez ouverte ? s'enquit Will tandis que Bartleby franchissait le seuil à toute vitesse.

— Oui, les nectures de poussière ne sont pas si malins, répondit-elle.

— Les quoi de poussière ? interrogea Will, mais Martha était déjà entrée.

Will et Chester lui emboîtèrent le pas et découvrirent alors un paysage de toute beauté. La pente se prolongeait à l'intérieur tandis que le plafond s'élevait toujours plus haut. À une quarantaine de mètres de là, une sorte de cabane sans étage trônait au sommet de la colline. Un chemin menait directement au bâtiment, de part et d'autre duquel poussaient toutes sortes de plantes merveilleuses. Elles diffusaient une lueur presque chatoyante, irradiant les lieux de toute une palette de couleurs sublimes : des jaunes, des violets, des bleus et des rouges.

— Voici mon jardin, déclara fièrement Martha

— Waouh ! souffla Chester.

— Il te plaît ?

— Oui, c'est trop cool !

— Je ne cultive pas ces plantes juste pour le plaisir des yeux, tu sais, dit-elle en se tournant vers lui, ravie du compliment.

— Comme celles que vous faites brûler, demanda Chester.

— Oui, si je n'avais pas découvert les propriétés du feu d'anis, je ne serais plus là pour en parler.

— Mais où avez-vous trouvé toutes ces plantes ?

— Nathaniel ramassait des spécimens qu'il me rapportait de chacune de ses expéditions. J'ai encore beaucoup à apprendre sur leurs propriétés, mais le temps n'est pas ce qui manque, ici.

— Qui est Nathaniel ? intervint Will qui n'y tenait plus.

— Mon fils. Il est sur la colline, répondit Martha en jetant un coup d'œil vers la cabane.

Will essaya de déterminer l'endroit précis, avec l'espoir d'y trouver quelqu'un d'un peu moins singulier, quelqu'un qui puisse les aider.

— Est-ce qu'on va rencontrer… ?

— Transportons la fille à l'intérieur, vous voulez bien ? l'interrompit brusquement Martha.

Elle referma la porte et abaissa son unique verrou intérieur.

Chester suivit le regard de Will qui examinait le côté de la porte. Posés sur un chariot envahi par une plante grimpante, il y avait deux bouteilles de gaz et un chalumeau. D'après la végétation qui avait colonisé l'équipement et les taches de rouille des conteneurs, il était manifeste que personne ne s'en était servi depuis un bon moment déjà. Qui plus est, ce matériel de soudure était manifestement d'origine surfacienne.

— Nathaniel… c'est lui qui a construit cette barricade ? demanda Chester d'une voix hésitante.

Martha acquiesça, puis elle tourna les talons et les conduisit en haut du sentier baigné par cette lueur irréelle.

À mi-chemin, Bartleby s'arrêta en dérapant. Il fixait quelque chose de ses gros yeux. Will s'arrêta juste derrière lui.

— Un cours d'eau ? demanda Will en entendant un clapotis.

Martha fit un pas de côté et sortit du sentier.

— Il y a une source d'eau potable derrière la cabane, dit-elle alors que Will venait de repérer le cours d'eau limpide.

La lumière violette qui émanait des petites efflorescences suspendues juste au-dessus du ruisseau colorait les eaux tourbillonnantes. La scène semblait tout droit sortie d'un autre monde.

— Cet endroit est génial, déclara Will.

— Merci, répondit Martha. C'est mon petit sanctuaire. Je pense que c'est à cause de la source qu'ils ont choisi cet endroit pour bâtir la cabane.

— Qui était-ce ? Qui est-ce qui l'a choisi ? demanda Will tout excité.

— Des marins.

— Des marins ?

— Oui, tu verras bien quand on sera arrivés là-haut, répondit-elle.

Quelques marches menaient à l'entrée de la cabane. Will s'arrêta un instant en haut de l'escalier pour examiner l'une des poutres épaisses qui soutenaient l'auvent du porche.

– Du chêne, dit-il en passant un doigt sur ce bois ancien dont la surface parcourue de sillons creusés par les vers était presque devenue noire. Du très vieux chêne, décréta-t-il en poursuivant son inspection.

La charpente de la cabane avait été construite avec les mêmes poutres épaisses, tandis que des planches à languettes et feuillures tout aussi anciennes en formaient les parois.

– Mais d'où venait tout ça ? demanda Will en poussant du pied l'une des planches qui grinça sous la pression.

Il se tourna vers Martha.

– On s'est dit que les marins avaient tout récupéré sur l'épave d'un bateau, expliqua-t-elle. Mais il ne restait personne à qui le demander quand on est arrivés ici.

On avait empilé plusieurs barils et des grosses caisses au bout de la terrasse. Il y avait aussi un banc et deux chaises devant une fenêtre aux volets fermés.

La porte principale était entrebâillée. Martha l'ouvrit et entra aussitôt. Will et Chester lui emboîtèrent le pas avant même qu'elle ne les invite à entrer. Dans la pénombre, ils ne virent d'abord que l'âtre où luisaient des braises, ainsi qu'une sorte de poêle, posé juste à côté.

– Mets une bûche dans le feu, mon chéri, dit-elle à Chester. Vous pourrez vous sécher un peu devant la cheminée. Je vais nous mijoter un ragoût dans une minute, ajouta-t-elle en allumant deux lampes à huile qui pendaient du plafond.

Le reste de la pièce se dessina dans la lumière jaune.

– Oui, bien sûr, répondit Chester sans bouger, fasciné par l'intérieur de la cabane étonnamment vaste.

– Je vais préparer un lit pour la fille, indiqua-t-elle à Will en s'éclipsant dans un couloir.

S'ensuivirent aussitôt un concert dissonant de grognements et de bruits métalliques puis de multiples bavardages, comme si Martha s'adressait à quelqu'un. Elle s'affairait visiblement dans l'autre pièce.

– Regarde un peu cet endroit ! s'exclama Chester en examinant la pièce avec Will.

– Des coffres où l'on rangeait les cartes, remarqua Will en voyant trois buffets bas placés contre un mur, aux coins renforcés par des pièces de laiton.

Il y avait une rangée d'objets incurvés au-dessus des coffres, dont la statuette d'un homme tenant une carabine et, juste à côté, celle d'une vache des cavernes – l'un de ces gros arachnides qui vivaient dans les Profondeurs. En parcourant le reste de la pièce du regard, Will vit toutes sortes d'artefacts nautiques accrochés au mur – des harpons, des cordes et des poulies, un petit filet, et même un sextant en laiton terni.

Will repéra ensuite plusieurs poignards aux lames larges et légèrement incurvées, eux aussi accrochés au mur.

– Des sabres d'abordage ! Non, mais je rêve ! s'exclama-t-il. Alors elle a raison. On dirait que tout cela provient d'un navire sacrément ancien. Un galion, qui sait ? dit-il à Chester. Tu vois ces poutres, là-haut, indiqua-t-il en montrant le plafond du doigt. Elles sont carrément anciennes. Elles pourraient venir d'un vaisseau de guerre du XVIe siècle, comme le *Mary Rose*.

– Mais un navire… ici… sous terre ? demanda Chester. Comment est-ce possible ?

– Je ne sais pas. Et comment Martha est-elle arrivée ici ?

Will marqua une pause au moment même où l'intéressée se glissait dans la pièce.

– Je vois que tu n'as toujours pas alimenté le feu, mon chéri, fit-elle remarquer à Chester d'un ton qui n'avait rien de déplaisant.

Martha se comportait comme une mère rappelant à son fils qu'il doit terminer ses corvées.

– Désolé, Martha, dit Chester avec un sourire. Je m'en occupe tout de suite.

– À la bonne heure, dit-elle avant de se tourner vers Will. Tu veux donc savoir comment je suis arrivée ici ?

Gêné qu'elle ait entendu sa remarque, Will rougit et regarda ses pieds.

– On m'a poussée dans le Pore. Mon mari ! dit-elle brusquement.

– Oh… bredouilla Will, stupéfait par sa franchise.

– On nous avait bannis de la Colonie, et nous avons vécu dans les Profondeurs comme des renégats pendant des années. Je peux vous dire qu'il n'était pas facile d'élever un jeune enfant dans cet enfer. J'imagine qu'un jour mon mari en a eu assez de nous, dit-elle en soulevant le couvercle d'un panier dont elle sortit plusieurs couvertures. On peut appeler ça un divorce, en quelque sorte.

Martha semblait si peu affectée que l'embarras de Will se dissipa peu à peu.

– Vous connaissiez d'autres renégats ? demanda-t-il. Elliott en faisait partie – elle accompagnait un certain Drake. Vous l'aviez peut-être croisé ?

Martha défroissa les couvertures entre ses bras, puis elle adressa un regard songeur à Will.

– Drake... non, connais pas ce nom-là. Il est probablement arrivé après. Il n'était pas là de mon temps.

– Et Cox ? risqua Will. C'était l'ennemi juré de Drake.

Martha serra les couvertures dans ses bras, le visage durci par la haine.

– Oh, je connaissais bien cette ordure. J'ai toujours pensé que mon mari était tombé sous sa coupe... et que c'était Cox qui lui avait dit de faire ça... de se débarrasser de nous, siffla-t-elle d'une voix tendue comme si elle était soudain à bout de souffle.

Puis elle changea d'expression ; elle avait l'air abattue. Elle relâcha les couvertures, renifla bruyamment, et se moucha sur sa manche.

– Amène la fille pour que je puisse l'examiner correctement.

Will transporta Elliott dans la petite pièce adjacente. Une paire d'oreillers plutôt minces gisait sur le grand lit qui trônait au centre de la chambre, mais Martha s'en servait de toute évidence comme d'un cagibi. Divers objets étaient entassés contre un mur comme si elle les avait jetés là au hasard. Il y avait un enchevêtrement de valises en cuir, un vieux coffre en fer-blanc couvert d'une écriture contournée visible sur son couvercle, et de nombreux rouleaux de tissu. Il flottait dans la pièce une légère odeur d'huile qui brûlait avec un doux sifflement dans la lampe éclairant les lieux.

– Là-dessus, indiqua Martha qui terminait de déployer les couvertures sur le lit.

Will y déposa Elliott, et Martha s'assit aussitôt à ses côtés. Elle défit la corde qui maintenait son bras cassé contre son torse et l'étendit très délicatement.

– Elle a reçu un mauvais coup, dit Martha en examinant la tête d'Elliott.

Elle s'intéressa ensuite à son bras cassé sans cesser de marmonner. Will ne comprenait que des bribes éparses de ce qu'elle racontait.

– Non, c'est pas beau à voir, commenta Martha, puis elle inspecta la main d'Elliott en scrutant l'extrémité de ses doigts. Mais le sang circule encore. C'est bien.

– Vous savez réparer son bras ? demanda Will. Vous pouvez lui poser une attelle ou un truc du même genre ?

Martha maugréa sans lever les yeux en posant la main sur le front d'Elliott, puis elle acquiesça, soulagée.

– Pas de fièvre.

Elle arrangea les oreillers sous la tête d'Elliott pour s'assurer qu'elle était confortablement installée, puis elle se dirigea vers la fenêtre et fixa quelque chose en silence pendant un instant.

– J'ai besoin d'une tasse de thé.

– Du thé ? reprit Will, incrédule.

De retour dans la pièce principale, Martha préleva dans une boîte en fer-blanc cabossé une substance qui ressemblait bien à du thé, puis elle la versa dans une bouilloire noircie posée sur le feu. Elle avait aussi du sucre, du café et une étonnante palette d'épices dans des boîtes en bois carrées rangées dans un placard à côté de la cheminée.

Ils emportèrent leurs tasses de porcelaine ébréchées puis s'assirent sur les chaises au dossier en forme de lyre disposées tout autour de la table. Le buste à taille réelle d'un jeune garçon trônait en son centre. Il semblait avoir été sculpté dans l'une des vieilles poutres. Son visage arborait un sourire serein, et ses yeux étaient tournés vers le ciel. Juste à côté du buste trônait la maquette inachevée des silhouettes d'un adulte et d'un jeune enfant, main dans la main. Il y avait aussi une paire de ciseaux à bois et un petit tas de copeaux. En l'observant, Will se dit que la plus grande des deux silhouettes représentait sans doute Martha.

De longues flammes rouges enveloppèrent la bûche que Chester avait placée dans l'âtre, et elle commença à brûler. La lueur rougeoyante se mêlait à la lumière jaune et chaude des lampes à huile.

– C'est sympa ici, dit Chester.

Ils virent alors Bartleby foncer droit vers la cheminée. Il se fit les griffes sur le tapis élimé posé au pied du feu tandis que ses omoplates massives s'agitaient en cadence sous sa peau glabre. Puis il ronronna à plein régime et s'affala sur le tapis. Il roula sur le dos et s'étira dans un énorme bâillement.

– Bart est content. Il a trouvé son coin, dit Will avec un large sourire.

Cette scène lui rappelait tant l'époque où il avait vu ce chat gigantesque pour la première fois, dans la maison de la famille Jérôme, au sein de la Colonie, qu'il en était étrangement ému. Il avait presque l'impression d'être à nouveau chez lui. Il jeta un coup d'œil à Chester et vit que son ami avait lui aussi oublié tous ses soucis, du moins momentanément. Cette situation avait quelque chose de si familier, comme s'ils rendaient visite à une tante… Le goût du thé sucré ne faisait que renforcer cette impression, malgré l'absence de lait.

– D'où proviennent toutes ces choses ? risqua Will en scrutant la pièce. C'était vraiment un bateau ? ajouta-t-il d'un ton incrédule.

– La plupart des choses que tu vois se trouvaient déjà là, mais Nathaniel avait récupéré d'autres objets dans l'une des Sept Sœurs répondit Martha en acquiesçant. Sur un galion.

– Un galion, c'est bien ce que je pensais. Mais savez-vous comment il a atterri là ?

Martha secoua la tête sans les regarder ni l'un ni l'autre. Elle s'éclaircit la voix si bruyamment que Chester en tressaillit sur son siège, puis elle se moucha à nouveau dans sa manche.

– Vous pouvez nous y conduire ? demanda Will, résolu à découvrir autant de choses que possible à cet endroit.

– Nathaniel avait trouvé d'autres navires. Il partait pendant des semaines et revenait chargé de toutes sortes d'objets sur lesquels ils travaillait ici. Il était si doué de ses mains. Il avait récupéré tous les matériaux de notre barricade sur un navire de métal.

Will regarda Chester en fronçant les sourcils, articulant en silence « navire de métal », mais le moment semblait mal choisi pour en demander plus. Il y avait plus urgent.

– Et Nathaniel ? demanda Will. Où est-il, à présent ?

Matha se releva de sa chaise avec un grognement. Elle se dandina jusqu'à la lampe à huile et la décrocha, puis elle fit signe aux garçons de la suivre. Elle marqua une pause sur la terrasse en parcourant du regard les différents parterres de fleurs, puis elle renversa la tête et huma longuement l'air. Will renifla à son tour et perçut non seulement l'odeur du feu d'anis, mais aussi une abondance d'autres parfums plus sucrés.

– Magnifique, dit-elle, puis elle conduisit les garçons le long d'un sentier sinueux qui menait au sommet de la colline, au fond de la caverne.

Ils longèrent un tapis de lupins incandescents dont la pointe émettait une lueur qui oscillait entre le rouge braise et l'orangé.

– Ne vous approchez pas des Capuchons cracheurs, ils peuvent se montrer très chameaux.

Ni Will ni Chester ne savaient si elle plaisantait ou non, mais ils n'allaient sûrement pas prendre le moindre risque. Ils longèrent donc le bord opposé du sentier. Sortant d'on ne sait où, Bartleby se glissa derrière les garçons. Il ne voulait visiblement pas manquer cette expédition.

Un instant plus tard, ils se retrouvèrent face à un ange en bois sculpté. Il avait la taille d'un homme, le visage apaisé, et sa chevelure se déroulait sur ses épaules et sur ses ailes de cygne repliées dans le dos en une cascade de longues boucles.

– Nathaniel, murmura-t-elle. C'est ici que je l'ai enterré, dit-elle en posant les yeux sur les pierres disposées avec soin aux pieds de l'ange.

– Il est… il est donc… euh… mort, dit Will d'une voix blanche.

– Oui, il y a deux ans, répondit Martha d'une voix rauque, les yeux encore baissés, tandis que Bartleby s'approchait de l'ange.

Le gros chat commença à lever la patte arrière sous le regard mortifié de Will et Chester qui avaient compris ce que, de toute évidence, il s'apprêtait à faire. Bartleby s'aperçut de l'intérêt qu'il avait suscité chez eux et sembla hésiter, puis il éternua et leva la patte plus haut. Will devait intervenir pour éviter la catastrophe.

– Bart ! Non ! murmura-t-il, en signifiant au chat par de petits gestes frénétiques qu'il devait filer de là.

Bartleby comprit le message. Il fusilla Will du regard, baissa la patte et repartit d'un pas furtif vers la cabane. Martha ne semblait pas avoir repris ses esprits pour autant, et Will crut bon de combler le silence.

– Vous avez fabriqué cet ange pour lui ?

– Non, il vient du bateau, de la proue, mais j'ai sculpté son visage… le visage de mon garçon, dit-elle d'une voix distante en se grattant la nuque. J'ai choisi ce lieu, car c'est là que Nathaniel aimait à venir s'asseoir. C'était son coin. Le long de la paroi, là-haut, dit-elle en inclinant la lanterne pour éclairer le sol derrière l'ange, il y a d'autres tombes. Nathaniel a toujours pensé que c'est là qu'on avait enterré les hommes qui ont construit l'habitation.

Elle pivota sur elle-même comme si elle n'avait plus rien à ajouter et s'apprêtait à retourner à la cabane, lorsqu'elle s'arrêta soudain, parfaitement immobile.

– Il faut que je vous dise quelque chose. Nathaniel était parti en expédition quand il est tombé dans une crevasse. Il s'est cassé plusieurs côtes. L'endroit s'est mis à grouiller d'araignées. Apparemment, elles peuvent déceler la présence des blessés et des plus faibles. Elles se sont attaquées à lui par dizaines, dit Martha en regardant tour à tour Chester et Will. Nathaniel n'avait pas emporté assez de feu d'anis, mais il est parvenu à leur échapper malgré tout. Il est rentré à la maison, dit-elle avant de marquer une pause de plusieurs secondes. Je sais soigner pas mal de choses… les maladies et les blessures. Il faut apprendre vite dans les Profondeurs, ajouta-t-elle en fronçant les sourcils. Les côtes des Nathaniel guérissaient peu à peu, et il se portait bien, lorsque… lorsqu'il eut un soudain accès de fièvre. Une méchante fièvre. J'ai fait tout ce que j'ai pu pour lui, dit-elle d'une voix tremblante en essuyant ses doigts incrustés de crasse sur le devant de sa jupe. Voilà toute l'histoire. Il avait dix-neuf ans et c'était mon seul enfant. Il s'est tout simplement éteint peu à peu.

— Je suis navré, murmura Chester.

Martha serra les lèvres comme pour réprimer ses larmes, et un long silence s'ensuivit. Will aurait voulu lui présenter ses condoléances, mais il ne savait pas quoi dire.

— Nathaniel était plus âgé que ton amie, et fort comme un bœuf, reprit-elle enfin d'une voix plus posée, mais il y a quelque chose de vicié dans l'air, ici. Comme les araignées, ce mal patiente jusqu'à ce qu'on soit blessé, et alors il se glisse en nous. Nat était sous son emprise, et j'espère qu'il ne lui arrivera pas la même chose à elle.

— J'aimerais comprendre… Tu dis que tu as toujours fait partie des Styx, dit le Dr Burrows, assis face à l'une des deux Rébecca.

— *Che* suis née styx. On ne devient pas *ch*oudain Styx, rétorqua-t-elle dans un accès de colère.

— Tu as encore zézayé. Quelque chose ne va pas ?

— Je me suis cassé quelques dents en sautant dans le Pore. l'interrompit brutalement Rébecca. J'ai fait ça pour te venir en aide.

Le Dr Burrows garda le silence pendant quelques instants et la regarda d'un air quelque peu sceptique avant de reprendre.

— Donc, tu as toujours été styx, et Will était un Colon… dit-il en ôtant ses lunettes pour se masser l'arête du nez. Mais tu… il… tu es… il était…

Il s'embrouillait, tentant en vain de suivre le fil des pensées qui se bousculaient dans sa tête. Il finit par chausser à nouveau ses lunettes.

— Mais comment est-ce qu'on vous a adoptés tous les deux, au final ? demanda-t-il enfin.

— Par pur hasard. Maman et toi, vous avez recueilli Will, et la Panoplie styx a décrété qu'il fallait que je sois là, moi aussi, histoire de garder un œil sur lui, dit Rébecca avec un demi-sourire. Pourquoi, ça te dérange, ou quoi ?

– Eh bien, très franchement, oui… Je pense qu'on aurait dû nous avertir, souffla le Dr Burrows.

Rébecca rit d'un air narquois.

– Mais vous ne nous avez jamais dit, à Will ou à moi, que vous nous aviez adoptés, répliqua-t-elle, jouant avec lui. Tu ne crois pas que nous avions le droit de savoir, nous aussi ?

– Ce n'est pas du tout la même chose. Il semblerait que tu aies su que tu étais adoptée depuis le début. Qui plus est, ta mère et moi avions l'intention de vous le dire le moment venu, dit le Dr Burrows en examinant l'un de ses ongles cassés.

Il fronça les sourcils, essayant tant bien que mal de digérer ce qu'il venait d'apprendre.

Rébecca ne lui avait pas raconté toute l'histoire, mais juste ce qui l'arrangeait. Elle n'allait sûrement pas lui révéler qu'elle avait une sœur jumelle.

– Ça me semble quelque peu irrégulier, dit-il enfin en plissant les yeux derrière ses lunettes de travers – il observait le Limiteur taciturne qui s'attardait derrière la jeune Styx. Nous avons suivi les procédures légales d'adoption, et c'est pourquoi je ne comprends vraiment pas pourquoi nous t'avons eue en prime.

– Tu parles de moi comme si tu avais acheté une deuxième voiture.

– Ne sois pas sotte, Rébecca. Ça n'a rien à voir, dit le Dr Burrows d'un ton exaspéré. C'est juste que je ne comprends pas comment c'est arrivé.

– Très franchement, je me fiche pas mal de la façon dont c'est arrivé, rétorqua Rébecca en affichant une légère lassitude. Nous avions des amis qui travaillaient pour le centre d'adoption. Nous avons des amis partout.

– Mais j'ai quand même l'impression qu'on nous a piégés… comme si ta mère et moi avions fait l'objet d'une horrible tromperie, dit le Dr Burrows. Et je n'aime pas ça, ajouta-t-il d'un ton catégorique.

– J'imagine que tu n'apprécies pas mon peuple non plus ? lança Rébecca.

– Ton peuple ?… répéta le Dr Burrows qui avait bien remarqué qu'elle avait durci le ton.

– Oui, mon peuple. On ne t'a pas maltraité dans la Colonie, n'est-ce pas ? Est-ce que tu es en train de me dire que tu désapprouves nos méthodes ? dit-elle avec colère.

Le Limiteur commençait déjà à s'agiter derrière elle.

— Non, je n'ai jamais voulu dire ça, répondit le Dr Burrows en levant les mains dans un mouvement de panique. Ce n'est pas à moi d'en juger. Mon rôle est d'observer et de noter. Je ne m'implique pas.

Rébecca se leva en bâillant, puis elle brossa ses vêtements.

— Tu es mon père adoptif, et pourtant tu prétends ne pas être impliqué. Comment est-ce possible ?

Son humeur semblait avoir soudain changé, comme si elle avait feint d'être en colère à dessein.

Complètement pris au dépourvu, le Dr Burrows resta bouche bée sans savoir que répondre. Son état de confusion chronique mis à part, la personne qui se tenait devant lui, celle-là même qu'il avait prise pour sa petite fille, était quelqu'un de redoutable. Même s'il avait du mal à l'admettre, elle l'intimidait, d'autant plus que, dans la pénombre, le soldat styx le fixait de son regard morne. Il avait les yeux d'un tueur.

— Alors, papa, reprit Rébecca en insistant sur « papa » comme si elle n'avait absolument aucun respect pour ce titre. Je me suis assurée que tu avais mangé, comme au bon vieux temps, et je vois que tu te sens déjà mieux. Parle-moi de ces choses, exigea-t-elle en sortant les petites tablettes de pierre de sous sa veste.

Le Dr Burrows palpa aussitôt la poche de son pantalon et découvrit qu'elle était vide.

— Ça ressemble à une sorte de carte, et c'est précisément ce qu'il nous faut en ce moment, dit-elle. Tu vas nous trouver le moyen de sortir d'ici, et nous allons t'y aider.

— Oh, formidable, répondit le Dr Burrows sans enthousiasme en prenant les tablettes qu'elle lui tendait.

Chapitre Huit

— Salut, Jeanne, souffla Mme Burrows en répondant à l'appel téléphonique de sa sœur sur son mobile.

Elle avait l'air dans tous ses états tandis qu'elle arpentait la Grand-Rue de Highfield à la hâte.

— Essoufflée ? Oui, je reviens de la gym, dit-elle en haussant l'épaule pour empêcher la lanière de son sac de glisser.

Elle éloigna le téléphone de son oreille. Tantine Jeanne riait si fort qu'un passant qui aurait croisé Mme Burrows à ce moment précis aurait très bien pu l'entendre lui aussi.

— Oui, et ça me fait un bien fou. J'ai pris un forfait d'un mois avec un entraîneur personnel. Tu devrais essayer.

Cette dernière remarque provoqua une autre crise, et elle repartit d'un fou rire si tonitruant qu'un pigeon qui se trouvait là s'envola au loin.

Mme Burrows remontait le trottoir à toute allure. Will aurait été surpris de voir à quel point elle avait changé. Sa démarche était pleine de légèreté, ce qu'il n'aurait jamais cru possible. Elle semblait avoir déjà rajeuni de plusieurs années.

Mme Burrows jeta un coup d'œil à sa montre, alors que sa sœur continuait à bavarder.

— Écoute, je n'ai pas reçu de nouvelles de la police et je n'ai vraiment pas le temps de discuter maintenant. J'attends une livraison à l'appartement, dit-elle en raccrochant, sans laisser à sa sœur le temps de dire un mot.

Au moment où elle tournait au coin de la rue, elle vit que le camion de déménagement était déjà là.

– Oh mon Dieu, je suis désolée d'être en retard. J'ai été retenue, lança-t-elle avant de courir en direction d'un homme en bleu de travail qui s'apprêtait à remonter dans son camion.

Mme Burrows lui ouvrit la porte et il transporta toute une série de cartons à l'intérieur. Sans plus attendre, elle trancha le ruban adhésif de l'un des cartons pour en inspecter le contenu.

– Vous emménagez ? demanda-t-il en déposant un autre carton au sommet de la pile.

– Oui, j'avais mis tout ça dans un garde-meubles en attendant de trouver un logement, répondit Mme Burrows d'un air distrait, en sortant plusieurs de ses vieilles cassettes vidéo pour les jeter aussitôt dans un sac poubelle. Il est vraiment temps que je fasse le ménage. En grand.

Lorsque les derniers cartons furent montés, Mme Burrows passa tout l'après-midi à fouiller dedans. Il y en avait tant que c'est à peine si elle pouvait se mouvoir dans la pièce, mais elle finit par tomber sur une série portant une inscription tracée au marqueur : « Chambre 3 ».

– Les affaires de Will, dit-elle en ouvrant le premier carton.

Mme Burrows défit le papier blanc enveloppant les précieuses découvertes qui avaient trôné autrefois sur les étagères de la chambre de son fils. Son musée, comme il disait. Il y avait tant de plats à pâté de l'époque victorienne, de pipes en terre cuite brisées, de flacons de parfum et de bouteilles d'une vieille marque de soda, le Codswallop, qu'elle dut bientôt tout étaler sur le sol, n'ayant plus assez de place sur ses genoux.

Mme Burrows s'occupa ensuite d'un lourd carton de livres qu'elle transporta en grognant jusqu'à la table près de la fenêtre. Elle commença par sortir les livres un par un, puis les agita en les tenant par la tranche pour vérifier s'il y avait quelque chose de dissimulé entre les pages. Comme elle ne trouvait rien et commençait à se lasser, elle les empila sur la table sans même les ouvrir. Elle avait presque atteint le fond du carton, lorsqu'elle tomba sur un *Guide géologique des îles Britanniques* qui, à en juger par le style vieillot de la couverture, devait dater des années 1960 ou 1970. Mme Burrows n'y prêta guère attention. Elle fronça soudain les sourcils en découvrant le livre qui se trouvait juste en dessous. Il avait perdu sa jaquette, mais sur la couverture en tissu figurait un titre gravé en lettres d'or un peu passées : *Guide géologique des îles Britanniques.*

– Deux exemplaires du même ouvrage ? se dit-elle en reprenant celui qui possédait encore sa jaquette, puis elle l'ouvrit.

Les pages du livre n'étaient pas imprimées, mais rédigées à la main.

– Bonjour, dit-elle, devinant aussitôt qui en était l'auteur : son mari, le Dr Burrows.

Elle ôta la jaquette pour voir ce qu'il y avait en dessous. Il s'agissait d'un carnet à la couverture veinée de brun et de violet. Sur l'étiquette autocollante figuraient en lettres toutes tarabiscotées : *Ex-libris*, ainsi que le dessin d'un hibou à l'air docte affublé de lunettes rondes. Quelqu'un y avait griffonné « Journal ». Elle reconnut cette fois encore l'écriture brouillonne de son mari.

– Ça y est. Je vais enfin découvrir ce qui s'est passé, déclarat-elle en regardant les nombreux cartons entassés dans la pièce.

Sans jamais se lever ne serait-ce qu'une seule fois, Mme Burrows lut le livre de bout en bout. La plupart des pages étaient maculées de traces de doigts pleins de boue.

– C'est tout Will, dit-elle avec un sourire affectueux.

À mesure qu'elle avançait dans sa lecture, Mme Burrows devenait de plus en plus impatiente. Elle découvrait enfin ce que Will et Chester avaient appris avant de disparaître. Elle ne savait rien de la galerie que les deux garçons avaient déblayée sous son ancienne maison sur Broadlands Avenue, ni d'ailleurs s'il y avait un lien entre leur disparition et les notes de son mari, mais elle avait l'impression de progresser. Elle lisait avidement les pensées que le Dr Burrows avait consignées dans son carnet. Il y parlait d'hommes étranges qu'il avait identifiés à Highfield, d'un globe lumineux qu'il avait déniché dans la maison de Mme Tantrumi, et d'un certain sir Martineau, riche homme d'affaire local du XVIIe siècle. Elle arriva enfin à la section dans laquelle il traitait des bâtiments que cet homme avait fait construire dans la vieille ville de Highfield tout autour d'une place qui portait son nom, et jeta un coup d'œil par la fenêtre pendant quelques instants avant de se replonger dans le journal. Elle remarqua alors la date de l'une des dernières entrées.

– C'était cette nuit-là… la nuit où Roger est parti, dit-elle d'une voix tendue.

Mme Burrows lut les mots suivants : « Il faut que je descende là-bas. » Après avoir pris connaissance de la dernière entrée du journal, elle relut cette phrase étrange.

– Que voulait-il dire par « là-bas » ? Où ça, au juste ?

Elle vérifia les dernières pages vierges du journal pour s'assurer qu'elle n'avait rien manqué. Sur la troisième de couverture, elle découvrit un nom et un numéro de téléphone écrits au crayon à papier.

— M. Ashmi, archives de la paroisse.

Will et Chester passèrent la nuit dans la pièce principale. Will dormit sur une pile de tapis que Martha avait étalés sur le sol près des coffres où l'on rangeait les cartes, et Chester sur un meuble qu'elle appelait « la chaise longue ». À peine l'avait-elle mentionnée que le regard de Chester s'était illuminé. Il se voyait déjà dormant sur quelque chose qui ressemblait à un vrai lit, et sa déception n'en fut que plus rude. Après avoir nettoyé la fameuse chaise longue, il découvrit qu'elle était si courte que ses pieds dépassaient, et que le vieux tissu dont elle était recouverte était dur comme du béton. Malgré cela, ils s'endormirent l'un comme l'autre en quelques secondes, bercés par le crépitement du feu. Ils étaient épuisés.

Martha les tira de leur profond sommeil en cognant la bouilloire contre les parois de la cheminée.

— Bonjour ! lança-t-elle d'un ton enjoué tandis qu'ils se traînaient péniblement jusqu'à la table.

— Du thé, dit-elle en leur tendant des tasses.

Elle posa ensuite une planche à découper sur la table. Il y avait plein de tiges grises et de racines blanches de tailles et de formes variées.

— Que diriez-vous d'un petit déjeuner ? Je suis sûre que vous mourez de faim, dit-elle en commençant à découper les tiges et les racines.

— Euh, non merci, vraiment, Martha. Je ne me sens pas très bien, à dire vrai, répondit Chester en observant le tas de légumes peu appétissants.

— Moi non plus, dit Will.

— C'est sans doute parce que vous venez d'arriver, suggéra-t-elle en fronçant les sourcils. Il faut un moment pour s'habituer.

Alors qu'elle tranchait les légumes, le couteau lui échappa des mains et fit plusieurs pirouettes dans les airs.

— Zut ! dit-elle en le rattrapant pour finir son ouvrage. Je me souviens que Nathaniel et moi, nous étions passés par la même phase.

— Faible gravité, dit Will en acquiesçant.

Il avait vu ce qui venait d'arriver à Martha.

– Oui, Martha a raison. C'est peut-être à cause de la faible gravité qu'on ne se sent pas très bien. J'imagine qu'il faut juste qu'on s'y habitue, ajouta Will.

– Eh bien, vous allez manger quelque chose, que ça vous fasse plaisir ou non. Il faut garder vos forces, déclara Martha en se relevant de sa chaise.

Elle se dirigea vers l'âtre où elle versa les dés de légumes dans une casserole d'eau bouillante.

– Un bon bol de soupe, voilà ce qu'il vous faut

– Et Elliott ? demanda soudain Will. Comment va-t-elle ?

– Ne t'en fais pas, dit Martha. Je l'ai examinée pendant la nuit, elle va encore rester dans les choux toute la matinée.

– Vous pouvez faire quelque chose pour son bras ? risqua Chester.

– C'est la première chose que je vais faire aujourd'hui, dit Martha en se curetant énergiquement une molaire avec l'ongle du petit doigt.

Après avoir examiné ce qu'elle avait réussi à racler sur sa dent, elle se suçota le doigt puis mâchonna d'un air songeur. Chester, qui l'avait observée, repoussa sa tasse de thé avec dégoût. S'il avait le teint pâle auparavant, il venait de virer au vert à présent.

– Vraiment, pas de soupe… Rien pour moi, Martha, dit-il en déglutissant bruyamment.

– Tu devrais en prendre, conseilla Will. Ça fait des mois qu'on n'a pas mangé correctement, et puis ça remettra tout ça en marche, dit-il en regardant son estomac.

– Merci, mais je n'en demandais pas tant ! répondit Chester.

Une heure plus tard, ils se rendirent tous dans la chambre d'Elliott. Will et Chester restèrent sur le seuil pendant que Martha se livrait à un examen complet.

– Pourquoi est-elle encore inconsciente ? demanda Chester.

Martha passa une main sur le cuir chevelu et la nuque de la jeune fille, puis elle souleva l'une de ses paupières avec son pouce pour examiner sa pupille.

– Elle a un traumatisme crânien. Elle a reçu un mauvais choc sur la tête. De toute façon, mieux vaut pour elle que je lui répare le bras pendant qu'elle est inconsciente. Venez donc m'aider, vous voulez bien ?

Les garçons se glissèrent à côté de Martha. Elle plaça une paire d'attelles de chaque côté du bras d'Elliott.

– Tiens, prends-les, dit-elle à Chester en tirant deux rouleaux de bandage en lin de la poche de son tablier. Bien, Will, va de l'autre côté du lit. J'ai besoin que tu la tiennes par les épaules et que tu l'immobilises.

Will s'exécuta. Martha agrippa Elliott par le poignet et tira plusieurs fois sur son bras. Les garçons entendirent le grincement des os brisés qui frottaient l'un contre l'autre.

– Oh, dit Chester. Atroce…

Will entendit un bruit sourd derrière lui.

– C'était quoi ? demanda-t-il sans cesser de tenir les épaules d'Elliott.

– Ton ami vient juste de s'évanouir. Laisse-le tranquille pour le moment. J'ai besoin que tu maintiennes les épaules de la fille, lui indiqua Martha. Il faut qu'on règle ça.

Martha tira à nouveau sur le bras d'Elliott pour qu'il reste bien tendu pendant qu'elle le manipulait. Elle marmonnait toute seule en travaillant, et des perles de sueur se formèrent sur son front alors qu'elle se concentrait sur sa tâche.

– Ça a l'air mieux, dit Will.

– C'est encore trop enflé. Difficile à dire. Mais je crois que les os sont à nouveau en place, dit-elle.

Elle appliqua soigneusement les attelles de chaque côté du bras et les emmaillota dans les bandes de lin qu'elle fixa par un nœud.

Martha se releva en poussant un soupir. Will fit de même. Il se tourna vers Chester, qui gisait sur le sol.

– On ferait mieux de le transporter dans l'autre pièce, dit Martha en gloussant.

– « *La Gazette de Highfield*, 19 juin 1895 », lut Mme Burrows en se penchant sur le vieux journal étalé sur la table devant elle. Dites-moi, M. Ashmi, qu'est-ce que je dois chercher au juste ? lança-t-elle.

Madame Burrows se trouvait dans le bureau des archives historiques de Highfield où l'on conservait des documents qui remontaient aussi loin que le Xe siècle. Comme M. Ashmi ne semblait pas vouloir répondre, elle parcourut le journal et remarqua un titre défraîchi au milieu de la page.

– « Les fantômes de la Terre. » Voilà qui frappe l'imagination !

– Je ne vous le fais pas dire, et c'est justement cet article-là que vous devez lire, répondit-il d'une voix étouffée depuis l'autre bout de la pièce, caché derrière les milliers d'étagères sur lesquelles étaient entreposées d'innombrables liasses et boîtes de documents. M. Ashmi, archiviste de l'arrondissement, cessa de fouiner dans le carton qui se trouvait devant lui et passa la tête de l'autre côté du rayon pour regarder Mme Burrows. La lumière blafarde des néons jaunes suspendus au plafond vint frapper ses lunettes en écaille.

– C'est typique des incidents.

– Très bien, acquiesça Mme Burrows. Mais j'espère que vous allez me dire pourquoi je dois lire cet article quand j'aurai terminé.

Elle s'intéressa de nouveau au journal et se mit au travail.

– « La construction d'un tunnel pour la nouvelle station de Highfield & Crossly a été abandonnée après un incident survenu au petit matin, mercredi. Les frères Harris, les fameux ingénieurs tunneliers canadiens, avaient foré plusieurs trous dans un dépôt de grès pour y placer des explosifs avec l'assistance d'un groupe de quatre hommes. Le signal d'alarme avait été donné, et la zone évacuée. »

– Le paragraphe suivant entre dans le vif du sujet, grogna M. Ashmi en prélevant une lourde boîte de papiers sur une étagère.

Il la déposa dans l'allée centrale, puis il décampa vers une autre partie du sous-sol.

Mme Burrows s'éclaircit la voix avant de poursuivre sa lecture.

– « Après les détonations, les frères Harris et leur équipe, désormais accompagnés par M. Wallace, topographe en second des Chemins de fer North Bay & Counties, entrèrent à nouveau sur le site des fouilles. Tandis qu'ils attendaient que la poussière retombe et que la fumée se dissipe pour pouvoir examiner la paroi, ils entendirent des grincements sous leurs pieds. Ils pensèrent aussitôt qu'il s'agissait d'un affaissement et commencèrent à battre en retraite. Cependant, les grincements se firent plus sonores, précurseurs d'une scène terrifiante. Des faisceaux lumineux jaillirent soudain du sol même. D'après tous les témoins, des trappes s'ouvrirent dans la roche, et c'est alors que surgit une armée de spectres. » Ce n'est pas une plaisanterie ? demanda Mme Burrows qui venait d'interrompre sa lecture.

– *Le Times* a pris cette histoire suffisamment au sérieux pour la publier le lendemain, répondit M. Ashmi qui se trouvait derrière un rayonnage. Continuez.

– Si vous le dites, rétorqua Mme Burrows en haussant les épaules, puis elle reprit sa lecture. « Selon M. Wallace, les créatures étaient vêtues de manteaux de gabardine ou de futaine sombre, et elles arboraient des cols blancs. Elles tenaient des sphères qui jetaient des éclairs de lumière verte. Devant l'avancée de ces créatures menaçantes, M. Wallace et son équipe prirent peur et s'enfuirent à toutes jambes. Aux dires de M. Wallace, les frères Harris restèrent en revanche fermes sur leurs positions. Thomas Harris s'arma d'un bélier en fer de trois mètres de long tandis que Joshua, son cadet, brandissait un manche de pioche. »

— Et devinez ce qui est arrivé aux frères Harris ? lança M. Ashmi à Mme Burrows — il semblait s'être rapproché, cette fois-ci.

— On ne les a jamais revus ? dit Mme Burrows en scrutant les étagères les plus proches.

— Dans le mille, et du premier coup ! la félicita M. Ashmi.

Mme Burrows cessa de chercher à localiser le fuyant M. Ashmi et reprit sa lecture.

— « On fit appel aux gendarmes de Highfield pour escorter M. Wallace dans la galerie peu de temps après. Le plafond s'était effondré devant la paroi sur laquelle ils travaillaient. Il n'y avait pas la moindre trace des frères Harris, ni de l'armée de fantômes. Les corps des deux frères n'ont jamais été retrouvés en dépit des autres fouilles qui furent menées. »

— Et c'est toujours le cas, intervint M. Ashmi. Bizarre, vous ne trouvez pas ?

— Oui, très bizarre, acquiesça Mme Burrows.

— Eh bien, lisez donc ça. C'est un autre article de *La Gazette de Highfield*, paru juste après un raid de la Luftwaffe au cours de l'été 1943.

M. Ashmi longea la table sans bruit et déposa un autre vieux journal devant Mme Burrows.

— Pourquoi ? questionna-t-elle alors qu'il lui avait déjà tourné le dos.

— Regardez juste les derniers paragraphes, répondit-il avec un geste de la main sans pour autant s'arrêter.

Mme Burrows poussa un soupir.

— « Reportage sur le raid d'hier », lut-elle avant de parcourir l'article en diagonale. « Des bombes incendiaires sont tombées sur Vincent Square. Le toit de l'église Saint-Joseph a été soufflé... » Hé, je crois que j'ai trouvé. « À midi, une bombe est tombée sur le Lyon's Corner House, tuant dix personnes dans le salon de thé, et faisant trois autres victimes dans la chapellerie adjacente. La résidence privée située au numéro 46 a été complètement détruite. M. et Mme Smith ainsi que leurs deux enfants, âgés

LA CABANE DE MARTHA

respectivement de quatre et sept ans, ont trouvé la mort dans l'effondrement de leur maison.

« Cependant, lorsqu'on a retiré des décombres les corps des membres de la famille, on a aussi découvert les cadavres de cinq hommes non identifiés qui se trouvaient manifestement dans la cave. Ils se ressemblaient tous de façon remarquable ; ils avaient le visage pâle et une forte carrure. Ils portaient des vêtements civils qui ne semblaient pas d'origine britannique, ce qui a aussitôt suscité des soupçons. S'agissait-il d'espions nazis ? On a donc fait appel à la police militaire pour mener l'enquête, et retiré les cinq cadavres de la morgue de Saint-Pancras pour les examiner de plus près. Cependant, il semblerait qu'ils aient été égarés pendant leur transfert. Daisy Heir, la bonne des Smith, avait eu la chance de ne pas se trouver dans l'arrière-cuisine au moment du raid, car elle récupérait les rations de viande allouées à la famille chaque semaine chez les bouchers de la rue Disraeli. Interrogée par la police militaire, elle a répondu que les Smith n'hébergeaient aucun hôte et qu'elle ne connaissait pas ces cinq hommes. Elle ne savait pas du tout comment ils avaient atterri là. Elle ne voyait qu'une explication : il s'agissait de pillards qui avaient réussi à pénétrer dans la maison d'une manière ou d'une autre et qui s'étaient faufilés dans la cave pendant le raid. »

Levant les yeux de son journal, Mme Burrows vit M. Ashmi qui se tenait devant elle.

– Ces histoires sont vraiment captivantes, dit Mme Burrows. Mais pouvez-vous me dire pourquoi mon mari a consigné votre nom et votre numéro de téléphone dans son journal ?

– À cause de ces reportages, répondit M. Ashmi en s'installant dans une chaise de l'autre côté de la table. Depuis le début des années 1800, on raconte des histoires au sujet de ces hommes courtauds à l'allure étrange, et l'on mentionne aussi des fantômes de plus grande taille, vêtus de noir et arborant des cols blancs. Ce ne sont pas des incidents isolés. Ils se sont produits avec une surprenante régularité au cours des siècles, et ce jusqu'à nos jours.

– Et alors ? interrogea Mme Burrows.

M. Ashmi glissa quelques pages dactylographiées devant elle.

– Au cours des mois précédant la disparition de votre mari, lui et moi avons effectué des recherches sur ces incidents. Il nous a fallu plusieurs journées de travail, mais il a compilé la liste que voici.

Mme Burrows feuilleta les pages et dut admettre que le nombre de rapports était tout à fait extraordinaire.

– Drôle de truc, commença M. Ashmi en se penchant en avant comme s'il craignait d'être entendu.

– Quoi ? demanda Mme Burrows en se penchant à son tour.

Elle pensait malgré tout que le vieil homme n'avait pas toute sa tête.

– J'avais mis l'une de ces listes en sûreté dans mon bureau, dit-il en gesticulant comme s'il s'apprêtait à exécuter un tour de magie. Mais elle a disparu.

Il se pencha un peu plus et baissa la voix.

– Qui plus est, de nombreuses archives se sont également fait la malle. Si je n'employais pas mon propre système de classification, que personne d'autre ne connaît, j'imagine qu'il y en aurait eu d'autres encore.

– Oh ! répondit Mme Burrows sans trop savoir que dire.

Elle s'intéressa de nouveau à la liste dactylographiée et vit des notes griffonnées juste à côté de certains articles. Or, elles n'étaient pas de la main de son mari.

– C'est vous qui avez écrit cela ? s'enquit-elle.

– Non, c'est Ben Wilbrahams, l'Américain. Il enquête aussi sur ces incidents pour un film, ou quelque chose dans ce goût-là. À dire vrai, vous devriez lui en toucher deux mots. Il est toujours en haut, dit M. Ashmi en pointant le plafond du doigt.

C'est là que se trouvait la bibliothèque de la ville.

– Oui, très bien. Je n'y manquerai pas, répondit Mme Burrows qui n'en avait nullement l'intention.

M. Ashmi avait insisté pour qu'elle emporte les photocopies des articles qu'elle tenait à présent à la main, ravie de quitter enfin ces archives poussiéreuses. Elle imaginait sans mal son mari plongé dans l'étude de ces obscurs reportages. Tout cela ravivait trop de souvenirs de sa vie d'avant et de son insatisfaction chronique face à leur existence menée jusqu'alors. Son mari semblait n'aspirer qu'à une chose : se réfugier dans le monde pour vieux schnocks qu'il s'était inventé. Le Dr Burrows pouvait ainsi faire mine d'incarner un universitaire sérieux aux travaux parfaitement sensés. En remontant l'escalier qui menait au rez-de-chaussée, Mme Burrows rugit de colère. Elle savait son mari capable de décrocher bien mieux que cet emploi de conservateur du musée local, mais il n'avait pas l'ambition nécessaire pour trouver quoi que ce soit de plus intéressant, et surtout de mieux payé.

Mme Burrows plia les photocopies avant de les fourrer dans son sac. Monsieur Ashmi était manifestement convaincu qu'il se tramait quelque chose à Highfield, mais cette idée était bien trop fantaisiste pour qu'elle la prenne au sérieux. Elle se demandait si son mari s'était laissé gagner par l'enthousiasme contagieux de M. Ashmi, ce qui aurait expliqué les affirmations délirantes qu'elle avait trouvées dans son journal.

Pour sortir du bâtiment, elle devait traverser la bibliothèque où elle crut repérer l'homme dont lui avait parlé M. Ashmi. Il portait une barbe bien taillée mais, à en juger par sa longue chevelure noire, on aurait pu croire qu'il sortait à peine du lit. Assis à un bureau face à plusieurs livres ouverts, il faisait habilement tournoyer un stylo entre ses doigts, décrivant des cercles infinis dans le vide. Il leva la tête et adressa un grand sourire à Mme Burrows en plissant les yeux derrière ses lunettes cerclées de métal. Il l'avait surprise en train de le dévisager. Mme Burrows détourna aussitôt le regard et se hâta vers la porte principale.

Chapitre Neuf

— Halte-là, faubert ! lança Will à Chester alors qu'il arrivait sur la terrasse.

Will remontait le sentier du jardin en s'avançant vers lui, une main posée sur la hanche tout en zébrant l'air de son sabre d'abordage.

— Je n'ai aucune idée de ce que ça veut dire.

— Aucune idée *de quoi* au juste ?

— Faubert ! C'est quoi un faubert, bon sang ? Un oiseau ?

— Non, je crois que c'était un truc vraiment désagréable, mais tu ferais mieux de défendre ton honneur, espèce de mollusque au sang de navet !

Will abaissa son sabre et l'observa un instant.

— Il est en super bon état, alors qu'il date probablement de plusieurs siècles. On y a gravé une petite croix et un motif qui ressemble à une branche, et puis il y a aussi une inscription… On dirait du latin, dit-il en scrutant la pièce de métal incurvée qui servait à protéger la main du spadassin au cours des combats.

Il tenta ensuite de lire l'inscription à voix haute, trébuchant sur les mots.

— *Soli Deo Gloria*, lut-il, puis il regarda Chester en haussant les épaules.

— Seul le déo de Gloria ? suggéra Chester d'un air distrait.

Il venait en effet d'apercevoir la panoplie d'armes que Will avait étalée sur la terrasse.

— Si c'est un duel que tu veux…, dit-il en choisissant une grande épée.

Chester l'essaya en frappant dans le vide.

– Non, ça ne me convient pas, marmonna-t-il en posant les yeux sur une autre arme.

Il s'agissait d'une tige de métal de deux mètres de long qui se terminait à un bout par une pique menaçante et à l'autre par une grosse hache. J'aime mieux ça, dit-il. Qu'est-ce c'est, au fait ?

– Une hallebarde, répondit Will.

– Une balle à barbe, reprit Chester en riant et en soupesant son arme. Fort bien ! En garde ! hurla-t-il en s'élançant au bas des escaliers pour atterrir juste devant Will. Ton heure est venue, Barbe Blanche !

Will se fendit plusieurs fois en faisant mine de le frapper de son sabre, et Chester para ses coups de sa hallebarde tandis que le fracas du métal résonnait dans tout le jardin aux plantes luminescentes. Chester passa alors à l'offensive et fonça droit devant, sans toutefois mettre beaucoup de force dans son attaque. À la faveur de la faible gravité, Will bondit dans les airs et esquiva aisément le coup.

Chester s'efforçait de faucher Will qui bondissait de plus belle, bien au-dessus de sa hallebarde. Après un moment, Chester fut pris d'une telle crise d'hilarité qu'il dut interrompre le combat.

– On dirait un de ces films de kung-fu complètement azimutés où les acteurs semblent montés sur ressorts.

Will s'efforçait de garder son masque de pirate meurtrier, mais il ne put s'empêcher de rire à son tour.

– Ouais, t'as raison. C'était quoi, déjà, le titre de ce film ? *Dragon sauteur, Canard volant,* ou un truc dans le genre ?

– En garde, Barbe Blanche ! Prépare-toi à affronter le plus grand ouvre-boîte du monde, s'exclama Chester en frappant dans le vide.

Will esquiva l'attaque en exécutant à la perfection un saut périlleux arrière avant de retomber sur ses deux pieds sur le sentier, un peu plus loin en contrebas.

– Ha ! ha ! lança-t-il, ravi d'avoir réussi pareilles acrobaties. On ne m'abat pas si facilement, n'est-ce pas, Ninja Rawls ?

– Vantard, marmonna Chester.

Ils continuèrent à jouer à la bataille, bondissant sur les nouveaux sentiers qu'il avait découverts entre les parterres de fleurs. Ils se déportaient peu à peu vers l'arrière de la cabane, filant à toute allure entre les petites dépendances.

– Reposons-nous une minute. J'ai besoin de reprendre mon souffle, dit Chester qui venait d'atterrir tout essoufflé à côté de Will.

– Ouais, d'accord, répondit Will en décrivant un huit avec son sabre. On s'amuse bien, pas vrai ? dit-il en souriant.

Chester acquiesça et lui rendit son sourire. Au fil des jours, ils s'étaient habitués à la faible gravité et ne ressentaient plus la nausée dont ils avaient souffert au début. Martha s'occupait bien d'eux. Désormais à l'abri de la menace constante des Styx, ils pouvaient enfin se détendre et s'amuser vraiment.

Ils passaient leur temps à inventer de nouvelles activités. Will avait découvert un jeu d'échecs en ivoire sculpté dans l'une des malles, et ils jouaient jusqu'au petit matin, buvant d'innombrables tasses de thé. Martha n'était que trop heureuse de leur enseigner les propriétés des plantes de son jardin et de leur raconter des histoires à propos de la Colonie et des Profondeurs. Elle avait d'abord refusé de leur prêter son arbalète, puis elle avait fini par céder face à leurs requêtes persistantes. Il leur fallut un moment pour maîtriser cette arme, mais ils finirent par y arriver et disposèrent des cibles le long de la barricade tout au fond du jardin. Ils étaient stupéfiés par la précision de leurs tirs ; les projectiles suivaient une trajectoire quasi rectiligne sans jamais en dévier, ou presque. Un autre effet de la faible gravité.

— Très bien, capitaine Snow, à nous ! dit Chester qui s'était remis de son fou rire.

— Il faudrait encore que tu me trouves, lança Will sur le ton du défi, et il bondit par-dessus le toit de la cabane pour atterrir devant la terrasse.

Will se réfugia alors derrière des buissons qui, chose exceptionnelle dans ce jardin, semblaient n'émettre aucune lumière. Chester contourna furtivement la cabane, puis il inspecta le jardin. Devinant où se cachait Will, il se propulsa en poussant son plus beau cri de guerre.

Will sortit des buissons et se posta sur le sentier, sabre brandi, prêt à repousser l'attaque. Chester s'avança, quand, tout à coup, quelque chose atterrit devant lui.

— Que ?... souffla-t-il.

C'était Bartleby. Le chat faisait le gros dos, les muscles tendus sous sa peau glabre, comme s'il s'apprêtait à bondir. Il s'avança en crachant avec une telle véhémence que Chester en lâcha sa hallebarde.

Il recula en toute hâte, trébucha, puis tomba sur une plate-bande de plantes délicates qui diffusaient une lueur rosâtre. Telle une panthère en chasse, le chat s'avançait vers le jeune garçon terrifié.

— Bon Dieu ! Fais quelque chose, Will ! s'étrangla Chester. Rappelle ton fichu minou !

— Bart ! Arrête ! cria Will.

Bartleby lança un coup d'œil à son nouveau maître pour confirmation de son ordre, puis il se coucha sur le sol. Mais il gardait les yeux rivés sur Chester comme s'il ne lui faisait pas entièrement confiance.

— Espèce d'idiot de chat, dit Will en lui caressant affectueusement la tête. Pourquoi t'as fait ça ? Tu ne pensais quand même pas que Chester était en train de m'attaquer, n'est-ce pas ?

Chester était très contrarié par l'attitude de Will qui semblait prendre la chose à la légère.

— Will, je te jure, il allait me sauter dessus. Il avait même sorti ses fichues griffes géantes.

— Je suis sûr qu'il ne serait pas allé jusque-là.

— J'aurais pu y croire, grommela Chester en se relevant pour reprendre sa hallebarde.

Il adressa un regard furieux à Bartleby qui ronronnait tandis que Will lui caressait les tempes.

— Tu sais quoi ? ajouta Chester.

— Quoi ? demanda Will.

— C'est fou ce que vous ressemblez à Sammy et Scooby Doo, tous les deux. Je viens juste de m'en apercevoir.

Will s'apprêtait à riposter par une grossièreté à la hauteur de l'attaque, lorsque Martha les appela depuis la porte d'entrée.

— Vous feriez mieux de venir ici.

Les garçons revinrent à la cabane et suivirent Martha à l'intérieur. Elle traînait devant la table, manifestement inquiète.

— Martha ? demanda Chester. Qu'est-ce qui se passe ?

— J'ai peur que ça n'ait commencé, dit-elle d'une voix blanche. J'ai tout de suite vérifié car j'avais des doutes, mais je crois bien que c'est bien le cas.

Will laissa tomber son sabre sur la table avec fracas et s'avança vers Martha.

— Vous parlez d'Elliott, n'est-ce pas ? Qu'est-ce qui s'est passé ?

— Vous vous souvenez de ce que je vous ai dit à propos de Nathaniel et du germe qui l'a achevé…

— Elliott a attrapé cette fièvre ? bafouilla Chester à toute allure. Oh non ! Will, elle l'a attrapée, elle aussi.

— Pas si vite, dit Martha en levant vers eux ses paumes crasseuses. Ce n'est pas certain, pas encore. Ce n'est peut-être pas la même chose, même si son état a empiré et que le pronostic n'est pas bon.

Ils se dirigèrent en silence vers la chambre d'Elliott.

— Oh, mon Dieu… murmura Chester.

Ils virent immédiatement que le visage de la jeune fille inconsciente avait changé. Il était rouge et luisant. Sa longue chemise et les draps du lit étaient trempés de sueur. Martha s'approcha d'Elliott et souleva délicatement la flanelle posée sur son front. Elle plongea le tissu dans une bassine d'eau à côté du lit, l'essora, puis le replaça sur sa tête.

— Vous aviez dit que son bras allait mieux, dit Will qui tentait de trouver quelque chose de positif à dire.

— Oui, c'est très étrange car ses os ont très vite guéri. C'est comme si... commença Martha avant de s'interrompre.

Will et Chester lui lancèrent des regards interrogateurs.

— À la Colonie, on dirait qu'elle a reçu la bénédiction du prêtre, dit Martha.

— Du prêtre ? Mais je croyais qu'ils étaient tous styx, non ? déclara Will d'un air stupéfait tandis qu'il se remémorait les cérémonies religieuses auxquelles il avait été contraint d'assister des mois durant au sein de la Colonie. Cela ne peut être bon.

— Oh, que si. Tu vois, les Styx ne sont pas comme les autres, répondit Martha. Ils guérissent deux fois plus vite que toi et moi. Les os de cette jeune fille se sont ressoudés si vite que j'ai même pu ôter son attelle.

Les garçons étaient si préoccupés par ces troublantes nouvelles à propos de la fièvre d'Elliott qu'ils n'avaient pas remarqué que son bras n'était plus maintenu que par un léger bandage.

— Mais cette fièvre, dit Chester en se tournant vers Martha. Je me sens tellement coupable. On vous a laissé tout faire pendant qu'on chahutait... et que l'état d'Elliott empirait. Dites-nous comment on peut vous aider.

— Pour commencer, il faut faire baisser sa température, en humidifiant toutes les dix minutes le cataplasme posé sur son front, dit Martha.

— Bien. Allez vous reposer, Martha, dit Will. Nous veillerons sur elle à tour de rôle.

Assis sur une chaise à côté du lit, Will en était à son deuxième tour de garde de trois heures. Il venait tout juste de prendre la relève de Chester qui s'était traîné péniblement jusqu'à sa chaise longue. Will remarqua soudain qu'il était en train de s'assoupir, s'affalant de plus en plus dans son siège.

— Allez, grogna-t-il avant de se gifler à plusieurs reprises pour se réveiller.

Il s'occupa en examinant les diagrammes qu'il avait tracés pour représenter le Pore et les autres brèches tout aussi immenses, sans doute visibles autrefois à la surface, et scellées depuis. Il essayait de se souvenir de tout ce qu'il savait de la tectonique des plaques et de ce qui se passe lorsque deux plaques commencent à se déplacer.

– Marges destructrices, constructrices et conservatrices, murmura-t-il.

Emporté par son imagination, il avait dessiné une petite vignette tout en bas de la page. Il s'agissait d'un galion basculant au fond d'un immense tourbillon au milieu de l'océan. Il le contempla en fermant un œil. Il se surprit à siffloter, mais cessa aussitôt.

– Mon Dieu, je deviens comme mon père, marmonna-t-il en prenant une autre page vierge.

Il tenta de noter ses observations sur la semaine passée. Mais l'ennui, c'est qu'il n'avait rien de nouveau ni de particulièrement intéressant à consigner, et ses efforts dégénérèrent bientôt en une série de gribouillis circulaires qui s'entremêlaient dans les marges au rythme de ses bâillements.

Une heure plus tard, Will avait abandonné son journal. Il était à présent penché sur une bible à l'épaisse reliure de cuir. Il l'avait découverte dans une malle plus tôt ce jour-là. Les pages sèches crissaient comme des feuilles mortes. Il s'arrêtait de temps à autre sur une phrase qu'il pensait pouvoir traduire et clignait des yeux de dépit en s'apercevant qu'il ne s'en sortait pas.

– Pourquoi je n'ai pas pris espagnol à l'école ? s'interrogea-t-il à haute voix en refermant la bible.

Il pivota sur sa chaise pour admirer le jeu d'échecs posé sur une petite table à côté de lui. Après quelques instants, il avança sa reine sur une nouvelle case, tout en gardant le doigt posé dessus.

– Non, c'est un coup stupide, dit-il en grommelant, puis il la replaça là où il l'avait trouvée, adressant un coup d'œil à son adversaire imaginaire. Désolé, je n'avais pas réfléchi.

Elliott s'agita et murmura. Will se précipita aussitôt à son chevet.

– Elliott, c'est moi, Will. Tu m'entends ?

Il lui saisit la main et la serra dans la sienne. Ses globes oculaires s'agitaient à vive allure sous ses paupières closes. Son teint habituellement pâle avait une couleur préoccupante, comme si on lui avait saupoudré la peau d'une poudre écarlate qui se serait logée dans tous les plis de son visage en se concentrant autour des lèvres.

– Ça va aller, dit Will d'une voix apaisante.

Elliott contracta la bouche comme si elle essayait de parler, mais elle avait à peine la force de respirer. Elle plissa le front comme si elle était en proie à un terrible conflit intérieur, comme si elle essayait de résoudre quelque problème survenu dans ses rêves fébriles. Puis elle murmura quelques mots, mais Will parvint à peine à les saisir. Il entendit d'abord quelque chose comme « Drake » puis, quelques minutes plus tard, il lui sembla qu'elle disait « Limiteur ».

— Tu es en sécurité maintenant, Elliott. Comme nous tous, dit Will pour la calmer, songeant qu'elle revivait peut-être les incidents du Pore.

Puis elle répéta le nom de Drake, bien plus nettement cette fois, et parut sur le point d'ouvrir les yeux.

— Et Drake va bien, lui aussi, ajouta Will afin de la rassurer, même s'il n'en était pas du tout certain.

Elliott se mit à bafouiller ce qui ressemblait à une série de chiffres. Elle les répétait encore et toujours d'une voix à peine audible. Will attrapa son crayon à papier et les consigna juste à côté de ses gribouillis. Elliott semblait répéter la même série de chiffres, mais Will n'en était pas certain et ne savait pas s'il les avait tous correctement notés.

Chester entra dans la pièce d'un pas traînant.

— C'est pas déjà ton tour, dis-moi ?

— Non, répondit-il d'un ton amer. Je n'arrive pas à dormir, là-bas.

— Pourquoi ça ?

— Ton fichu minou ronfle si fort que je n'ai pas arrêté de me réveiller en pensant que j'allais me faire écraser par une mobylette.

— Eh bien, c'est simple, t'as qu'à le réveiller, dit Will, incapable de réprimer un sourire. Tu pourrais essayer de lui susurrer « chien » à l'oreille. On ne sait jamais, ça pourrait marcher.

— T'as raison ! Pour qu'il m'arrache le visage ? grogna Chester. Comment va-t-elle, demanda-t-il en regardant Elliott.

— Elle est brûlante, mais elle a essayé de parler. Elle a mentionné Drake, et je crois qu'elle fait aussi des cauchemars, car elle a parlé d'un *Limiteur*. Elle n'a pas cessé de répéter certains chiffres. Je ne sais pas à quoi ils correspondent, mais j'ai noté tous ceux que j'ai entendus…

— Comme ceux-ci, l'interrompit Chester en sortant un bout de papier de sa poche.

Will le prit et compara la séquence avec celle qu'il avait notée dans son journal. Celle de Chester était la plus complète des deux.

— Hé, cool ! Mais tu crois qu'on a tout ? demanda Will.

– Je crois bien que oui. Elle les a assez souvent répétés. J'imagine qu'ils sont importants pour elle.

– Onze chiffres, réfléchit Will. C'est peut-être un code.

– Bien vu, Sherlock, rétorqua Chester en bâillant, puis il s'affala sur le sol au pied du lit et disparut.

– Oh… Bonne nuit, alors, dit Will d'une voix déçue.

Will espérait que Chester lui tiendrait plutôt compagnie pendant sa veillée. Mais en guise de réponse, il entendit le ronflement continu et sonore de son ami tandis qu'il tentait d'établir un motif à partir de cette série de chiffres.

Mme Burrows sortait de l'agence pour l'emploi lorsque elle s'arrêta sur le trottoir pour mettre ses fiches de rendez-vous dans son sac.

« Burrows », entendit-elle, puis « sale affaire », mais elle ne comprit pas la suite.

Elle se tourna et découvrit deux jeunes femmes entourées d'une ribambelle d'enfants. À voir la manière dont elles la regardaient, il était clair qu'elles l'avaient reconnue. L'une d'elles détourna aussitôt la tête et s'éloigna en tirant sa progéniture derrière elle. L'autre femme, qui promenait un bébé dans une poussette, se contenta de lui lancer un regard noir en retroussant la lèvre supérieure d'un air mauvais. Elle portait un tee-shirt à manches courtes qui dévoilait entièrement le gros cœur écarlate qu'elle s'était fait tatouer sur le bras et sous lequel figurait le prénom Kev tracé en lettres gothiques.

– Tueuse d'enfants, dit-elle en la regardant de travers, puis elle fit pivoter sa poussette et emboîta le pas à son amie.

Mme Burrows était abasourdie.

À la suite de l'appel télévisé, il y avait eu quelques entrefilets dans les journaux populaires, mais rien de très significatif. Cependant, les feuilles de chou locales s'étaient emparées de l'histoire et avaient publié une série d'articles sur elle et sa famille disparue. Puis il y avait eu une double page consacrée aux parents de Chester, dans laquelle figuraient plusieurs commentaires ambigus. Peut-être Mme Burrows n'était-elle pas capable d'assumer correctement son rôle de mère. C'est à cause de tout cela qu'elle avait acquis une certaine notoriété locale.

Mme Burrows remonta lentement la Grand-Rue de Highfield en essayant de ne pas tenir compte de cet incident, puis elle accéléra. Elle ne voulait pas arriver en retard à son premier entretien d'embauche.

Chapitre Dix

Martha était en train de hacher une botte de plantes séchées qu'elle avait prélevée dans l'une des dépendances. Elle sortit un champignon de la taille d'un ballon de football de son panier en s'aidant des deux mains puis le déposa sur la table.

— Il m'a l'air un peu douteux, votre champignon, commenta Will en fronçant le nez.

— Ils sont aussi rares que les dents de limace dans le coin, dit Martha en tapotant le champignon comme l'aurait fait un boulanger avec une boule de pâte.

Puis elle se mit à en peler l'écorce coriace, comme s'il s'agissait d'une grosse orange.

— Tu devrais savoir ce que c'est.

Will acquiesça. Un gâteau de deux sous, mais comparé à ceux qu'il avait vus dans la Colonie, c'était un bien piètre spécimen. Son écorce était sèche et brisée par endroits. Il s'affaissait comme s'il avait perdu une partie de sa pulpe.

— Est-ce qu'il est pourri ? demanda Will.

— Non, c'est un gâteau de deux sous faisandé.

— Faisandé ?

— Oui, je les suspends pendant deux mois. Ça leur donne une saveur plus prononcée, répondit-elle, puis elle entreprit de le couper en petits morceaux qu'elle jeta dans une casserole.

— En tout cas, moi je trouve que ça a l'air pourri, dit Will en faisant tournoyer sur la table l'un des ciseaux à bois de Martha.

Will l'observa jusqu'à ce qu'il s'immobilise enfin, puis il lui redonna un autre coup.

— Écoute, tu n'as pas mieux à faire ? demanda gentiment Martha.

– Pas vraiment, répondit Will d'un ton apathique.

– Tu t'ennuies parce que vous ne pouvez plus jouer autant qu'avant, Chester et toi ?

– On ne joue pas ensemble. Ça, c'est pour les gamins. Nous, on chahute, dit-il un peu sèchement avant de reprendre un ton un peu plus civil. Eh bien, on ne peut pas vraiment, pas tant qu'Elliott est dans cet état-là. Ça ne serait pas juste.

– C'est autre chose, n'est-ce pas, mon gars ? Tu as les yeux qui brillent d'impatience, comme Nathaniel avant de partir pour l'une de ses expéditions. Tu as la bougeotte, dit-elle d'un air entendu tout en continuant à trancher le gâteau de deux sous.

– Ouais, j'imagine... un peu, répondit Will en se redressant sur sa chaise. Martha, vous savez qu'on... Chester et moi... on ne peut pas rester éternellement ici. Il faut qu'on remonte à la Surface d'une manière ou d'une autre, et vite. Si les Styx mettent leur plan à exécution et répandent le *Dominion*...

– Je sais, je sais, dit Martha d'un ton compatissant. Will, ça me fait mal de devoir te dire ça, mais tu risques de perdre ton temps. Il est peut-être déjà trop tard.

– Ça ne fait rien, répliqua brusquement Will. Il faut quand même qu'on remonte. Juste au cas où on arriverait à faire quelque chose pour les arrêter.

– Mais personne n'est jamais parvenu à remonter, et personne n'y parviendra jamais. Il n'y a pas moyen de remonter, dit-elle en plantant son couteau dans la chair du champignon. Tu ne peux pas gravir les parois intérieures du Pore, ni celles des Sept Sœurs. Ça fait des kilomètres. Tu n'y arriverais jamais. Tu ne crois pas qu'on a essayé avant toi ? dit-elle en le regardant droit dans les yeux.

– Mais le fameux machin chose... De Jaybo... Il y est bien arrivé, non ? demanda Will tandis que Martha recommençait à découper le gâteau de deux sous.

– Ah... commença Martha tout en prenant le temps de se curer le nez tandis que Will roulait des yeux. On t'a visiblement raconté cette histoire. Il prétendait qu'il était tombé au fond du Pore et qu'il avait marché jusqu'à un lieu secret où il avait vu toutes sortes de choses étranges – des choses horribles. Il disait qu'il avait vu un autre monde où brillait la lumière du jour.

– Oui, c'est ce qu'on m'a dit.

– Un autre monde, avec son propre soleil ? dit Martha en secouant la tête. Certains disaient dans la Colonie qu'il ne savait pas différencier le haut du bas et qu'il avait émergé à la Surface par mégarde, et que tout ce qu'il avait raconté n'était qu'une suite de...

— Balivernes, interrompit Will qui se souvenait du terme employé par l'oncle Tam.

— Oui, des balivernes. Ou peut-être une histoire qu'il avait inventée, confirma Martha. Certains pensaient qu'il s'agissait d'une fable imaginée par les Styx pour faire croire à la population que l'Intérieur était un lieu terrifiant.

— Mon père pensait qu'il y avait peut-être quelque chose là-bas, dit Will d'un ton nostalgique. Il avait pris des notes sur les pages du journal que je possède, à propos de gravures trouvées dans un temple. Il y mentionnait un « Jardin du second soleil », expliqua-t-il d'une voix tremblante en repensant à son père. Papa devait être tellement excité. Je parie qu'il sifflait à tue-tête.

Will baissa la tête avec un soudain pincement au cœur.

Martha se frotta les mains pour se débarrasser des bouts de champignon et contourna la table pour le rejoindre. Elle lui tapota le dos.

— Tu as une nouvelle famille, maintenant, dit-elle tendrement. On est ensemble, c'est tout ce qui compte.

Il releva la tête et lui adressa un regard plein de gratitude.

— Ça te ferait du bien de sortir d'ici, et un peu de viande fraîche serait la bienvenue. J'ai fait avaler du bouillon à Elliott, mais mes stocks commencent à s'épuiser. Ramasse donc tes affaires, et dis à Chester qu'on part pour deux heures.

Chester n'était pas vraiment ravi de se retrouver tout seul avec Elliott.

— Qu'est-ce qui se passera si vous ne revenez pas ? Qu'est-ce que je vais faire ?

Mais Will était soulagé de sortir de cet enclos, ne serait-ce qu'un court moment. Martha l'entraîna dans l'une des galeries. Elle avait fiché quelques brindilles de feu d'anis dans sa ceinture et armé son arbalète. Will se dégourdissait les jambes, ravi de faire un peu d'exercice.

— Ne fais pas de bruit maintenant, dit-elle en se laissant choir dans une autre section de la galerie. Nous entrons sur le territoire des araignées.

Un peu plus loin, elle leva son arbalète et s'immobilisa. Will atterrit derrière elle et tenta de distinguer ce qu'il y avait là.

– Attention, murmura-t-elle tandis qu'ils s'approchaient à pas furtifs d'un croisement.

Will se servait de sa lanterne, ce qui ne semblait pas préoccuper Martha. Il ne fit donc aucun effort pour en diminuer l'intensité.

Il vit alors qu'un piège avait fonctionné. Il s'agissait d'un filet semblable à celui dans lequel il avait été pris. Il formait un ballot suspendu au plafond par un fil unique. Will vit en s'approchant les multiples pattes qui dépassaient des mailles du filet.

– On a une prise, murmura Martha.

Il y avait bien une araignée-singe à l'intérieur du filet. Lorsqu'elle détecta leur approche, elle fouetta l'air de ses pattes tandis que le filet oscillait de bas en haut.

– Pouah ! C'est dégueu ! Ça pue ! dit Will en se couvrant le nez.

– Oui, ça vient d'elle. Lorqu'elles se trouvent acculées, elles font ça en dernier recours, lui expliqua Martha en sortant son couteau.

Elle s'avança vers l'animal qui s'agitait, choisit un point et frappa d'un coup. L'araignée s'immobilisa aussitôt.

– C'est nauséabond ! dit Will en se pinçant le nez.

Il se demandait s'il pourrait jamais remanger de cette viande. Puis, tandis que Martha dénouait le filet, la curiosité l'emporta et il se lâcha les narines.

– Elle a des yeux incroyables, dit-il en se penchant sur l'araignée-singe pour étudier les cercles réfléchissants qui couvraient son corps circulaire.

– Ce ne sont pas des yeux, mais des oreilles, l'informa Martha.

– Vraiment ?

– Oui, tu vois ces deux petites épines, là, juste au-dessus des crochets, dit-elle en indiquant ce que Will avait pris pour des poils particulièrement épais. Elles émettent ces sons suraigus que détectent ensuite les oreilles.

– Vraiment ? répéta Will. C'est comme une chauve-souris, alors ?

– Exactement, confirma Martha, mais d'après Nat, elles s'en servent aussi pour repérer les créatures mourantes ou blessées.

Martha rangea son couteau et roula l'araignée morte dans un sac qu'elle confia à Will. Elle l'emmena ensuite le long de son circuit habituel, vérifiant d'autres pièges en chemin. En moins de temps qu'il n'en faut pour le dire, Will se retrouva avec trois cadavres sur le dos. Ils arrivèrent enfin aux établis en bois remplis de vieille viande et de membres découpés.

– Hé ! je reconnais cet endroit, dit Will.

– Bien sûr, répondit Martha en lui prenant le sac des mains pour déverser les araignées-singes sur le sol. Elle sortit ensuite de sa ceinture une grosse touffe de feu d'anis, l'alluma et la tendit à Will.

– Agite-la. On a eu de la chance jusqu'à maintenant, mais je ne veux prendre aucun risque pendant que tu es avec moi. Ça pourrait se mettre à grouiller d'araignées assez vite dès que je vais découper la viande. Il suffit qu'elles détectent l'odeur du sang.

Will s'exécuta et agita les brindilles devant lui. Les feuilles enflammées se mirent à émettre une intense lueur tandis que l'odeur de la réglisse se diffusait dans toute la caverne.

– C'est l'heure où Sweeney Todd[1] entre en scène, dit Martha à mi-voix en jetant les araignées mortes sur l'établi le plus proche.

Elle s'empara alors du hachoir à la lame menaçante.

– Tu devrais reculer de quelques pas, indiqua-t-elle à Will en guise d'avertissement alors qu'elle levait le bras. Ça peut être assez salissant.

Sur le chemin du retour, elle annonça qu'ils allaient faire un petit détour.

– Parce que c'est la saison des nectures de poussière, l'informat-elle.

Pas plus que la première fois, Will ne lui demanda de quoi elle parlait, pensant qu'il allait le découvrir tôt ou tard. Elle l'entraîna jusqu'à une vaste et haute dune de terre qui remontait le long de la paroi de la galerie. Will prit un peu de terre dans une main et l'écrasa entre ses doigts. C'était un terreau riche à faire pâlir d'envie un jardinier. Il observa Martha qui semblait chercher quelque chose. Elle finit par trouver une petite ouverture et commença à déblayer l'endroit avec les mains.

Martha avait creusé un trou de cinquante centimètres environ lorsqu'elle poussa soudain un cri de triomphe en extirpant une créature de la taille et de la couleur d'un cochonnet à peine né qui se tortillait dans le vide. Elle l'attrapa par la peau du cou pour que Will puisse mieux la voir. Elle avait un petit corps dodu et quatre membres courtauds. Elle semblait dépourvue d'yeux, mais possédait de minuscules oreilles blanches et roses rabattues le long de la

---

1. Personnage de fiction créé par Thomas Peckett en 1846. Sweeney Todd est un barbier londonien du XIXᵉ siècle qui égorge ses clients et se débarrasse de leurs cadavres, avec la complicité de sa maîtresse qui en farcit les friands à la viande qu'elle vend dans sa boutique (*N.d.T.*).

tête. Elle ressemblait à un hamster obèse et glabre qui se tordait de douleur en frémissant dans sa main. Ses moustaches pâles vibraient tandis qu'elle ouvrait la bouche sans émettre le moindre son.

– C'est donc ça, un necture de poussière, dit Will, émerveillé. C'est un bébé ?

– Non, il est à maturité.

– On dirait un petit Bartleby. Un Bartleby chaton ! dit Will en riant.

Il cligna plusieurs fois des yeux alors que Martha balançait l'animal plus près de son visage, puis il fit un pas en arrière.

– Mon Dieu ! Qu'est-ce qu'il pue, lui aussi… Ça sent…

– L'urine, compléta Martha. Oui, leurs tanières en sont complètement trempées. Mais ça ne les dérange pas.

– C'est si puissant que j'en ai les larmes aux yeux, dit Will. Est-ce que *tout* ce qui se trouve ici-bas sent aussi mauvais ?

– C'est pour ça que rien ne vient déranger les nectures de poussière. Cette odeur les protège. Mais leur viande est bonne… Ça a le même goût que le foie, dit-elle.

– Je déteste le foie, et cette odeur me donne envie de vomir, rétorqua-t-il, songeant soudain qu'il n'avait jamais vu Martha faire le moindre effort pour se laver non plus.

Alors qu'ils retournaient à la cabane, Will gloussa.

– Qu'est-ce qu'il y a ? demanda Martha.

– Je pensais qu'il vaudrait mieux s'assurer que Chester ne voie pas ça avant de le cuisiner, dit-il en soulevant le sac maculé de sang qu'il transportait. Ça lui couperait l'appétit pour plusieurs semaines !

Le Dr Burrows commençait à désespérer.

– Ça ne va pas. J'ai besoin de mon dessin de la pierre de Burrows pour pouvoir déchiffrer ce que ça veut dire, dit-il en regardant les petites tablettes de pierre étalées devant lui.

– Et où est-ce que tu l'as laissée, déjà ? demanda Rébecca en marchant lentement autour de lui.

– Je te l'ai dit. J'ai perdu mon journal en haut du Pore, répondit le Dr Burrows d'une voix légèrement aiguë, indigné par les constantes inquisitions de la jeune fille.

– Ce que tu es négligent ! dit-elle en tapant du pied avec impatience. Mais tu as dit que tu t'en souvenais assez pour t'en sortir, ajouta-t-elle d'un ton sec.

– J'ai dit que *j'espérais* pouvoir m'en sortir, contra-t-il.

Il ôta ses lunettes et se frotta les yeux avant de les chausser à nouveau.

– Mais il semblerait que je n'en sois pas capable. Et puis tes interruptions incessantes ne sont pas pour...

Rébecca s'avança en faisant mine de frapper le Dr Burrows, mais elle s'immobilisa lorsqu'un cri suraigu retentit soudain dans l'air chaud.

– On dirait une autre de ces araignées débiles, dit-elle en claquant des doigts à l'adresse du Limiteur. Occupe-t-en, ordonna-t-elle à la créature fantomatique qui se tenait derrière elle.

Le soldat leva sa lance – une arme de fortune qu'il avait façonnée en fixant sa faucille à l'extrémité d'une tige de champignon – et s'éclipsa sans un mot.

– Je ne comprends pas... Comment peux-tu lui parler ainsi ? risqua le Dr Burrows à présent qu'ils se trouvaient seuls. C'est un soldat.

– Oh, il est bien plus qu'un simple soldat. C'est un Limiteur... Il fait partie de l'escadron de Hobb, déclara-t-elle fièrement en s'asseyant devant lui. Les meilleurs combattants du monde. Les plus courageux et les plus implacables. Tu adores tes livres d'histoire, pas vrai ? Et tu crois sans doute que les Spartiates étaient des vrais caïds à la récré ?

– Eh bien... répondit-il en haussant légèrement les épaules.

– Nan, c'était des boy-scouts, ironisa-t-elle. Donne-moi un bataillon complet de Limiteurs, et j'aurai conquis Londres en une semaine.

– Ne sois pas si bête, Rébecca, balbutia le Dr Burrows. Pourquoi dis-tu des choses pareilles ?

– Contente-toi de te concentrer sur la carte, papa. Comme ça, on pourra tous rentrer à la maison. Parce que ma petite maison à moi me manque beaucoup, ajouta-t-elle en adoptant une écœurante voix mielleuse de petite fille.

– Tu n'écoutes donc pas ? Je crois que ces pierres sont une sorte de guide pour se rendre quelque part *en bas*, elles n'indiquent pas le chemin du retour.

– Je m'en fiche ! J'aime autant aller n'importe où plutôt que de rester ici ! aboya-t-elle soudain d'une voix dure comme de l'acier.

– J'ai aussi besoin d'un point de repère sur le terrain pour pouvoir le relier à la carte. Il faut trouver quelque chose qui corresponde à l'une des icônes qui figurent sur ces pierres, dit le Dr Burrows en déglutissant bruyamment. J'ai la gorge toute desséchée. Puis-je avoir quelque chose à boire ?

– Avançons d'abord un peu dans nos recherches, d'accord ? répondit Rébecca en secouant la tête.

– Mais j'ai soif, répondit-il d'un ton plaintif.

On entendit soudain un bruit sourd. Le Dr Burrows tressaillit en découvrant les deux cadavres d'araignées-singes qui venaient d'atterrir à côté de lui.

– Oh… mon… Dieu, dit-il. Qu'est-ce que c'est ? Des araignées ? Des arachnides ?

– « Araignée grise, araignée d'argent, ton échelle exquise tremble dans le vent », récita Rébecca. Non que tu aies jamais trouvé le temps de me chanter des comptines. Tu étais toujours bien trop occupé, terré dans ta cave à la noix avec tes livres débiles.

Rébecca lança un regard presque embarrassé au Limiteur, car le ton de sa voix trahissait un ressentiment sincère. Elle avait baissé sa garde et révélé ses émotions… des émotions humaines.

Mais le Dr Burrows ne l'avait pas entendue. Il observait nerveusement les pattes des araignées qui se contractaient. Il recula en voyant le sang qui s'écoulait de leur corps et formait de petits ruisseaux dans la poussière juste à côté de sa jambe.

– Si tu as soif, sers-toi donc, lui proposa Rébecca.

La vue de ces créatures grotesques n'affectait nullement la jeune fille.

– Sinon, tu auras droit à de l'eau au moment du dîner, ajouta-t-elle, d'un ton de maîtresse d'école. Mais il faut d'abord te dépêcher de finir tes devoirs.

Chapitre Onze

— Salut ! dit Chester lorsqu'il vit Will se prélassant sur l'une des chaises de la terrasse. Martha m'a fichu dehors. Elle lave Elliott.

— Comment va-t-elle ? demanda Will.

Chester s'étira en bâillant.

— On a réussi à lui faire avaler du bouillon, dit-il en s'affalant dans la chaise à côté de Will. Martha fait tout ce qu'elle peut pour qu'elle garde des forces.

— C'est bien. Mais son état ne s'améliore pas, n'est-ce pas ? demanda Will.

Chester se tortilla sur sa chaise. Ils n'avaient pas encore parlé ouvertement du fait qu'Elliott pourrait en mourir, tout comme Nathaniel avant elle. C'était un sujet presque tabou.

— Non, dit-il enfin.

Ils gardèrent le silence quelque temps, les yeux rivés sur le jardin. Plongés dans leurs pensées, ils percevaient à peine les pulsations colorées qui illuminaient l'endroit, telle une aurore boréale en miniature.

— Hum, Chester, quelque chose me tracasse depuis un moment, dit Will en s'éclaircissant la voix.

— Qu'est-ce que c'est, Will ? demanda Chester, le regard inquiet.

— Martha est trop loin pour nous entendre, n'est-ce pas ? répondit Will à voix basse en jetant un coup d'œil vers la porte.

— Elle est encore à l'intérieur avec Elliott, confirma Chester. Dis-moi... qu'est-ce qui se passe ?

— Eh bien... commença Will avec hésitation, je sais que Martha s'est montrée géniale, et qu'elle a fait tout ce qu'elle a pu pour

Elliott, mais est-ce qu'on ne pourrait pas faire quelque chose de plus ?

— Comme quoi ? demanda Chester en haussant les épaules.

— Ça fait des semaines qu'on est ici, et on est devenus tellement dépendants de Martha qu'on n'a même pas envisagé qu'il puisse y avoir quelqu'un d'autre dans le coin qui puisse aider Elliott — l'aider *vraiment*.

— Mais Martha dit que…

— Je sais ce que dit Martha, l'interrompit Will. Mais on ne la connaît pas *vraiment*, n'est-ce pas ? Et s'il y avait d'autres gens dans les parages, s'ils avaient des médicaments, ou bien s'il y avait quelqu'un comme Imago qui puisse aider Elliott…

— Mais pourquoi diable Martha nous cacherait-elle ça ? demanda Chester en le fixant d'un regard vide.

— Parce que c'est une vieille femme seule et qu'elle a trouvé deux remplaçants d'un coup pour compenser la mort de son fils.

— C'est dur.

— Oui, mais c'est vrai, rétorqua Will. Tu n'as jamais eu l'impression qu'on étaient prisonniers ici ? Martha nous raconte qu'il n'y a personne d'autre dans les parages, et que nous ne devrions pas prendre le risque de sortir seuls à cause des araignées, et puis qu'il serait bien trop dangereux de nous emmener voir les navires trouvés par son fils, et qu'il n'y a pas moyen de remonter jusqu'aux Profondeurs, et rien du tout au fond du Pore… dit-il avant de marquer une pause pour reprendre son souffle. Je crois qu'elle fait tout ce qu'elle peut pour nous garder ici.

Will tapota l'accoudoir de sa chaise pour bien insister sur ce point. Il observait Chester avec intensité pour voir si ce qu'il venait de lui dire avait semé le doute dans l'esprit de son ami.

— Donc, si ce que tu dis est vrai, on fait quoi ? demanda celui-ci en inclinant légèrement la tête. On laisse tomber Martha et on file dans les ténèbres ? On tire une jeune fille malade de son lit dans l'espoir de trouver quelqu'un ?

— Peut-être que j'ai tout faux et que ce serait commettre une grave erreur, mais je pense qu'on sait très bien tous les deux comment tout ça va finir, non ?

Chester ne répondit pas.

— Allez, Chester. Ce qui est arrivé au fils de Martha va arriver à notre amie. Elle va *mourir*. Faut pas se leurrer là-dessus, dit Will. Et peut-être, oui, *peut-être* qu'on peut emmener Elliott avec nous et trouver de l'aide. Peut-être qu'on pourrait trouver un chemin qui nous ramène en haut du Pore et contacter Drake, ou un autre des renégats.

– Bon sang, Will, je ne sais pas, murmura Chester en se tapant la tête contre le dossier de sa chaise.

– On n'a rien à perdre, pas vrai ? Ou plutôt, Elliott n'a rien à perdre, non ? dit Will d'une voix désespérée.

La santé d'Elliott ne montra aucun signe d'amélioration au cours de la semaine suivante. Will, Chester et Martha la veillèrent, la nourrirent et s'efforcèrent de faire baisser sa température. Lorsque les garçons se retrouvaient seuls, ils n'abordaient jamais la question de leur départ.

C'était comme si quelque chose d'oppressant s'était abattu sur la cabane. Il était malvenu de rire ou de s'amuser parce que l'avenir de leur amie était dans la balance, et c'était tout ce qui comptait. Les garçons parlaient à voix basse, même lorsqu'ils se trouvaient loin de la cabane, comme s'ils craignaient de déranger Elliott. L'atmosphère semblait affecter jusqu'à Bartleby qui passait le plus clair de son temps à dormir près du feu ou à gratter la terre à l'arrière de la cabane. Il se roulait parfois dans la poussière.

Lorsqu'il n'était pas de « veillée d'Elliott », comme il disait avec Chester, Will continuait à jouer seul aux échecs. Il s'était également fixé pour tâche de classer les pages du journal de son père du mieux qu'il pouvait. C'était important pour lui, car c'était l'héritage paternel. Il était de son devoir de le préserver au cas où il remonterait un jour à la Surface.

Il y avait de nombreux feuillets froissés, mais Will les lissait, puis les aplatissait en y posant des poids. Lorsque l'écriture ou les croquis du Dr Burrows étaient trop délavés pour être parfaitement lisibles, Will les repassait méticuleusement au stylo. Lorsqu'il eut terminé, il étala toutes les pages sur le sol pour voir s'il pouvait en tirer quoi que ce soit. Mais il avait beau essayer, les lettres étranges et les hiéroglyphes consignés par son père n'avaient aucun sens pour lui. Ils lui étaient totalement inutiles.

Alors qu'il dressait l'inventaire de ce qui restait dans son sac à dos, il était tombé sur son appareil photo. Étonné de le trouver encore en état de marche, il s'en servait à présent pour prendre quelques clichés des pages du journal qu'il rangeait ensuite avec soin dans l'un des coffres. Il se disait que ses photos y seraient à l'abri de l'humidité, mais aussi de Martha, laquelle avait pour habitude d'alimenter le feu avec tout ce qui lui tombait sous la main.

Puis il se rendit dans l'un de ses endroits favoris. C'était une petite dépendance dans laquelle étaient stockés toutes sortes d'objets que le fils de Martha avait dénichés au cours de ses expéditions. La cabane regorgeait de malles remplies de matériel nautique. Will se retrouvait dans son élément à chaque fois qu'il en examinait le contenu. Il essayait de ne pas aller trop vite, se limitant à une malle à la fois afin de garder un projet en réserve pour le lendemain. La plupart de ce qu'il trouvait se résumait à des bouts de métal : des tasseaux en fer, de grosses épingles qui semblaient avoir été fabriquées par un forgeron, des poulies et même des boulets de canon.

Mais au milieu de tout ce fatras, Will trouva un énorme compas nautique. Dans la même malle, il trouva une valise en cuir cabossée, dans laquelle il découvrit un merveilleux télescope en laiton. Quelle chance ! Will n'en revenait pas. Il l'emporta aussitôt pour l'essayer devant la cabane. Peu lui importait qu'il soit d'une efficacité somme toute limitée dans les ténèbres ou même dans le périmètre du jardin coloré. Il songeait alors aux marins qui s'en étaient servis par le passé, et qui sans doute avaient construit cette cabane.

Will dénicha au fond d'une autre malle un stéthoscope en métal argenté à la surface mate et en plastique noir – ou peut-être était-ce du caoutchouc. L'instrument ne comportait pas le moindre signe de détérioration et semblait très moderne. Will écouta les battements de son propre cœur, puis il le remit dans la malle sans y accorder plus d'attention tandis qu'il continuait à chercher d'autres objets exotiques.

Chapitre Douze

De retour du bureau, Mme Burrows s'arrêta chez le marchand de journaux dans la Grand-Rue de Highfield pour acheter le journal du soir. Elle avait accepté un emploi à mi-temps dans un cabinet d'avocats où elle assurait la réception des clients, tapait à la machine et classait les documents. Elle n'avait pas besoin de cet argent, car la vente de la maison de famille avait rapporté bien plus qu'elle ne l'avait escompté, mais ce travail lui redonnait une perspective. Elle appréciait la compagnie de ses collègues. Qui plus est, elle ne travaillait que deux jours par semaine, ce qui lui laissait le temps de mener ses propres enquêtes et de maintenir la pression sur la police pour qu'ils obtiennent des résultats.

Au moment de payer, elle remarqua que le vendeur ne la quittait pas des yeux.

— Sans vouloir vous embêter, êtes-vous la femme du Dr Burrows ?

Mme Burrows ne répondit pas tout de suite, scrutant le visage de cet homme pour y déceler la moindre trace d'hostilité. Après ce qui s'était passé devant l'agence pour l'emploi, elle se méfiait des habitants du coin. Elle n'était que trop consciente des regards dont elle faisait l'objet lorsqu'elle faisait ses courses ou se rendait à la gym.

— Oui, dit-elle enfin. Je suis Célia Burrows.

— Ah, bien. Dans ce cas, j'ai gardé ça pour lui, répondit-il en disparaissant sous le comptoir pour en ressortir une grosse pile de magazines qu'il commença à compter. *Le Mensuel du conservateur...* un... deux... euh, trois numéros de celui-ci, dit-il en les plaçant devant Mme Burrows.

Sans même lui adresser un regard, il continua son décompte.

– J'ai pris la liberté d'annuler ses commandes après deux mois… mais il y a encore trois numéros de *Fouilles d'aujourd'hui*, et aussi…

– Vous savez qu'il n'est plus là… on l'a porté disparu, lâcha Mme Burrows.

L'homme prit un air embarrassé, sans oser croiser son regard, tandis qu'il triait les derniers magazines.

– Je sais, mais j'ai pensé que vous auriez aimé les avoir pour…

– Pour quand il reviendrait ? compléta Mme Burrows, qui s'apprêtait à ajouter « Je ne pense pas que ça arrivera un jour », mais elle se ravisa.

Étant donné le ressentiment du public à son égard, cet homme pourrait mal l'interpréter et en conclure aussitôt qu'elle en savait plus qu'elle ne voulait bien le dire. Au lieu de cela, elle sortit des billets de son porte-monnaie et les tendit au vendeur.

– Écoutez, c'est bon. Donnez-les moi. Je vais vous les régler.

Le vendeur tria sa monnaie pendant le silence pesant qui suivit. Sans attendre qu'il mette les revues dans un sac, Mme Burrows les arracha au comptoir et quitta la boutique aussi sec.

À peine avait-elle mis le pied dehors qu'un éclair zébra le ciel, suivi par un roulement de tonnerre.

– Timing parfait, marmonna-t-elle sous la pluie battante.

Elle s'abrita la tête sous un magazine. Alors qu'elle remontait péniblement la Grand-Rue, les couvertures glacées des périodiques qu'elle avait calés sous son bras se faisaient de plus en plus glissantes et lui échappaient sans cesse. Ils venaient de tomber pour la deuxième fois lorsqu'elle repéra une poubelle non loin de là.

– Désolée, Roger, dit-elle en y jetant tous les numéros.

Elle se hâta tout en pestant contre la pluie qui ne semblait pas vouloir cesser. Elle venait de s'arrêter au bord du trottoir pour regarder avant de traverser lorsqu'elle tourna par hasard la tête dans la direction opposée.

– Bon sang ! s'exclama-t-elle.

Deux hommes qui lui tournaient le dos se trouvaient devant la poubelle dans laquelle elle venait de jeter les magazines. Ils prélevaient soigneusement chaque exemplaire pour en examiner la couverture avant de les déposer dans une valise. Les individus étaient aussi trapus l'un que l'autre et vêtus de vestes sombres. Ils avaient sur les épaules une drôle de cape, tout droit venue d'un autre temps.

Sans trop savoir pourquoi, peut-être était-elle encore énervée par ce qui s'était passé dans la boutique, elle eut un soudain accès de colère.

Mme Burrows ne savait pas du tout qui étaient ces hommes. Ils étaient trop bien habillés pour des clochards. Elle pensa d'abord qu'il s'agissait de camionneurs venus du continent, ce qui aurait expliqué leur accoutrement inhabituel. Elle courut tout à coup vers eux en hurlant.

– Qu'est-ce que vous faites ? Laissez ça !

Mme Burrows avait certes jeté les magazines, mais ils avaient autrefois occupé une telle place dans la vie de son mari, ils revêtaient une telle importance à ses yeux qu'il lui semblait anormal que quelqu'un d'autre se serve ainsi. C'était irrationnel, elle le savait. Elle n'avait certainement pas besoin d'ajouter encore des bricoles au bric-à-brac de son mari. Son appartement en était déjà bien assez rempli comme ça. Mais même s'il n'était pas là pour les lire, elle ne voulait pas que d'autres s'en emparent, et certainement pas des gens qui, contrairement à lui, ne sauraient pas les apprécier à leur juste valeur.

– Bon sang, mais laissez ça ! Ils sont à Roger ! Achetez donc vous-mêmes vos propres magazines ! hurla-t-elle.

Malgré le rideau de pluie qui lui brouillait la vue, elle vit que les hommes portaient tous deux des casquettes plates. L'un d'eux réagit à ses cris et se tourna lentement vers elle. Il avait des lunettes de soleil, ce qui n'avait aucun sens à cette heure de la journée. La lumière d'un éclair révéla son visage à la peau d'une étonnante pâleur. Elle s'arrêta en dérapant.

– Ces hommes au teint *blafard,* murmura-t-elle en se remémorant la description que son mari avait consignée dans son journal.

Les deux hommes la regardaient à présent. Mme Burrows était assez proche pour voir leurs larges mâchoires et leurs bouches cruelles. Celui qui tenait la valise la referma d'un coup, puis ils avancèrent vers elle d'un pas déterminé et parfaitement synchrone. La colère de Mme Burrows céda aussitôt la place à la peur. Ils fonçaient droit sur elle, cela ne faisait pas le moindre doute.

Mme Burrows inspecta rapidement la Grand-Rue pour voir si personne ne pouvait l'aider, mais la pluie semblait l'avoir vidée de toute population. Elle fit volte-face et commença à courir, tandis que ses chaussures dérapaient sur la chaussée mouillée. Elle scruta les boutiques, cherchant un endroit où se mettre à l'abri, mais le magasin des Clarke était bien entendu fermé, et il était trop tard pour que le café de La Cuiller dorée soit encore ouvert. Elle n'avait pas d'autre choix que de traverser la rue pour emprunter une voie adjacente menant à son appartement. Elle serait en sécurité, là-bas.

Mme Burrows continua à courir, mais le bruit de leurs pas sur la chaussée se rapprochait. Comme si la peur avait ravivé un souvenir enfoui dans sa mémoire, elle se rappela soudain ce qui s'était passé l'année précédente lorsque des hommes avaient forcé la serrure de la porte-fenêtre du salon. C'était arrivé à l'époque où elle souffrait d'une dépression chronique et passait presque toute la journée à dormir sur son fauteuil préféré devant la télévision.

Mme Burrows avait surpris les intrus, et ils l'avaient traînée jusque dans le couloir. Mais quelle n'avait été leur surprise alors... Elle leur avait flanqué une raclée avec une poêle à frire avec la force surhumaine d'une démente. Effrayés, ils avaient pris la fuite. La police avait conclu que les voleurs devaient observer la maison depuis le terrain communal et qu'ils cherchaient les choses habituelles : le poste de télévision, les téléphones mobiles et l'argent liquide qui aurait traîné dans le coin.

Mais, alors même que ces deux hommes la poursuivaient, elle se souvenait à présent de cette fameuse nuit. Les deux intrus avaient la même façon de se tenir.

Un grondement de tonnerre rentantit dans le ciel lorsqu'elle atteignit Jekyll Street, et elle se précipita sur le trottoir d'en face sans voir la voiture qui approchait. Mme Burrows entendit le crissement des freins et des pneus qui glissaient sur l'asphalte mouillé, et la voiture s'arrêta enfin. Aveuglée par les phares, elle leva les bras pour se protéger le visage, puis bascula en arrière après avoir percuté le pare-choc.

Le chauffeur sortit aussitôt de la voiture.

— Bon Dieu, je ne vous ai pas vue ! Vous avez surgi de nulle part ! dit-il. Vous êtes blessée ?

Mme Burrows était assise sur son séant, le visage barré par sa chevelure trempée. Elle jetait des coups d'œil par-dessus son épaule à la recherche de ces hommes étranges.

— Où sont-ils ? bredouilla-t-elle.

— Vous avez mal quelque part ? Vous pensez que vous arriverez à marcher ? demanda le conducteur, manifestement préoccupé.

Mme Burrows rejeta ses cheveux en arrière, et pour la première fois elle vit distinctement le visage du conducteur. C'était l'Américain barbu qu'elle avait croisé à la bibliothèque.

— Je vous connais, dit-elle.

– Vraiment ? demanda-t-il en plissant le coin de sa bouche tout en s'accroupissant à côté elle pour scruter son visage.

– Vous vous appelez Ben… quelque chose.

– Ouais, dit-il, surpris.

– Ouais. M. Ashmi, des archives de la ville, m'a dit qu'il fallait que je vous parle. Je suis Célia Burrows, lui dit-elle.

– Ben Wilbrahams, répondit-il en plissant le front. Vous êtes donc la femme du Dr Burrows, dit-il en haussant les sourcils au-dessus de ses lunettes cerclés de métal.

Mme Burrows se releva et grimaça en essayant de s'appuyer sur sa jambe gauche.

– Je crois que je me suis foulé la cheville, dit-elle.

– Écoutez, vous êtes complètement trempée, et j'habite juste à côté, au bout de Jekyll Street. Le moins que je puisse faire, c'est de m'assurer que vous n'avez rien.

Ben Wilbrahams habitait une maison victorienne à la vaste façade. Il aida Mme Burrows à franchir le couloir pour gagner le salon. Il l'installa sur le canapé et alluma un feu dans la cheminée. Il partit chercher une serviette pour qu'elle puisse se sécher, puis il s'en alla préparer du café. Mme Burrows s'approcha en boitant de la grande cheminée en marbre, contemplant les vieux tableaux accrochés aux murs. Il s'agissait principalement de paysages typiquement anglais. Elle se trouvait dans une pièce immense aux plafonds hauts qui traversait toute la maison. Tout en se séchant les cheveux, elle se rendit en sautillant du côté du jardin. En dépit de l'obscurité, elle distingua au passage plusieurs planches posées sur des chevalets.

Mme Burrows trouva un interrupteur et alluma la lumière. Il y avait six planches au total, sur lesquelles on avait punaisé d'innombrables cartes et petites fiches couvertes de notes rédigées d'une main adroite. Sur la dernière planche figuraient uniquement des photos. Elle en regarda une à deux reprises avant de se rapprocher à cloche-pied pour mieux voir. Il s'agissait d'un portrait en noir et blanc du Dr Burrows.

– Ça provient du site du musée de Highfield, dit Ben en entrant dans la pièce.

Il apportait des tasses et une cafetière chaude sur un plateau.

– Ils n'ont pas encore remis le site à jour.

– Vous l'aviez déjà rencontré ? s'enquit Mme Burrows. Mon mari, Roger ?

– Non, je n'ai jamais eu ce plaisir, répondit Ben Wilbrahams en remarquant que Mme Burrows s'intéressait aux autres photos qu'il avait punaisées tout autour de celle de son mari.

Parmi elles se trouvait une photo couleur d'une famille souriante avec pour légende : « Les Watkins ».

– Toutes les personnes que vous voyez sur ces photos ont été portées disparues aussi, dit Wilbrahams en posant le plateau.

– Qu'est-ce que c'est que tout ça ? Qu'est-ce que vous mijotez, au juste ? demanda Mme Burrows d'un air suspicieux en sautillant jusqu'au panneau suivant.

Elle prit appui sur le dossier d'une chaise et examina une carte de Highfield parsemée de Post-it rouges.

– Vous n'êtes pas journaliste, ni écrivain, n'est-ce pas ? lui demanda-t-il en plissant les yeux d'un air moqueur.

– Pas encore, rétorqua Mme Burrows.

– Bien, car je ne veux pas qu'on me vole mes idées. Je suis venu en Angleterre il y a cinq ans, pour écrire et tourner un épisode de la nouvelle série diffusée sur le câble, intitulée *Le Gothique victorien*. Mes recherches portaient sur les cimetières de Londres, mais je ne suis jamais reparti après avoir terminé mon travail. C'est mon métier : je réalise des films et des documentaires.

– Vraiment, répondit Mme Burrows, impressionnée.

Elle songea à sa propre carrière à la télévision, et à tout ce qu'elle avait sacrifié lorsqu'elle et le Dr Burrows avaient adopté Will.

Ben Wilbrahams enfonça le piston de la cafetière.

– En ce moment, j'effectue des recherches d'ordre général sur Highfield et toutes ces histoires insensées – peut-être pas tant que ça après tout – qui fascinaient aussi votre mari.

– Pourquoi ne m'en avez-vous pas parlé ? demanda Mme Burrows.

Will se redressa sur la chaise longue en se frottant les yeux, convaincu d'avoir entendu le tintement d'une cloche. Si c'était bien le cas, cela ne pouvait venir que de la barricade.

Il jeta un coup d'œil à Bartleby. Le chat semblait s'être réveillé lui aussi. Il s'était lové dans son coin préféré près de la cheminée, mais il jetait à présent des coups d'œil nonchalants en direction du jardin. Il reposa lentement la tête sur le tapis, et se rendormit promptement. Will se dit qu'il devait avoir rêvé en voyant que Bartleby semblait si détendu. Il se recoucha avec la ferme intention de se rendormir à son tour.

C'est alors que Chester se rua hors de la chambre adjacente dans laquelle il veillait Elliott.

– Ne reste donc pas allongé ! hurla-t-il.

– Hein ? dit Will encore assoupi.

– La cloche ! Tu dois l'avoir entendue.

Will s'extirpa de la chaise longue et rejoignit Chester qui l'attendait devant la porte d'entrée.

– T'es sûr que c'était la cloche ? demanda Will.

Ils se tournèrent tous deux vers la barricade.

– Absolument.

– C'est peut-être Martha, suggéra Will. Peut-être qu'elle était sortie pour vérifier les pièges ?

La réponse à cette question ne se fit pas attendre. Sans dire un mot, Martha le bouscula et se précipita en bas des marches. Elle était encore vêtue de sa longue robe de chambre blanc sale qui lui descendait jusqu'aux chevilles et dans laquelle elle dormait d'ordinaire. Elle s'était manifestement levée à la hâte. Cependant, elle tenait son arbalète à la main. Elle l'arma puis tira une flèche de son carquois.

– On dirait qu'elle s'attend au pire, observa Chester.

Parvenue à la barricade, Martha regarda par le judas puis lança un rapide coup d'œil aux garçons, défit le verrou et ouvrit la porte en grand. Elle franchit le seuil avec le visage tendu. Elle tenait quelque chose en joue.

– Qu'est-ce qui a bien pu sonner la cloche comme ça ? Des araignées-singes ?

– Chut ! souffla Chester. Je crois qu'elle parle à quelqu'un.

– Martha n'arrête jamais de parler, répondit Will. Même s'il n'y personne là-bas.

– Will ! cria soudain Martha. Viens donc par ici ! Quelqu'un te demande.

Les garçons échangèrent des regards amusés.

– Elle prétend être ta sœur, ajouta Martha.

– Bon sang ! J'y crois pas ! explosa Chester en donnant un coup dans le chambranle. Ta fichue sœur ! Ces deux morues putrides, ces meurtrières nous auront suivis jusqu'ici !

Chester fit volte-face et fonça dans la cabane, mais Will descendait déjà le long du chemin en direction du portail principal, dévoré par la curiosité autant que par la peur.

– Tu la connais ? demanda Martha sans quitter des yeux son arbalète et en pinçant les lèvres.

Will passa prudemment la tête à l'extérieur.

C'était bien Rébecca !

L'une des deux jumelles se tenait là, les mains croisées devant elle. Elle avait le visage couvert de crasse et luisant de larmes.

– Oh Will, dit-elle d'une voix étranglée dès qu'elle le vit. Aide-moi, s'il te plaît, aide-moi.

Will en resta muet.

– Elle porte l'uniforme des Limiteurs, cracha Martha, serrant si fort son arbalète que ses doigts en étaient presque exsangues. C'est une Styx.

– Oui… une Styx. Je vous ai dit que c'était une Styx, répondit-il à Martha, après avoir retrouvé sa voix. Qu'est-ce que c'est ? Pourquoi es-tu venue ici ? demanda-t-il alors à Rébecca.

– Oh Will, plaida la jumelle boiteuse. Il faut que tu m'aides. Elle m'a jetée dans le Pore.

– Tu es seule ? Y a-t-il d'autres Styx avec toi ? demanda Will qui retrouvait peu à peu ses esprits.

Will scruta les ténèbres derrière la jeune fille.

– Sa jumelle est peut-être là, ou même d'autres Styx. C'est peut-être un piège, dit-il précipitamment à Martha.

Sans cesser de la tenir en joue, Martha s'avança vers la jeune fille. Elle s'arrêta, puis jeta un rapide coup d'œil de part et d'autre de la galerie.

– La voie est libre, murmura-t-elle.

Comme la jumelle avait reculé de plusieurs pas en boitant à l'approche de Martha, Will vit qu'elle avait quelque chose à la jambe. Elle semblait totalement terrifiée par Martha.

– Je suis seule… Elle n'est pas là… Ma sœur… elle m'a jetée dans le Pore, balbutia Rébecca à l'attention de Will.

– À genoux, et les mains sur la tête, aboya Martha.

– Ma sœur… Elle… elle m'a poussée dans le Pore, balbutia-t-elle encore en regardant Will.

– Pourquoi est-ce qu'elle aurait fait ça ?

– Je ne voulais plus la suivre. Elle est folle… Je lui ai dit que j'abandonnais, expliqua-t-elle.

Ses fines épaules étaient secouées par les sanglots, elle pleurait désormais à chaudes larmes.

– Elle est malade, Will. Elle m'a forcée à faire toutes ces choses. C'est sa faute. Je n'avais pas le choix. Elle a menacé de me tuer tant de fois.

Rébecca leva les yeux vers Will, le visage barré par sa chevelure de jais.

— Tu nous prends pour des débiles profonds ! hurla Chester.

Will ne l'avait pas vu arriver.

— Espèce de garce ! lança Chester.

Il était dans une telle rage qu'il postillonnait en hurlant. Puis il arma sa carabine et visa la jeune fille agenouillée.

— Non ! Chester ! hurla Will en essayant de l'atteindre.

Will parvint à dévier la carabine au moment où Chester tirait. La balle s'écrasa contre une roche, quelque part derrière Rébecca qui s'écarta en gémissant, le visage plaqué au sol.

Chester s'apprêtait à armer la culasse de sa carabine pour tirer à nouveau, mais dans le feu de l'action Will le repoussa d'un coup dans la poitrine. Chester fut si surpris qu'il lâcha la carabine, et Will en profita pour la lui arracher des mains.

— Qu'est-ce que tu fais ? Rends-moi ça ! ordonna Chester qui arrondit les épaules tel un joueur de rugby prêt à charger.

— Du calme, Chester, lui dit Will en inclinant la carabine comme s'il s'apprêtait à repousser son attaque.

— C'est une Styx ! rugit Martha.

Will tourna vivement la tête, juste à temps pour voir ce qu'elle avait l'intention de faire. Il frappa instinctivement l'arbalète de Martha d'un coup de crosse, ce qui suffit à dévier la trajectoire de la flèche qui s'écrasa parmi les cailloux avec un sifflement. Elle avait manqué d'un cheveu le corps tremblant de la jeune fille allongée sur le sol.

— Bon sang ! Arrêtez ça ! Tous les deux ! hurla Will. Arrêtez !

Chester et Martha lui faisaient face à présent et il crut bien qu'ils allaient lui passer sur le corps pour attraper la jeune Styx.

— Qu'est-ce que vous avez ?... Vous l'avez presque abattue ! cria-t-il.

— Ouais, c'est vrai. Bon sang ! murmura Chester d'un ton glacial.

— Mais...

— Mais quoi, Will ? T'étais pas dans le cachot. T'as pas subi ce que j'ai subi, dit-il. Cette petite garce les regardait me battre ! Et puis elle me frappait à son tour ! dit-il en désignant la jumelle. Elle riait comme si tout ça n'était qu'une bonne blague, ajouta-t-il en lui jetant un regard furibond. Eh bien, moi j'aimerais bien la soumettre à une chute !

– On ne peut pas la tuer comme ça. Pas ici, pas comme ça. Elle dit peut-être la vérité… répondit Will en se redressant complètement.

– La vérité ? Que ce n'était pas elle ? Que c'était sa sœur ? l'interrompit Chester. Allons, Will ! Reviens sur terre. Elles sont aussi malfaisantes l'une que l'autre. Et Cal, Tam, ta grand-mère ? Tu oublies peut-être que ces tarées les ont massacrés ? Et tous ces autres qu'elles ont tués ? Elle doit mourir.

– Je ne te laisserai pas faire ça, dit Will.

Il vida le chargeur de la carabine, arma une dernière fois la culasse pour s'assurer qu'il avait bien éjecté toutes les balles, puis il lança l'arme à Chester.

– Pas de sang-froid, dit-il.

– Pourquoi pas ? cria Chester d'une voix râpeuse. Vous êtes d'accord avec moi, n'est-ce pas, Martha ?

– À cent pour cent, acquiesça-t-elle. Il faut l'achever, ajouta-t-elle en pressant Will.

– Non, répondit-il d'une voix brisée par l'émotion que suscitait en lui cette confrontation. Non, on n'est pas comme elles. Si on les tue, on ne vaudra pas mieux qu'elles.

Chester cracha sur la jeune Styx, foudroya Will du regard, puis retourna à l'intérieur de l'enceinte en tapant des pieds.

Martha resta immobile. Elle tenait son arbalète comme si elle comptait tirer une autre flèche.

– Dans ce cas, dit-elle à Will, explique-moi un peu. C'est l'une des jumelles dont tu m'as parlé, celles qui prétendaient chacune être ta sœur et qui ont fait tout leur possible pour faire de ta vie un enfer… pour te traquer et te tuer. Et tu es prêt à la laisser s'en tirer comme ça ?

Will passa plusieurs fois la main dans sa chevelure blanche, comme s'il ne savait que lui répondre.

– Je… je ne sais vraiment pas, mais… mais on devrait écouter ce qu'elle veut nous dire.

– Fais-moi une promesse, Will, dit Martha en secouant la tête avec un sourire amer.

– Quoi ?

– Laisse-la nous dire ce qu'elle veut, et quand tu auras entendu tous ses mensonges, promets-moi que tu la ramèneras ici et que tu l'achèveras toi-même.

– Je… je… balbutia Will.

– Ça commence comme ça, dit Martha en baissant la tête – elle semblait soudain au bout du rouleau. Ces ordures de Points noirs s'immiscent chez toi, et avant même que tu ne t'en aperçoives tu te réveilles un beau matin avec un couteau sous la gorge. J'espère que tu sais ce que tu fais, mon chou, dit-elle en prenant une profonde inspiration, puis elle le regarda droit dans les yeux.

— Non, je ne sais pas. Vraiment pas, admit-il d'un air confus.

Il entendit les sanglots de la jeune Styx et se tourna vers elle.

— Lève-toi, Rébecca, ou quel que soit ton nom. Tu viens avec nous.

La jeune fille ne broncha pas.

— J'ai dit « lève-toi ! ».

Rébecca se releva péniblement, tremblant de peur, et regarda Will de ses grands yeux effrayés.

— Martha ? demanda Will.

— Oui, répondit-elle en toisant la pitoyable jeune Styx avec le plus profond mépris.

— J'ai trouvé des fers parmi les affaires que Nathaniel a rapportées du galion.

— Ah, j'aime mieux ça ! rugit Martha en attrapant Rébecca avant de lui tordre le bras derrière le dos.

Puis elle la poussa brusquement à l'intérieur du jardin et la conduisit vers la cabane.

Will s'arrêta un instant pour scruter les ténèbres avant de refermer le portail de la barricade.

Il ne vit pas s'éclipser le Limiteur qui venait d'accomplir sa mission. Le soldat styx agitait sa lance de fortune devant lui, prêt à abattre les araignées qui par malheur viendraient à croiser son chemin.

— Un jeu d'enfant, dit-il de sa voix graveleuse en se précipitant dans la galerie pour y retrouver son camarade.

Ce soldat à la main couverte de cicatrices connaissait sans doute le terrain comme sa poche, et il n'avait eu aucune difficulté à éliminer les araignées et autres bêtes rencontrées en chemin, mais il se trompait lourdement.

Chapitre Treize

C hester sortit sur la terrasse, une tasse à la main. Il s'assit sur la chaise qui se trouvait juste à côté de Will en poussant un profond soupir, puis il croisa les jambes.

— Ça va ? lui demanda Will d'un ton hésitant.

— J'imagine, marmonna Chester sans regarder son ami. Will... c'est... commença-t-il en lui adressant un bref coup d'œil avant de boire une gorgée.

— Quoi ? répondit Will qui ne savait que trop bien ce qui allait suivre.

La boisson de Chester était manifestement bien plus chaude qu'il ne le croyait, et il dut prendre plusieurs inspirations rapides pour se refroidir la bouche avant de lui répondre d'une voix empreinte de colère.

— Cette fille nous a fait vivre un enfer... et tu lui as pardonné, comme si de rien n'était.

— Je ne lui ai pas pardonné, contra Will. C'est juste que...

— Que *quoi* ? dit Chester qui s'échauffait de plus en plus. Allons, Will ! Tu te comportes comme un... je ne sais pas... comme une vraie mauviette !

— Non, c'est faux, objecta Will en s'efforçant de ne pas hausser le ton.

— Eh bien, je crois que tu commets la plus grosse erreur de ta vie, déclara Chester avant de prendre un air songeur. En tout cas, c'est sûrement l'une des pires.

— Écoute, Chester, c'est comme ça, dit Will en se massant le front pour soulager la terrible migraine qui avait suivi cet incident. Il aurait été tellement plus facile de vous laisser la tuer, Martha et toi.

— Ouais, et pourquoi tu ne l'as pas fait ? le défia Chester.

— Parce que tu l'aurais regretté ensuite. Tu n'en as pas assez de toutes ces tueries ? Si on avait achevé cette jumelle, qu'est-ce qui nous différencierait d'elle, et de tous les autres Styx ? On ne peut pas tomber aussi bas.

— N'essaie même pas de nous comparer à eux, répliqua Chester, outré. Nous, on est les gentils.

— Non, pas si on tue des petites filles de douze ans, répondit Will.

Chester fit claquer sa langue contre ses dents.

— T'as oublié qu'elle était sacrément dangereuse, ou quoi ? Et si jamais sa sœur guette derrière la barricade avec toute une armée de fichus Limiteurs ? Et si jamais ils attendent qu'elle leur donne l'ordre de lancer l'assaut et de nous tuer tous. Qu'est-ce qui se passera ensuite ? dit Chester.

Il soufflait comme un taureau en furie, mais il ne criait plus à présent.

— Pourquoi attendre ? Ils pourraient entrer à n'importe quel moment, raisonna Will.

Chester balaya la réponse de Will d'un geste de la main, puis il changea de sujet.

— Quant au choix d'épargner Rébecca, c'est quoi déjà le dicton ? Ceux qui ont vécu par le fer...

— Périront par le fer, intervint Martha en déposant une assiette en métal à côté de Will. Voilà le repas de ta prisonnière.

Martha retourna aussitôt à l'intérieur. Elle portait son arbalète sur le dos. Elle était visiblement aussi nerveuse que Will à l'idée que les Styx puissent débarquer.

Will considéra l'assiette sans bouger.

— Tu ne crois pas que je veux me venger, moi aussi, Chester ? Pour l'amour du ciel, regarde un peu ce qu'ils ont fait à Cal, à l'oncle Tam, à ma vraie mère, et à mamie Macaulay. Et s'ils avaient veillé sur mon père, il serait peut-être encore en vie maintenant. Mais tuer cette jumelle... ça n'est pas la solution, dit-il en tapant sur l'accoudoir de la chaise de Chester. Tu ne m'écoutes pas. Regarde-moi, tu veux !

— Quoi ? demanda Chester en rencontrant le regard résolu de Will.

— Tu dois croire ce que je te dis. *Je ne lui ai pas pardonné.* Pas le moins du monde, bon sang !

Chester acquiesça légèrement.

Will se remit debout et ramassa l'assiette.

– Et puis on ne sait jamais. Peut-être qu'elle peut nous aider. Peut-être qu'elle sait comment sortir du Pore… alors on pourrait trouver des médicaments pour Elliott. Si on s'était contentés de tuer cette jumelle, elle n'aurait rien pu nous dire.

– Tu as peut-être raison, concéda Chester. Demande-lui donc trois billets pour le train express qui nous ramènera à Highfield, tu veux bien ? Et en première classe, ajouta-t-il en se frottant le nez du dos de la main.

– Je n'y manquerai pas.

Will était vraiment soulagé que cette situation n'ait pas affecté leur amitié. Il ne voulait surtout pas se trouver de nouveau en conflit avec Chester. Il avait largement eu sa dose dans les Profondeurs, de quoi le satisfaire toute une vie durant.

– Au fait, Chester, je suis désolé de t'avoir bousculé comme ça pour t'arracher la carabine des mains.

– Pas de problème.

Will commença à descendre les marches, puis il se tourna vers son ami.

– Dis-moi, tu t'es brûlé le gosier en buvant ? demanda-t-il avec un grand sourire.

– Fiche le camp ! répondit Chester en riant.

Ils avaient emprisonné Rébecca dans une remise à bois. C'était le bâtiment le plus solide parmi les dépendances situées à l'arrière de la cabane. Martha ne prenait aucun risque. Elle avait tout supervisé lorsque Will avait palpé les vêtements de la jumelle pour vérifier qu'elle n'avait aucune arme, et lui avait mis des fers aux chevilles avant d'y accrocher un gros cadenas. Comme si cela ne suffisait pas, Martha avait noué une lourde corde autour de ses menottes, puis l'avait attachée à l'une des énormes poutres qui se dressaient aux quatre coins de la cabane. La jeune fille ne pouvait pas s'échapper.

– Des jumelles, dit Will dans sa barbe en transportant l'assiette jusqu'à la cabane.

Will les avait pourtant vues de ses propres yeux en haut du Pore, mais il devait sans cesse se rappeler qu'il y avait deux Rébecca. Elles l'avaient espionné à tour de rôle pendant toutes ces années à Highfield. Peu importait laquelle des deux se trouvait désormais avec eux. Il semblait impossible de les différencier.

En entrant dans la hutte, Will trouva Rébecca assise en tailleur sur le sol en terre battue, la tête penchée. Elle leva les yeux dès qu'elle l'entendit. Elle avait les cheveux en bataille – elle qui était toujours si parfaitement coiffée – et le visage maculé de crasse. Will était très inquiet de la voir dans cet état. Pendant toutes ces années passées à Highfield, elle n'avait jamais abaissé le niveau de ses exigences.

Au sein de la Colonie, elles portaient l'uniforme styx : une robe noire surmontée d'un col blanc, ce qui leur conférait un charisme et une autorité d'une incroyable puissance. Mais vêtue de son treillis de Limiteur déchiré, elle semblait en piteux état et n'inspirait plus guère le respect. Qui que soit cette « parfaite petite demoiselle », elle était tombée bien bas à présent.

Will s'approcha d'elle avec prudence comme s'il s'agissait d'un animal très dangereux, déposa l'assiette sur le sol devant elle, puis il recula d'un pas.

– Merci, Will, dit-elle d'un ton docile. Et merci pour ce que tu as fait avant. Tu m'as sauvé la vie. Je savais que je pouvais compter sur toi.

– Stop ! rétorqua sèchement Will en levant la main. Je ne veux pas de ta gratitude.

– Très bien, répondit calmement Rébecca en tripotant sa nourriture. Mais j'espère que tu me crois, Will. J'ai été forcée de faire ce que m'ordonnaient ma sœur et les autres Styx. Si j'avais refusé, ils m'auraient torturée ou même exécutée, voire les deux. Tu n'as pas idée de ce que j'ai pu endurer, à vivre ainsi dans la peur pendant si longtemps.

– Oh, non, c'est sûr. Toi et ton peuple, vous m'en avez donné une assez bonne idée, dit Will avec un visage de marbre.

– Je n'y suis pour rien, Will.

– Laisse tomber ! dit-il en s'énervant soudain, le visage rouge de colère. Tu imagines que je vais te croire sur parole ? Je ne suis pas si stupide !

– J'obéissais à des ordres, dit-elle, découragée par cet accès de colère. Il faut me croire, Will.

– Oh, très bien. Soyons de nouveau frère et sœur. On pourra jouer à la famille en or, bon sang, comme avant ! rugit-il d'un ton moqueur. Tu peux dire ce que tu voudras, tu perds ton temps.

Les souvenirs de leur ancienne vie à Highfield affluaient à sa mémoire. Rébecca l'aiguillonnait sans relâche comme seule une sœur cadette sait le faire, jusqu'à ce qu'il explose. Will avait l'impression que rien n'avait changé malgré tous les événements terribles survenus depuis. Voilà qu'il se retrouvait face à elle, le cœur battant et le souffle court.

Bartleby entra d'un pas majestueux tout en agitant la queue. Il alla droit vers Rébecca et s'assit à côté d'elle avec grâce. Elle préleva un peu de viande noire dans son assiette et la lui tendit. La colère de Will céda à la surprise lorsqu'il vit que le chat l'acceptait sans la moindre hésitation, comme s'il connaissait Rébecca et lui accordait toute sa confiance.

— Je l'ai soigné dans la Colonie, expliqua-t-elle après avoir remarqué que Will fronçait les sourcils. Bartleby était dans un piteux état lorsque nous l'avons ramené à la maison.

Elle donna une autre poignée de viande au chat, maculant de sauce, au passage, sa veste de Limiteur en loques. *Cela ne ressemble pas du tout à Rébecca*, pensa Will. Bartleby avala la nourriture en ronronnant.

— La reconnaissance du ventre, dit-elle en levant les yeux vers Will.

— J'ai quelques questions à te poser, dit-il. Et si jamais tu mens, je te livrerai à Chester et Martha. Pigé ?

Elle acquiesça.

— Est-ce que tu es vraiment toute seule ici ?

— Oui, répondit-elle sans hésitation.

— Ta sœur n'est donc pas avec toi ? Ni aucun autre Styx ?

— Je suis toute seule, confirma-t-elle.

— Et tu es tombée dans le Pore, comme nous ?

— On m'y a poussée, dit-elle.

Will crut un instant avoir vu trembler sa lèvre inférieure comme si elle s'apprêtait à pleurer. Rébecca mangea un peu de nourriture.

— Il faut qu'on trouve le moyen de sortir du Pore. Elliott est dans un sale état. Elle a besoin d'un docteur, dit Will.

— Je suis désolée, mais je ne sais pas comment remonter, répondit-elle aussi sec.

— Mais cette histoire… à propos de De Jaybo ? répliqua Will. Il est vraiment ressorti du Pore ?

— Oui, même si personne ne sait comment il a fait. On m'a dit que papa avait demandé à voir ses dessins, mais qu'on ne lui en avait pas accordé l'autorisation.

Will était furieux. Rébecca avait perdu le droit de désigner le Dr Burrows comme son père. Percevant son agacement, elle s'avachit soudain comme si elle ployait sous le poids du chagrin.

– Il me manque à moi aussi, tu sais, murmura-t-elle. J'ai fait tout ce que j'ai pu pour qu'il ne soit pas tout seul dans la Colonie.

– Tu l'as vu là-haut ?

– On ne m'y a pas autorisée. Oh, Will, j'aurais tant aimé pouvoir faire plus pour lui.

Will ferma les yeux et pressa ses paupières du bout des doigts. Sa migraine ne semblait pas se dissiper. Il n'avait qu'une envie : retourner dans la cabane et s'abîmer dans l'oubli que lui procurerait le sommeil, laisser tout cela derrière lui.

– Tu dois me croire, Will. On m'a forcée à faire toutes ces choses atroces. Je n'avais pas le choix.

Will rouvrit les yeux.

– Comment puis-je te convaincre que je dis bien la vérité ?

Will haussa les épaules.

– Et si je te confiais ceci ? dit-elle en tirant sur le col de sa chemise de ses doigts maculés de sauce pour en extraire une cordelette à laquelle étaient accrochées deux petites fioles en verre. Et si je te donnais le *Dominion* et le vaccin, en signe de bonne volonté ?

Elle brisa le collier d'un coup de poignet et tendit les fioles à Will.

– Tiens, prends-les. Ce sont les seuls échantillons que nous possédions, et… ils sont à toi à présent.

Sans un mot, Will tendit la main pour attraper les fioles puis en examina le contenu limpide à la lumière.

– Comment puis-je être sûr qu'il s'agit bien du *Dominion* ? demanda-t-il enfin.

– Parce que c'est le cas, dit-elle en haussant légèrement les épaules.

Elle changea de position sur le sol afin de voir Will sans tourner la tête, et les fers qui lui enserraient les chevilles cliquetèrent.

– Mais pourquoi on vous aurait confié ces fioles, à toi et à ta sœur ? Pourquoi à vous ?

– Parce que nous sommes importantes, dit-elle sans emphase.

– Qu'est-ce que tu veux dire ?

– Je suis certaine que tu as compris pendant ton séjour au sein de la Colonie que nous n'avons pas de familles, en tout cas pas comme les Surfaciens. Lorsque mon père est mort, tué par ton oncle Tam…

– La Mouche ? interrompit Will. C'était donc *bien* ton père !

Le regard de Rébecca s'embrasa l'espace d'une seconde, comme si elle s'apprêtait à déchaîner ses foudres sur Will. Il comprit alors qu'en reprenant le surnom déplaisant dont l'avaient affublé l'oncle Tam et sa bande, il venait d'insulter la mémoire de son père défunt. Mais elle cligna des yeux, et détourna rapidement le regard. Lorsqu'elle reprit la parole, elle avait recouvré calme et sérénité.

— On nous a chargées, ma sœur et moi, de conduire la purge avec l'aide de notre grand-père. C'est pourquoi nous étions en possession de ces fioles.

— Purge ? Qu'est-ce que tu veux dire ?

— Nous comptions répandre le *Dominion* en Surface, et suivre ainsi *Le Livre des catastrophes* à la lettre.

Will se creusait la tête. Il essayait de se souvenir s'il avait vu son grand-père, ou s'il avait entendu parler de lui pendant son séjour dans la Colonie lorsqu'une question lui vint soudain à l'esprit.

— Dans la zone du Pore, toi et ta sœur, vous aviez toutes les deux une fiole. Comment es-tu parvenue à obtenir les deux ? demanda-t-il.

— Elle m'a confié la sienne par mesure de sécurité. Celle qui contient le virus comporte un sceau noir sur le bouchon. L'autre porte un sceau blanc, et c'est l'antidote.

— Attends un peu, dit-il. Ça n'a aucun sens. Si tu étais en possession des deux fioles, pourquoi t'a-t-elle poussée dans le Pore ? Pourquoi aurait-elle fait quelque chose d'aussi stupide ? demanda-t-il, pensant qu'il l'avait enfin piégée.

— Parce que nous avons eu une terrible dispute. On s'est battues. Elle devait être tellement en colère contre moi qu'elle n'a pas pensé aux fioles, répondit Rébecca sans la moindre hésitation.

— Quel était l'objet de votre dispute ?

— Je te l'ai déjà dit. Vous aviez été projetés dans le Pore, toi et les autres, et j'étais bouleversée. Je lui ai dit que je ne pouvais plus continuer à suivre son plan. Que j'étais écœurée par toutes ces tueries. Elle est devenue folle de rage.

— Comme puis-je savoir si tu me dis la vérité ? Si ta sœur et ton grand-père ne détiennent pas encore le virus ? Et s'ils ne poursuivent pas la purge pendant que nous sommes coincés ici-bas ?

— Non, ils ne l'ont pas. Nous n'avions pas d'autre échantillon que celui que tu tiens dans cette fiole. C'est tout ce qu'il nous fallait pour déclencher une pandémie.

— Pourquoi ils n'en produisent pas plus, tout simplement ? demanda Will en fixant intensément la fiole au bouchon noir.

— Ce n'est pas aussi simple. Ils essaieront peut-être d'en fabriquer à nouveau, mais il faudra du temps pour cultiver la même souche. Des mois, peut-être des années. De toute façon, que tu me croies ou non, je te jure que tout est dans cette fiole, dit-elle avant de marquer une pause pour s'essuyer le visage d'une main crasseuse. C'est toi qui détiens désormais la clé.

— Vraiment ?

— Bien sûr, répondit-elle en le fixant de son regard de jais avec une assurance sans pareille. Si tu remets ces échantillons aux personnes adéquates en Surface, elles pourront vacciner la population. Si, par quelque miracle, on produit à nouveau ce virus et qu'on relance la purge, elle sera sans conséquence aucune. Tu as le pouvoir d'arrêter net la progression du *Dominion*.

— Ouais, c'est vraiment super, mais comment diable vais-je remonter à la Surface ?

— Tu trouveras bien une solution, Will. Tu as toujours été doué pour ça. Et lorsque tu auras trouvé, il faudra que tu m'emmènes avec toi, dit Rébecca. Je pourrais t'être utile. Je peux raconter toute cette histoire.

Rébecca poussa un profond soupir en jetant un regard à Bartleby qui sommeillait à côté d'elle.

— Je sais bien que tu ne me croiras jamais, mais mon papa me manque tellement. C'était aussi mon père.

— Dépêche-toi, espèce de vieillard débile, dit Rébecca entre ses dents.

— Tu as dit quelque chose ? demanda le Dr Burrows en jetant un regard nerveux au Limiteur qui tournait autour de lui, telle une bête à l'affût.

Le soldat se rapprochait toujours plus tandis qu'il essayait de travailler à la traduction des tablettes.

— Non, rien, répondit-elle innocemment. Comment ça se passe ? T'as presque fini ?

— Ah ! s'exclama-t-il. Tu me demandes l'impossible. Tout ce que j'ai pu distinguer jusqu'à présent sur ces inscriptions, c'est sept...

— Sept *quoi* ? interrompit-elle.

— Je ne sais pas. Je lis le mot sept ou septième, mais je ne sais pas à quoi il se rapporte. C'est vraiment dur. Je déchiffre quelques mots, et puis je suis perdu.

Le Dr Burrows rajusta ses lunettes en regardant Rébecca se percher sur une motte de champignon.

— Oh, allons. Ce n'est pas *si difficile* que ça, le pressa-t-elle.

– Je n'arrête pas de te le répéter, mais tu refuses d'écouter. J'ai besoin des croquis de la pierre de Burrows qui se trouvent dans mon journal, dit-il avec découragement. Il y a trop de variables pour que je puisse faire ça rapidement. Il va me falloir une éternité pour rassembler tous les éléments, à moins que tu n'aies un cryptologue sous la main, muni d'un puissant ordinateur caché quelque part dans le coin.

Le Limiteur s'adressa à Rébecca dans la langue nasillarde des Styx.

– D'accord, dit-elle en acquiesçant, et elle descendit de son champignon. Quelles sont nos options ? On a une carte rudimentaire, et même si on ne peut pas déchiffrer les inscriptions, on doit pouvoir s'en servir d'une manière ou d'une autre.

– Eh bien… dit le Dr Burrows d'un ton plus optimiste.

– Alors, crache ! Qu'est-ce que t'attends ? le pressa-t-elle en tapant dans ses mains. Qu'est-ce qu'on peut faire ?

– On explore les lieux jusqu'à ce qu'on trouve quelque chose qui corresponde aux icônes figurant sur la carte. Alors nous pourrons peut-être trouver le bon chemin.

Rébecca réfléchit un instant.

– Donc… si je comprends bien… Tu t'attends à ce que je me coltine des centaines de kilomètres à travers ces galeries gluantes dans l'espoir pour le moins ténu de tomber sur quelque chose de familier ? Peut-être avec un grand « Sept » marqué dessus ? T'as rien trouvé de mieux ? demanda-t-elle d'un air narquois.

– Tu as une meilleure suggestion ? répliqua le Dr Burrows. On pourrait commencer par l'endroit où j'ai découvert le squelette et les tablettes. À partir de là, on se déploie en éventail en élargissant toujours plus le champ de nos recherches, et on quadrille chaque centimètre de galerie… On les explore méticuleusement pour trouver quelque chose qui puisse nous aider.

– Ça me semble très improbable, dit Rébecca qui n'avait pas l'air convaincue.

– Rébecca, pourquoi cette soudaine envie de me venir en aide ? demanda le Dr Burrows d'un air confus. Mon travail ne t'intéressait pas le moins du monde durant toutes ces années à Highfield.

– Je veux juste retrouver mon peuple, papa, rétorqua la jumelle d'un ton mielleux. Ou du moins, sortir de cet endroit cradingue. Très bien, dit-elle en adressant un coup d'œil au Limiteur. Essayons le plan B, mais je ne veux pas trop m'éloigner.

— Excellent, dit le Dr Burrows en remballant soigneusement les tablettes dans son mouchoir. En cours de route, je veux en savoir plus sur ton peuple. J'en sais si peu à leur sujet.

— Comme le reste du monde, dit la jumelle, avant d'ajouter dans la langue des Styx : toujours ainsi ce fut, toujours ainsi ce sera.

Lorsque Will rentra dans la cabane, il ne trouva aucune trace de Chester dans la pièce principale. Il devait veiller Elliott. À dire vrai, Will était plutôt soulagé. Il avait besoin de réfléchir à tout ça.

Bartleby passa devant lui et fila droit sur le tapis posé devant la cheminée sur lequel il s'étendit en s'étirant avec volupté, comme seuls les chats savent le faire.

— Bon vieux Bart, dit Will en s'asseyant sur le tapis juste à côté de lui.

Will sortit les fioles, fit un nœud à la cordelette que Rébecca avait cassée, puis les observa. Il se demandait si elles contenaient vraiment le *Dominion*. Soudain, le feu crépitant lui donna une idée. Il serait si simple d'y jeter les fioles. La chaleur détruirait le virus, et dans le pire des cas, si jamais il devait s'en échapper une partie, il était très improbable que le virus remonte jusqu'à la Surface et infecte la population.

Mais tout bien considéré, ce n'était pas une très bonne idée. Si jamais une partie du virus réchappait des flammes, ni Will ni les autres ne s'en porteraient particulièrement bien. Il préférait ne pas mourir comme les hommes enfermés dans les cellules d'expérimentation dont lui avait parlé Cal. Peut-être valait-il mieux demander à Martha d'allumer un feu, à bonne distance de la cabane, et y jeter les fioles... juste au cas où.

Mais il ne devait pas négliger ce que lui avait dit Rébecca. Il pouvait livrer le *Dominion* à des Surfaciens qui sauraient quoi faire, déjouant ainsi toutes les tentatives futures des Styx. Ils ne pourraient plus déclencher de pandémie. Auquel cas, pensa Will, il serait extrêmement imprudent de sa part de détruire les fioles.

Il comprit alors qu'il devait absolument remonter aussi vite que possible à la Surface avec cette cargaison mortelle. Il ne savait pas comment s'y prendre, ni ce qu'il ferait une fois là-haut, mais il devait essayer.

— Pourquoi ma vie ne ressemble-t-elle pas un peu plus à la tienne ? demanda Will en voyant bâiller Bartleby. Une vie simple et agréable. Tu veux qu'on échange ? ajouta-t-il en grattant le menton poilu du chat.

Bartleby se frotta le museau contre sa main et ronronna bruyamment en agitant lentement sa queue osseuse. On aurait dit un serpent affamé en pleine lévitation.

— Bon chat, dit Will.

Bartleby entrouvrit ses yeux énormes et le regarda d'un air affectueux.

— Qu'est-ce que je fais ? demanda Will à voix haute tout en agitant devant lui les fioles dans lesquelles semblaient danser les flammes de la cheminée.

Bartleby pensait sans doute que Will voulait jouer avec lui et, tel un chaton, il chercha à attraper les fioles qui pendaient devant lui.

— Oh là ! Non ! dit Will en rangeant bien vite les fioles dans sa poche. Bon Dieu ! siffla-t-il. C'était moins une ! bafouilla-t-il en imaginant déjà le bruit des fioles se brisant sur le sol. L'agent pathogène mortel se diffuserait alors dans toute la cabane.

Les yeux encore rivés sur Will, Bartleby avait cessé de ronronner, franchement dépité que son maître se montrât aussi rabat-joie.

Will se leva et ouvrit le tiroir supérieur du coffre le plus proche.

— La voilà, dit-il en sortant une petite blague à tabac en cuir qu'il avait repérée auparavant.

Il enveloppa soigneusement les fioles dans un bout de toile de jute avant de ranger ce petit paquet dans la blague.

— Parfait. Voilà qui devrait les protéger des chocs... et des chats, dit-il à Bartleby en soupesant la blague dans sa main.

Il fronça les sourcils, soudain absorbé par ses pensées.

— Il faut que j'en parle à Chester, déclara-t-il enfin avant de se rendre dans la chambre d'Elliott.

Will trouva Chester éveillé, assis sur une chaise au chevet d'Elliott. Il trempa un bout de tissu dans un saladier, puis l'essora avant d'éponger le front de la jeune fille.

— Elle est gravement déshydratée, dit Chester. Regarde-la un peu. Elle a tellement maigri. Et elle n'était déjà pas bien grosse avant.

— Elle s'éteint peu à peu, commenta Will en citant les mots employés par Martha pour décrire la mort de son fils.

— Oui, acquiesça Chester. Peut-être que tu avais raison. Peut-être qu'on devrait partir tenter notre chance dehors. On pourrait s'en sortir si on emportait assez de feu d'anis pour tenir les araignées à distance. Et puis, si jamais tout ça n'aboutissait à rien et qu'on fasse chou blanc, Martha nous accueillerait peut-être encore chez elle.

– J'en doute, dit Will. Surtout si on lui pique ses plantes sacrées.

– Oh, je ne sais vraiment pas ce qu'on doit faire, dit Chester en soupirant.

– Moi non plus.

– T'as réussi à tirer quelque chose d'utile de la jumelle styx ? demanda Chester en changeant de sujet.

– Juste ça, répondit Will en sortant la blague de sa poche, puis les fioles de leur emballage de jute.

Chester cligna les yeux d'étonnement en découvrant ce dont il s'agissait.

– Le *Dominion* ? Elle t'a donné *le Dominion* ? dit-il d'une voix forte, puis il grimaça. Non, je n'y crois pas. C'est un faux.

– Tu veux voir ? dit Will en lui tendant les fioles au-dessus d'Elliott, toujours immobile.

– Euh... non... déclina Chester. Je ne veux surtout pas m'approcher de cette saleté. Et je ne veux rien avoir à faire avec cette garce malfaisante.

Chester replongea la compresse dans le saladier et s'essuya les mains sur sa chemise avant de reprendre la parole.

– Will, tu crois vraiment qu'elles contiennent le virus ?

– Je n'ai aucun moyen de le savoir. J'imagine que l'un d'entre nous pourrait toujours l'essayer. Servir de cobaye, quoi.

Chester lui lança un bref coup d'œil pour s'assurer que son ami plaisantait bien.

– On pourrait décider ça en faisant une partie d'échecs, ajouta Will, incapable de garder son sérieux.

– N'y compte pas, répondit Chester avec un grand sourire. Tu t'entraînes bien trop. J'aurais de meilleures chances de gagner en jouant à *pierre-papier-ciseaux*, dit-il.

Puis son sourire s'évanouit. Il contourna le lit en emportant sa chaise avec lui et s'assit à côté de Will.

– Bien, répète-moi exactement ce que t'a dit la jumelle, Will. Je suis impatient de connaître la suite, maintenant.

– Eh bien... d'abord, elle jure que c'est sa sœur qui est responsable de tout ce qui est arrivé et qu'elle l'a forcée à la suivre, dit Will en levant le poing, les fioles encore à la main. Elle prétend également que les Styx n'ont pas d'autres échantillons de *Dominion*. Ils ne peuvent donc pas mener à bien leur projet.

– Ça semble très improbable, non ? demanda Chester en haussant les sourcils.

– Elle dit que même si on ne la croit pas, et que les Styx ont d'autres réserves, on pourrait toujours remettre le virus aux bonnes personnes à la Surface. Elles seraient ainsi capables de produire le vaccin.

– Mis à part le fait qu'on ne peut pas remonter à la Surface, tout ça me fait l'effet d'une vaste plaisanterie. Je ne crois pas un mot de tout ce qu'elle t'a raconté, dit Chester avec fermeté.

– Pas si vite. Sois logique. Peut-être que cet échantillon du *Dominion* est bien réel, mais elle sait qu'on ne peut pas remonter à la Surface. Qu'on l'ait ou non, ça n'a aucune espèce d'importance. Ou peut-être pense-t-elle qu'on peut trouver le moyen de remonter, et du coup elle tente de se payer un billet retour parce qu'elle veut rentrer chez elle. Ou bien, si elle est sincère, et que sa sœur l'a *vraiment* forcée à faire tout ça, c'est sa manière de nous prouver sa bonne foi.

– Euh… tu peux reprendre ? demanda Chester en secouant la tête.

– Écoute, c'est simple. Si nous avons la moindre petite chance de sauver des dizaines de millions de gens à la Surface, et Elliott en prime, est-ce qu'on ne devrait pas tout faire pour sortir du Pore ?

– Présenté comme ça, oui, c'est sûr, lui accorda Chester. Et qu'est-ce qu'on fait de la jumelle ? On la laisse ici avec Martha ?

– Non, on l'emmène avec nous. Elle a promis qu'elle déballerait tout à propos des Styx et de leurs plans, dit Will.

– Donc, on fait nos valises et on s'en va. C'est tout, dit Chester en se frottant le menton.

Ils sursautèrent en entendant la voix de Martha qui se tenait sur le seuil de la chambre.

– Je vous avais mis en garde contre cette fille styx. Je vous avais dit de ne pas la laisser entrer. Et voilà ce qui arrive. Ça commence toujours comme ça, dit Martha.

Puis elle tourna les talons et quitta la pièce.

Chapitre Quatorze

M artha ne reparla jamais ni à l'un ni à l'autre de ce qu'elle avait entendu, et les deux garçons essayèrent de l'éviter pendant quelques jours, autant que possible, du moins, dans l'environnement confiné de la cabane. Will continua son train-train ; il soignait Elliott, jouait aux échecs tout seul, et triait les objets récupérés dans l'une des dépendances, ce à quoi s'ajoutait la responsabilité de veiller sur Rébecca.

Mais ils restaient, Chester et lui, essentiellement préoccupés par l'état de santé d'Elliott qui ne cessait de décliner. C'était une véritable torture de la voir ainsi allongée sur le lit, suant à grosses gouttes, et d'écouter ses délires fiévreux. Elle répétait sans cesse le nom de Drake et récitait la même suite de chiffres, dépourvue de sens pour les garçons.

Will se sentait de plus en plus déprimé, au point qu'il ne cessait de penser au calvaire qu'endurait Elliott. Même lorsqu'il avait fini son tour de garde, il tenait fréquemment compagnie à Chester, et les deux garçons restaient assis là en silence. C'est à l'occasion de l'une de ces veillées que Chester s'adressa à lui en ces termes.

– Will, tu n'arrêtes pas de bâiller et tu as l'air mort de fatigue. Pourquoi tu ne vas pas te reposer un peu ?

– D'accord, marmonna Will en se mettant péniblement debout.

Il bâilla de nouveau, et se dirigea vers la porte en traînant des pieds.

– Quoi ?

Will ne savait pas combien de temps il avait dormi, mais il se réveilla en sursaut comme si quelqu'un l'avait appelé. Il se redressa d'un bond et scruta nerveusement la pièce plongée dans les ténèbres. Rien ne semblait anormal. Il tendit donc l'oreille pour vérifier s'il n'entendait rien d'autre, mais ce n'était que la respiration lourde de Chester qui dormait paisiblement sur les tapis empilés sur le sol.

Will se débarrassa de sa couverture légère et se rendit dans l'autre pièce pour jeter un coup d'œil sur Elliott. Dans un fort accès de fièvre, elle tournait la tête d'un côté puis de l'autre sur son oreiller taché de sueur. Elle agitait parfois faiblement les bras, comme si elle luttait contre quelque chose ou quelqu'un. Will se pencha sur elle et lui tâta le front. Elle marmonna des mots inarticulés qui n'avaient aucun sens.

– Tu as trop chaud, dit-il dans un murmure. Allez, Elliott, faut que t'arrives à surmonter ça.

Will l'observa pendant quelques minutes. Il aurait voulu pouvoir apaiser ses tourments. Puis il retourna dans la pièce principale et sortit de la cabane. Il s'arrêta sur la terrasse et s'assit sur la plus haute marche, puis il ferma les yeux. Il était ravi de sentir sur son visage la douce brise qui soufflait depuis la pente.

Lorsqu'il rouvrit les yeux, la lueur du jardin lui sembla plus intense que jamais. Elle irradiait la caverne d'une multitude de couleurs. Will se remémorait les soirées d'été où la fête foraine s'installait sur le terrain communal de Highfield. Dans le lointain, les lumières qui s'échappaient vers le ciel ressemblaient à la fantasmagorie dont il était à présent le témoin.

Will aurait pu jurer que les lueurs gagnaient en intensité par endroits, comme si un témoin lumineux circulait entre les parterres de fleurs. La lumière de la terrasse se modulait au gré de ces variations, chassant son ombre qui courait sur le plancher derrière lui.

Il descendit jusqu'à la dernière marche et leva la main pour admirer les touches de couleur qui mouchetaient sa peau. Elles allaient du jaune à l'orangé, puis passaient par toute la palette des rouges et des bleus, dans une constante rotation du cercle chromatique. Il repensa à la fête foraine. Il imagina bientôt le son de l'orgue, les vieilles chansons rock'n'roll qui se mêlaient aux fous rires et aux cris des enfants tout excités dans les champs herbeux.

– Tu as le mal du pays ? lui demanda une voix grave.

Will plissa les yeux, et distingua la silhouette d'un homme assis un peu plus haut derrière lui.

Il était robuste, et son profil lui était familier.

– Oncle Tam ! s'exclama-t-il tout en se demandant pourquoi il n'était pas plus surpris ni plus effrayé par ce qu'il voyait. Mais tu es... euh... tu es mort !

– Ah, ça explique sûrement pourquoi je ne suis pas dans mon assiette ces temps-ci, ironisa Tam.

– C'est un rêve ? Je rêve, c'est ça ? lui demanda Will.

– Sans doute, répondit Tam en levant la main pour se gratter vigoureusement le sommet du crâne. Je crois que j'ai encore attrapé des poux, gloussa-t-il. Les petits veinards...

– Oui, je rêve, c'est bien ça, décréta Will, puis il se tourna vers l'apparition. Dis-moi ce que je devrais faire, oncle Tam. Il faut que tu me le dises.

– Tu t'es mis dans de sales draps, mon garçon, n'est-ce pas ?

Will fronça les sourcils. Il venait de se souvenir qu'il avait quelque chose d'essentiel à dire à son oncle.

– Cal... Je suis vraiment désolé pour Cal... Il y avait...

– Tu ne pouvais rien faire. Je le sais, Will, je le sais, répondit Tam d'un ton rassurant en sortant sa pipe dont il remplit le fourneau de tabac. Tu l'as échappé belle toi aussi.

– Mais qu'est-ce que je peux faire pour Elliott ? demanda-il.

Tam gratta une allumette contre l'ongle de son pouce et elle éclaira un instant son visage en s'embrasant.

– Elle est vraiment malade et je me sens impuissant. Qu'est-ce que je devrais faire ?

– J'aimerais pouvoir t'aider, Will, mais je ne connais pas cet endroit.

Tam scruta la caverne pendant quelques instants en mâchonnant la tige de sa pipe.

– Je ne peux pas te fournir de carte pour t'indiquer le chemin cette fois-ci. Mais choisis ta voie – tu sauras si c'est la bonne – et n'en dévie surtout pas.

– S'il te plaît, Tam... supplia Will, j'ai besoin que tu m'en dises plus.

Plongé dans la pénombre, Tam souffla un nuage de fumée qui sembla s'attarder à jamais, baigné par la palette des couleurs changeantes que diffusaient les plantes.

– Écoute ton cœur, dit-il, et le nuage se dispersa enfin.

– Qu'est-ce que ça veut dire ? demanda Will, profondément déçu par cette réponse. Ça ne m'aide pas du tout !

Tam se contenta d'exhaler un nuage encore plus gros qui l'enveloppa complètement.

– Qu'est-ce que tu fais là ? demanda Martha.

– Hein ? souffla Will en tournant la tête.

– J'ai entendu des voix, dit-elle en regardant en direction du jardin depuis le sommet du porche.

– Je n'arrivais pas à dormir, et du coup je suis allé vérifier l'état d'Elliott, puis je suis venu prendre un peu l'air, expliqua Will.

– Tu n'es pas allé voir Elliott. J'étais avec elle. Je t'aurais vu entrer. Tout va bien, Will ? demanda-t-elle d'un air soucieux.

Will ne répondit pas et se tourna vers l'endroit où était assis Tam. Il fut surpris d'y trouver Bartleby qui l'observait d'un œil vif.

– J'ai dû m'assoupir, marmonna-t-il, puis il se leva, passa devant Martha et rentra dans la cabane en secouant la tête.

Lorsque Will prit son tour de garde au chevet d'Elliott, elle lui sembla encore plus agitée que d'habitude, roulant la tête d'un côté puis de l'autre en contractant tous les muscles de son corps. De temps à autre, elle entrouvrait les yeux pendant quelques secondes, ce qui effrayait Will. Il n'avait aucune idée de ce que cela signifiait, ni de ce qu'il devait faire. Alors qu'il essayait de l'apaiser en lui parlant, elle le fixa. Il savait qu'elle ne le voyait pas. Son regard était vide, et ses yeux cerclés de rouge. Cela ne lui ressemblait pas du tout.

Elle se mit à délirer, l'écume aux lèvres, avec des gestes de plus en plus frénétiques. Puis elle hurla, et son corps tout entier se convulsa comme sous l'effet d'une décharge électrique. Will appela à l'aide tandis qu'il s'efforçait de la maintenir à plat sur son lit, mais elle était rigide, le dos arc-bouté et les jambes si tendues qu'elle touchait à peine le matelas. Il aperçut son visage. Il n'était plus du tout rouge, comme lors de ses premiers accès de fièvre, bien au contraire. Il avait perdu sa couleur et affichait une pâleur morbide.

– Pour l'amour du ciel ! Venez vite ! hurla-t-il.

Chester et Martha se précipitèrent en même temps dans la pièce. Ils venaient visiblement de se réveiller.

Martha réagit aussitôt. Elle s'empara du saladier rempli d'eau et en jeta le contenu sur le corps d'Elliott. Puis elle le tendit à Chester en lui disant d'aller le remplir. Chester partit en courant. Martha se joignit alors à Will pour l'aider à remettre la jeune fille à plat sur le dos.

– Qu'est-ce que c'est ? Pourquoi elle fait ça ? dit Will, si inquiet qu'il en avait la voix tremblante.

— C'est à cause de sa température. Ça devrait passer, lui dit Martha.

Elle vérifiait la bouche d'Elliott qui ne desserrait pas les dents.

— Il faut veiller à ce qu'elle ne se soit pas mordu la langue, ajouta-t-elle.

— Oh, mon Dieu ! Regardez... regardez ses yeux, souffla Will.

Elliott avait les yeux révulsés, si bien qu'on n'en voyait plus que le blanc.

— Ça va passer, lui assura Martha.

Chester revint à toute allure avec de l'eau que Martha déversa à nouveau sur la jeune fille. Le corps d'Elliott se détendit lentement, jusqu'à ce qu'elle redevienne parfaitement immobile. Son visage reprit alors des couleurs.

— Pauvre Elliott, marmonna Will. C'est vraiment affreux.

— Elle avait des spasmes. C'est parce que sa température est restée trop élevée trop longtemps. Ça affecte son cerveau, expliqua Martha.

Will et Chester échangèrent un regard.

— Pouvons-nous faire quoi que ce soit pour arrêter ça ? demanda Chester.

— J'ai peur que non. Et ça risque d'empirer, répondit Martha. Il est arrivé exactement la même chose à Nathaniel.

Mme Burrows venait de quitter son appartement lorsqu'elle remarqua deux jeunes à l'air renfrogné qui traînaient au milieu de la place à côté des grilles.

Ils portaient sous leur capuche des casquettes de base-ball au motif camouflage bleu et à la visière surdimensionnée, si bien qu'il lui était difficile de distinguer leurs visages. Le plus grand des deux porta à sa bouche la cigarette qu'il tenait au creux de sa main et tira une bouffée. Mme Burrows aperçut alors ses traits.

Elle ralentit, puis elle traversa la rue.

— Je te connais, n'est-ce pas ? dit-elle en plissant le front.

— Je ne crois pas, madame, répondit le plus grand des deux en jetant sa cigarette dans le caniveau d'un air bourru.

Il rentra le menton et commença à s'éloigner d'un pas chaloupé, son camarade à sa suite.

— Mais si, je te connais. Tu t'es battu avec Will en quatrième année, la fois où il s'est servi de sa pelle. Il a fallu que je vienne à l'école et que je parle au directeur. Tu étais avec tes parents, toi aussi. Tu es Spike ou Spider, ou quelque chose comme ça, n'est-ce pas ?

Le garçon s'arrêta net et tourna la tête pour regarder Mme Burrows.

– Spider ? Qu'est-ce que c'est que ce nom ? cracha-t-il.

Il tenta en vain d'affecter un air sarcastique et insolent en pinçant les lèvres, mais on aurait plutôt dit qu'il était sur le point d'éternuer.

– Je m'appelle Speed, ma petite dame, *Speed*.

Il comprit enfin ce qu'avait dit Mme Burrows, fronça les sourcils, puis s'intéressa à elle.

– Will... Will Burrows. Vous êtes la maman de Will ?

– C'est ça, confirma-t-elle.

Speed échangea un regard avec son compagnon, Bloggsy, puis il revint vers elle sans se presser.

– Je croyais qu'on vous avait enfermée quelque part, dit-il sans réfléchir.

– C'est vrai. J'ai connu une mauvaise période, mais c'est terminé, à présent.

– Mon beau-père est devenu un peu tordu, lui aussi. Voyez ce que je veux dire – des dépressions et tout ça, quoi, mais ma mère, elle l'a flanqué à la porte. Il commençait à nous cogner un peu, mon frangin et moi, dit Speed en ouvrant et refermant les poings.

– Je suis navrée d'entendre ça, répondit Mme Burrows.

Speed déshabilla Mme Burrows du regard en s'attardant sur ses nouvelles baskets.

– Trop bien, dit-il, visiblement impressionné. Vous êtes trop belle, Mme B. Faites du sport, ces temps-ci ?

Mme Burrows acquiesça.

– Vous êtes revenue pour Will, pas vrai ? demanda-t-il. Vous le cherchez ?

– Oui, je suis en route pour le commissariat. La police m'a convoquée à une énième réunion d'information. Ils n'ont rien de neuf à me dire. Toujours les mêmes excuses. J'ai l'impression d'avoir affaire à une bande de clowns.

– Qu'est-ce qu'ils vont vous dire ? Personne ne leur parle. Ce sont toujours les derniers à savoir ce qui se passe, dit Speed en secouant vivement la tête.

Il semblait sur le point d'ajouter quelque chose, mais il referma la bouche.

– Tu ne l'as pas vu, n'est-ce pas ? demanda Mme Burrows. Il paraît qu'on l'a vu par ici avant Noël, mais sans confirmation.

– Je… commença-t-il, puis il sembla changer d'avis. Vous fumez ? demanda-t-il.

Bloggsy se précipita vers eux en leur tendant un paquet de Marlboro ouvert. Mme Burrows prit une cigarette, et Speed lui offrit du feu avant d'allumer la sienne.

Mme Burrows tira une grosse bouffée.

– Écoute, tout ce que tu me diras restera entre nous, promit-elle. Pas de police.

– Pas de police, répéta Speed.

Il regarda des deux côtés de la rue, puis s'inclina vers elle en adoptant le ton de la confidence.

– En novembre, il était de retour à Highfield avec un gamin plus jeune… murmura-t-il.

– Mini Moi… et ce pitbull monstrueux, intervint Bloggsy.

– … un gamin plus jeune qui lui ressemblait beaucoup. Il y avait aussi un gros chien avec eux. Ils se dirigeaient vers le métro lorsqu'on est tombés sur eux, Bloggsy et moi. Vous savez, Will et moi, on n'a jamais été très copains, et on s'est pas vraiment arrêtés pour discuter le bout de gras.

– Donc, tu ne l'as vu qu'une fois ?

– Oui, confirma Speed. D'après ce qu'on raconte dans la rue, y a de sacrés gros calibres qui le cherchent, et il se planque, mais il va bientôt revenir pour leur régler leur compte. Et nous on dit « respect ».

– Respect, reprit Bloggsy.

– Et si vous voyez Will, vous lui direz de ma part, ajouta Speed en agitant sa cigarette pour appuyer son propos, qu'on n'a pas toujours été d'accord sur tout, mais que ça, c'était avant. S'il veut de l'aide, il sait où me trouver.

– Merci, je n'y manquerai pas, dit Mme Burrows en les regardant s'éloigner les mains dans les poches.

Pendant ce temps, on observait Mme Burrows depuis l'arrière d'une vieille voiture toute cabossée. Drake régla sa lunette et zooma sur son visage.

– Attention à qui tu parles, Célia. On ne sait jamais, dit-il entre ses dents. Et il est déjà trop tard quand on découvre la vérité.

Mme Burrows tira pensivement sur sa cigarette, puis l'examina.

– Tu ne vas pas la finir, prédit Drake. Ça te rappelle trop ta sœur Jeanne. Tu es différente.

Mme Burrows porta la cigarette à ses lèvres, mais se ravisa. Elle la jeta soigneusement dans une bouche d'égout au pied du trottoir en secouant la tête, puis elle s'éloigna.

– À la bonne heure, dit Drake en rangeant sa lunette avant de la suivre.

Plus rien n'avait de sens pour Will. Il était hors de question de jouer aux échecs. Il ne parvenait pas à se concentrer. Il n'avait pas ouvert son journal depuis des semaines non plus. C'est à peine s'il arrivait à avaler la nourriture que lui donnait Martha. Il peinait à trouver le sommeil. Chaque fois qu'il s'allongeait, il avait l'impression que sa tête allait exploser. Et chaque fois qu'il se retrouvait avec Chester, la même question les taraudait en silence. *Faut-il partir ? Faut-il partir ?*

Quant à Elliott, Will se demandait quand elle atteindrait le point de non-retour, et serait alors trop faible pour pouvoir être transportée. Sa dernière crise l'avait achevée, et il se sentait tout à fait impuissant.

Will commençait à se demander s'il ne valait pas mieux laisser Elliott dans la cabane, en compagnie de Martha, et partir seul avec Chester, mais il ne voyait pas comment cela pourrait marcher. Et si jamais ils réussissaient, s'ils tombaient sur quelque chose, ou bien rencontraient quelqu'un, mais se révélaient incapables de retrouver le chemin de la cabane ? Et si jamais ils trouvaient de l'aide, mais se trouvaient trop loin pour revenir à temps ? Et si par chance ils découvraient le moyen de sortir du Pore, que feraient-ils alors ? Saisiraient-ils cette chance pour revenir ensuite ? Non, décida Will. La seule solution était d'emmener Elliott avec eux.

Mais il n'arrivait pas à dire à Chester que le moment était venu. Il ne savait pas comment réagirait son ami.

Will continuait à fouiner dans les malles remplies d'objets récupérés. C'était la seule partie de sa routine à laquelle il s'accrochait encore.

Will se dirigeait à présent vers l'arrière de la cabane, suivi par Bartleby qui galopait à ses côtés, lorsqu'il entendit l'appel de Rébecca.

– Comment va Elliott ? Mieux ?

Will jeta un coup d'œil à la hutte dans laquelle elle était enfermée et vit son visage par la porte ouverte.

– Non, elle... commença-t-il par répondre avant de se reprendre.

Will était tellement préoccupé qu'il avait oublié à qui il s'adressait.

– Ne m'adresse pas la parole, gronda-t-il. Ce n'est pas tes oignons !

Will entra dans la baraque en bois, et observa les malles et les coffres entreposés dans un coin, qu'il n'avait pas encore explorés. Il poussa un soupir en songeant qu'il ne lui en restait plus beaucoup à inspecter. Il grimpa sur quelques caisses pour pouvoir atteindre le sommet de la pile, tendit les bras et attrapa un coffret en bois. Il le déposa au centre de la hutte, sur la zone qu'il avait déblayée pour pouvoir y trier les objets. Il s'agenouilla devant le coffret lorsque Rébecca osa lui adresser à nouveau la parole.

– Tu cherches quelque chose, Will ? demanda-t-elle.

Will s'interrompit et se releva. Il se demandait si Rébecca le voyait à travers les fentes de sa cabane. La remise à bois dans laquelle Martha avait placé la jumelle était construite sur le même modèle que les autres dépendances : il s'agissait d'un assemblage de vieilles planches clouées sur de grosses poutres. Les planches étaient tellement gauchies et vermoulues que Rébecca avait sans doute trouvé une fissure par laquelle elle pouvait l'observer. *C'est tout elle. Toujours en train de fouiner.* Will sentit la rancœur monter en lui. C'était le seul endroit où il pouvait se réfugier loin de tout et se libérer l'esprit en triant le contenu des coffres. Il n'avait aucune envie de discuter avec la jeune Styx.

– Fiche-moi la paix, d'accord ? dit-il sèchement.

Il s'agenouilla de nouveau devant la boîte dont il tira plusieurs feuilles de plomb. Il trouva une petite boîte en plastique. Elle contenait des stylos à dessin relativement modernes, du type dont se servent les cartographes et les dessinateurs. Il y en avait cinq, et ils comportaient tous une plume de taille différente. Il en prit un, en dévissa le capuchon et l'essaya sur sa paume. L'encre avait séché depuis longtemps, et il se demanda aussitôt si Martha n'avait pas quelque chose qui pourrait servir de substitut. « Objet trouvé, objet gardé », dit-il en mettant la boîte de côté. C'est alors que Rébecca l'appela de nouveau.

– Je ne sais pas ce que tu cherches, mais ça doit être important pour que Martha et toi soyez sur la même piste.

– Je t'ai dit de la f..., commença-t-il sans finir sa phrase.

Will se releva, sortit de sa cabane et se rendit dans la remise à bois où se trouvait Rébecca.

– Qu'est-ce que tu viens de dire ? demanda-t-il d'un ton brusque.

– Eh bien, Martha est venue fouiner ici aussi. Je pensais que…

– Nan, répondit Will en secouant la tête. Martha ne s'intéresse pas à toutes ces vieilleries. Ça fait des lustres qu'elles sont là, ajouta-t-il en s'éloignant. Tu te trompes.

– Non, Will, insista Rébecca. Je te jure qu'elle est venue ici… oh, trois ou quatre fois… Elle a déplacé des trucs, elle en a même jeté certains.

Will hésita et se tourna vers la jumelle.

– Elle en a jeté ? répéta-t-il. Quels genres de trucs ?

– Je n'ai pas bien vu de quoi il s'agissait, mais ça cliquetait.

– Vraiment ? s'étonna Will en songeant que Martha n'avait rien dit à ce propos, ce qui était étrange.

Il haussa légèrement les épaules, se disant qu'après tout ces choses lui appartenaient, qu'elle pouvait donc en disposer à sa guise. Cependant, la curiosité finit par prendre le dessus.

– Où est-ce qu'elle a emporté ces trucs métalliques ?

– Plus loin, là-haut, derrière Bartleby. Je l'ai vue creuser. Elle a ensuite jeté quelque chose dans le trou.

Will regarda Bartleby qui se roulait sur le dos en poussant des grognements satisfaits semblables à ceux d'un cochon. Il s'était si souvent roulé dans la poussière qu'il avait laissé une grande marque sur le sol.

– Derrière Bartleby, dit Will, songeur.

– Oui, j'ai pensé qu'elle te donnait un coup de main.

– Oui, c'est ça. Elle m'a donné un coup de main, marmonna Will d'un ton détaché.

Il s'efforçait de paraître ne rien apprendre de nouveau, mais tandis qu'il retournait vers la hutte, il ne put s'empêcher d'aller jeter un coup d'œil à l'endroit indiqué afin d'en avoir le cœur net. Il dépassa la bâtisse et se dirigea vers le chat qui gambadait en essayant de rester aussi naturel que possible. Il soupçonnait en effet Rébecca de continuer à l'espionner.

– Continue, c'est un peu plus loin, lui cria Rébecca, ce qui confirma ses soupçons.

– Bon sang ! Qu'est-ce que je fais ? grommela Will, agacé d'accorder tant d'attention aux dires de la jumelle.

Il continua néanmoins son chemin et dépassa Bartleby, qui releva la tête en le voyant approcher.

Arrivé à l'endroit indiqué par Rébecca, Will tourna lentement autour de la zone pour en inspecter la surface nue. La terre semblait ferme, mais son talon s'enfonça dans le sol meuble. Il s'agenouilla aussitôt et commença à déblayer le sol. On avait creusé là récemment, ce qui rendait sa fouille d'autant plus aisée.

Will remarqua que Bartleby le regardait avec intensité, la tête penchée sur le côté.

— Je cherche juste mon os préféré, dit Will au chat en plaisantant.

Il n'était pas impossible que Bartleby ait creusé ce trou, et Will s'attendait à découvrir un rongeur à moitié dévoré, ou quelque chose de tout aussi répugnant.

Il avait creusé sur une cinquantaine de centimètres environ lorsqu'il aperçut des petites perles de couleur pâle qu'il prit d'abord pour des œufs d'insectes ou des graines ; en y regardant de plus près, il vit qu'il s'agissait de pilules. Il les sortit soigneusement du sol et en identifia trois sortes. Il y en avait des blanches, de deux tailles différentes, et puis des roses. Quelques lettres étaient imprimées sur chaque pilule.

Will fouilla plus profond et entendit un bruit de verre.

— Qu'est-ce que c'est que ça ? dit-il à Bartleby en sortant trois flacons dont on avait dévissé les bouchons métalliques — ils se trouvaient juste en dessous, tout au fond du trou.

Ces petites bouteilles devaient mesurer environ quatre centimètres de haut. Il en prit une et vida la terre qu'elle contenait, puis il revissa son bouchon. Il la tint devant lui pour mieux l'observer, et se remémora alors les flacons que ses parents conservaient dans l'armoire de la salle de bains. Des médicaments que personne n'avait pris la peine de jeter.

Will essaya de déchiffrer l'étiquette du flacon pendant que Bartleby fourrait son nez dans le trou en reniflant bruyamment. Il découvrit un long mot dont plusieurs lettres ne figuraient pas dans l'alphabet. Il ne comprenait pas cette inscription, mais il avait la quasi-certitude que ce flacon venait de la Surface.

— Deux ans seulement ! souffla-t-il en remarquant la date au bas de l'étiquette, et il examina aussitôt les autres flacons.

À quelques mois près, ils comportaient à peu près les mêmes dates.

Abasourdi, Will s'assit sur le sol, les pensées se bousculaient dans sa tête. Il eut un regain d'espoir, car l'existence même de ces flacons prouvait qu'il était possible de trouver des médicaments (récents qui plus est) ici-bas, lesquels pourraient aider Elliott à vaincre sa fièvre.

Mais cette découverte le troublait fort. Si Martha connaissait l'existence de ces médicaments, pourquoi ne lui en avait-elle pas parlé ? Pire encore, pourquoi était-elle allée fouiner derrière son dos dans la cabane, puis les avait cachés ? Will ne comprenait vraiment pas pourquoi elle avait agi ainsi.

Il ramassa d'autres pilules et les versa dans chaque flacon avant d'en revisser les bouchons. Plongé dans ses pensées, il rangea les trois autres petites bouteilles dans la poche de son pantalon.

– Allez, mon gars, il est temps de rentrer, dit-il à Bartleby.

Afin d'éviter tout autre échange avec Rébecca, il passa devant la remise d'un pas vif.

– T'as trouvé quelque chose ? lança-t-elle.

– Nan, rien, grogna-t-il en gardant les yeux rivés au sol.

– Tu rentres juste à temps pour le souper. Je nous ai préparé du bouillon, dit Martha en entendant Will.

Elle tournait le dos à la pièce tandis qu'elle remuait la soupe posée sur le feu.

Chester, assis à la table, mangeait déjà.

– Ce serpent styx t'a dit autre chose ? demanda-t-il sans regarder Will tout en vidant sa cuiller de soupe.

– Oui, répondit Will. Quelque chose de très bizarre.

Will ne s'assit pas, et sortit les flacons de sa poche pour les aligner sur la table.

– C'est une sale petite ordure, une menteuse, comme tous les autres, dit Chester avec mépris en levant sa cuiller, lorsqu'il posa soudain les yeux sur les trois flacons.

– Ce n'est pas la seule ordure à mentir, ici, dit Will à voix basse.

Parvenue à mi-chemin entre la cheminée et la table, Martha laissa soudain tomber le bol de soupe qu'elle tenait à la main ; le bouillon se répandit sur le sol.

À l'exception de quelques crépitements dans l'âtre, il régnait un silence absolu dans la pièce.

Chester regarda tour à tour Will et Martha, laquelle restait immobile, tête baissée.

– Qu'est-ce qui se passe, bon sang ? demanda Chester. Et c'est quoi, ces trucs, Will ? ajouta-t-il en indiquant les flacons.

– Des médicaments, je crois. Regarde un peu la date, dit Will en faisant rouler l'un des flacons vers Chester.

– Ça date d'il y a deux ans, dit-il, et l'étiquette est en russe, dit Chester en examinant l'étiquette.

– Du russe, dit Will. Vraiment ?

– C'est sûr. Ma grand-mère était ukrainienne. Elle m'a appris quelques mots, dit Chester complètement ahuri. Mais qu'est-ce qui se passe ? Où tu les as trouvés ?

Will attrapa un autre flacon et l'agita. Il cliqueta.

– Ils contenaient des pilules, du moins jusqu'à ce que Martha les sorte en douce des coffres et les enterre le long de la paroi de la caverne. Elle a fait ça pour nous empêcher de les trouver.

Will foudroya Martha du regard. Elle gardait les yeux rivés sur ses pieds.

– Bien sûr ! s'exclama Will en se frappant le front. Le stéthoscope ! cria-t-il. Il est récent aussi, comme ces pilules. Voilà ce que Tam essayait de me dire ! Il m'a dit d'écouter mon cœur. Il voulait parler du stéthoscope !

Chester s'était levé à présent. Il lançait des coups d'œil alarmés à son ami.

– Mon Dieu, qu'est-ce que tu racontes, Will ? T'as perdu la tête, ou quoi ? Comment Tam aurait-il pu te parler ? Ça fait des mois qu'il est mort.

– Oublie ça. C'est sans importance, dit Will d'une voix plus mesurée, mais pleine de rage. Ce qui compte, c'est que Martha savait qu'il y avait des médicaments. Peut-être même des antibiotiques dont on aurait pu se servir pour Elliott. Et elle nous les a cachés, Chester, conclut-il en se tournant vers la femme. Pourquoi avez-vous fait ça, Martha ?

Elle garda le silence, les yeux rivés au sol.

– Martha ? balbutia Chester. C'est vrai ?

Sans relever la tête, Martha s'avança d'un pas mal assuré vers la chaise qui se trouvait à la tête de la table et s'affala dessus. Elle ne dit rien et passa plusieurs fois son pouce sur la paume de sa main. Elle prit enfin la parole, mais sa voix était à peine audible.

– Lorsque Nathaniel est revenu avec… avec les côtes cassées… et que la fièvre s'est déclarée, son état n'a cessé d'empirer…

– Ouais, on sait déjà tout ça, interrompit Will qui ne ressentait plus aucune pitié pour cette femme.

– Je vous ai dit qu'il avait trouvé un bateau à la coque de métal. Il se trouvait à huit jours de marche près de l'une des Sept Sœurs, la plus éloignée d'ici. Pendant qu'il… dit-elle d'une voix étranglée.

– Oui, pressa Will.

– Pendant qu'il était encore capable de parler, il m'a indiqué comment y aller pour trouver des fournitures d'apothicaire.

Will et Chester échangèrent un regard.

– Vous voulez dire des médicaments, dit Will.

– Oui, des médicaments, confirma-t-elle timidement. Mais c'est un long trajet, et je me suis perdue en chemin. J'ai aussi perdu une partie des médicaments lorsque les Lumineux m'ont attaquée. Ils nichent près du navire, et j'ai bien failli y rester.

« Les Lumineux ? » articula Chester en silence à l'adresse de Will qui se contenta d'agiter la tête.

– Continuez ! ordonna Will.

– Nathaniel était déjà mort lorsque je suis rentrée, soupira Martha. Mais même si j'avais été là à temps, je n'aurais pas su dire à quoi servaient ces médicaments, ni comment les employer.

– Ouais, mais peut-être que Chester et moi, on pourrait, répondit sèchement Will. Mais vous ne nous avez toujours pas expliqué pourquoi vous nous avez menti, Martha.

– Parce que… parce que je ne voulais pas qu'il vous arrive quelque chose. Je ne pouvais pas perdre l'un de vous comme j'avais perdu Nathaniel. Je ne pouvais pas supporter ça une deuxième fois, dit Martha d'une voix étranglée, au bord des larmes.

Will montra la chambre d'Elliott.

– Notre amie lutte pour sa survie à côté, et vos mensonges ont très bien pu la *tuer*, dit-il avant de s'adresser à Chester. Bien, voilà ce qu'on va faire. On part maintenant pour le navire à la coque de métal.

Puis il se rendit à l'endroit où Martha avait laissé son arbalète et s'en empara.

Martha avait vu du coin de l'œil ce qu'il venait de faire. Le symbolisme de cet acte était assez lourd pour qu'il n'ait nul besoin d'ajouter quoi que ce soit.

– Je suis désolée, Will, dit-elle. Je ne te laisserai pas tomber de nouveau, dit-elle en soupirant.

– Chester, pourquoi ne prépares-tu pas Elliott ? suggéra Will. Martha, je veux que vous emballiez tous les vivres que vous possédez ici.

– J'ai besoin d'aller ramasser du feu d'anis dans mon jardin, dit-elle en se relevant lentement, et elle se dirigea vers la porte d'entrée.

Les deux garçons virent Martha s'arrêter au milieu du sentier pour récolter ses plantes. À peine avait-elle cueilli la plante que la vive lueur bleue du feu d'anis s'estompait, puis s'éteignait pour de bon.

– C'est atroce, dit Chester. Mais je ne peux pas croire qu'elle nous ait menti.

Ils continuèrent à observer la silhouette triste et solitaire de la vieille femme tandis qu'elle se courbait au-dessus de ses plantes, vêtue de son tablier élimé. Sa chevelure rousse et mal peignée lui retombait sur le visage.

– Ce n'est qu'une vieille femme pitoyable, murmura Will.

Il redressa les épaules comme pour laisser toute cette histoire derrière lui.

– Pourquoi tu n'essaies pas de lire ce que contenaient ces fla-cons ? suggéra-t-il. Je m'occupe de nos affaires, et ensuite on file.

– Et Rébecca, demanda Chester. Qu'est-ce qu'on en fait ?

– Comptez sur moi. Je serais ravie de vous aider, dit Rébecca en gravissant les marches

Will regarda ses chevilles dès qu'elle entra dans la pièce et vit qu'elle avait ôté ses fers.

– Tu sais que je suis très douée pour l'organisation, n'est-ce pas, Will ? ajouta-t-elle d'une voix douce.

Will secoua la tête, incrédule, et tarda à lui répondre.

– Tu... tu aurais donc pu t'enfuir quand tu voulais, mais tu n'en as rien fait.

– Pourquoi est-ce que j'aurais fait ça ? rétorqua-t-elle. Je n'ai nulle part où aller.

Will avait remarqué que Chester serrait déjà le poing et il craignait qu'il ne s'apprête à la frapper. À cet instant, une rafale de vent d'une incroyable puissance traversa le jardin dans un bruissement de feuilles.

– On dirait qu'un vent du Levant arrive, dit Rébecca.

Un volet claqua quelque part dans la cabane.

– Lorsque se lève l'un de ces vents noirs, il arrive toujours quelque chose de terrible, dit Will d'une voix calme.

– Oh génial, marmonna Chester.

La tempête faisait rage autour de la jumelle et du Dr Burrows. Ils se trouvaient exposés au vent, en plein milieu d'une vaste galerie, sans refuge possible alors que l'intensité du Levant augmentait encore. Les violentes bourrasques avaient presque éteint le petit feu de camp autour duquel ils étaient assis, et c'est à peine s'ils pouvaient en distinguer les flammes dans le tourbillon de poussière qui les avait soudain enveloppés.

Le Dr Burrows s'était mis à plat ventre et se protégeait le visage avec les mains. Étendu là et recrachant des particules, il s'avoua qu'il avait atteint les limites de ce qu'il pouvait tolérer de la part de la jeune Styx. Elle exigeait sans cesse des résultats, mais il ne lui suffisait pas de claquer des doigts pour trouver un point de repère correspondant à la carte figurant sur les tablettes. Il était furieux. Il était archéologue et non quelque éclaireur du style Davy Crockett.

Pour couronner le tout, le Dr Burrows se sentait très menacé par le soldat styx. La jeune fille sous-entendait sans cesse que ce soldat morbide allait lui faire du mal, ce qui mettait le Dr Burrows extrêmement mal à l'aise.

Leur relation parent-enfant avait été complètement inversée. C'était Rébecca qui commandait à présent, et le Dr Burrows n'avait pas voix au chapitre. Non, c'en était trop pour lui. Il était prêt à tenter sa chance en solitaire. Plus important encore, Rébecca avait oublié de lui reprendre les tablettes pour les « mettre en sécurité » selon ses propres termes. Il sourit en se tapotant la poche pour s'assurer qu'elles étaient bien là.

Sachant que ce nuage impénétrable masquerait ses mouvements, il rampa lentement sur le sol en s'éloignant du feu après avoir pris la gourde au passage. Il en aurait besoin pour pouvoir continuer.

Au bout d'un moment, le Dr Burrows cessa sa progression. La visibilité était fort réduite, et le mugissement du vent couvrait tous les autres bruits. Décidant qu'il était impossible qu'on ait pu remarquer son départ, il se leva et commença à marcher. Quasiment plié en deux par la force du vent, il fonça droit devant et percuta le corps d'un homme.

Il vit une vague traînée lumineuse puis distingua un visage entre les épais tourbillons de poussière. Il avait foncé droit sur le Limiteur styx, et Rébecca se tenait à ses côtés

– Tu t'es perdu ? hurla-t-elle pour couvrir le vacarme des bourrasques.

Elle attrapa le Dr Burrows par le bras et lui fit faire demi-tour.

– C'est pas malin de se promener dans une tempête pareille, ajouta-t-elle.

Elle s'assit après quelques pas et l'attira à ses côtés.

– Papa, tu ne voudrais pas qu'il t'arrive quelque chose, n'est-ce pas ? demanda-t-elle.

Chapitre Quinze

W ill terminait de ranger ses affaires lorsque Chester sortit sur la terrasse.

– C'est vraiment bizarre… dit Will d'un air perplexe.

– Quoi ?

– Eh bien, dit Will en sortant son casque de l'une des poches latérales de son sac à dos pour l'observer. Je viens de le tester pour m'assurer qu'il était prêt à l'usage… il est mort.

– T'es sûr ? demanda Chester.

– Absolument. Pas même une lueur, répondit Will.

– Peut-être que tu l'avais laissé allumé et que l'élément qui se trouve à l'intérieur s'est déchargé, suggéra Chester.

– Non, j'en ai pris grand soin, répondit Will. J'espère que ta lunette marche bien. Il faut qu'au moins l'un de nous puisse voir dans la nuit.

Chester attrapa sa carabine et la pointa sur le jardin.

– Bon sang ! s'exclama-t-il en abaissant l'arme pour en examiner la lunette de visée, avant de refaire le même geste. Non. Que dalle ! dit-il en fronçant les sourcils. Tu ne crois pas que la jumelle… ajouta-t-il en lançant un coup d'œil à Will qui réfléchit un instant avant de répondre.

– Nan, impossible. Je sais qu'elle a coupé sa corde, mais mon casque se trouvait dans la chambre d'Elliott, et il y a toujours quelqu'un avec elle.

– Eh bien, si c'est pas elle, dit Chester en agitant sa carabine comme si ce geste pouvait faire fonctionner à nouveau sa lunette, comment tu expliques ça ? Je croyais que ces trucs étaient alimentés par des globes lumineux censés durer des années. C'est pas ce que Drake avait dit ?

— Je crois que si, souffla Will en fermant les yeux un instant. C'est typique. Pile au moment où on en a besoin, dit-il en rouvrant les yeux. Espérons seulement qu'on n'aura pas d'ennuis en cours de route.

Ils rentrèrent dans la cabane.

— Alors ? T'as réussi à trouver ? demanda Will en voyant les flacons de pilules sur la table.

— Oui, celui-ci contenait de l'aspirine, déclara-t-il sans hésiter en saisissant l'un des flacons.

— Waouh ! C'est incroyable ! s'exclama Will. Tu sais vraiment lire le russe ! Je suis impressionné !

Il remarqua alors le sourire de Chester.

— Will, dit-il, en indiquant le bas de l'étiquette à son ami. Si tu regardes là, au milieu des mots en russe, tu verras qu'il est écrit « aspirine ».

— Ouais… j'ai loupé ça, maugréa Will qui se sentit idiot.

Will et Chester ne tardèrent pas à identifier les aspirines grâce aux lettres gravées sur les pilules et débattirent ensuite pour déterminer s'ils feraient courir un risque à Elliott en les lui administrant. Ces pilules avaient séjourné une bonne semaine dans la terre et certaines avaient commencé à se couvrir d'un léger duvet sous l'effet de l'humidité.

Ils conclurent que ces aspirines lui feraient plus de bien que de mal et contribueraient à diminuer sa fièvre. Et si cela pouvait lui épargner une nouvelle crise, il fallait absolument tenter le coup. Ils commencèrent par dissoudre quelques pilules dans un broc rempli d'eau, puis la firent boire.

Le vent du Levant était presque retombé lorsqu'ils franchirent la barricade. Seules quelques bourrasques soufflaient encore de temps à autre. Ils traversèrent de larges galeries au sol à peu près horizontal, pendant plusieurs heures. Will priait pour que le reste du trajet soit aussi aisé.

Martha avait pris la tête de la troupe, car elle connaissait le chemin. Suivaient Chester et Will qui transportaient Elliott sur un brancard de fortune. La jeune fille était emmaillotée dans une couverture et fermement attachée au brancard, pour que les deux garçons puissent l'incliner à la verticale au besoin. Pour le moment, ils

essayaient de la maintenir à l'horizontale pour réduire le traumatisme causé par ce déplacement.

Will se retourna pour jeter un coup d'œil à Rébecca qui fermait
la marche. Bartleby avançait à ses côtés d'un pas souple et sautillant. Rébecca avait insisté pour porter une bonne partie de leurs
provisions et de leurs ressources en eau qu'elle avait réparties dans
deux sacs à dos. Elle en avait un sur chaque épaule. Compte tenu
de sa frêle carrure, elle aurait eu beaucoup de mal à les porter à la
Surface, alors qu'elle s'en tirait sans trop de difficulté du fait de la
faible gravité. Malgré tout, Will ne put s'empêcher de remarquer
qu'elle boitait de plus belle.

— Je ne suis pas sûr qu'elle y arrive, dit-il doucement à Chester.

— Elle tiendra du mieux qu'elle pourra, j'imagine, répondit
Chester en regardant Elliott.

— Je voulais parler de Rébecca, corrigea Will.

— Oh, *celle-là*, répondit Chester avec un mouvement d'humeur.

Il avait changé d'attitude en un clin d'œil. Il était manifeste
qu'il s'en fichait pas mal.

— Ne te laisse pas avoir, Will. Je te dis que tout ça n'est qu'une
vaste comédie, ajouta-t-il.

— Si c'est un truc, qu'est-ce qu'elle peut bien attendre de *nous* ?

— Aucune idée, répondit Chester.

Il était sur les nerfs, car il n'appréciait pas que Will ait lâché la
bride à la jeune fille. Will savait pour sa part que s'il avait dû écouter Chester, Rébecca serait à nouveau enchaînée, et correctement,
cette fois. Il l'aurait laissée moisir dans la remise à bois.

— Moi non plus, dit Will après avoir fait quelques pas.

Will n'avait jamais envisagé de faire part de ses doutes à Chester, mais il ne savait plus très bien que penser. Depuis qu'elle avait
paru sur le seuil de la cabane, Rébecca n'avait manifesté aucun des
traits caractéristiques de son peuple brutal. Elle semblait même très
vulnérable, à des lieues de la cruauté des Styx, qui avaient autant
d'humanité que des insectes.

Will aurait tant voulu croire que tout ce qu'elle lui avait dit
était vrai, qu'on l'avait forcée à obéir à des ordres en menaçant de
la tuer. Peut-être voulait-il justement un peu trop y croire. La présence de Rébecca avait été une véritable bénédiction pour Will.
Elle l'avait aidé à dresser la liste de ce dont ils avaient besoin avant
leur départ et à ranger au mieux les sacs à dos avec l'efficacité qui
la caractérisait. C'était comme s'il avait effacé d'un geste toutes les
atrocités que lui avaient fait subir les Styx dans la Colonie et dans

les Profondeurs. On lui avait en quelque sorte rendu sa sœur, celle qu'il avait toujours connue à Highfield. C'était alors le bon vieux temps. Ces souvenirs étaient fort lointains, et peut-être d'autant plus intenses. Peut-être voulait-il croire en elle car il avait perdu son père, et c'est tout ce qu'il lui restait de sa famille à Highfield. À l'exception de Mme Burrows, évidemment, mais elle n'était plus qu'un vague et lointain souvenir.

— Ce qui me préoccupe en ce moment, c'est Martha, dit Chester en interrompant le fil de ses pensées.

Ils regardèrent alors sa silhouette aux formes rondes loin devant.

— Elle n'est plus du tout comme avant, continua Chester. C'est à peine si elle a dit un mot depuis qu'on a quitté la cabane. Je sais qu'elle a mal agi en nous mentant, mais je comprends plus ou moins ses raisons.

Will répondit par un « oui » à peine articulé. Il n'allait pas pardonner à cette femme aussi vite.

— Ce qu'elle a fait est égoïste. Elle a choisi de nous sauver la vie en sacrifiant celle d'Elliott. Comment cela peut-il être juste ? dit-il.

— Ça ne l'est pas, répondit lentement Chester, comme s'il se demandait encore s'il devait pardonner à Martha, ou non.

— Puisqu'on parle d'Elliott, dit Will, n'est-ce pas l'heure de lui donner une autre dose d'aspirine ?

— Je suis sûr qu'une petite pause ne ferait de mal à personne, acquiesça Chester.

Will cria à Martha de revenir, défit son sac à dos, puis sortit une gourde de l'une des poches latérales. Il la passa à Chester qui la secoua bien avant de la déboucher puis en versa quelques gorgées dans la bouche d'Elliott.

— Ça marche bien, dit Chester en posant la main sur son front tout en versant encore un peu de liquide entre ses lèvres craquelées. Elle a beaucoup moins de fièvre.

Ils s'immobilisèrent soudain. Ils venaient d'entendre un cri suraigu dans le lointain – l'appel des araignées-singes.

— Comme si on avait besoin de ça ! dit Will en croisant le regard de Martha.

— C'est à cause d'elle, murmura-t-elle en indiquant Elliott. Je te l'ai dit… elles détectent les faibles et les malades. Elle les attire vers nous comme un aimant.

— Il faudra juste brûler du feu d'anis et continuer notre route, dit Will.

— Je veux récupérer mon arbalète, exigea brusquement Martha en fixant l'arme et le carquois que Chester portait à l'épaule en plus de sa carabine.

En se relevant, Chester se tourna vers Will, qui garda le silence. Il n'était pas favorable à cette idée.

— Euh… dit Rébecca d'une voix douce, puis elle se tut.

— Tu t'apprêtais à dire quelque chose, lui dit Will.

— Eh bien… c'est juste qu'elle est la seule à connaître le terrain et tous les dangers qu'on pourrait rencontrer. Elle devrait être armée car, si jamais on la perd, on n'aura plus personne pour nous guider, et on ne retrouvera jamais le navire !

Will semblait indécis.

— Hé, c'est toi qui décides, mais voilà ce que je pense, dit Rébecca en s'excusant presque.

— Non, tu as raison, concéda Will, puis il se tourna vers Martha. Alors… j'ai votre parole… on peut vous faire confiance ?

Martha acquiesça d'un air sombre.

— Dans ce cas, vous pouvez reprendre votre arbalète.

— Hé ! Attends un peu ! s'exclama Chester, furieux. Tu écoutes cette ordure de Styx, mais tu te fiches de mon opinion !

Chester jeta à Rébecca un regard plein de ressentiment.

— Chester, je suis désolé. Vas-y… dis-moi ce que tu en penses.

— Oui… elle devrait reprendre son arme, dit celui-ci après un instant d'hésitation.

— Tu es donc d'accord avec « cette ordure de Styx ». Pourquoi tu nous as fais tout un cirque, alors ?

— Je devrais avoir mon mot à dire, c'est tout, marmonna Chester en détournant la tête.

— Non mais… tu exiges d'abord qu'on fouille tout de suite les environs du Pore, et puis tu changes d'avis tout d'un coup, et voilà qu'on le suit maintenant, dit le Dr Burrows en indiquant le Limiteur d'un geste du pouce. Mais où est-ce qu'il va, au juste ? On n'est pas en train de s'égarer ?

— Pas tant qu'il retrouve les repères, rétorqua Rébecca alors qu'ils pénétraient dans une autre galerie.

La jeune Styx scrutait le sol en quête de l'un de ces fameux « repères ».

Elle vit à sa droite trois petits morceaux de champignon alignés, compta dix pas dans sa tête, puis elle braqua sa lampe sur sa gauche et découvrit trois objets sur le sol, juste derrière le Dr Burrows.

Ils auraient pu facilement passer inaperçus pour quiconque ne connaissait pas les procédures des Limiteurs. Il s'agissait de petits cailloux cette fois. Le premier Limiteur avait laissé ces marqueurs derrière lui pour confirmer qu'il était passé par là et permettre à son camarade de le suivre à la trace.

Le Dr Burrows ignorait l'existence de cet autre Limiteur qui travaillait dans l'ombre. C'est pourquoi il était fort perplexe.

— Des repères ? Je n'ai vu aucun repère, dit-il.

— Fais-moi confiance, répondit la jumelle.

Martha les invitait à s'arrêter à intervalles réguliers pour manger et prendre du repos. Elle faisait de petits feux de camp avec des matériaux ramassés en cours de route pour cuire leurs provisions. Ils continuaient à se consumer pendant qu'elle et les garçons dormaient à tour de rôle. Elle saupoudrait toujours quelques brindilles de feu d'anis en bordure pour qu'elles brûlent lentement et emplissent l'air de leur odeur âcre.

Le quatrième jour, Will remarqua soudain un changement dans la texture du sol. Il n'entendait plus le crissement du gravier, et ne sentait plus l'élasticité du champignon sous ses pieds, mais quelque chose de plus mou.

— On dirait du *mulch*… comme des vieilles feuilles, dit-il en humant l'air à pleins poumons pour identifier les différentes odeurs.

Il remarqua quelque chose qui bougeait sur la paroi la plus proche. Il crut tout d'abord que ses yeux lui jouaient des tours à cause de la fatigue, puis se rendit compte qu'il n'avait pas rêvé. Ça remuait de tous les côtés : sur les parois, au plafond et sur le sol de la galerie.

— Attendez ! hurla-t-il en s'immobilisant

Chester, qui tenait l'autre extrémité du brancard, fut donc contraint de faire de même.

Will accommoda, et vit alors d'innombrables petites créatures semblables à des vers. L'une d'elles frôla le bout renforcé de sa botte en traversant la galerie. C'était une sorte de fin serpent blanc sans yeux, d'une dizaine de centimètres de long, dont chaque extrémité se terminait par une sorte de ventouse qui lui servait à se déplacer. On aurait dit que cette créature n'arrêtait pas de faire la roue.

— Beurk ! s'exclama Chester. Saletés d'asticots géants !

Bartleby bondit et immobilisa l'un des vers entre ses pattes avant d'y planter les crocs. Le ver se mit alors à tournoyer de plus en plus vite en tentant d'échapper à ce prédateur inconnu. Bartleby roulait des yeux en essayant de suivre les révolutions de l'animal, si bien qu'il finit par loucher. La créature cessa de s'agiter et planta l'une de ses ventouses en plein sur le museau de Bartleby. Le chat laissa échapper un cri de stupeur, et secoua frénétiquement la tête, puis il relâcha son emprise. Cette expérience lui suffit amplement. Perplexe, Bartleby observait à présent les innombrables vers qui faisaient la roue tout autour de lui, caracolant tel un poney franchissant un parcours d'obstacles.

Martha, qui avait entendu les cris, revint vers les garçons.

– Des serpents-boucles. Ils ne vous feront aucun mal, indiqua-t-elle, puis elle entreprit de les décoller de la paroi et les fourra dans un sac.

– Je suis désolé, Martha, mais si vous comptez nous faire manger ces trucs, je passe mon tour. Et je ne vais sûrement pas m'attarder dans le coin non plus, dit Chester avec détermination en levant le pied pour empêcher un serpent d'y fixer sa ventouse.

Il éructa pour exprimer tout le dégoût que lui inspiraient ces créatures et s'éloigna rapidement, entraînant Will et le brancard avec lui.

– Allez, Will, on y va !

Mais Will refusa de le suivre. Les yeux rivés au sol, il était fasciné.

– Dépêche-toi, Will ! hurla Chester en tirant sur le brancard. Je ne suis pas d'humeur pour une classe verte !

Les deux garçons recommencèrent à avancer. Will se retourna et vit Rébecca qui déposait ses sacs à dos pour aider Martha à ramasser les serpents-boucles. Mais Martha lui dit quelque chose, et elle s'éloigna aussitôt de la vieille femme, reprit ses sacs et partit en courant dans la galerie.

Will n'en vit pas plus car Chester était déjà parti au trot, le forçant à suivre sa cadence. La raison d'un tel empressement n'était pas difficile à comprendre ; les serpents-boucles étaient si nombreux, maintenant, que les garçons avaient l'impression de traverser une forêt de doigts blancs s'agitant face à eux. Il y en avait partout. Certains se détachaient même du plafond et retombaient sur Elliott et son brancard. Ne pouvant tous les éviter, les garçons en écrasaient certains sous les semelles de leurs bottes. Les serpents explosaient alors avec un bruit de succion peu ragoûtant, aspergeant le sol d'un liquide lumineux, si bien que Will et Chester laissaient dans leur sillage une traînée de taches légèrement phosphorescentes.

Arrivés dans une partie de la galerie dépourvue de serpents-boucles, ils attendirent que les autres les rattrapent.

Rébecca arriva la première.

— Qu'est-ce qui s'est passé là-bas ?... Avec Martha ? demanda Will à bout de souffle.

— Rien, marmonna-t-elle en détournant les yeux.

— N'importe quoi ! dit Will. Je vous regardais et j'ai bien vu qu'elle t'avait dit quelque chose.

— J'ai voulu lui donner un coup de main pour ramasser les serpents-boucles...

— Oui, et..., la pressa Will.

— Elle m'a envoyée promener et m'a dit qu'elle allait me tuer, dit Rébecca à voix basse.

— Vraiment ? rugit Will. Ne t'inquiète pas, Rébecca, elle aura d'abord affaire à moi si elle tente quoi que ce soit.

— Pourquoi est-ce que tu continues à l'appeler Rébecca ? intervint Chester. Ce n'est pas son nom.

— Toi, ne commence pas, l'avertit Will.

— Non, vraiment, j'aimerais connaître son vrai nom. Rébecca est celui que lui ont donné les Surfaciens. Ce n'est donc pas le sien. Et puis, il ne peut pas y avoir deux Rébecca, non ? Alors, c'est quoi ton véritable nom ? demanda-t-il à la jeune fille.

— Ça n'aurait aucun sens pour toi, répondit Rébecca. C'est dans ma langue.

— Essaie donc, insista Chester.

Rébecca prononça quelques syllabes dans la langue nasillarde des Styx qui ressemblait étrangement aux aboiements d'une hyène.

— Non, tu as raison, dit Chester en secouant la tête. Ne compte pas sur moi pour t'appeler...

Il se tut soudain. Elliott se tordait de douleur sur le brancard en essayant de se libérer de ses liens.

— Je ne pense pas qu'elle devrait parler styx devant Elliott, remarqua Chester. On dirait bien que ça la met dans tous ses états.

Le septième jour de leur voyage, les garçons commencèrent à accuser une certaine fatigue à force de transporter le brancard malgré la faible gravité. Will n'avait aucune idée du nombre de kilomètres de galerie qu'ils avaient parcourus, ni du nombre de descentes effectuées, mais il s'accrochait à l'idée qu'ils allaient atteindre le navire le jour suivant, comme le leur avait dit Martha. Si elle se rappelait correctement le reste du chemin, bien sûr.

Ils étaient déjà revenus plusieurs fois sur leurs pas lorsque Martha s'était rendu compte qu'elle avait tourné au mauvais endroit, ce qui les retarderait de quelques heures tout au plus. Elle n'avait ni carte ni compas (Will n'était pas certain qu'un tel instrument pût fonctionner ici-bas, quoi qu'il en fût) mais semblait s'orienter de mémoire.

Ils avaient connu des moments difficiles et de plus périlleux lorsqu'ils étaient descendus dans d'immenses crevasses. Ils devaient se montrer très prudents avec Elliott. Mais en s'y prenant à quatre, ils étaient toujours parvenus à descendre la jeune fille sur son brancard sans incident. En ces occasions, comme elles avaient toutes les deux un rôle à jouer, Martha et Rébecca oubliaient un temps leur hostilité réciproque.

Ils étaient parfois forcés de ramper sur des centaines de mètres dans un espace terriblement confiné, traînant leurs affaires derrière eux sous un plafond trop bas. À force de pousser et de tirer le brancard, ils parvenaient tant bien que mal à faire franchir ces passages à Elliott.

Ils arrivèrent enfin dans une zone à l'air si aride qu'ils se mirent tous à souffler et à défaire leurs vêtements. Alors qu'ils descendaient une pente raide, la chaleur devint soudain insupportable. Will regardait au-devant lorsqu'il remarqua une lueur terne et rougeoyante qui ne lui inspirait pas confiance. Il ne fut donc pas surpris lorsque Martha leur dit de s'arrêter.

– Qu'est-ce qui se passe ? demanda Chester.

Martha ne répondit pas, mais sortit deux gourdes remplies d'eau. Puis elle fit signe à Rébecca de s'approcher.

– Styx, donne-nous encore de l'eau, ordonna-t-elle sèchement.

Rébecca s'exécuta.

– La lave coule près de la roche dans cette zone. Il y fait très chaud et c'est très dangereux.

– Qu'est-ce qu'on fait, alors ? demanda Will.

– Il n'y a pas d'autre passage ? dit Chester au même moment.

Martha secoua la tête.

– Non, impossible de contourner cette zone. Ne vous arrêtez surtout pas. Vous comprenez ? Sans quoi vous mourrez.

– Mort grillé au barbecue, commenta Chester en souriant avant de se reprendre – ça n'était pas drôle du tout.

Martha aida Will à emmailloter les pattes de Bartleby dans des chiffons qu'elle noua avec de la ficelle. Le chat semblait apprécier que Will s'occupe ainsi de lui et ronronnait joyeusement lorsque

Martha lui versa tout à coup de l'eau sur les pattes pour humidifier ses nouveaux chaussons en toile. L'animal grogna d'indignation, et Will dut le retenir pour qu'elle puisse terminer son ouvrage. Martha avait chargé Chester d'arroser Elliott et son brancard. Il avait presque fini, lorsqu'il s'arrêta soudain.

— Will, dit-il.

— Ouais, quoi ?

— Ce sac-là, il est à Elliott ? demanda Chester en indiquant le sac à dos attaché au brancard juste sous les pieds de la jeune fille.

Will avait insisté pour qu'ils l'emportent avec eux.

— Des explosifs ! Et il y a des munitions dans nos carabines ! s'exclama Will en écarquillant les yeux. Martha, et si jamais la chaleur faisait tout exploser ?

— Ça devrait aller pour les carabines, mais assurez-vous que ce sac reste bien trempé, conseilla-t-elle, puis elle s'aspergea d'eau en insistant bien sur les jambes et les pieds. Quand Elliott et les garçons furent tout aussi trempés, Martha les appela.

— Souvenez-vous bien de ça. Quoi qu'il arrive, ne vous arrêtez pas. Pour rien au monde. La chaleur vous tuerait.

Ils se mirent en route, dévalèrent la pente, et entrèrent dans l'atmosphère torride. Tout rougeoyait autour d'eux. Will aperçut d'abord la brume de chaleur au loin. Elle semblait presque solide, comme s'ils s'apprêtaient à foncer dans un miroir ou quelque couche transparente de mercure. La chaleur lui rappelait l'intérieur des petits récipients en céramique qu'ils chauffaient avec leur bec Bunsen pendant les cours de chimie.

— On se croirait dans un creuset ! dit Will d'une voix étranglée, osant à peine respirer.

Les garçons avaient l'impression que les flammes leur léchaient le visage. Tout autour d'eux, la roche paraissait marbrée de veines rougeoyantes et cramoisies que Will et Chester cherchaient instinctivement à éviter, tels des enfants qui se seraient amusés à sauter par-dessus les fissures de la chaussée. Will décela une odeur de brûlé et se demanda aussitôt si les semelles de leurs bottes pourraient supporter pareille température.

Ses vêtements séchaient peu à peu, tout comme ceux de Chester, lequel laissait des traînées de vapeur dans son sillage. Bartleby était d'abord resté sagement aux côtés de Will ; mais lorsqu'il avait entendu le grésillement de ses petits chaussons, il avait déguerpi au loin tel un cheval effrayé sans plus attendre les humains.

— Mon Dieu ! C'est encore loin ? cria Chester.

Tout comme Will, il était à bout de souffle et peinait à tenir le brancard. Leurs mains étaient trempées de sueur.

Ils atteignirent enfin une section moins chaude où les attendaient Martha et Bartleby, et se laissèrent choir sur le sol.

— Pouh ! souffla Will. Tu parles d'un sauna. Je crois que j'ai perdu quelques kilos.

Il posa sa carabine et sortit son sabre de sa ceinture.

— Pourquoi j'ai pris tout ce fatras ? Je transporte beaucoup trop de choses, dit-il encore, le souffle court.

— On ne sait jamais, commenta Chester en prenant sa gourde avant de boire une longue gorgée d'eau.

— J'ai l'impression d'entendre mon père. Il ne jetait jamais rien. Ça rendait Rébecca folle, dit Will en gloussant tandis que Chester lui tendait la gourde.

Will but à son tour, puis recracha soudain, éclaboussant son ami au passage.

— Bon Dieu ! Où est donc passée Rébecca ! bafouilla Will qui venait de s'apercevoir qu'elle n'était pas encore ressortie. Elle n'était pas juste derrière nous ?

— Je croyais pourtant que si, confirma Chester.

Ils rebroussèrent chemin vers la pente et attendirent un peu, mais la jeune Styx ne paraissait toujours pas.

— Peut-être que c'était trop dur pour elle. Du coup, elle a fait demi-tour, dit Chester.

Will versa soudain le contenu de la gourde sur sa tête.

— Qu'est-ce que tu… ? cria Chester, mais Will ne lui laissa pas le temps de terminer sa phrase et lui lança la gourde vide. Will ? hurla-t-il en voyant le jeune garçon foncer droit dans le mur de chaleur.

Will n'était pas allé très loin lorsqu'il aperçut une forme ramassée sur elle-même dans cette atmosphère de mercure. Elle gisait au milieu de la galerie. De petites volutes de fumée s'élevaient tout autour d'elle. Il s'arrêta net et vit Rébecca affalée sur les sacs à dos qui commençaient à se consumer. Il la secoua et hurla son nom. Elle leva faiblement la tête et tendit la main pour l'atteindre.

Will la souleva de terre et la jeta sur ses épaules, puis il hésita un instant.

— Non ! Je ne peux pas les laisser là ! souffla-t-il, presque incapable de voir ce qu'il faisait alors qu'il tentait d'attraper les sacs à dos par la bandoulière.

— Aïe ! cria-t-il en lâchant un juron.

Sa main venait de frôler le sol rougeoyant.

Will parvint malgré tout à récupérer les deux sacs, puis courut aussi vite que possible. Il volait presque au-dessus du sol. Il prenait cependant de toutes petites inspirations, tant l'air lui brûlait les poumons. La chaleur était impitoyable.

— Je l'ai ! hurla Chester en voyant approcher Will à toute allure.

Chester s'était aventuré aussi loin que possible dans la galerie où il attendait son ami. Il lui arracha les sacs à dos des mains.

Lorsque Will atteignit l'endroit où se trouvait Martha, il s'empressa de déposer Rébecca sur le sol à côté d'Elliott, s'empara d'une gourde et en aspergea la jeune fille qui dodelinait de la tête comme si elle était ivre. Il la redressa et la fit boire un peu. L'eau parut la raviver en un rien de temps, même si elle était encore assez sonnée.

— Qu'est-ce qui s'est passé ? demanda-t-il.

— J'ai trébuché. Je n'arrivais pas à me relever, répondit-elle en posant la main sur son front, prise d'une soudaine quinte de toux. Merci, Will, dit-elle en levant les yeux vers lui.

— De rien, répondit Will avec embarras en se relevant.

Il palpa l'endroit où il s'était brûlé la main, puis se tourna vers Chester et Martha qui l'observaient d'un même œil désapprobateur. Son ami secouait lentement la tête lorsque Will aperçut les sacs à dos qui se trouvaient derrière eux.

— Hé ! Espèce d'idiots ! Ils brûlent ! hurla-t-il en voyant les deux sacs qui se consumaient tranquillement. Vite !

Chester et Martha frottèrent aussitôt les sacs en feu avec des poignées de terre.

— Ça va ? On a perdu des choses ? demanda Will qui craignait que leur contenu n'ait subi des dégâts.

— Nan, je ne crois pas, répondit Chester en vérifiant l'un des deux sacs. Tu n'aurais pas dû y retourner, pas tout seul, ajouta-t-il en levant les yeux.

— Il le fallait, rétorqua Will.

— C'était de la folie, Will.

— Et à cause de cette Styx et de ses simagrées, on va manquer d'eau jusqu'à la prochaine source, commenta Martha en foudroyant Rébecca du regard, puis elle se tourna vers la galerie. Il faut y aller.

Quelques kilomètres plus loin, Martha sembla ralentir. Elle s'approcha de la paroi de la galerie, tripota quelque chose, puis ouvrit une porte en bois grossier.

– C'est quoi, c'est endroit ? demanda Chester en la voyant franchir le seuil marqué par une poutre.

– On les appelle les Grottes aux loups. C'est un abri que Nathaniel avait trouvé. J'y ai installé quelques pièges à araignées.

Will et Chester la suivirent à l'intérieur en transportant Elliott.

La caverne était assez vaste, et du sable mou couvrait le sol. La galerie semblait s'étendre plus avant, mais Martha ne bougea pas de là où elle se trouvait et laissa tomber ses affaires à terre. Rébecca et Bartleby étaient entrés eux aussi, mais la jeune fille n'était pas encore rétablie, elle s'allongea simplement sur le sable.

– Pourquoi les Grottes aux loups ? demanda Chester en déposant le brancard sur une zone plane avec l'aide de Will.

– À cause des loups, répondit Martha avec indifférence.

– Des loups ? balbutia Chester, nerveux. Je n'ai rien entendu du tout.

Après s'être assurée que la porte était bien fermée, Martha commença à préparer quelque chose à manger.

– C'est normal. Ils se déplacent comme des spectres, en meute de trois ou quatre. Ils s'en prennent généralement à ceux qui se sont égarés. Ils évitent les groupes.

Martha était à présent assise sur le sol, les jambes étendues devant elle. Elle tranchait l'extrémité des serpents-boucles, puis pelait leur peau blanche.

– Ils ont bien failli m'attraper, la dernière fois que je suis venue ici. Si jamais tu te trouvais isolé du groupe, souviens-toi bien de l'emplacement de ces grottes.

Après avoir prié les garçons de préparer un feu, Martha suspendit les serpents-boucles au-dessus du foyer. Lorsqu'ils furent cuits, elle leur distribua des assiettes en fer-blanc, et Chester oublia qu'il s'était juré de ne jamais en manger.

– Alors, qu'est-ce que t'en dis ? demanda Will en voyant Chester mordiller un long morceau de viande jaunâtre.

– C'est un peu comme des anguilles en gelée, dit Chester tout en mâchonnant. Mais ça n'a pas le même goût, et pas de gelée.

– Voilà qui m'éclaire, répondit Will en prenant sa première bouchée.

TROISIÈME PARTIE

Le navire de métal

Chapitre Seize

Ils quittèrent les Grottes aux loups après quelques heures de repos et reprirent leur progression. Will ne savait plus depuis combien de temps ils marchaient, lorsque Martha leur indiqua quelque chose un peu loin devant eux.

– Nous ne sommes plus très loin, leur dit-elle en arrivant auprès d'un pont de cordes.

Chester émit un sifflement.

– Je n'en vois même pas l'autre côté. Il fait combien de long ? demanda-t-il après avoir émis un sifflement.

– Peut-être vingt-cinq… trente mètres, estima Will en regardant l'ouvrage précaire qui s'étendait au-dessus du gouffre devant eux.

– C'est vous qui l'avez construit ? demanda Chester à Martha tout en reposant Elliott sur le sol avec l'aide de Will.

Martha posa un pied sur le pont, qui se mit à balancer et à grincer dangereusement. Elle avança encore un peu, vérifiant à chaque pas la solidité des lattes de bois.

– Ou bien c'était Nathaniel ? demanda encore Chester qui attendait toujours sa réponse.

– Les gens du bateau, répondit Martha en scrutant les ténèbres au-dessus d'elle. Je les sens. Ils sont là-haut.

– Qui ? demanda Will.

– Nous sommes près des nids… c'est là que nichent les Lumineux, dit-elle. Je les sens là-haut, prêts à fondre sur nous.

Martha croisa le regard de Will. Elle frissonnait en dépit de la chaleur.

– C'est un endroit terrible. Nous ne sommes pas censés nous trouver ici. Nous sommes sur leur territoire.

Martha laissa planer son regard, mais il n'y avait rien derrière Will.

Il comprit alors qu'elle devait être exténuée. Les deux garçons avaient trouvé ce terrain inhospitalier épuisant, même s'ils avaient fait un petit somme de temps à autre. En revanche, Martha s'accordait rarement ne serait-ce que quelques minutes de repos. Elle était restée constamment en alerte pendant les neuf derniers jours, depuis qu'ils avaient quitté la cabane, à l'affût des dangers, et elle les avait conduits à travers le labyrinthe de galeries avec une extraordinaire précision.

Ses vêtements, jamais très propres, étaient maculés et crasseux. Elle avait les traits tirés. Will vit ses yeux se fermer tout seuls.

– Hé, Martha, dit-il doucement.

Elle rouvrit les yeux et se tourna vers le pont.

– On traverse un par un. Pas un mot. Il faut faire le moins de bruit possible.

Martha préleva un peu de feu d'anis, mais elle ne l'alluma pas.

Garde-le, se dit-elle, puis elle avança sur le pont qui oscilla sous ses pas.

Quand elle fut en sécurité de l'autre côté, ce fut au tour de Chester de traverser. Les garçons avaient décidé qu'il ne transporterait pas Elliott sur son brancard, car il était le plus lourd de toute la troupe. Chester emporta donc l'un des sacs à dos les moins chargés.

– Ça ne me va pas, grommela-t-il en commençant la traversée. Mais pas du tout.

– C'est sans aucun risque, lui dit Will d'un ton plein de confiance.

– Oh, trop bien ! Le baiser qui tue. Tu m'as condamné en disant ça, grogna-t-il en haussant les sourcils, mais Will se contenta d'acquiescer pour lui souhaiter bonne chance.

Le pont ployait sous le poids de Chester. Il avait beau avancer lentement, l'ouvrage balançait dangereusement avec des grincements si sonores que Will crut bien qu'il allait s'effondrer tout entier d'un instant à l'autre. Mais Chester s'arrêtait fréquemment pour laisser au pont le temps de se stabiliser, et il arriva enfin à bon port, de l'autre côté du vide.

Vint le tour de Will. Il ramassa Elliott et le brancard, puis s'aventura à son tour sur le pont. Il n'avait pas fait vingt pas qu'il fut contraint de s'arrêter. Il se figea telle une statue. Will aurait tant voulu pouvoir s'agripper à l'une des mains courantes qui se trouvaient à hauteur de sa taille, mais il ne pouvait rien faire avec Elliott dans les bras.

– C'est vraiment très très haut, lui cria une voix intérieure, et ce qu'il voulait éviter arriva.

Voilà que le reprenait cette même envie irrationnelle, comme s'il était soudain sous l'emprise de quelque marionnettiste. Il se voyait déjà basculer par-dessus la rambarde et se laisser choir dans les accueillantes ténèbres de velours. C'était une idée limpide. Pendant quelques secondes, il oublia tout le reste, captivé par le vide qui tentait de l'aspirer. Il n'avait pas une seule pensée pour Elliott qui se trouvait à sa merci, ni pour Chester et Martha de l'autre côté de la crevasse. Il n'y avait plus que lui, et cette irrésistible attraction. Puis l'infime partie de son cerveau qui fonctionnait encore l'obligea à considérer le sort d'Elliott. Il aurait été tellement injuste de l'entraîner avec lui. Mais l'envie était trop forte malgré tout.

– S'il te plaît, gémit-il. S'il te plaît, non.

Il sentit soudain quelque chose le pousser. Il tourna la tête et vit Bartleby qui le fixait de ses grands yeux. Le chat ne comprenait pas pourquoi Will ne bougeait pas et lui bloquait ainsi le passage. Will riva ses yeux aux siens et le chat poussa un miaulement grave à l'intonation presque humaine. On aurait pu croire qu'il lui demandait « Pourquoi ? ».

Will cligna des yeux et son désir vacilla telle une flamme dans le vent avant de s'évanouir complètement. Il se tourna vers Chester qui l'attendait de l'autre côté et se remit en marche. Le chat le suivait d'un pas léger en le poussant du museau lorsqu'il estimait que le jeune garçon n'avançait pas assez vite.

Comme Martha leur avait ordonné de ne rien dire, Chester accueillit Will sur la terre ferme sans un mot, mais son inquiétude se lisait dans ses yeux. Will s'avança un peu plus avant dans la galerie d'un pas mal assuré pour y déposer Elliott, puis il s'affala à ses côtés, la tête entre les mains.

Rébecca les rejoignit ensuite, et tous purent reprendre leur route. Ils n'avaient pas beaucoup progressé quand ils remarquèrent qu'ils marchaient à nouveau sur le champignon et qu'ils allaient devoir franchir trois dénivellations successives. Will se sentait encore épuisé après ce qu'il venait de vivre sur le pont, et c'est à peine s'il pouvait supporter l'idée de devoir aider Chester à descendre Elliott sur son brancard. Ce n'était plus l'envie de sauter qui le tourmentait – étrangement, elle ne l'avait pas repris –, mais les innombrables calculs nécessaires à chaque manœuvre. Pour corser le tout, le champignon semblait encore plus épais dans cette zone, et cette surface glissante ne faisait qu'accroître les difficultés. Lorsqu'ils eurent franchi le troisième et dernier obstacle, Will était prêt à tomber, mais Martha ne lui accorda pas une minute de répit, les encourageant à avancer avec force gesticulations.

Une demi-heure plus tard, ils pénétrèrent dans une vaste caverne. Will venait d'entendre le bruit d'une chute d'eau dans le lointain, lorsque Martha ralentit soudain. Will vit alors à la lumière de la lampe de la vieille femme quelque chose qui émergeait des ondulations du sol fongique. On aurait dit une petite tour inclinée. Elle devait mesurer une trentaine de mètres de hauteur, mais seule sa partie supérieure restait visible, car le reste avait été englouti par le champignon. Sa surface était lisse et brillante comme du métal.

— Le navire de métal, murmura Will avec un large sourire.

Ils étaient enfin arrivés à destination. Will aurait voulu hurler de joie, mais il savait qu'il ne pouvait pas faire ça. Chester pointait frénétiquement le doigt en essayant d'attirer son attention sur la zone située sous la tour. Leurs lumières ne portaient pas très loin dans les ténèbres, et il fallut quelques instants à Will pour comprendre ce qui suscitait une telle excitation chez son ami. D'après la forme du champignon, l'énorme tour cylindrique se prolongeait encore au-dessous. Will essaya aussitôt de comprendre de quel type de navire il s'agissait. Il ne s'y était jamais beaucoup intéressé, à l'exception des vaisseaux historiques comme le *Cutty Sark*.

Martha les entraîna en toute hâte vers la base de la tour. Les garçons détournaient sans cesse le visage pour éviter les puissantes bourrasques qui les aspergeaient d'eau. *De l'eau salée*, pensa Will en se passant la langue sur les lèvres.

On ne voyait rien d'autre que les ténèbres derrière la tour. Will se dit aussitôt que le navire était perché en équilibre sur l'arête de l'une des Sept Sœurs. Ce gouffre ressemblait énormément au Pore, mais le rugissement incessant des pluies torrentielles l'en distinguait cependant.

Ils escaladèrent péniblement la coque bombée et glissante du navire, puis se rassemblèrent au pied de la tour. Martha piqua le champignon par endroits de la lame de son couteau. Il était évident qu'elle cherchait quelque chose. Lorsqu'elle rencontra enfin la résistance du métal, elle plongea la main au cœur du champignon et tira de toutes ses forces jusqu'à ce qu'en sortent les quelques

maillons d'une chaîne rouillée. Le champignon l'avait complètement enveloppée, comme tout ce qui se trouvait dans les parages.

Au prix d'un ultime effort, Martha dégagea la chaîne qui
déchira la surface du champignon. La tour émit un son métallique
au contact de la chaîne, accrochée à son sommet. Martha l'attrapa
et se hissa aussitôt tout en haut. Will se dit qu'il valait mieux ne
pas tenter de la rejoindre d'un bond, car il risquait de manquer sa
cible et de finir au fond du gouffre. Ce fut ensuite au tour de
Chester, traînant à sa suite Elliott, toujours sur son brancard, suivi
par Rébecca avec les sacs à dos. Au grand dam de Bartleby, Will lui
passa une corde autour du poitrail pour que Martha puisse le hisser
jusqu'en haut. Will grimpa le dernier et trouva Martha qui l'attendait, seule, tout en haut de la tour.

Will n'eut pas le temps de voir où il se trouvait, ni même où
étaient passés ses camarades, qu'un gémissement suraigu déchira
soudain les airs.

– Des Lumineux, murmura Martha.

Elle avait armé son arbalète en un clin d'œil. Will tendit le cou
et aperçut de faibles lueurs, si vagues qu'il avait l'impression de
regarder des lucioles derrière un grillage.

En un éclair, il vit soudain une créature gigantesque entrer dans
le faisceau de la lampe de Martha. Elle semblait surgir de nulle part,
et Will ne comprit pas tout de suite ce dont il s'agissait.

Il perçut d'abord une blancheur presque pure. Les ailes déployées,
la créature avait une envergure d'une dizaine de mètres. Son corps
avait la taille d'un homme adulte, mais rien d'humain. Will comprit qu'il s'agissait d'un insecte, d'après la disposition de la tête et
du thorax. Son étrange abdomen semblait fendu par le milieu, et
pourvu de deux crochets qui ressemblaient à des pattes. Cependant,
à y regarder de plus près, ce n'étaient pas des membres. Ils étaient
couverts de plumes duveteuses, ou peut-être d'écailles. De multiples petites choses noires – de minuscules versions des araignées-
singes, devina-t-il aussitôt – étaient accrochées sous son ventre
fendu.

La créature avait des ailes à la découpe très marquée qui lui rappelait celles des chauve-souris. Un claquement mat, semblable à une
voile de cuir dans le vent, vint renforcer cette première impression.

Martha ajusta sa visée et décocha une flèche qui partit dans un
sifflement. L'insecte n'était pourtant qu'à vingt mètres au-dessus
de la tour, le projectile manqua néanmoins sa cible. La créature
avait tout simplement disparu.

– Quoi ? s'exclama Will.

Cette fois, il était sûr de n'avoir pas cligné des yeux, et quand bien même c'eût été le cas, la vélocité de cette créature avait quelque chose de surnaturel.

Will entendit un autre battement d'aile, et l'insecte reparut, mais cette fois sur sa gauche. Il s'était rapproché et se trouva pris dans le faisceau de la lanterne qu'il venait d'allumer.

La tête de la créature avait la taille et la forme d'un ballon de rugby, avec en son centre une petite trompe recourbée sous laquelle s'ouvrait une gueule aux innombrables rangées de crocs acérés d'un blanc de nacre. Juste au-dessus de cet appendice, Will vit deux disques argentés. Ce n'était probablement pas des yeux, mais quelque chose de semblable aux « oreilles » que Martha lui avait montrées sur le cadavre de l'araignée-singe.

Will avait cligné des yeux sous l'effet de la surprise, mais lorsqu'il les rouvrit, la créature était encore là. Chose des plus étranges, ses traits évoquaient fortement un visage. Et plus étonnant encore, elle arborait au sommet de la tête un disque oscillant qui émettait une lumière pulsante d'une intensité variable. Will devina qu'il s'agissait d'un leurre destiné à attirer ses proies dans l'obscurité.

Will vit alors qu'elle avait rabattu ses ailes comme pour plonger en piqué.

Elle fondait droit sur eux.

Face à cette apparition, Will resta paralysé, mais Martha décocha une autre flèche. De nouveau, la créature disparut comme par enchantement, et Will resta planté là à fixer les ténèbres. Seuls les cris frénétiques de Martha le ramenèrent à la réalité.

– Entre ! hurla-t-elle en le poussant vers la trappe qui se trouvait à ses pieds.

Sa lanterne lui échappa des mains et dégringola dans le trou en cliquetant. Will aurait connu le même sort s'il n'avait agrippé par pure chance une échelle métallique. Il réussit à descendre quelques degrés lorsque Martha lui écrasa les doigts avec toute la délicatesse d'un hippopotame au galop.

– Aïe ! cria-t-il en retirant sa main tandis qu'elle refermait vivement l'écoutille au-dessus d'eux.

Martha la verrouilla en actionnant un mécanisme circulaire.

– Bon sang, c'était quoi, ce machin, dehors ? s'exclama Will en pliant les doigts pour soulager la douleur.

Il scruta l'espace confiné qui l'entourait.

– Impossible ! Ce n'était quand même pas une araignée-singe ! ajouta-il.

Il comprit qu'il se trouvait à présent à l'intérieur de la « tour » du navire. Elle avait une forme ovale, et de nombreux tuyaux et conduites couraient le long des parois.

– C'était un Lumineux, dit Martha, le souffle court. Je t'ai dit qu'ils nichaient ici. Comparés aux araignées, c'est une autre paire de manches. Eux, ils savent voler.

– Je ne vous le fais pas dire ! marmonna Will en franchissant une autre écoutille.

Il remarqua que l'atmosphère sentait le moisi en descendant un peu plus bas. Il perçut des traces d'humidité et de pourriture. Il posa les pieds sur un sol au grillage métallique qui résonna sous le choc. Le sol, en pente, suivait l'inclinaison du navire qui tenait en équilibre au bord du gouffre. Alors qu'il se penchait pour récupérer sa lanterne, Chester se précipita sur lui.

– Tu ne croiras jamais... lui dit Will qui voulait lui parler de la créature volante.

– Will ! Will ! l'interrompit Chester qui bafouillait d'excitation. Ce n'est pas juste un bateau ! C'est un sous-marin, bon sang ! Et moderne, avec ça !

Chester leva sa lanterne pour permettre à Will de voir les lieux.

– D'enfer ! dit Will en riant face à l'étrangeté de la situation.

Cette scène lui rappelait un film. Il regarda les tableaux électroniques aux voyants éteints et recouverts de poussière. L'engin lui semblait très récent et complexe, mais des bouts de chandelles consumées trônaient sur certaines surfaces planes, noyés dans des flaques de cire fondue qui avaient coulé sur le sol.

– Ils n'avaient plus d'électricité, remarqua Will.

Il s'avança au centre de la zone où se dressait une colonne – peut-être s'agissait-il du périscope – et où se tenait un petit bureau au-dessus duquel était accrochée dans un cadre une feuille de Plexiglas brisée. Une partie de la carte manquait.

– Un sous-marin, ajouta-t-il sans y penser. On vient donc d'entrer par le kiosque, et voici la salle de contrôle, ou bien... le pont, quelque chose dans ce goût-là. Tu ne crois pas ?

– J'imagine, répondit Chester en haussant les épaules.

– Mais comment un sous-marin aurait-il pu descendre jusqu'ici ? Comment ça a pu se passer ?

– Ça n'aurait pas un rapport avec ce que tu racontais à propos du mouvement des plats ? suggéra Chester.

– Le mouvement des « plaques », rectifia Will en inspectant lentement les équipements sophistiqués. Oui, la tectonique des plaques. Une forme de déplacement sismique des fonds océaniques… peut-être que le sous-marin s'est retrouvé aspiré.

Lorsqu'il arriva à la hauteur du brancard d'Elliott, Will se remémora soudain la raison de leur venue.

– On a besoin des médicaments. Martha, par où faut-il aller ?

– Par là, dit-elle, puis elle franchit une porte arrondie au seuil surélevé et entra dans une coursive.

Will repéra des objets qui flottaient dans une cabine remplie d'une eau sale dont le niveau dépassait la grille d'évacuation du fait de l'inclinaison du sous-marin. Il y avait des vêtements, une chaussure de pont, et quelques cartons détrempés et couverts de vrilles de moisissure.

– Attendez un peu ! J'ai trouvé quelque chose, dit Will en se penchant pour ramasser une liasse de papiers.

– Un journal, suggéra Chester en voyant Will l'ouvrir.

L'eau en avait réduit la moitié en pâte, mais on pouvait encore lire le reste. Will vit la photo d'un homme à l'imposante moustache. Tout était écrit en russe.

Will indiqua le haut de la page à Chester qui regardait par-dessus son épaule.

– Tu avais raison, Chester. Ça pourrait bien être un journal russkof… mais tu arrives à déchiffrer ce que ça raconte ? C'est une date ?

– Февраль*, articula péniblement Chester. Euh… Il faudrait que j'arrive à me souvenir du sens de ce mot… il doit s'agir du mois. Mais regarde un peu l'année ! Il date d'il y a moins d'un an, ajouta-t-il en fronçant les sourcils. Je ne sais même pas quel jour on est.

– Moi non plus, répondit Will.

Il se mordit la lèvre. Il venait de penser à quelque chose.

– Tu sais quoi ? Il se pourrait même que j'aie quinze ans à présent. J'ai peut-être raté mon anniversaire, dit-il en jetant le journal. Mais ça ne va pas aider Elliott. Allez.

Ils suivirent Martha le long de la coursive et franchirent plusieurs cloisons ; enfin, la vieille femme s'arrêta devant une cabine. Elle semblait cependant peu encline à y entrer. Chester lui adressa un regard interrogateur.

– Trop de mauvais souvenirs, murmura-t-elle.

Will avait déjà passé la tête dans l'embrasure de la porte.

– C'est un vrai bazar ici.

– Je l'ai trouvée ainsi, expliqua Martha en acquiesçant.

– Mais qu'est-il arrivé aux gens ? À l'équipage ? Est-ce qu'il y avait la moindre trace de leur présence, la première fois que vous êtes venue ? demanda Chester.

– Non, rien. On dirait qu'ils ont quitté l'endroit en toute hâte. Maintenant, si ça ne vous ennuie pas, je vais me réfugier au sec et dormir un peu, dit-elle d'une voix lasse en repartant le long de la coursive d'un pas chancelant.

Will et Chester commencèrent à fouiller la cabine dans laquelle se trouvaient une table d'examen et une lampe dont on avait fixé le bras réglable au mur. Il y avait aussi plusieurs affiches représentant le corps humain. On avait entassé au hasard plusieurs chaises métalliques dans un coin. Le sol était jonché de débris de verre et d'instruments médicaux. Mais les hauts placards qui couvraient tout un côté de la cabine attirèrent bientôt l'attention des deux garçons. Ils s'empressèrent de les ouvrir et trouvèrent de nombreux tiroirs à l'intérieur, tous tapissés de mousse synthétique. Will gloussa en découvrant qu'ils étaient vides – il ne restait plus que des empreintes dans la mousse. Chester fut en revanche plus chanceux : il dénicha des flacons remplis de pilules et de liquides, ainsi qu'un grand nombre de fioles en verre scellées.

Les garçons travaillèrent ensemble, vidèrent les placards et posèrent le tout sur la table d'examen. Chester remarqua alors les taches sombres qui couvraient la surface de la table en mélamine.

– C'est quoi, d'après toi ? demanda-t-il en touchant prudemment l'une des taches.

– Ça pourrait être du sang, répondit Will en grimaçant.

– Qu'est-ce qui est arrivé à l'équipage, dans ce cas ? demanda Chester, mal à l'aise, tout en fixant la tache pendant quelques secondes.

– Qui sait ? Peut-être que ces créatures volantes les ont éliminés. Pourquoi auraient-ils laissé tant de matériel derrière eux ? dit-il en reniflant à plusieurs reprises. Tu sens ? Ça sent le vinaigre par ici.

– J'espère que c'est pas moi, répondit Chester sans plaisanter, levant le bras pour humer son aisselle.

– Non, je ne parle pas de nous, dit Will avec un sourire. Quelque chose de chimique. Comme du chloroforme.

Chester se frotta le front d'un air soucieux.

– Je me disais… Et si l'équipage, ou même Martha, la dernière fois qu'elle est venue, avait déjà emporté ce dont on a besoin, les antibiotiques, je veux dire. Elle nous a bien dit qu'elle avait perdu pas mal de choses sur le chemin du retour pour retrouver Nathaniel.

Chester réfléchit un instant.

– Will, tu sais bien que les antibiotiques se gâtent s'ils ont trop chaud, n'est-ce pas ? Quand j'ai dû prendre des gouttes pour mon otite, ma mère les conservait au réfrigérateur.

– Écoute, répondit Will sans se décourager, il doit y avoir quelque chose ici… n'importe quoi… qui puisse aider Elliott. On n'a quand même pas fait tout ce chemin pour rien.

Chester s'efforça de déchiffrer les étiquettes des médicaments étalés sur la table d'examen, tandis que Will tenait la lanterne. Ils perdaient peu à peu courage. Soit les mots étaient bien au-delà des connaissances rudimentaires de Chester en matière de russe, soit ils ne signifiaient rien pour eux, même lorsqu'ils étaient en anglais.

Chester s'agitait maintenant tout seul et vérifiait de nouveau chaque flacon, tandis que Will passait la cabine au peigne fin pour s'assurer de ne rien avoir oublié. À peine avait-il commencé à déplacer les chaises qu'il découvrit quelque chose.

– Hourra ! s'exclama-t-il en s'emparant aussitôt d'une valise en plastique orange.

Après l'avoir posée sur la table, Will en défit les crochets, puis il souleva le couvercle. La valise contenait de nombreux médicaments en vrac qu'ils examinèrent aussitôt.

– De l'amoxicilline ! s'exclama Chester en brandissant un flacon de pilules. Je reconnais ce truc ! Mon généraliste me l'avait prescrit lorsque je m'étais coupé le genou et qu'il était devenu purulent.

– De l'amoxicilline ? T'es sûr ? insista Will.

– À cent pour cent. Et elle ne doit pas être périmée depuis très longtemps. J'imagine qu'elle est encore bonne, dit Chester quand soudain il saisit Will par le bras. Bon sang ! Will ! Rébecca ! On a laissé Elliott avec elle.

– Du calme. On y retourne tout de suite. Je suis sûr que tout va bien, lui dit Will pour l'apaiser.

– Je me fiche pas mal de ce que tu crois ! Elle est seule avec Elliott ! Et j'ai aussi laissé ma fichue carabine là-bas ! cria Chester en se ruant hors de la cabine.

Il fila si vite le long de la coursive qu'il se cogna le front contre une lampe à huile suspendue à l'un des tuyaux du plafond, mais il ne ralentit pas pour autant.

Chester débroula sur le pont du sous-marin, Will sur ses talons et se jeta sur sa carabine. Elliott était encore étendue sur son brancard, à l'endroit même où il l'avait laissée, mais on avait défait ses liens et ôté sa couverture.

— Qu'est-ce que tu lui as fait ? demanda Chester, furieux, en montrant Elliott.

— Rien, répondit Rébecca.

Elle recula. Chester était déchaîné et paraissait d'autant plus menaçant qu'il tenait sa carabine à la main.

Il s'agenouilla à côté d'Elliott, approcha son oreille de son visage puis lui prit le poignet.

— Son cœur bat encore, dit-il à Will.

— Je l'ai lavée. C'est tout. J'ai trouvé un réservoir d'eau à l'avant et j'ai pris une bouteille d'iode pour la stériliser, expliqua Rébecca. Il ne faut surtout pas en boire, mais pour les ablutions, c'est parfait.

— Je crois qu'elle va bien, dit Chester à Will comme s'il n'avait pas entendu un seul mot de ce que venait de dire Rébecca.

— Chester, dit Will. Elliott porte des vêtements propres. Elle lui a lavé le visage. Regarde-la un peu !

— Je ne lui ai rien fait, dit Rébecca au bord des larmes. J'essayais juste de l'aider.

Chester vit un petit feu qui brûlait dans un coin du pont.

— Bon sang, c'est quoi, ça ? À quoi tu joues ?

— Je réchauffe un peu de bouillon pour Elliott, répondit calmement Rébecca. Et je pensais que tu en voudrais sans doute aussi.

Chester reprit son souffle, l'air assez penaud. Il venait en effet de comprendre que Rébecca ne tramait rien de sinistre.

— Très bien... d'accord... dit-il en se relevant. Merci, ajouta-t-il d'un ton bourru.

— C'est un plaisir, rétorqua Rébecca en remarquant le flacon que tenait Chester. T'as trouvé quelque chose ! Est-ce que je peux voir ? insista-t-elle en se tournant vers Will.

— Non, répondit aussitôt Chester.

— Oh, allez ! Laisse-la voir, insista Will. Je veux dire... Qu'est-ce qu'on risque ?

Chester tendit le flacon à Rébecca à contrecœur, et la jeune fille en étudia l'étiquette.

— Amoxicilline... oui, c'est un excellent antibiotique à large spectre. Ce sont des pilules de 250 milligrammes. Commencez par lui en administrer une forte dose... mettons trois, voire quatre pilules par jour. Ça devrait faire l'affaire si une infection bactérienne

est à l'origine de la fièvre. Évidemment, ça ne fera aucune différence si c'est viral.

— Comment tu sais tout ça ? demanda Chester, étonné.

— Si tu t'apprêtes à tuer quelques centaines de millions de Surfaciens, j'imagine qu'il vaut mieux connaître deux ou trois choses
sur les médicaments dont ils pourraient se servir, pas vrai, Chester ? ironisa Will tout en secouant la tête.

— Ouais, question stupide, concéda son ami.

Chapitre Dix-sept

E lliott ne tarda pas à réagir aux antibiotiques et, surprise ! elle ouvrit les yeux trois jours plus tard et put même tenir une conversation avec les garçons. Ils l'avaient logée dans ce qui devait être la cabine du capitaine, comme semblaient l'indiquer la couchette légèrement plus large, le bureau en chêne, la chaise et les cadres sur les murs – il s'agissait de photos de sous-marins et de navires de guerre.

Elliott était encore un peu sonnée, mais les garçons l'aidèrent à se redresser en lui calant des couvertures roulées derrière le dos, et miracle, elle réussit à boire toute seule. Rassérénés par son rétablissement, les deux garçons se lancèrent dans le récit de tout ce qui leur était arrivé, en commençant par leur chute dans le Pore, mais Elliott était trop faible pour tout absorber. Elle semblait distraite par moments et laissait vagabonder son regard dans la cabine. Ils décrétèrent donc qu'ils l'avaient assez sollicitée pour l'heure et qu'il lui fallait du repos.

Le lendemain, Chester était assis aux côtés d'Elliott, laquelle était parfaitement réveillée, lorsque Rébecca passa furtivement devant la porte en traversant la coursive.

– C'était qui, ça, bon sang ? demanda Elliott.

– L'une des deux Rébecca, dit Chester. Tu ne te souviens pas qu'on t'a dit qu'elle avait surgi…

– C'est une Styx ! hurla Elliott. Une Styx ! Non, pas ici ! Il ne faut pas qu'elle reste ici avec nous !

Will accourut aussitôt. Il l'avait entendue crier depuis le pont. Elliott faisait déjà de l'hyperventilation et semblait hors d'elle-même. Chester la tenait et tentait de la calmer.

– Qu'est-ce qui s'est passé ? demanda Will. Pourquoi est-elle comme ça ?

– Elle a vu Rébecca, et elle a déraillé. Elle ne semble pas se souvenir de ce qu'on lui a raconté hier, expliqua Chester.

Elliott se laissa aller dans ses bras et sombra dans un profond sommeil.

Rébecca parut alors sur le pas de la porte.

– Tu ne crois pas que tu en as déjà assez fait ? lui lança Chester d'un ton sec.

– Il fallait s'y attendre, répondit Rébecca. Sa température est restée élevée pendant tellement longtemps qu'il est naturel qu'elle se comporte un peu bizarrement. C'est comme si on lui avait plongé le cerveau dans une Cocotte-Minute.

– Il n'y a donc pas lieu de s'inquiéter ? s'enquit Will.

– Non, je dirais que non, même si nous ne savons pas encore si la fièvre a laissé des séquelles durables. Mais j'ai vérifié ses pupilles, et le réflexe de dilatation est normal. Et ses ganglions ont désenflé.

– Tu as fait ça ? demanda Will.

– Oui, et pour autant que je puisse dire, il n'y a aucune inflammation résiduelle des principaux organes. Il faut continuer à lui administrer la même dose d'antibiotiques et lui donner le temps de récupérer tout au long de la semaine prochaine.

– On croirait entendre un de ces fichus médecins, dit Chester, mais Will voyait bien qu'il était ravi que Rébecca sût de quoi elle parlait.

– On ne peut pas rester ici une semaine de plus, dit Martha derrière Rébecca. N'oubliez pas un petit détail : nous avons besoin de vivres et d'eau. Je peux maintenir nos réserves d'eau grâce à la source à l'extérieur, mais il nous faut plus de nourriture.

Ce n'était pas vraiment une révélation. À l'exception d'Elliott, ils subsistaient déjà sur des rations réduites. Martha s'efforçait de faire durer les vivres du mieux qu'elle pouvait. Ils n'avaient rien trouvé d'autre dans le sous-marin que des friandises dans l'un des placards. On les avait cachées dans une paire de baskets.

Martha leur interdisait de mettre le nez dehors à cause des Lumineux qui constituaient un danger bien trop important. De temps à autre, elle demandait à Will ou à Chester de garder l'écoutille pendant qu'elle se rendait à la source pour remplir leurs gourdes d'eau fraîche. Elle se protégeait des Lumineux en faisant brûler quelques brins de feu d'anis. Martha ouvrait l'écoutille une fois par jour pour aérer le sous-marin pendant une heure, mais elle ne quittait pas son poste, montant la garde avec son arbalète. Le reste du temps, elle insistait pour que l'écoutille reste close et parfaitement verrouillée.

Personne n'avait encore rien dit. Ils échangeaient des regards en attendant que quelqu'un prenne une décision.

– Il y a toujours le chat, dit enfin Martha.

– On ne peut pas l'envoyer chasser dehors. Est-ce qu'il ne risque pas de se faire attraper par les Lumineux ? demanda aussitôt Will.

– Will, je crois que Martha avait autre chose en tête, dit Chester en inclinant légèrement la tête.

– La seule façon de tenir encore une semaine, c'est de manger le chat, confirma Martha.

– Manger Bartleby ? s'exclama Will en s'étranglant, même s'il n'était pas certain qu'elle parle sérieusement. Hors de question !

– Dans ce cas, nous n'avons pas le choix. Il faut retourner aux Grottes aux loups, ou bien à la cabane, dit Martha.

Will se frotta le menton en examinant la situation.

– Eh bien… on peut transporter Elliott sur le brancard comme à l'aller. Cela ne devrait poser aucun problème. Et quand on aura atteint les Grottes aux loups, on pourra décider de la suite. Ça te va, Chester ?

– Oui, acquiesça Chester. Évitons juste de traîner trop longtemps dans le coin, sinon on va finir par manger du carton détrempé pour rester en vie. S'il faut partir, partons vite.

Ils s'accordèrent pour quitter les lieux le lendemain.

Will laissa Chester veiller sur Elliott et partit vérifier que les sacs à dos étaient prêts. Quand il eut terminé, il erra au hasard dans le sous-marin et se rendit à l'arrière où se trouvait, de loin, le plus vaste compartiment du vaisseau. Il était occupé par deux énormes moteurs à propulsion à la surface en acier poli. Il était difficile de se déplacer dans cette zone, car on avait ôté la plupart des grilles de métal qui formaient les passerelles. Les plaques de métal que le fils de Martha avait rapportées à la cabane venaient manifestement de là.

Il y avait deux compartiments juste avant les moteurs. À voir la complexité de leur système de verrouillage, il s'agissait sûrement de chambres fortes ne s'ouvrant qu'avec des clés spéciales. Will n'avait nulle intention de tenter sa chance. Les parois étaient en effet placardées de panneaux signalant une zone radioactive.

Will se rendit ensuite à l'autre bout du sous-marin. Il passa devant Martha, profondément endormie sur un matelas, une main sur son arbalète.

Il poursuivit son chemin. Soudain, alors qu'il venait tout juste de dépasser la cabine d'Elliott, il entendit un bruit juste derrière lui. Il se retourna et vit Rébecca qui le suivait en silence.

– Comment ça va ? demanda-t-il, quelque peu étonné de la trouver là.

Il se demandait ce qu'elle pouvait bien lui vouloir.

– Bien, répondit-elle d'une voix suave.

Rébecca toujours à sa suite, Will atteignit une porte qui s'ouvrait sur la proue du sous-marin. Il jeta un coup d'œil par le hublot au verre épais et découvrit un chaos de ferrailles à l'intérieur du compartiment. La proue semblait avoir absorbé la majeure partie de l'impact lorsque le sous-marin s'était abîmé dans le vide.

– Je parie qu'il y a des torpilles, ici, dit Rébecca avec nonchalance, tout en se hissant sur la pointe des pieds pour voir par-dessus son épaule. Elles sont sans doute armées de têtes nucléaires.

– Vraiment ? répondit Will, en essuyant le verre du hublot du revers de sa manche. C'est précisément le genre de choses que rêverait de posséder ton peuple, ajouta-t-il après coup.

Rébecca eut un rire, mais son regard resta de glace, comme si Will l'avait vexée.

– Non, ce n'est pas notre genre, dit-elle sèchement en s'adossant à la paroi inclinée. Nous voulons réparer la planète et non pas la transformer en un désert où seuls pourraient survivre les rats et les cafards. Mais vous, Surfaciens, vous semblez assez enclins à le faire. Vous vous fichez pas mal de polluer et d'anéantir la Terre à petit feu. Du moment que vous avez vos trois repas par jour, vos émissions de télé et vos petits lits douillets.

Rébecca s'exprimait avec cette assurance pleine de mépris, cette dureté caractéristique qu'il détestait tant, et ça l'agaçait profondément.

– Ne me reproche pas tout ce qui se passe, objecta Will. Si j'en avais les moyens, je ferais tout ce que je peux pour mettre fin à la pollution et au réchauffement climatique.

– Ah oui ? Et comment ? Tu es tout aussi responsable que ces sept autres milliards de gens qui grouillent à la Surface comme autant de bousiers avides, dit-elle en levant les yeux. Tu ne vois donc pas ce que vous avez fait ? Vous avez cherché à créer un monde « meilleur » pour vous-mêmes... Vous avez tenté de contrôler tout ce qui devrait rester hors de contrôle. Et maintenant que tout va de travers, vous êtes obligés de renforcer votre contrôle. Mais vous n'y arriverez pas, ni maintenant ni jamais. Lorsqu'on essaie de plier la nature à sa volonté, c'est elle qui vous fait plier en retour. La fin est proche pour toi et pour tous les autres Surfaciens... comme le prédit *Le Livre des catastrophes*.

Will ne se souciait guère de ces leçons de morale et parvenait à peine à contenir sa rage. La jeune fille avait à tel point changé qu'il n'en revenait pas, comme si Rébecca révélait enfin sa nature profonde. Quand, soudainement, elle changea tout aussi brusquement de comportement ; elle esquissa un sourire, décroisa les bras et lui offrit un petit paquet.

– J'ai pensé que ça pourrait t'intéresser. Je les ai trouvé glissées contre la paroi, le long d'une couchette, dit-elle d'une voix aimable en lui tendant une série de photos.

Quelque peu désarçonné par cette rapide métamorphose, Will prit les photos et les regarda. Il y en avait une dizaine, toutes en noir et blanc, maculées d'auréoles dues à l'humidité, ou peut-être à du pétrole. Ces images légèrement floues lui rappelaient de vieux instantanés que lui avait montrés son père – *des Polaroid*, pensa-t-il. Ils dataient de bien avant sa naissance, de l'époque où son père était parti randonner le long du mur d'Hadrien

Mais ces clichés représentaient des groupes d'hommes à la coupe courte et vêtus de pulls sombres. Certains portaient des casquettes militaires. La surface brillante de chaque photographie comportait quelques mots russes écrits au stylo bleu.

– L'équipage ? dit Will en jetant un coup d'œil à Rébecca.

Elle acquiesça.

Sur les premières photos, on voyait les hommes sur le pont supérieur du sous-marin avec la mer en arrière-plan. Ils souriaient tous, les yeux aussi brillants que le ciel était lumineux. Puis il vit deux autres clichés, pris dans le sous-marin même, ou tout au moins sous terre, à en juger par leur très fort contraste, sans doute dû à l'utilisation d'un flash. Mais les hommes semblaient encore en bonne forme.

Les photos suivantes contaient cependant une tout autre histoire. Les hommes y étaient beaucoup moins nombreux et ne ressemblaient plus du tout aux jeunes marins des premiers clichés. Le regard habité, tous barbus, ils avaient le visage sinistre et décharné.

– Les pauvres gars. On dirait qu'ils ont pas mal souffert, commenta Will.

Rébecca ne répondit pas tout de suite. Elle s'écarta de la paroi, comme si elle s'apprêtait à partir.

– Will… je voulais te dire quelque chose, murmura-t-elle avant d'hésiter.

– Quoi ? demanda-t-il en se détachant des photographies.

– As-tu pris le temps de te demander ce qui était arrivé à ces types… ce qui était vraiment arrivé à l'équipage de ce sous-marin ?

– Soit ils sont partis quelque part, soit les Lumineux les auront attrapés…

– Le fils de Martha a récupéré une tonne de trucs ici avant de contracter cette fameuse fièvre, dit Rébecca en le fixant sans cligner des yeux.

– Et alors ?

– Eh bien, tu crois qu'il a traîné toute cette ferraille jusqu'à la cabane tout seul ? Ou bien certains d'entre eux seraient partis avec lui ? Est-ce qu'ils l'ont aidé à transporter tout ça ? Dans ce cas, que leur est-il arrivé ?

– Tu veux dire que… lui, ou Martha… leur ont fait quelque chose ? demanda Will en la regardant de travers.

Rébecca haussa les épaules.

– Tu veux dire qu'ils les ont tués ?

Will posa les yeux sur la dernière photo qui retint soudain toute son attention. Les hommes semblaient se tenir à côté d'un gros rocher sur lequel figurait un symbole. Will s'approcha du cliché en essayant de distinguer de quoi il s'agissait : il découvrit alors trois lignes déployées en éventail, tel un trident. Il porta aussitôt la main à son cou où pendait, caché sous sa chemise, le pendentif que lui avait donné l'oncle Tam. Il portait exactement le même symbole.

– Qu'est-ce qui se passe sur cette photo ? demanda-t-il en la lui tendant. Je connais ce symbole.

Rébecca répondit avec une pointe de dédain teinté d'agacement. Will ne l'écoutait plus.

– Oh, oui, bien sûr, on le trouve gravé sur certaines pierres dans les Profondeurs.

– Mais il est fort peu probable que l'équipage de ce sous-marin ait pu remonter jusqu'aux Profondeurs, raisonna Will. Ils ont forcément dû le trouver par ici.

– Comme je te disais, Will, méfie-toi, dit Rébecca.

– Martha n'est pas comme… commença Will qui s'apprêtait à prendre la défense de la vieille femme.

Rébecca partit d'un fou rire plein de dureté.

– Martha et son fils étaient des renégats. Ils sont capables de tout. Tu n'as pas fouillé les tombes derrière la cabane, n'est-ce pas... Tu n'as pas remarqué que certaines d'entre elles étaient fort récentes ?

– Non... et toi ?

Rébecca ignora la question.

– Tu sais très bien qu'elle est capable de raconter des histoires quand ça l'arrange. Tu l'as prise en flagrant délit lorsqu'elle a menti à propos des médicaments. Elle ne va pas l'oublier de sitôt. Elle se fiche pas mal de nous. Le seul qui compte à ses yeux, c'est Chester.

– Ouais, mais...

– Garde les photos. Elles sont à toi, dit Rébecca.

La jeune fille tourna les talons et s'éloigna d'un pas chaloupé. Elle ne boitait plus du tout. Elle s'attarda un instant sur le seuil du compartiment suivant.

– Surveille tes arrières, Will, dit-elle d'un ton sinistre avant d'émettre un ricanement déplaisant. Car si jamais nous venions à manquer de viande, elle pourrait bien manger ton chat. Je n'en dirai pas plus.

Puis elle quitta les lieux, laissant Will les photos à la main, et rongé par le doute.

Will eut du mal à trouver le sommeil après sa conversation avec Rébecca. Dès qu'il fermait les yeux, il revoyait les visages hagards et désespérés des membres de l'équipage. Mais pire encore, il imaginait Martha en train de creuser de nouvelles tombes derrière la cabane pour y faire rouler des cadavres. Il avait recouvré sa confiance en Martha. Elle l'avait aidé à trouver le sous-marin, mais voilà que cette image qu'il essayait pourtant de chasser venait raviver ses doutes.

Rébecca avait raison. Will s'était opposé à cette femme lorsqu'il l'avait confondue. *Finirait-elle par l'abandonner pour substituer Chester à son fils disparu ?* Will l'imaginait sans peine. Martha n'avait soigné Elliott que pour une raison : elle comptait pour Chester. Il avait le sentiment que Martha se fichait pas mal de son sort. *Planifierait-elle la disparition d'Elliott, ou même sa mort ?* Quant à Rébecca, son sort était scellé. Martha ne réfléchirait pas à deux fois avant de l'abattre, histoire de pratiquer un peu le tir à l'arbalète.

Si Martha était vraiment aussi implacable, Will devait se préparer à ce qu'elle l'attaque, lui, ou n'importe lequel des autres. Il devait anticiper ses mouvements et passait en revue toutes les conséquences de cette situation.

Il s'agitait sur son étroit matelas. Les couchettes étaient accrochées au mur par groupe de trois dans les quartiers des officiers subalternes. Il était allongé sur celle du haut, tandis que Bartleby s'était recroquevillé sur celle du bas. Le chat grognait comme un phacochère en contractant ses muscles, en proie à l'un de ses rêves de félin. Will aurait vraiment voulu pouvoir échanger sa place avec celle de l'animal, et mener une vie simple sans complications.

Chapitre Dix-huit

Ils étaient tous accrochés à l'échelle du kiosque lorsque Martha alluma une grosse botte de feu d'anis, souleva l'écoutille et jeta les plantes enflammées à l'extérieur avant de la refermer aussi sec.

— Il faut patienter quelques minutes pour que ça fasse effet, dit-elle.

Ils attendirent donc que Martha leur donne le feu vert. Il sembla à Will que Chester la dévisageait comme s'il se demandait ce qu'il devait penser d'elle. Peut-être n'était-ce qu'une impression malgré tout. Will lui avait raconté ce que lui avait dit Rébecca à propos de la vieille femme. Will s'attendait à ce que Chester balaye cette histoire du revers de la main, ne serait-ce que parce qu'il détestait Rébecca plus que tout au monde, mais son ami n'avait pas réfuté ses arguments.

— Je ne sais pas, avait-il murmuré à plusieurs reprises d'un air confus.

Les secondes s'égrenaient à l'intérieur du kiosque. Chester rompit le silence en toussant, puis il changea de position sur l'échelle. Il brûlait d'impatience de se mettre en route, mais il était tout aussi nerveux face à ce qui les attendait au-dehors.

— Ces machins, les Lumineux, ils sont vraiment si dangereux que ça ? demanda-t-il à Martha.

— Oui, confirma-t-elle. Très.

— Tu n'as rien vu, Chester, intervint Will. Mais ils avaient l'air sacrément mauvais.

— Mais le feu d'anis nous protégera, n'est-ce pas ? demanda Chester.

— C'est toujours mieux que rien, répondit Martha.

– Ça marche avec les araignées-singes, cela dit, commenta Will.

– Mais avec les Lumineux, c'est une autre paire de manches. Dès qu'ils ont repéré ton odeur, ils se comportent comme des Limiers. Ils n'abandonnent jamais, dit Martha, le regard soudain perdu dans le vague, comme si elle se remémorait quelque chose. De temps à autre, un Lumineux arrive dans les Profondeurs, mais ils y sont plus lourds et, de fait, plus lents. L'un d'eux nous avait suivis dans la Grande Plaine sur des kilomètres, et on savait qu'il fallait l'abattre avant qu'il ne nous attrape. J'ai fini par l'avoir, avec un peu de chance. Je vous le dis, même une fois au sol, le corps brisé, il refusait toujours de mourir. Il a rampé vers nous en claquant des mâchoires jusqu'à ce qu'il se soit entièrement vidé de son sang, ajouta-t-elle en secouant la tête. Je ne connais aucun animal qui soit aussi vorace.

– Horrible, dit Chester en frémissant.

Martha palpa la pointe de la flèche dont elle avait armé son arbalète.

– On raconte qu'ils sont aussi vieux que les montagnes… qu'ils régnaient sur les cieux bien avant l'apparition des Surfaciens.

Elliott gémit en agitant la tête – seule partie de son corps encore mobile. Ils l'avaient en effet enveloppée dans une couverture avant de la sangler sur son brancard.

– Ça devrait suffire, annonça Martha en plaçant sa main sous l'écoutille. Tout le monde est prêt ?

Les garçons répondirent en chœur, mais Rébecca garda le silence.

– Quand on se sera éloignés du vaisseau, on se déplacera en groupe. Et je vous le rappelle : faites le moins de bruit possible.

Martha souleva l'écoutille et sortit sur la plate-forme d'observation, puis elle descendit en rappel le long du kiosque en s'accrochant à la chaîne.

– Tout doux, mon beau, murmura Will en relâchant Bartleby.

Au lieu de détaler comme à son habitude, le chat semblait ne pas vouloir avancer. Ses grandes oreilles remuaient telles des antennes satellites mobiles, comme s'il avait détecté quelque chose. Martha scruta les ténèbres au-dessus du sous-marin, à l'affût du moindre signe des Lumineux, puis elle se tourna vers la caverne. D'un geste de la main, elle leur ordonna de garder le silence tandis qu'elle tendait l'oreille. Will ne comprenait pas ce qu'elle était en train de faire. *Les Lumineux n'étaient-ils pas la plus grande menace qui pesât sur eux ? Pourquoi ne les entraînait-elle pas loin du sous-marin comme elle l'avait dit ?*

Les garçons échangèrent un regard. Ils se demandaient ce qui clochait lorsqu'ils entendirent le murmure lointain de voix humaines.

Tout au fond de la caverne, une lumière vacilla à l'orée de la galerie d'où émergèrent deux silhouettes. Will ne les voyait pas très distinctement, mais elles n'avaient pas la même taille. Il entendit une voix empreinte de colère.

Martha n'avait pas bronché.

— Lorsque je vous dirai de courir, filez dans cette direction. Il y a un passage là-bas, dit-elle en jetant un rapide coup d'œil sur sa gauche. Et ne m'attendez pas, ajouta-t-elle en remuant à peine les lèvres, puis elle leva son arbalète.

Les deux silhouettes se rapprochèrent sans chercher le moins du monde à se cacher. Will comprit alors ce que disait l'une des deux personnes.

— À quoi riment tous ces arrêts incessants ? On parcourt des kilomètres au pas de course, et puis tu nous dis d'attendre sans raison apparente. On a perdu des jours entiers à se tourner les pouces. On aurait pu employer tout ce temps-là de façon bien plus constructive.

— Papa ? souffla Will, assez fort pour que les autres l'entendent. C'est mon père ?

— Impossible, dit Chester en secouant la tête d'un air incrédule.

Will avait su d'instinct qu'il s'agissait du Dr Burrows. Il avait d'abord voulu s'élancer vers lui, mais sans trop savoir pourquoi il vérifia d'abord que sa carabine était bien chargée. Peut-être était-ce parce qu'il avait vu Rébecca se débarrasser des sacs à dos et s'avancer furtivement vers eux, comme si elle s'apprêtait à filer en douce vers le centre de la caverne. Ou peut-être parce qu'il avait deviné l'identité de cette autre personne de plus petite taille qui accompagnait son père. Quoi qu'il en soit, l'alarme qui venait de se déclencher dans sa tête sonnait de plus en plus fort.

L'homme s'immobilisa, et Will vit la lumière se refléter dans ses lunettes.

— Papa ? C'est vraiment toi ? hurla-t-il.

Le Dr Burrows sursauta.

— Will ! hurla-t-il en se précipitant vers lui. Mon Dieu ! Will !

— Oh, non, souffla Martha en tournant la tête de chaque côté.

Il y avait un soldat posté de part et d'autre du sous-marin. Leurs longs corps maigres ne laissaient aucun doute sur leur identité, c'était bien des Limiteurs. Ils émergèrent de l'ombre et se mirent en garde tels des soldats surfaciens, prêts à les frapper de leurs lances.

– On va avoir de gros ennuis, dit Will.

– On est dans le pétrin jusqu'au cou, tu veux dire, marmonna Chester en levant sa carabine.

Le Dr Burrows se tenait à une trentaine de mètres du sous-marin lorsque la petite personne à ses côtés hurla soudain.

– C'est assez loin comme ça ! ordonna-t-elle.

À présent, Will avait vu la jumelle qui accompagnait son père. Elle saisit le Dr Burrows par le bras et l'arrêta brusquement avant de lui décocher un coup de pied au creux du genou. Sa jambe fléchit, et il tomba à genoux. Avant qu'il ait eu le temps de réagir, elle avait passé le bras autour de sa tête et pressait la lame de sa faucille contre sa gorge.

– Qu'est-ce que tu fais ? Arrête ces bêtises, Rébecca ! cria-t-il. Arrête tout de suite !

Will n'avait toujours pas bronché, mais il réagit aussitôt en voyant s'avancer la jumelle qui se trouvait derrière lui.

– Pas si vite, dit-il en l'attrapant par les cheveux.

La jumelle hurla de douleur. Will la jeta sur le sol et lui ficha le canon de sa carabine sous le menton.

– Will ! Non ! S'il te plaît ! Laisse-moi partir, supplia-t-elle. C'est elle que tu veux… pas moi !

– Ouais ! Comme si j'allais gober ça ! Tu m'as dit que tu étais seule ici-bas, rugit Will. Chester avait raison. Tout ça n'est qu'une vaste plaisanterie.

Elle changea aussitôt d'attitude.

– Tu admettras qu'elle était plutôt bonne, n'est-ce pas ? Tu venais manger dans ma main, dit-elle avec suffisance. On adorait les cours de théâtre à l'école.

La jumelle avait cessé sa comédie, mais cela n'arrangeait guère les affaires de Will. La situation était déjà assez épouvantable. Les jumelles pensaient manifestement pouvoir agir à leur guise puisqu'elles avaient à nouveau la main.

– Une autre Rébecca ? bafouilla le Dr Burrows qui venait d'apercevoir l'autre Styx devant Will. Comment ?

– Pauvre Dr Knock, répondit la jumelle dans son dos. Tu as toujours été un peu lent à la détente.

– Mais comment ?

Le Dr Burrows tenta de se relever, mais elle enfonça sa faucille dans sa chair.

— Reste tranquille, dit-elle sèchement. Espèce de vieux bouc débile, on s'est jouées de toi depuis le début, depuis le jour où on a envoyé Oscar Embers et qu'il est venu te voir dans ton musée avec un globe lumineux. On voulait que tu mordes à l'hameçon, car on connaissait déjà la suite. On savait bien que, tôt ou tard, Sarah Jérôme finirait par sortir de son trou.

— Sarah Jérôme ? dit-il sans savoir de qui parlait la jumelle.

— On se fichait pas mal des autres. On peut très bien se passer de vous, dit-elle avant de se tourner vers Will. Mais comme c'est charmant, ironisa-t-elle d'un ton d'une fausseté tout empreinte de miel. Toute la petite bande au grand complet. Papa retrouve son petit garçon. Enfin réunis.

Les jumelles commencèrent à discuter dans la langue des Styx.

— La ferme, ou je tire ! hurla Will en pressant le canon de sa carabine contre la gorge de la jumelle.

— Quoi ? Tu comptes me coller une balle dans la tête ? Non, je ne crois pas, vraiment… dit-elle d'une voix étranglée, puis elle recommença à parler en styx avec le plus grand mépris pour ses injonctions.

— Je suis sérieux, dit Will. Je le ferai !

— Non, tu n'en feras rien, hurla l'autre jumelle derrière le Dr Burrows. Tu n'es qu'une poule mouillée. Tu n'en auras pas le cran.

— Will, qu'est-ce que tu fais au juste ? s'exclama le Dr Burrows. Tu ne peux pas…

— Reste en dehors de ça, papa, l'interrompit Will. Tu n'as pas la moindre idée de ce qui se passe ici, puis il s'adressa à la jumelle qui se trouvait derrière son père : comment faut-il que je t'appelle, toi ? On ne peut pas avoir deux Rébecca.

— Comme tu voudras, répondit-elle sèchement.

— Très bien, euh… Rébecca *bis*, il semblerait que nous soyons dans une impasse. Qu'est-ce que tu veux faire ?

— Commence par nous rendre ces fioles. Et nous voulons aussi la vieille femme, dit-elle.

— Pourquoi la voulez-vous ? demanda Will.

Comment pouvait-elle savoir qu'il possédait les fioles de *Dominion* ? se demanda-t-il.

— Parce que c'est la seule qui connaisse le terrain.

Will croisa le regard de Martha, dont la main était posée sur sa botte de feu d'anis. Elle lui lança un regard interrogateur. Will secoua la tête, et elle ôta sa main, puis elle leva les yeux vers le plafond. Will acquiesça. Il avait parfaitement compris ce qu'elle essayait de lui dire. Tout ce bruit ne manquerait pas d'attirer les Lumineux. *Et ce n'était pas forcément une si mauvaise chose, à présent.*

— Allez, on va procéder à un échange. Ton père contre Martha et les fioles, poursuivit Rébecca *bis*. Les autres peuvent partir. C'est elle que nous voulons.

— Tu oublies que je détiens aussi ta sœur, contra Will. Ta proposition ne me semble pas très équitable.

Will vit du coin de l'œil que Martha dégainait lentement son couteau. Elle entailla profondément la chair de son avant-bras. Des gouttes de sang coulèrent sur le sol.

— Ma sœur n'entre pas dans cette équation. Fais-en ce que tu voudras, continua Rébecca *bis* en agitant la tête dans un mouvement d'impatience. Pourquoi tu ne m'écoutes pas ? On échange ton père contre Martha et les fioles, et puis on vous laissera partir.

— Ah ! Tu dois vraiment me prendre pour un imbécile ! cracha Will.

— Non, pour un faible, rétorqua la jeune fille.

Elle jeta un coup d'œil aux Limiteurs qui aussitôt avancèrent.

— Le sort est contre toi, Will. Je suggère qu'on s'entende sur l'idée d'un accord, ironisa-t-elle avec un rire déplaisant et guttural.

Rébecca se remit soudain à babiller en styx.

— Arrête ça ! Je t'ai prévenue, hurla Will en lui tirant violemment les cheveux.

Will entendit un grognement non loin et faillit s'étrangler de surprise en voyant Bartleby à quelques mètres de lui. L'animal avait le ventre plaqué au sol, comme s'il s'apprêtait à attaquer.

— Bartleby ! hurla-t-il. Qu'est-ce que tu fais ?

— Ce que je lui ai dit de faire, dit Rébecca.

Le chat avait les naseaux dilatés et les griffes sorties.

— Il essaie juste de me protéger, dit Will d'un ton qui trahissait ses doutes.

— Tu veux qu'on parie ? croassa Rébecca. Tu te souviens, je t'avais dit que je m'en étais occupé à la Colonie. Eh bien, je lui ai donné un entraînement *spécial* en prime. Et ce n'est pas le seul, ricana-t-elle.

Elle recommença à parler en styx et le chat s'approcha encore un peu plus près.

— Espèce de... de traître ! hurla Will à l'adresse du chat.

Il n'en revenait pas.

C'était comme si Bartleby ne reconnaissait plus Will. Prêt à bondir sur lui, le chat cracha et s'aplatit encore un peu plus sur le sol. Il avait les yeux écarquillés et le regard fou, comme un animal assoiffé de sang.

— Tu n'as pas beaucoup d'amis, n'est-ce pas ? dit Rébecca. Un seul mot de ma part et ton gentil petit chaton te saute à la gorge.

— Si jamais il fait ça, tu y passes aussi, dit Will d'un air sinistre en faisant pivoter Rébecca dont il comptait se servir comme bouclier.

Will entendit soudain un cri sur sa gauche et vit un Limiteur entrer en action.

— Un ange ! s'exclama le Dr Burrows.

Une grande créature blanche s'effondra sur le sol, puis se débattit aux pieds du Limiteur qui plongea sa lance à plusieurs reprises dans le corps du Lumineux en s'aidant des deux mains jusqu'à ce que la créature s'immobilise enfin.

Will croisa de nouveau le regard de Martha. Son plan avait marché. L'odeur du sang frais attirait les Lumineux. Elle entendit un autre cri suraigu, pivota sur elle-même et décocha une flèche qui déchira l'air avec un sifflement, mais le Lumineux avait déjà disparu. Ce plan était loin d'être parfait. Les Lumineux les mettaient tout autant en danger que les Styx.

D'autres cris surnaturels déchirèrent les ténèbres, suivis par de faibles lueurs semblables à des étoiles filantes.

— Ça commence, dit Martha à voix basse.

— Très intéressants, ces animaux domestiques. J'aimerais bien en avoir un, dit Rébecca *bis* qui semblait néanmoins bien moins confiante, à présent. Peut-être qu'on devrait conclure cet échange rapidement, Will, et filer nous mettre à l'abri.

L'autre Limiteur se montra combatif, mais le Lumineux ressortit victorieux de la bataille. La créature souleva le soldat de terre après lui avoir planté ses crocs dans le crâne. Ils disparurent tous deux en un éclair. Le Limiteur n'avait pas même eu le temps de pousser un cri, et il ne restait plus aucune trace de lui, à l'exception de sa lance qui venait de retomber sur le sol.

S'ensuivit un silence. Tous étaient abasourdis.

— Voilà qui va rétablir l'équilibre entre les deux équipes, dit Chester.

— Très drôle, gros lard, rugit Rébecca *bis* en pinçant les lèvres. De retour en Surface, je ne manquerai pas de rendre une petite visite à ton papa et à ta maman… en personne.

— Euh… je… non ! s'étrangla Chester, le visage livide.

— Nous n'avons plus de temps à perdre, avertit Martha en levant les yeux vers le ciel, le visage anxieux. Vas-y, Will. Procédons à l'échange, pressa-t-elle.

— Vous êtes sûre ? demanda Will.

— Oui, confirma-t-elle. Les Styx ont besoin de moi vivante. Tout ira bien.

Will savait qu'aucun d'entre eux ne survivrait bien longtemps s'ils restaient là, pas avec les Lumineux qui se déchaînaient.

— Très bien, Rébecca *bis*, hurla-t-il. Laisse mon père nous rejoindre, et Martha viendra vers toi.

— Hors de question. Martha reste là où elle est. C'est moi qui viens la chercher, aboya Rébecca *bis*. Tu pourras récupérer le Dr Knock à partir de là. Compris ?

— Comment puis-je être sûr que tu ne vas pas nous tirer dessus ? demanda Will.

— Parce que, contrairement à vous, nous n'avons pas deux carabines et une arbalète, railla Rébecca *bis*.

Will acquiesça après s'être assuré que l'autre Limiteur se trouvait assez loin et qu'il ne pourrait pas les piéger.

— Très bien, annonça Rébecca *bis*. C'est parti pour les chaises musicales. On avance, tout doucement.

Will relâcha Rébecca à contrecœur. Elle secoua la tête pour déployer sa chevelure, puis elle foudroya Will du regard.

— Je n'aurais jamais dû prendre la peine de te sauver la vie, rugit-il en lui lançant à son tour un regard noir.

Chester devait transporter Elliott. Il se retournait donc pour soulever le brancard quand il vit quelque chose virevolter entre ses jambes. Une boîte noire roula sur le sol en direction du Dr Burrows et de Rébecca *bis*, puis s'immobilisa au milieu de la caverne. Will reconnut aussitôt l'un des explosifs dont se servaient Drake et Elliott dans les Profondeurs. Mais cette bombe, de la taille d'un pot de peinture, était sacrément impressionnante.

— C'est une charge de dix kilos. Vingt secondes avant l'explosion. Et puis tant que j'y étais, j'ai amorcé toutes les autres, dit Elliott très calmement en jetant son sac à dos sur le sol à côté d'elle.

Elle s'était redressée sur son brancard et semblait avoir retrouvé tous ses esprits. Pendant les pourparlers, elle s'était libérée de ses liens, mais tout le monde était bien trop préoccupé pour la remarquer. Elle avait récupéré son sac de munitions accroché à l'extrémité du brancard.

Will et Chester la regardèrent fixement d'un air abasourdi.

— Seize secondes et… bang ! leur dit-elle en levant les bras avec emphase.

— Non ! hurla Will, pensant que la fièvre lui avait fait perdre la tête. Pourquoi as-tu fait cela ?

— Parce qu'ils ont l'intention de tous vous tuer de toute façon, rétorqua Elliott.

Will échangea un regard avec Chester qui lui coupa aussitôt la parole.

— Mais… comment tu peux savoir ce qu'ils racontent ?

— Je parle leur langue, car je suis à moitié styx. Mon père était un Limiteur, dit-elle.

Pour asseoir son propos, elle prononça deux mots totalement incompréhensibles dans leur langue nasillarde.

— Treize… presque douze secondes, traduisit Rébecca.

La jumelle focalisait toute son attention sur Elliott, maintenant.

— Onze secondes, annonça Elliott en bâillant.

— Tu as vraiment amorcé les explosifs ? lui demanda Will qui n'en revenait toujours pas.

Elliott acquiesça.

— Dix secondes, dit-elle, et tout le monde fut soudain galvanisé.

Chester attrapa Elliott, et Martha les entraîna tous les deux sur la gauche du sous-marin, vers le passage alternatif qu'elle leur avait indiqué auparavant.

Will portait son sac sur le dos, il hésita néanmoins un court instant. Devait-il récupérer le sac dont s'était débarrassé Rébecca, lequel se trouvait derrière lui ? Il avait encore le souvenir cuisant des heures qu'il avait passées à errer dans les tubes de lave au sein des Profondeurs, sans vivres ni équipement adéquat. Mais le temps lui manquait. Il baissa la tête et fonça à toute allure sur son père. Il vit alors Bartleby bondir sur lui.

— Dégage ! beugla-t-il en lui assénant un coup de crosse.

Chose inhabituelle, l'attaque de Bartleby manquait de puissance. Peut-être ne comprenait-il pas pourquoi tout le monde courait ainsi en tous sens. La crosse percuta l'épaule de l'animal, qui glapit et se roula en boule, tandis que la force de l'impact l'envoyait valdinguer au loin.

Will continua sur sa lancée et fonça droit sur Rébecca *bis*, qui filait pour sa part dans la direction opposée. Elle voulait rejoindre le sous-marin. L'autre Rébecca était déjà parvenue à la base du kiosque et se trouvait en compagnie d'un Limiteur, lui-même aux prises avec un Lumineux.

— Will, arrête cette Rébecca ! Reprends-lui mes tablettes ! hurla soudain le Dr Burrows qui s'était remis debout.

Will saisit l'urgence dans les cris de son père, il fondit sur Rébecca *bis* et la plaqua au sol.

— Dans la poche gauche de sa veste ! Récupère mes tablettes en pierre ! cria le Dr Burrows.

Will se tenait au-dessus de la jeune Styx abasourdie. Il fouilla aussitôt dans sa poche et y trouva un petit paquet enveloppé dans un mouchoir crasseux. Comme elle reprenait peu à peu ses esprits et tentait de le frapper, il cessa là sa fouille. Il n'avait plus le temps de continuer.

— Fiche le camp de là ! hurla Will à son père, mais ce dernier ne semblait pas très enclin à l'écouter.

— Tu les as récupérées ? Tu les as récupérées ? lui demanda-t-il avec insistance.

Will fonçait droit sur son père. Il courait si vite qu'il touchait à peine le sol au moment où il l'atteignit. Il avait pris assez d'élan pour l'entraîner vers un petit passage situé juste à côté de la galerie principale. Tout se déroula si vite que le Dr Burrows n'eut pas même le temps d'ouvrir la bouche que son fils le traînait déjà hors de la caverne.

Will ne s'arrêta pas pourtant et continua sur sa lancée. Le compte à rebours venait de s'achever, mais il ne se passait toujours rien. Il commençait à se demander si Elliott avait vraiment enclenché la mise à feu, ou bien si tout cela n'avait été qu'un beau bluff lorsqu'il entendit une explosion d'une incroyable puissance. Le sol se souleva sous ses pieds comme s'il se trouvait au beau milieu d'un tremblement de terre.

Will et le Dr Burrows furent projetés face contre terre, frappés de plein fouet par une grêle de fragments de champignon.

Les secousses cessèrent rapidement, et le sol reprit sa forme initiale, mais le vacarme de l'explosion sembla durer une éternité.

Les échos se réverbéraient contre les parois de l'abîme derrière le sous-marin. Lorsque la dernière détonation s'estompa enfin, Will poussa un gémissement et s'agita. Il dégagea les gros morceaux de champignon qui pesaient sur lui, roula sur lui-même et se remit debout. Ses oreilles bourdonnaient. Il déglutit et bâilla à deux reprises jusqu'à ce qu'il retrouve une audition normale.

— Papa ! lança-t-il, d'une voix qui lui semblait faible et lointaine.

Will avança d'un pas vacillant et cligna des yeux. Le fluide huileux et nauséabond dont il était trempé lui piquait en effet les yeux. Il se débarrassa de son sac à dos, puis il partit en quête de son père muni de sa lanterne. Le Dr Burrows avait disparu. Will commençait à s'inquiéter vraiment lorsqu'il repéra une botte émergeant d'un tas de champignons en capilotade. Le Dr Burrows était presque entièrement enseveli, et Will s'empressa de le sortir de là. Son père cracha alors une bile brune accompagnée qu'un chapelet de jurons. Il avait perdu ses lunettes, ce qui ne semblait pas le préoccuper le moins du monde.

– Où sont mes tablettes ? Donne-moi mes tablettes ! ordonna-t-il en fixant son fils d'un regard myope.

– Tu veux parler de ça ? demanda Will en sortant le paquet de sa poche pour le tendre à son père.

Will se demandait ce que le paquet pouvait bien avoir de si important. Le Dr Burrows le défit maladroitement, puis il palpa les tablettes en pierre les unes après les autres.

– Dieu merci, elles sont toutes là et aucune n'est cassée. Bien joué, Will. Vraiment très bien joué !

– Pas de problème, papa, dit Will qui ne comprenait toujours pas pourquoi son père s'intéressait moins à son fils qu'à de petits morceaux de pierre.

– Mais où sont passées mes lunettes ? dit le Dr Burrows en s'apercevant que le choc les avait fait tomber.

Il se mit aussitôt à ramper à quatre pattes pour les localiser.

– Mais papa ! Je n'en reviens pas ! lança Will qui venait de prendre conscience que, contre toute attente, ils étaient enfin réunis. On est à nouveau ensemble ! C'est trop génial de te revoir alors que…

– Certes, mais je ne vois rien du tout ! répondit sèchement le Dr Burrows, qui cherchait encore ses lunettes.

Will s'attarda quelques instants aux côtés de son père, partagé entre l'envie de rester avec lui et le besoin de savoir si les autres avaient survécu à l'explosion.

– Papa, je reviens dans une minute, dit Will sans attendre sa réponse. Je t'aiderai à trouver tes lunettes.

Will tourna les talons et descendit le long de la galerie. Il n'était pas très loin de l'entrée, mais les fragments de champignon rendaient sa progression difficile. Le sol était couvert d'un fluide huileux, et les gros blocs de champignon se dérobaient sous ses pieds lorsqu'il tentait de les escalader. Il dut aussi dégager les débris obstruant toute une partie de la galerie avant de pouvoir continuer. C'était sans doute ce qui leur avait sauvé la vie : le champignon avait non seulement absorbé le souffle de l'explosion, mais aussi amorti leur chute.

Lorsqu'il atteignit enfin l'entrée de la galerie, Will fut accueilli par un calme des plus étranges. Il s'apprêtait à sortir lorsqu'il jeta un coup d'œil sur le sol et s'arrêta net, le souffle coupé. Un immense trou béant s'étendait à ses pieds. Le sol de la caverne avait complètement disparu. Il n'en voyait pas le fond malgré les petits feux qui brûlaient encore sur les parois, tels des cierges posés dans les niches de la grotte artificielle d'une église.

Le Dr Burrows, qui avait retrouvé ses lunettes, apparut aux côtés de son fils. Ils se contentèrent de fixer la caverne un instant tandis que des rochers et des morceaux de champignon se détachaient du plafond et s'abîmaient dans les ténèbres. Ils entendirent alors un grincement sourd.

— Le sous-marin, murmura Will en le voyant vaciller.

— Le sous-marin ? demanda son père, comme s'il n'avait pas compris ce qui se trouvait là.

C'était un spectacle étonnant. Le vaisseau était en proie à de multiples incendies, et l'explosion l'avait débarrassé de la couche de champignon qui l'enserrait, révélant ainsi sa coque profilée. Mais il se passait quelque chose, apparemment.

Ils entendirent un formidable craquement qui les fit tressaillir l'un comme l'autre, suivi d'une série de grincements. Le sous-marin trembla, chuta de quelques mètres puis sembla basculer lentement sur le flanc, comme au ralenti.

— Il bouge ! Il tombe ! s'exclama Will.

L'explosion avait manifestement détruit la couche de champignon ou de pierre – voire les deux – sur laquelle reposait la coque, et rien ne pouvait plus l'empêcher de sombrer dans le vide.

Il bascula avec un formidable grincement et disparut soudain, ne laissant derrière lui que le vide des ténèbres. Will et son père entendirent le lointain fracas de la coque du vaisseau contre les parois de l'abysse.

— Je me demande si les jumelles se trouvaient à l'intérieur, demanda Will d'une voix calme. Elles l'auront bien mérité.

Le Dr Burrows regarda son fils droit dans les yeux.

— Il y a deux ou trois choses que j'aimerais bien que tu m'expliques, mon garçon, dit-il d'un ton solennel.

— Hein ?

– J'espère juste que tu sais ce que tu as fait, dit le Dr Burrows d'une voix grave tout en indiquant le cratère d'un geste de la main, puis il agita la tête.

Avec ses cheveux mal coupés, dressés en épis sur la tête et trempés de jus de champignon, le Dr Burrows avait vraiment l'air ridicule.

– Quoi ? bredouilla Will. Je ne sais pas très bien comment on a fait, mais on s'en est sortis vivants… et tu te comportes comme un fichu maître d'école. Tu plaisantes, j'espère !

– Bien sûr que non, rétorqua le Dr Burrows d'un ton sec. Après ce que tu viens de faire, tu vas avoir de gros ennuis.

C'en était trop pour Will, qui s'étrangla presque de rire.

– De gros ennuis, répéta-t-il, incrédule, d'une voix de plus en plus aiguë, tout en s'esclaffant de plus belle.

Puis il reprit son souffle et lança un coup d'œil à son père pour vérifier qu'il ne plaisantait pas.

– Oui, c'est bien ça, confirma le Dr Burrows.

– Je vais avoir de gros ennuis ! dit Will à sa grande surprise, avant de repartir dans un nouveau fou rire.

Incapable de se maîtriser, et les jambes flageolantes, il chercha un endroit où s'asseoir. Les yeux emplis de larmes, il ne voyait pas très bien où il allait. Il choisit un morceau de champignon particulièrement huileux et glissa aussitôt sur le sol. Il ne cessa pas de rire pour autant, si bien qu'il finit par se rouler par terre en se tenant les côtes.

Chapitre Dix-neuf

Will cessa de rire au bout d'un moment, il sombra alors dans un silence morose. Il se demandait ce qu'il avait pu trouver si drôle. Sans prêter attention à son père, il tenta à plusieurs reprises de trouver le moyen de descendre le long de la paroi de la galerie. Mais le champignon s'effritait sous ses doigts, l'explosion l'avait endommagé ; et même une fois la roche sous-jacente mise à nue, elle restait tout aussi traître et glissante à cause de l'huile qui s'y était répandue.

— C'est sans espoir, marmonna Will en fixant l'endroit où se trouvait auparavant le sous-marin.

Il retint son souffle en apercevant un Lumineux qui planait au-dessus du vide. Il ressemblait vraiment à une étoile filante.

— Fais un vœu, dit-il d'une voix triste.

Le sort semblait contre lui.

Puis il se pencha aussi loin que possible au-dessus du nouveau cratère en tenant sa lanterne à bout de bras. S'il pouvait repérer une corniche ou un surplomb où atterrir, il pourrait tirer parti de la faible gravité et tenter sa chance. Mais le cratère semblait si profond qu'il aurait pu tout aussi bien sauter dans le vide.

Qu'est-ce qu'on fait, maintenant ? se demanda-t-il.

Il fallait qu'il retrouve Martha et les autres. Il espérait qu'ils avaient réussi à atteindre le passage latéral qu'elle leur avait indiqué, à moins qu'un Lumineux ne leur ait barré le passage.

— Plan B... il faut un plan B, pensa-t-il à voix haute en se penchant en avant pour scruter la paroi de la caverne sur sa gauche.

Si seulement il parvenait à rejoindre la galerie principale par laquelle ils étaient entrés dans la caverne, il pourrait peut-être retrouver son chemin jusqu'aux Grottes aux loups. Mais cela semblait tout aussi compromis. Il ne pouvait pas grimper le long de la paroi pour l'atteindre et, pire encore, il ne voyait plus où se situait l'entrée. L'explosion l'avait entièrement masquée. Au fond de lui, Will craignait aussi de connaître à nouveau l'une de ces étranges crises. Perché sur une corniche, au bord d'un précipice, voilà qui n'était pas vraiment l'endroit idéal pour lui.

Will haussa les épaules.

— Bon, on passa au plan C, j'imagine, marmonna-t-il.

Il devait maintenant tenter de communiquer avec Martha et Chester. Il les appela, marquant une pause de temps à autre.

Le Dr Burrows ne l'aidait pas le moins du monde. Il s'attardait à l'entrée de la caverne et observait son fils en silence. N'obtenant aucune réponse de ses amis, et la voix enrouée à force de hurler, Will abandonna cette cause perdue. Il laissa son père derrière lui et s'aventura dans la galerie. Il escalada les morceaux de champignon jusqu'à l'endroit où il avait déposé son sac à dos, puis il s'enfonça plus avant en quête d'une aire dégagée où il commença à vider son sac. Il s'arrêta soudain.

— Le *Dominion* ! Le virus ! s'exclama-t-il.

Avec tout ce qui s'était passé, entre les entourloupes des jumelles styx et l'explosion qui avait suivi, il avait complètement oublié qu'il avait encore les fioles sur lui. Or il avait été projeté sur le sol par le souffle de l'explosion…

— Oh, mon Dieu, s'il vous plaît, faites qu'elles ne se soient pas brisées, dit-il à voix basse en sortant de sa blague en cuir le petit paquet enveloppé dans de la toile de jute.

Il poussa un immense soupir de soulagement en les trouvant encore intactes. Il les rangea et procéda à l'inventaire de ce qu'il possédait. Il y avait des vivres, mais juste assez pour tenir quelques jours à deux. Dans une poche latérale, il dénicha la barre de Caramac qu'il avait trouvée sur le cadavre de Cal. Will l'avait cachée à Chester, mais il avait toujours eu l'intention de la partager avec lui lorsqu'il y aurait quelque chose à fêter.

— Ce ne sera pas pour aujourd'hui, dit-il tristement en lançant la barre sur le tas de vivres.

Quant à l'eau, il en avait une gourde pleine accrochée à la ceinture. À cette température, elle ne leur durerait pas très longtemps, mais il ne s'inquiétait pas outre mesure. Martha semblait trouver des sources d'eau potable un peu partout. Il lâcha la gourde et frôla le sabre passé dans sa ceinture. Il le dégaina et s'affala sur le sol, frappant la paume de sa main du plat de la lame tout en considérant l'avenir qui n'avait rien de très prometteur.

Peut-être était-ce dû à la gravité de la situation, ou à une chute de son taux d'adrénaline, mais une chose était certaine, Will était à présent au comble du désespoir. Tout lui semblait si futile. Même s'il trouvait le moyen d'accéder de nouveau à la galerie principale, il ne se sentait pas très rassuré à l'idée de devoir retrouver son chemin tout seul jusqu'aux Grottes aux loups. Il savait que Martha s'attendrait à le trouver là. Puis il pensa à la cabane, mais secoua aussitôt la tête. Non, il ne parviendrait jamais à se remémorer le trajet, et dans tous les cas ils auraient épuisé leurs vivres bien avant de l'atteindre.

Will songea à Chester. Il aurait dû écouter son ami, au lieu de se laisser avoir par Rébecca. Il s'en voulait terriblement. Peut-être Rébecca *bis* avait-elle raison de dire qu'il était faible… Peut-être les jumelles triompheraient-elles toujours de lui.

Il continua à s'accabler de reproches. Il n'aurait pas dû douter de Martha comme il l'avait fait. Certes, elle leur avait caché des informations essentielles à la survie d'Elliott, mais elle voulait avant tout les protéger, lui et Chester. Quant à Bartleby, son fidèle compagnon, il s'était même retourné contre lui.

Et puis il y avait Elliott. Elle était à moitié styx ! Il aurait dû s'en douter. Elle était aussi douée et furtive qu'un Limiteur. Plus il y pensait, plus tout ça lui semblait évident. Elle n'avait jamais révélé pourquoi elle avait quitté la Colonie. Elle avait mentionné sa mère, mais jamais parlé de son père. Sa ressemblance avec les Styx était frappante : elle était grande, maigre et musculeuse. Elle avait manifestement du sang styx dans les veines.

Étrangement, toutes ces tromperies et révélations ne le touchaient pas tant que ça. Peut-être que rien ne pouvait plus l'atteindre à présent. Pas après tout ce qu'il avait enduré.

Mais, à bien y réfléchir, quelque chose l'avait tout de même profondément bouleversé et lui avait donné envie d'abandonner. Le jour dont il avait tant rêvé, auquel il ne croyait plus, était enfin arrivé.

Will avait retrouvé son père… et quelle douche froide !

Son père n'était qu'un de ces adultes stupides et empotés qui n'avait pas la moindre idée de ce qui se passait autour de lui, comme tous les autres.

— À quoi bon, franchement ? murmura Will en refoulant ses larmes, peu à peu gagné par le découragement.

Le Dr Burrows s'éclaircit la voix pour lui signaler sa présence.

– J'ai trouvé ça, dit-il en sortant de sa poche un petit paquet enveloppé dans du papier maculé de graisse. C'est de la viande. J'ai réussi à en mettre de côté lorsqu'ils avaient le dos tourné... en cas d'urgence.

Le Dr Burrows l'ajouta au tas de vivres avec un geste plein d'emphase, puis fit claquer sa langue contre ses dents, mais Will resta muet.

– Est-ce que c'est vraiment un sous-marin ?

Will ne releva pas les yeux.

– Moderne. Russe, à propulsion nucléaire, mais il n'y avait pas la moindre trace de l'équipage.

– Comment... siffla le Dr Burrows avant d'être interrompu par son fils.

– Il a dû tomber dans l'un des gouffres... peut-être qu'il a été aspiré au moment où une plaque océanique s'est déplacée. Qui sait ?

– Des gouffres ?

– Il y en a sept... On les appelle les Sept Sœurs. Nous sommes tombés dans celle qu'on nomme le Pore, l'informa-t-il d'une voix neutre. Martha nous a aussi montré Marie l'essoufflée.

– Marie l'essoufflée, répéta le Dr Burrows en acquiesçant. Et ces créatures volantes ?

– Les Lumineux. Ce sont des insectes, ou des arachnides, je ne sais pas, dit Will, la tête baissée, tout en enfonçant la pointe de son sabre dans un champignon.

– Tu sais, commença le Dr Burrows d'une voix hésitante avant de reprendre son souffle, tu sais, quand elle a surgi comme ça de nulle part, j'ai d'abord cru que c'était un ange, avoua-t-il avec un rire embarrassé. C'est ce qui m'a traversé l'esprit... et dire que je me prends pour un intellectuel.

– Un ange ? marmonna Will.

– Oui, j'imagine... à cause de la blancheur de ses ailes, et surtout à cause de ce halo lumineux au-dessus de sa tête. Ça ressemble étrangement à une auréole.

Will acquiesça, puis retira la lame de son sabre du champignon dans un bruit de succion.

– Comme c'est intéressant, dit le Dr Burrows en s'asseyant sur un petit rocher. Imagine... imagine que tout ce que nous associons à l'image archétypale de l'ange vienne en fait d'un insecte préhistorique... et que le souvenir lointain de ces créatures ait intégré notre imagerie religieuse, et perduré ainsi au sein de notre culture.

Le Dr Burrows émit un gloussement.

— L'image de Pierre et Gabriel gardant les portes du Paradis pourrait avoir été inspirée par des insectes géants et carnivores.

— Ou des arachnides, dit Will.

— Ou des arachnides, concéda le Dr Burrows, puis il se tut quelques secondes.

— Écoute, Will, je ne sais pas grand-chose de ce qui se passe ici. J'ai été choqué de découvrir que ta sœur était styx et que tu étais un Colon. Je n'en savais vraiment rien. Et puis il y a eu cette Rébecca et sa sœur jumelle. Eh bien, mon Dieu ! souffla-t-il. J'ai peut-être les idées confuses... mais te voici... Tu m'as suivi sous terre alors que tu aurais dû retourner à la maison aux côtés de ta mère.

— Sauf que ce n'est pas ma mère, marmonna Will, mais le Dr Burrows n'entendit pas ce commentaire, ou peut-être choisit-il de l'ignorer.

— Mais comment diable êtes-vous descendus jusqu'ici, Chester et toi ? Je n'en ai pas la moindre idée, mais je n'aurais jamais accepté que tu coures pareil danger. Tu as probablement dû beaucoup souffrir, tout comme moi. J'ai eu tort de te dire tout ça là-bas. Je me suis montré dur avec toi, et je t'ai jugé sans savoir, sans connaître l'ensemble des faits.

Will releva la tête et regarda son père, puis il acquiesça en signe de reconnaissance. Le Dr Burrows n'irait pas plus loin dans ses excuses, à moins qu'il n'ait changé radicalement au cours des six derniers mois. Quoi qu'il en soit, Will ne lui en tiendrait pas rigueur. Il y avait des choses bien plus pressantes à régler.

— On est dans de sales draps, papa, dit-il. On n'a presque plus rien à manger ni à boire, et je ne sais pas si cette galerie mène où que ce soit. Et de toute façon, je ne saurais pas où aller.

— J'ai bien peur de ne guère pouvoir t'aider, dit le Dr Burrows. C'est Reb... la jeune Styx que tu appelles Rébecca *bis* et le soldat qui m'ont conduit jusqu'ici, et nous avons parcouru des kilomètres de galeries. Avec la meilleure volonté du monde, je ne pourrais jamais retrouver mon chemin jusqu'au Pore.

— Alors on est coincés, conclut Will.

— Totalement, reconnut le Dr Burrows d'un ton neutre. Eh bien, il n'y a plus qu'à se décoincer ! Debout, Will, inutile de traîner ici.

Le Dr Burrows s'approcha de son fils adoptif et lui saisit l'épaule. Les Burrows ne s'étaient jamais montrés très démonstratifs ni très tactiles, et ce simple geste signifiait beaucoup pour Will.

– Bien sûr, papa, dit-il, porté par un optimisme soudain.

C'est ainsi qu'il imaginait leur relation, affrontant ensemble des situations impossibles, et travaillant de conserve pour surmonter les obstacles. Il rangea aussitôt son sac à dos et repartit dans la galerie.

Ils découvrirent bientôt qu'il s'agissait moins d'une galerie que d'une brèche inclinée, qui devait mesurer une quarantaine de mètres de large tout au plus. Lorsqu'ils furent parvenus à hauteur d'une petite galerie latérale sur leur gauche, Will insista pour qu'ils l'explorent. Il espérait pouvoir rejoindre ainsi le passage où s'étaient réfugiés Martha et les autres. Will et le Dr Burrows n'avaient pas parcouru vingt mètres que le garçon détecta des mouvements. Des formes sombres détalaient en tous sens, le long des parois et au plafond, tandis que des fils se balançaient lentement dans la brise. On aurait dit des fragments de toiles d'araignée.

– Des araignées-singes, dit Will à son père en guise d'avertissement.

Elles étaient plus petites, et de toute évidence plus jeunes que les autres, mais Will ne voulait prendre aucun risque. Il sortit son feu d'anis et le briquet qu'il avait dans la poche, mais s'abstint de l'allumer car les créatures ne semblaient pas vouloir les suivre alors qu'ils sortaient à reculons de la galerie.

– Je crois qu'il s'agissait de bébés araignées. C'est sans doute pour cela qu'elles ne nous ont pas attaqués, dit Will.

Ils retournèrent dans la brèche inclinée, et Will parla à son père des toutes petites araignées qu'il avait vues accrochées à l'abdomen du Lumineux qui les avait attaqués, Martha et lui, tout en haut du kiosque.

– Soit ces petites araignées forment une sous-espèce qui parasite les Lumineux, soit ce sont des nouveau-nés. Peut-être que les araignées finissent par se métamorphoser en ces créatures volantes, spécula le Dr Burrows. De même que les chenilles se transforment en papillons.

– Oui, dit Will, en complétant ce que disait son père. Et les bébés araignées grandissent peut-être ici, dans ces passages ? ajouta-t-il en regardant tout autour de lui. Nous sommes peut-être sur les flancs de la nurserie.

– Exactement, confirma le Dr Burrows. Ce pourrait très bien être le lieu de naissance des arachnides, leur zone de reproduction, avant qu'elles ne se dispersent dans le réseau de galeries en quête de nourriture.

Vingt minutes plus tard, ils arrivèrent devant un autre passage, mais découvrirent une fois encore qu'il abritait de petites araignées.

— Comment allons-nous retrouver les autres ? demanda Will.

— Je ne sais pas. J'imagine qu'il faut poursuivre le long de la galerie principale, dit le Dr Burrows qui tentait de rester positif malgré la situation.

— Mais l'un de ces passages pourrait nous conduire jusqu'à Chester et Martha, répondit Will qui se demandait si les petites araignées-singes constituaient véritablement un risque.

Il conclut finalement que cela ne valait pas le coup. Ils pourraient tomber sur une araignée adulte ou, pire encore, sur un Lumineux. Ils continuèrent donc à arpenter la brèche, grimpant toujours plus haut.

Père et fils se racontaient tour à tour leurs histoires respectives. Will commença par lui dire comment il avait découvert sa galerie avec Chester, celle qu'il avait creusée dans la cave de la maison et comment, après l'avoir déblayée, ils avaient pénétré dans la Colonie où on les avait arrêtés. Il lui parla aussi du jour où il avait appris qu'il était né dans la Colonie, et de sa rencontre avec son père et son frère biologiques.

— Rébecca m'a déjà dit tout ça, dit le Dr Burrows.

Will avait parfois du mal à raconter ce qui s'était passé et retombait de temps à autre dans le silence, jusqu'à ce qu'il se sente à nouveau capable de continuer son récit. Il parla alors des Styx et de leur incroyable brutalité.

— Je ne les ai jamais vus sous ce jour-là, dit le Dr Burrows d'un ton catégorique. Ils ne m'ont pas maltraité. Ils m'ont laissé aller où je voulais. À dire vrai, c'est avec les Colons que j'ai connu les pires déboires, notamment dans les Taudis où je me suis fait salement rosser par une bande de voyous. Si les Styx font parfois preuve d'une certaine dureté, c'est probablement pour le bien de la Colonie, d'autant qu'ils ont affaire à des gens fort peu aimables.

— Une certaine dureté ? Allons, papa ! s'exclama Will en haussant la voix d'un ton exaspéré. Les Styx sont maléfiques… Ce sont des meurtriers et des bourreaux ! Tu n'as donc pas vu ce qu'ils faisaient subir aux Coprolithes et aux renégats dans les Profondeurs ? Ils les tuaient par dizaines.

– Non, je n'ai rien vu. Comment sais-tu qu'il s'agissait des Styx et non pas d'un gang de renégats dissidents ? En tout état de cause, c'est une bande de hors-la-loi.

Will secoua la tête.

– Tu dois respecter les autres cultures et ne jamais chercher à les juger à l'aune de tes propres valeurs, dit le Dr Burrows. N'oublie pas que c'est toi l'intrus. Tu as débarqué dans *leur* monde, sans y avoir été invité. S'ils t'ont maltraité, c'est que tu as dû faire quelque chose qui les a offensés.

Devant de telles déclarations, Will resta muet un instant, puis il émit une série de sifflements comme s'il recrachait des plumes.

– Pfff ! Pfff ! Les offenser ! s'étrangla-t-il de rage lorsqu'il recouvra enfin la voix. Les offenser ?

Il prit une profonde inspiration pour se calmer.

– T'es complètement bouché, papa. Tu n'as donc rien écouté de ce que je t'ai raconté ?

– Du calme, Will, insista le Dr Burrows. Tu te comportes exactement comme lorsque tu sortais de tes gonds en te disputant avec ta sœur.

– Ce n'était pas ma sœur ! rétorqua Will avec colère.

Mais le Dr Burrows voulait avoir le dernier mot.

– Vous étiez tout le temps à vous quereller et à vous chamailler. On ne change jamais, n'est-ce pas ?

Will comprit qu'il était futile d'essayer de raisonner son père. La seule manière de le convaincre enfin, c'était de lui raconter la suite de l'histoire. Il relata tout ce qui s'était passé dans les Profondeurs, et son père lui prêta une oreille attentive.

– Des virus mortels, des fusillades et une mère que tu n'avais jamais connue, quelle histoire ! s'exclama le Dr Burrows, pensant à tort que son fils avait fini.

– Papa, quelque chose me tracasse depuis que tu as quitté la maison.

– Quoi donc ? demanda le Dr Burrows.

– La nuit où tu es sorti en trombe du salon, à Highfield… Pourquoi tu te disputais avec maman ?

– J'essayais de lui faire part de mes intentions, mais elle ne voulait rien savoir… Elle avait les yeux rivés sur sa télé. Ta mère n'est pas facile à vivre, c'est le moins qu'on puisse dire, et j'avoue que je commençais à perdre patience.

– Qu'est-ce qui s'est passé alors ? Est-ce que tu lui as dit où tu allais ? demanda Will.

— Oui, pour autant que je sache moi-même où j'allais. La seule façon d'attirer son attention, c'était d'éteindre le poste, pour qu'elle m'écoute enfin. Mais elle est entrée dans une colère noire.

— Tu as éteint la télé ? dit Will avec un long sifflement...

S'il y avait une chose à éviter avec Mme Burrows, c'était bien celle-là. Cela revenait à violer le premier commandement de la maison Burrows : « Tu n'interrompras point mon émission. »

— Je voulais juste expliquer à ta mère ce que je projetais de faire, dit le Dr Burrows d'une voix faible, comme s'il s'efforçait de justifier son acte.

— Papa, il y a autre chose... Tu n'arrêtes pas de dire que c'est ma mère. Mais ce n'est pas ma vraie mère, et tu n'es pas mon vrai père non plus, n'est-ce pas ? Pourquoi ne jamais m'avoir dit que vous m'aviez adopté ?

Le Dr Burrows avança un moment sans mot dire. Ils marchaient côte à côte, et la tension était palpable. Will se demandait si son père allait lui répondre.

— Lorsque j'étais plus jeune, mes parents avaient un ami qui nous rendait parfois visite, dit-il enfin. On l'appelait Jeff Stokes, mais pour moi c'était l'oncle Stokes. Il avait épousé une femme qui possédait une écurie à l'extérieur de Londres. Ils avaient deux enfants, mais il ne les emmenait jamais avec lui, raconta le Dr Burrows en souriant. Il avait une personnalité fascinante, et mon père comme ma mère adoraient sa compagnie. Toute la maisonnée s'animait soudain lorsqu'il arrivait, au volant de la dernière voiture de sport, ou sur une énorme moto. Pour moi, ses visites avaient quelque chose d'exceptionnel, un peu comme si c'était Noël ou mon anniversaire, car il ne venait jamais les mains vides. Il m'apportait toujours de merveilleux cadeaux. Un kit de magie ou une des petites voitures... Il m'avait même offert mon premier microscope dans une petite boîte en bois avec des lames sur lesquelles figuraient des cristaux et des ailes de papillon. Ces cadeaux comptaient d'autant plus pour moi que mes parents n'avaient jamais assez d'argent pour m'offrir pareilles choses.

— Cool, dit Will d'un air absent, sans trop savoir où voulait en venir son père.

— Je devais avoir neuf ans lorsqu'il m'a apporté deux souris blanches dans une cage. Mes parents ne m'avaient jamais autorisé à avoir un animal domestique. J'étais donc fou de joie. J'ai veillé très tard ce soir-là pour regarder mes souris, jusqu'à ce que mon père me mette au lit. À peine levé le lendemain matin, je me suis précipité dans la pièce où j'avais laissé la cage, mais elle n'y était plus. Je ne comprenais pas ce qui s'était passé. Je l'ai cherchée dans toute la maison, en vain. J'étais si bouleversé et je pleurais tant que mon père a fini par descendre. Il m'a dit que j'avais sûrement rêvé, car il n'y avait jamais eu ni cage ni souris blanches. J'avais sans doute imaginé toute cette histoire. Ma mère m'a raconté exactement la même chose.

– Ils t'ont donc menti, commenta Will.

– Oui, ils m'ont menti. Ma mère avait une peur chronique des souris, et il fallait se débarrasser de mes nouveaux animaux. J'ai vraiment cru cette histoire jusqu'à ce que, des années plus tard, je finisse par comprendre ce qu'ils avaient fait. Mais je ne leur en ai pas voulu pour autant. C'était plus gentil de leur part de me faire croire que tout ça n'avait été qu'un rêve, plutôt que de me forcer à abandonner mes souris adorées, dit-il en s'éclaircissant la voix. Will, ta mère et moi avions l'intention de te le dire, mais nous voulions que tu sois assez grand pour l'assumer, pour comprendre ce que ça signifiait. Je te le jure.

Le Dr Burrows croisa le regard de son fils.

– Et maintenant, est-ce que ça change grand-chose ?

Will ne répondit pas tout de suite.

– Oui, je crois que oui, dit-il enfin. Au fond de moi, j'ai toujours pensé que je n'étais pas tout à fait à ma place avec maman et toi, et certainement pas avec Rébecca… pardon, les jumelles. J'essayais de m'adapter… de me dire que j'appartenais à cette famille… j'imagine que je me suis efforcé de le croire… mais ce n'était pas le cas, n'est-ce pas ? Même si tous ces trucs n'avaient pas eu lieu… si je n'avais jamais rencontré ma vraie famille au sein de la Colonie, ni les Styx, ma vie n'en resterait pas moins factice. Quand bien même j'aurais moi-même choisi de perpétuer un tel mensonge.

Will prit une inspiration pour poser sa voix.

– Et tu trouves ça normal, toi ?

– Non, Will. Nous aurions dû te le dire avant, acquiesça le Dr Burrows, puis il changea de sujet. Ça fait un moment qu'on grimpe, non ?

– Eh bien, l'explosion a complètement bouché le passage, dit Martha en revenant vers Chester et Elliott.

Elle regarda celle-ci, assise en tailleur sur son brancard, qui mangeait un bout de viande d'araignée-singe séchée et sirotait sa gourde.

– Désolée, dit Elliott en haussant les sourcils. Je ne voyais pas d'autre solution.

– Non, tu as fait ce qu'il fallait, la rassura Martha. Si j'avais dû parier sur qui du Limiteur ou du Lumineux allait nous éliminer le premier, j'aurais tout misé sur le soldat. Il n'allait sûrement pas nous laisser la vie sauve.

– Cette satanée Rébecca qu'on traînait avec nous ! rugit Chester avec dégoût. Je savais bien qu'elle mentait tout du long, mais Will ne voulait rien savoir. Ces Styx sont de sales menteurs, tous sans exception.

Martha s'éclaircit la voix. Chester se souvint alors de ce qu'Elliott leur avait révélé dans la caverne et se tourna lentement vers elle en se tortillant maladroitement sur son siège.

– Euh… je ne disais pas ça pour toi, bredouilla-t-il.

Elliott avait cessé de mâchonner son *biltong*[1] et regardait fixement le jeune garçon.

– Vermine de Surfacien, dit-elle sans desserrer les dents.

Chester écarquilla les yeux d'étonnement, puis éclata de rire.

– Je rigole, Chester ! Mon père était peut-être l'un d'entre eux, mais je les exècre tout autant que toi.

Chester déglutit en s'efforçant d'esquisser un sourire. Il était encore un peu secoué.

– Ma mère servait dans la garnison dans le Complexe styx. C'est là qu'ils se sont rencontrés, expliqua Elliott. Lorsqu'elle a découvert qu'elle attendait un enfant, elle est partie aussi loin que possible et s'est installée dans la Caverne de l'Ouest. Dire que la situation était difficile relève de l'euphémisme. Si quiconque avait découvert leur secret, elle aurait été bannie. Quant à lui, on l'aurait exécuté. Il ne s'est donc guère occupé de moi pendant mon enfance, mais il venait me rendre visite dès qu'il le pouvait. Puis, lorsque j'ai eu neuf ans, ses visites ont soudain cessé. D'après la rumeur, il avait disparu lors d'une opération militaire en Surface.

– Mais ça ne te fait pas un peu bizarre, quand même, risqua Chester. Je veux dire, tu parles styx, tu es à demi styx, et pourtant tu les as combattus et… et tu en as tué, n'est-ce pas ?

– Non, écoute, je fais partie des Colons, tout comme ma mère, et c'est d'ailleurs ainsi qu'elle m'a élevée. J'ai vu comment les Styx

---

1. Type de viande séchée issue de la cuisine sud-africaine, mis au point par les Afrikaners pour survivre lors du Grand Trek. (*N.d.T.*)

traitaient les gens. Je les hais plus que tout au monde, répondit-elle.

– Pourquoi tu as quitté la Colonie, dans ce cas ? demanda Martha.

– Quelqu'un a découvert l'identité de mon père et a cherché à faire chanter ma mère. Je ne sais pas qui c'était… elle refusait de me le dire, mais elle était rongée par l'inquiétude. J'ai donc pensé que si je partais, tout ça s'arrêterait.

– Et ça a marché ? demanda Martha.

– Oui, je crois, dit Elliott d'une voix triste. Même si je n'ai eu aucun contact avec elle depuis mon départ.

Un silence s'ensuivit.

– On ne peut pas s'attarder dans le coin, dit Martha. On est en plein territoire arachnéen.

– Mais Will ? demanda Chester en fronçant les sourcils. La dernière fois que je l'ai vu, il filait comme le vent. Vous croyez qu'il aura eu le temps de se mettre à l'abri ?

Martha prit une profonde inspiration.

– Même s'il s'en est sorti, il ne pourra pas nous rejoindre ici. Je propose qu'on essaye d'atteindre les Grottes aux loups, dit-elle en fixant les galeries devant eux. Si on y parvient, on pourra les attendre là-bas.

– Comment ça, *si* on y parvient ? demanda Chester.

QUATRIÈME PARTIE

Le port souterrain

Chapitre Vingt

Après trois jours de marche, Will et le Dr Burrows avaient grand besoin d'un peu de repos, et leurs vivres étaient presque entièrement épuisés. Ils avaient rencontré bon nombre de failles à pic en chemin. Il leur avait donc fallu franchir d'un bond des ravins vertigineux, et c'est ainsi qu'ils avaient pu continuer leur chemin à la faveur de la faible gravité qui régnait en ces lieux. Un tel tour de force eut été impossible à la Surface.

Ils venaient justement de passer un ravin quand le Dr Burrows siffla quelques notes au hasard. Il avançait le nez en l'air, comme s'il effectuait une promenade dominicale, mais Will n'appréciait guère de voir son père aussi détendu compte tenu de la situation. Au bout d'un kilomètre environ, ils arrivèrent enfin tout en haut du pan incliné et durent se faufiler dans un goulet rocheux aux bords déchiquetés.

Le Dr Burrows poussa des grognements, car il peinait à progresser dans cet espace confiné.

Après les sifflements, c'en était trop pour Will qui s'arrêta brusquement, forçant son père à stopper net derrière lui.

– Mais qu'est-ce que je fiche ici ? cria-t-il en tapant du pied dans un caillou. Pourquoi diable est-ce je suis ici avec toi ?

– Quelque chose ne va pas ? lui demanda le Dr Burrows.

– Ouais. Je suis crevé, je meurs de faim et j'ai commis une terrible erreur. On aurait dû trouver un passage pour rejoindre Chester et les autres. On n'a pas fait tout ce qu'on pouvait. Je sais qu'ils m'attendront aux Grottes aux loups.

– On a fait ce qu'on a pu, répondit calmement le Dr Burrows. Il n'y avait pas moyen de passer sans risque.

– On aurait dû emprunter le premier passage qu'on avait trouvé, répondit Will en secouant la tête, là où nichaient les jeunes araignées. On aurait dû tenter le coup. Je parie qu'il ne nous serait rien arrivé. Et puis on n'a pas vraiment vérifié s'il y avait des passages de l'autre côté de la brèche. Et si jamais il y avait une galerie qui mène directement aux Grottes aux loups ? interrogea-il en tapant dans un autre caillou qui rebondit sur les parois du goulet. C'est vraiment trop stupide ! Stupide ! Stupide !

– Will, on a essayé de trouver des passages sur notre droite, mais on n'a rien vu, n'est-ce pas ? Calme-toi un peu, le pressa le Dr Burrows.

– Non, je ne me calmerai pas. Et si jamais ils ont été blessés dans l'explosion ? Chester a peut-être besoin de moi.

– Je suis sûr qu'il va bien. Cette renégate s'occupera de lui, et quant à cette fille avec tous ses explosifs, ce n'est pas une petite fleur fragile non plus. Je parie qu'elle sait se débrouiller ici-bas.

– Elle s'appelle Elliott, rétorqua Will en lançant un regard agacé à son père. Elle est tout aussi perdue que nous, et à ce rythme on va finir par s'égarer pour de bon.

– Je ne crois pas, contra son père.

Will s'apprêtait à laisser libre cours à sa colère lorsqu'il s'arrêta soudain pour lancer un regard interrogateur à son père.

– Qu'est-ce qui te fait dire ça ?

– Parce que si tu avais fait un peu attention tu aurais remarqué ça.

Le Dr Burrows éclaira le haut de la paroi de son globe lumineux. Il y avait un triangle rouge juste au-dessus de Will, encore visible malgré l'état de la peinture, passée et écaillée. Il pointait dans la direction qu'ils suivaient.

– Ils étaient moins nombreux au début, mais à présent on en trouve un tous les cinq cents mètres environ.

– Tu crois que c'était l'équipage du sous-marin ? demanda aussitôt Will dont la curiosité venait d'être piquée.

– Peut-être, répondit le Dr Burrows. Mais nous allons découvrir nous-mêmes ce qu'il y a au bout de cette piste.

– Impossible… il faut que je retrouve les autres, insista Will, sans grande conviction et en écarquillant les yeux, car sa soif insatiable de découverte avait pris le dessus. Cela dit, qu'est-ce qu'on risque à suivre les balises un moment ? ajouta-t-il, et sans plus tergiverser il poursuivit sa progression le long de la faille étroite

– À la bonne heure, murmura le Dr Burrows.

Ils peinèrent le long du goulet sur plusieurs kilomètres encore quand, tout à coup, le bruit de leurs pas leur sembla quelque peu différent. Ils venaient de pénétrer dans un espace bien plus vaste.

– De la lumière ! Plus de lumière ! ordonna le Dr Burrows lorsqu'ils émergèrent enfin du goulet et se retrouvèrent sur une sorte de plateau horizontal.

Will augmenta de plusieurs degrés l'intensité de sa lanterne.

– C'est du béton ! s'exclama le Dr Burrows en foulant la surface, puis il posa un genou à terre pour l'examiner de plus près. Du béton… probablement coulé à froid, marmonna-t-il dans sa barbe.

Mais Will était tellement excité qu'il ne l'écoutait pas.

– Regarde ! Il y a une bande blanche ! hurla-t-il.

Le faisceau de sa lanterne révéla une épaisse bande blanche qui courait le long du plateau, au-delà duquel s'étendait une zone qui luisait dans les ténèbres. Croyant avoir vu bouger quelque chose, le père et le fils s'approchèrent aussitôt en s'efforçant de distinguer ce dont il s'agissait.

– Attention, Will !

– C'est bon. C'est juste de l'eau, dit Will en s'arrêtant devant la bande qui marquait la bordure du plateau.

Le plan d'eau s'étendait à plusieurs mètres en dessous du plateau. Le bassin semblait assez profond, mais l'eau était si limpide que le fond rocheux était visible.

– Oui, c'est une sorte de piscine souterraine, confirma le Dr Burrows. Je me demande ce qu'il y a d'autre ici.

Will balaya aussitôt la surface ondoyante, et ils s'efforcèrent tous deux de percer la pénombre lugubre en plissant les yeux. Des croissants de lumière dansaient sur la paroi lointaine, à gauche de la caverne.

– Cet endroit est immense, commenta inutilement Will, puis il régla sa lanterne au maximum de son intensité.

– C'est vrai, murmura le Dr Burrows qui semblait néanmoins s'intéresser encore au plateau qui se trouvait sous ses pieds.

Que fait une dalle de béton aussi gigantesque ici ? À quoi diable sert-elle ? s'interrogea-t-il en grattant la surface de sa botte.

– Je vais voir ce qu'il y a là-bas, dit Will, puis il longea la bande située sur sa gauche jusqu'à la paroi de la caverne. Rien à faire. C'est une impasse ! cria-t-il alors.

Will rejoignit alors son père, puis il poursuivit sa route jusqu'à l'autre extrémité du plateau. C'est du moins ce qu'il avait cru tout d'abord, en arrivant au pied d'un gros tas de gravats qu'il entreprit d'escalader. Il vit alors que le plateau s'étirait loin dans les ténèbres ponctuées çà et là par une ou deux fissures, ou encore par quelques rochers.

– Ça continue par ici ! rapporta-t-il à son père avant de découvrir que le plateau, toujours bordé par cette même bande blanche, décrivait un angle.

– Dépêche-toi, papa ! Viens un peu voir ça ! hurla-t-il.

Le Dr Burrows le rattrapa, et ils poursuivirent leur chemin côte à côte le long de cette nouvelle portion de béton.

Will braqua sa lanterne sur les ténèbres, et ils distinguèrent une zone plus claire qui se profilait au loin.

– Qu'est-ce que c'est ? demanda le Dr Burrows, haletant.

Will et son père s'immobilisèrent lorsqu'ils aperçurent la forme régulière d'un bâtiment le long de la paroi, vers lequel se précipita aussitôt le Dr Burrows.

Songeant qu'une telle découverte n'était pas forcément synonyme de bonnes nouvelles, Will ralentit peu à peu le pas à mesure que la structure se découpait plus nettement dans les ténèbres.

– Hé, papa ! cria-t-il à mi-voix en se remémorant la description du bunker des Profondeurs rapportée par Cal.

Même si Will ne l'avait pas vu de ses propres yeux, il se rappelait qu'il s'agissait d'un bâtiment en béton. Cet endroit pouvait avoir quelque lien avec les Styx. Peut-être même était-ce l'un de leurs postes avancés. Mais au même instant, Will se dit que c'était très improbable. Martha leur avait clairement signifié que l'influence des Styx ne s'étendait pas jusqu'ici. Non, cette installation n'était pas l'œuvre des Styx, se dit Will en secouant la tête.

– Qu'est-ce qu'il y a, Will ? demanda enfin le Dr Burrows.

– Rien, lui répondit en se hâtant de le rejoindre.

Il s'approcha et vit qu'il s'agissait d'un bâtiment de plain-pied comportant une dizaine de fenêtres alignées.

Will se précipita alors sur la porte peinte en gris-bleu et zébrée, de-ci de-là, par des traînées de rouille qui affleuraient à la surface. Elle comportait un mécanisme d'ouverture circulaire en son centre. Le Dr Burrows suspendit son globe autour de son cou, puis il essaya de faire tourner la roue... en vain.

– Il va falloir que tu m'aides, marmonna-t-il après avoir lâché un juron.

Will accrocha sa lanterne à sa veste pour prêter main-forte à son père, mais ils abandonnèrent après plusieurs tentatives infructueuses.

– Bon sang ! s'exclama le Dr Burrows en s'efforçant de dégripper la roue à coups de talon.

– Attends un peu, dit Will en attrapant le tube de métal qu'il avait repéré au pied de la paroi, et il l'inséra entre les rayons de la roue.

– Un levier ! Bien vu ! le félicita le Dr Burrows.

Ils pesèrent alors de tout leur poids sur la roue qui se débloqua enfin, quand tout à coup le tube glissa et rebondit sur le sol, emplissant la caverne d'une série d'échos métalliques.

– Inutile de t'embêter, dit le Dr Burrows alors que Will se baissait pour le ramasser. Je crois qu'on va y arriver, cette fois.

Il lâcha un grognement en actionnant la roue : elle émit un bruit sourd indiquant qu'elle avait fait un tour complet.

– Sésame, ouvre-toi ! ordonna le Dr Burrows en tirant de toutes ses forces sur la porte qui racla le sol de béton en s'entrebâillant dans un grincement sonore.

– Elle est carrément mahousse cette porte, bon sang ! Plus de cinquante centimètres d'épaisseur !

Le Dr Burrows avait beau continuer à pousser, la porte refusait de céder plus avant.

– Déblayons tout ça, suggéra-t-il en tapant du pied dans les cailloux qui étaient restés coincés sous la porte.

Will l'aida en écartant d'abord les plus gros débris avec le pied, puis il s'agenouilla pour ôter les graviers à la main.

– Voilà qui devrait suffire. Essayons encore une fois, suggéra le Dr Burrows.

L'interstice était assez large pour qu'il puisse glisser les doigts sous la porte et assurer ainsi sa prise.

– À tes marques… Prêt… Feu ! hurla le Dr Burrows.

Will tira sur la roue, et la porte céda encore un peu. Ils se faufilèrent aussitôt à l'intérieur, haletant d'impatience, et découvrirent une pièce rectangulaire d'environ dix mètres sur vingt dans laquelle trônaient une petite table de campagne et des chaises pliantes.

– Hé, papa ! Regarde un peu ça ! s'écria Will tout excité.

Sur le mur du fond se dressait une console hérissée de toutes sortes d'interrupteurs et de cadrans.

– Bon Dieu ! Qu'est-ce que c'est que ça ? demanda Will.

– Je n'en ai pas la moindre idée, mais cette porte a bien rempli son office et conservé tout ce matériel à l'abri de l'humidité. Je ne vois aucune trace de corrosion, remarqua le Dr Burrows.

Ils posèrent alors les yeux sur les trois gros interrupteurs situés au bas de la console et au-dessus desquels figurait l'inscription suivante : « Console d'alimentation principale ».

Le Dr Burrows commença à siffler, comme à son habitude, un petit air atonal – cela signifiait en général qu'il était plongé dans ses pensées.

– Toutes les manettes, ce qui signifie que le courant ne circule pas... Elles sont toutes en position arrêt.

Will acquiesça, ravi de constater que son père s'apprêtait à répondre à cette invitation silencieuse. Comment auraient-ils pu résister à une telle tentation ?

Alors que le Dr Burrows avançait déjà la main vers la première manette, Will aperçut une inscription peinte en lettres rouges sur le mur, juste à côté du tableau de bord, et il s'empressa de la lire à haute voix.

– Hé, papa. « Personnel autorisé uniquement ».

Le Dr Burrows hésita soudain, la main suspendue à quelques centimètres de la manette, puis il se mit à fredonner en se frottant le pouce et l'index.

– Eh bien, on l'essaie ou pas, alors ? demanda Will.

Le Dr Burrows prit une profonde inspiration, puis il souffla en chantonnant d'un air songeur.

– Tous ces trucs doivent dater de Mathusalem, dit-il. Ça ne marchera probablement pas... Je ne vois donc pas pourquoi on n'essaierait pas.

– Ouais, vas-y, papa ! l'encouragea Will.

– Ouais... reprit le Dr Burrows qui n'utilisait jamais ce mot d'ordinaire.

Il bascula la première manette, elle émit un clic dès qu'elle fut enclenchée. Ils scrutèrent la pièce plongée dans les ténèbres éclairées par la lanterne de Will, mais rien ne semblait avoir changé. Seul le bruit de l'eau qui gouttait à l'extérieur venait troubler le silence qui régnait.

– Tu crois vraiment ?... demanda Will qui commençait à se demander s'il ne valait pas mieux déterminer d'abord à quoi servaient tous ces interrupteurs avant de poursuivre plus avant, mais le Dr Burrows venait d'enclencher la deuxième manette.

À peine les contacts s'étaient-ils touchés qu'un éclair bleu jaillit de la console, suivi d'un grésillement qui les fit tous les deux sursauter. La pièce fut aussitôt inondée de lumière. Toute une rangée de lampes montées sur les cloisons s'allumèrent simultanément.

– Oh, ça fait mal ! s'exclama Will en se protégeant les yeux.

Après s'être habitués à une telle luminosité, ils virent distinctement ce qui les entourait. Le Dr Burrows essaya les autres boutons. Deux interrupteurs sur trois fonctionnaient encore et crachèrent des étincelles bleues dès qu'il les enclencha. Sur le tableau supérieur, les aiguilles oscillèrent en cliquetant sous le verre sale des cadrans circulaires. Il y avait une jauge dont l'aiguille montait progressivement au centre du panneau.

– C'est sans doute un indicateur de puissance, dit le Dr Burrows en essuyant la couche de poussière qui masquait la jauge.

– Comment tu sais ça ? demanda Will.

Son père avait en effet du mal à faire fonctionner le moindre gadget dès lors qu'il était un peu plus perfectionné qu'un grille-pain.

– Simple déduction, répondit le Dr Burrows avec un sourire en lui indiquant une série de chiffres situés juste en dessous de l'aiguille. J'ai sûrement raison, ça ressemble à des mégawatts.

Will acquiesça, puis il entreprit d'examiner la pièce d'un peu plus près. Le plafond était bas, et les murs en béton brut. Il n'y avait pas d'autres meubles que la table et deux chaises.

– Par ici, dit Will en indiquant une porte au moins deux fois plus large que la porte d'entrée, située tout au fond de la pièce.

– On s'en occupera plus tard, lui répondit le Dr Burrows qui examinait les aiguilles oscillantes des plus petits cadrans. Cette console doit dater de plusieurs décennies, donc elle n'est pas alimentée par des batteries. Même si cette pièce est en bon état, on ne peut pas dire qu'elle ait été entretenue, et puis elles se seraient déchargées depuis. Elle est peut-être reliée au réseau électrique, mais c'est tout aussi impossible car...

– Car nous sommes bien trop loin sous terre, n'est-ce pas ? compléta Will.

– Exactement, continua le Dr Burrows en grattant les poils de sa barbe. La source d'énergie est soit géothermique, soit hydroélectrique. Étant donné la quantité d'eau qui se trouve à l'extérieur, je parierais qu'il s'agit d'un système hydroélectrique.

– Une chose est sûre, ça n'a aucun rapport avec la Colonie, n'est-ce pas ? demanda Will.

– Non, c'est à nous. Cette technologie vient de la Surface, dit le Dr Burrows en dépoussiérant les cadrans avec le pouce. Mais cet équipement date de plusieurs lustres.

Il laissa planer sa main devant une suite de gros interrupteurs marqués d'une lettre allant de A à K et au-dessus desquels figurait l'inscription « Externe ».

– Autant faire les choses en grand, déclara le Dr Burrows en basculant tous les interrupteurs les uns après les autres.

L'aiguille du cadran central oscilla un instant vers la gauche, puis revint se placer au centre, et sembla se figer à nouveau.

– Oui, je crois que ça a marché, marmonna le Dr Burrows en se tournant vers les fenêtres empoussiérées et rougeoyantes.

Ils s'empressèrent de quitter le bâtiment en se faufilant par la porte entrebâillée. Des lumières éblouissantes brillaient le long de rails accrochés au plafond de la caverne, révélant toute la longueur du quai. Une jetée en béton d'une quinzaine de mètres environ s'avançait dans le lagon. Elle était bordée de bollards auxquels pendaient quelques chaînes rouillées qui traînaient dans l'eau. Will se précipita vers le bord pour les examiner de plus près. Il se demandait à quoi elles pouvaient bien servir.

– Papa, qu'est-ce qu'on voit là-bas ? Des bateaux ? demanda Will qui avait aperçu plusieurs petits canots rudimentaires gisant au bout de leur chaîne tout au fond du lagon.

Ces embarcations en plastique ou en fibre de verre avaient atteint des degrés de décomposition plus ou moins avancée, certaines étaient même en morceaux. La caverne était désormais si bien éclairée que Will distinguait leurs épaves disséminées entre les roches escarpées de l'autre rive.

– Tout à fait, Will, et regarde un peu là ! cria le Dr Burrows. C'est une barge.

Un long vaisseau aux flancs mouchetés par une patine de rouille semblait avoir rompu ses amarres et dérivé jusqu'à ce que sa proue vienne heurter le fond de la caverne. À l'exception d'une petite cabine en poupe, le pont du vaisseau était à ciel ouvert. On y avait empilé des caisses de métal.

– Bon Dieu, Will, c'est une sorte de port souterrain ! dit le Dr Burrows tout excité, et il commença aussitôt à examiner le reste du quai qui s'étirait sur plusieurs centaines de mètres devant eux.

Will et son père aperçurent alors d'autres constructions au pied de la paroi rocheuse et se précipitèrent vers le bâtiment le plus proche. Le Dr Burrows entreprit aussitôt d'actionner la roue située au centre de la porte d'entrée.

– Tu veux que j'essaie ? demanda Will en voyant peiner son père.

— Non, laisse-moi faire, rétorqua le Dr Burrows en se crachant dans les mains avant de reprendre ses efforts.

La roue finit par céder, et la porte s'ouvrit en laissant s'échapper l'air de la pièce avec un sifflement.

— Oh, beurk ! souffla Will en tordant le nez tandis qu'ils s'aventuraient à l'intérieur. C'était pas toi au moins, rassure-moi, papa ?

— Certainement pas ! répondit le Dr Burrows indigné. Cette odeur ressemble aux émanations des marais... on dirait du méthane. Il a dû s'accumuler dans la pièce.

— Désolé, marmonna son fils qui commença aussitôt à inspecter les lieux pour masquer son embarras.

Cette bâtisse aveugle aux murs de béton d'un mètre d'épaisseur était aussi vaste que la précédente. La lumière ne semblait pas fonctionner, Will se servit donc de sa lanterne pour l'explorer. Il découvrit trois gros moteurs montés dans des fosses creusées dans le sol et auréolés de nappes irisées.

— Des générateurs ? questionna le Dr Burrows. Oui, regarde les tuyaux d'alimentation en carburant qui y sont reliés, et puis là-bas, sur le mur, les interrupteurs et les conduits électriques.

— Euh... Je crois que j'ai trouvé ce qui sent aussi mauvais, annonça Will qui se tenait dans un coin de la pièce.

Le faisceau de sa lanterne révéla une bouteille thermos au motif écossais. Juste à côté gisait une boîte en plastique au fond de laquelle gisait une charogne noirâtre.

— Quelqu'un aura oublié son déjeuner, commenta le Dr Burrows avec un grand sourire.

— C'est un peu plus gros que ça, dit Will en regardant dans la boîte. Il y a aussi un rat crevé, là-dedans... et ça fait un moment qu'il est mort.

— Il s'est probablement retrouvé enfermé, et c'est tout ce qu'il y avait à manger, suggéra le Dr Burrows en sortant de la cabane pour explorer le bâtiment adjacent.

Les murs étaient garnis de solides étagères de métal sur lesquelles on avait déposé des caisses en bois. Le Dr Burrows tenta d'en soulever une, mais découvrit bien vite qu'elle était trop lourde pour lui. Il la fit glisser sur l'étagère, mais la caisse se brisa sur le sol. Will l'aida à déblayer les morceaux de bois sous lesquels, dégageant ainsi un gros paquet. On l'avait enveloppé dans un tissu maculé d'huile qui se déchira dès qu'ils tentèrent de le déballer.

— Qu'est-ce que c'est ? demanda Will.

– Un moteur de hors-bord, je crois, répondit le Dr Burrows en passant le doigt sur un écrou graisseux dont le métal se mit à briller. Oui, et en sacré bon état, avec ça ! s'exclama-t-il en se tournant vers son fils, sourire aux lèvres. C'est absolument incroyable. Voyons ce qu'il y a d'autre ici, dit-il, et ils ressortirent de la pièce.

Ils descendirent le long du quai sans s'arrêter aux bâtiments suivants. Le Dr Burrows semblait très pressé, comme s'il avait repéré quelque chose un peu plus loin. Il y avait en effet deux énormes citernes encastrées dans la paroi de la caverne. Elles étaient dotées de tout un système de tuyauterie et de robinetterie à leur base, et devaient mesurer une bonne trentaine de mètres de haut. Le Dr Burrows tourna l'un des robinets d'où jaillirent aussitôt quelques gouttes de liquide.

– De l'essence, dit Will qui reconnut aussitôt l'odeur.

Le Dr Burrows referma prudemment le robinet.

– Et celle-là contient du Diesel, dit-il en cognant sur l'autre citerne qui rendit un son sourd. Pour les générateurs, peut-être...

– Tu sens ça ? demanda Will, impressionné.

– Non, regarde un peu le D majuscule qu'on a peint dessus. Suis-moi ! cria le Dr Burrows qui agitait les bras frénétiquement en parlant à toute allure.

Cela faisait des années que Will ne l'avait pas vu dans un tel état d'excitation. Ils repartirent en courant le long du quai, et le Dr Burrows reprit un discours un peu plus cohérent.

– Qui que soient les hommes qui ont construit pareille chose... c'était une sacrée entreprise !

Le Dr Burrows s'arrêta devant une petite grue dont le bras s'étendait au-dessus de l'eau et dont le pied riveté au quai était auréolé de traces de peinture gris-bleu. Elle était fortement attaquée par la rouille, comme toutes les structures métalliques du port.

– Une potence... oui, c'est bien ça... pour treuiller les marchandises expédiées jusqu'ici sur des péniches... bafouilla le Dr Burrows, et bien sûr, un convoyeur pour les transporter le long du quai, dit-il en indiquant le plafond auquel on avait fixé un gros rail. Oui... mais... tout ça... et ils ne l'ont jamais terminé ! s'écria le Dr Burrows, le souffle court, puis il indiqua d'un geste de la main un bâtiment inachevé. Je me demande bien pourquoi.

Will aperçut alors une bétonnière, des sacs de sable et de ciment depuis longtemps durci, dont le papier était tout déchiqueté.

– Je parie que ces appareils servaient à filtrer l'air, dit le Dr Burrows en passant devant des piles de caisses en bois posées sur des palets.

Certaines d'entre elles étaient dans un tel état de putréfaction que les machines carrées et rouillées qu'elles contenaient avaient glissé sur le quai où elles gisaient désormais en un tas désordonné.

– Pour l'alimentation hydroélectrique…

– Oui ? demanda Will tout essoufflé, alors qu'il s'efforçait de garder la cadence.

– Il faut des turbines et…

– Oui ? hurla Will qui n'y tenait plus.

– T'entends ça, Will ? demanda soudain le Dr Burrows en s'arrêtant brusquement.

– Oui ! répondit Will qui avait perçu le grondement dont voulait parler son père.

– De l'eau vive ! s'écria le Dr Burrows en reprenant sa course.

Ils arrivèrent au bout du quai, passèrent sous une arche renforcée qui marquait l'entrée du port et virent un canal d'au moins trente mètres de large dans lequel s'engouffrait un fleuve tumultueux. La zone était éclairée par toute une série de lampes fixées sur les parois.

Will suivit le regard de son père qui contemplait le fleuve situé à sa gauche. Une solide grille de métal traversait presque toute la largeur du canal, bloquant l'écume et les déchets. Il était impossible de dire ce qu'il y avait derrière. Ils entendaient cependant un bourdonnement continu, assez puissant pour couvrir le rugissement du fleuve.

– Voilà les turbines ! hurla le Dr Burrows en opinant du chef, puis il se tut un instant pour essuyer ses lunettes constellées de gouttelettes d'eau.

Will tourna les talons et risqua quelque pas sur la coursive pour observer l'amont du fleuve, mais la lumière des lampes qui bordaient le canal céda bien vite la place à des ténèbres impénétrables.

– Ça sert à quoi, tout ça ? demanda-t-il en hurlant pour couvrir le vacarme. Qui l'a construit, papa ?

– Ne te préoccupe pas de ça pour l'instant, répondit sèchement le Dr Burrows. Tu ne vois pas ce que nous avons là ?

– Quoi ? demanda Will, en fronçant les sourcils, perplexe.

– Si jamais, et c'est purement hypothétique, nous trouvons un vaisseau encore intact – quelque chose qui flotte, en tout cas – et

que nous réussissons à dénicher un moteur de hors-bord qui
marche, dit le Dr Burrows en se tournant vers l'amont du fleuve,
les poings sur les hanches, c'est reparti pour un tour !

Will se contenta de fixer l'eau qui filait à vive allure devant lui,
n'essayant même plus de comprendre où voulait en venir son père.

— Eh bien... cria le Dr Burrows en se tournant vers son fils, tu
veux rentrer à la maison, oui ou non ?

Chapitre Vingt et un

– Je pensais bien vous trouver là, dit Mme Burrows en tombant sur Ben Wilbrahams, assis comme à son habitude à l'une des tables de lecture de la bibliothèque de Highfield.

– Oui, il y a trop de distractions chez moi, répondit-il. Je vois que votre cheville va mieux.

Mme Burrows acquiesça, puis elle tendit un sac à provisions à Ben Wilbrahams qui le prit en lui adressant un regard interrogateur, sans pour autant l'ouvrir.

– L'autre soir, dit-elle, lorsque vous m'avez raconté tous ces événements étranges qui se sont produits à Highfield, vous m'avez aussi parlé de Roger. Vous vouliez savoir ce qu'il préparait. Je suis désolée, mais je ne me suis pas montrée très coopérative.

– À quel sujet ? demanda Ben Wilbrahams en soupesant le sac.

– J'y ai beaucoup réfléchi, et j'ai décidé qu'il fallait que vous soyez au courant de tout. Vous trouverez le journal de mon mari dans ce sac. Il y relate ce qu'il a fait les jours précédant son départ, et j'aimerais que vous…

Mme Burrows s'arrêta brusquement. Elle venait d'entendre un sifflement. Elle pivota sur elle-même et vit un vieil homme vêtu d'une chemise trop ample qui arborait un nœud papillon tout aussi massif. Il secoua la tête d'un air désapprobateur. Posant son doigt sur ses lèvres, il siffla à nouveau telle une tortue asthmatique.

– Jetez-y donc un petit coup d'œil, dit Mme Burrows avec un flegme tout britannique, en s'asseyant sur une chaise à côté de Ben Wilbrahams.

Il sortit le journal du sac et le parcourut d'un bout à l'autre devant Mme Burrows.

– Fascinant, dit-il en le refermant.

– L'autre nuit, lorsque j'ai traversé devant votre voiture, je crois…

Le vieil homme siffla à nouveau pour la faire taire, mais elle l'ignora superbement.

– … deux de ces hommes blafards – « hommes-en-chapeau », comme les avait également surnommés Roger – me poursuivaient.

– Vous en êtes sûre ? demanda Ben Wilbrahams.

– Absolument. Je les ai bien regardés. Mais ne pourriez-vous pas vous en servir, comme ce que recèle ce journal, pour vos programmes télévisés ?

Ben Wilbrahams se frotta les tempes d'un air songeur.

– Écoutez, Célia, c'est une chose que d'exhumer de vieux articles farfelus, mais je crois que ce serait pousser le bouchon un peu trop loin que d'y inclure votre histoire, ou même ce que votre mari a consigné ici, dit-il en brandissant le journal. Étant donné qu'il fait l'objet d'une enquête de police, je pourrais très bien me retrouver sur la sellette si jamais je venais à émettre des hypothèses infon-dées, ajouta-t-il avant de réfléchir quelques instants en considérant l'étiquette figurant sur la couverture du journal. Mais j'aimerais malgré tout conserver ceci pour pouvoir y réfléchir un peu. Est-ce possible ?

– Bien sûr. Mais maintenant, je dois partir au travail. Ils man-quent de personnel cet après-midi.

Mme Burrows se leva de sa chaise. Arrivée à hauteur du vieil homme, elle se pencha vers lui, s'empara du crayon à papier dont il se servait et le brisa en deux dans un fracas qui retentit dans toute la bibliothèque, terminant son ouvrage en laissant retomber les morceaux sur les genoux du vieillard.

– Chuttt vous-même ! dit-elle avant de quitter promptement les lieux.

– Quel culot ! s'exclama le vieil homme d'une voix plaintive tandis que Ben Wilbrahams, hilare, se cachait derrière son livre.

Will et son père inspectèrent le port dans ses moindres recoins et trouvèrent une embarcation en fibre de verre pendue à une cré-maillère dans une autre cabane. Elle avait l'air en bon état.

– On va peut-être réussir à prendre le large après tout, déclara le Dr Burrows en se frottant les mains.

Il sifflait à tue-tête tandis qu'ils remontaient le quai. Ils se dirigeaient vers le bâtiment où se trouvait le tableau électrique. Une fois à l'intérieur, ils jetèrent un coup d'œil à l'aiguille frémissante du cadran principal, puis s'approchèrent de la grande porte située tout au fond de la pièce.

— Je me risquerais à dire qu'il s'agit d'une porte anti-explosion.

— Une porte anti-explosion ? répéta Will. Que...

— Jetons un coup d'œil à l'intérieur, tu veux, l'interrompit le Dr Burrows.

— Très bien, répondit Will d'un ton agacé en fusillant son père du regard. C'est à mon tour de l'ouvrir dans ce cas ? demanda-t-il en agrippant le mécanisme circulaire.

— Je t'en prie, rétorqua le Dr Burrows en posant la main sur le plus haut des énormes gonds de la porte qui en comportait trois.

Il regarda son fils actionner la roue jusqu'à ce qu'un bruit sourd leur en signale l'ouverture effective.

— Elle est lourde, remarqua Will en tirant sur l'immense porte qui refusait de céder ne serait-ce que d'un centimètre.

— C'est normal. C'est une porte anti-explosion. Je vais te donner un coup de main.

Ils tirèrent de concert et la porte commença à s'ouvrir lentement dans un grincement sourd. Une bourrasque s'échappa de la pièce, comme si la pression y était plus élevée.

Père et fils se regardèrent en acquiesçant... À leur grande surprise, ils pénétrèrent dans un couloir au plafond bombé qui s'élevait à une quinzaine de mètres au-dessus du sol.

— Un couloir de métro ? murmura Will.

Le couloir était tapissé de plaques oblongues en acier massif rivetées les unes aux autres. Une substance noire scellait les interstices entre chaque plaque. Le couloir était illuminé par une rangée continue de lampes suspendues en son centre, de part et d'autre desquelles couraient plein de câbles et de tuyaux. Le conduit principal se ramifiait en de multiples canalisations qui disparaissaient derrière les grilles d'aération, lesquelles semblaient souffler de l'air frais à l'intérieur. Will, qui se tenait juste en dessous de l'une de ces bouches, sentait le courant d'air frais sur son visage ruisselant de sueur. Qui plus est, l'atmosphère ne sentait pas du tout le renfermé, alors que les lieux étaient hermétiquement clos par la lourde porte.

— Du lino, dit le Dr Burrows en faisant quelques pas sur le sol gris et assez brillant. Et regarde un peu... il n'y a presque pas de poussière ici. Si tu y réfléchis bien, nous avons désormais dépassé l'extrémité de la caverne, dit-il, se retournant vers son fils, paumes ouvertes, pour lui indiquer l'emplacement de la paroi. Or si la caverne est manifestement d'origine naturelle, je dirais qu'on a creusé ce passage dans la roche même.

— Ouais, dit Will, mais je me demande ce que contiennent ces trucs.

Il y avait sur leur gauche une rangée de petites cabanes aux portes métalliques. Le Dr Burrows et son fils explorèrent la première d'entre elles. Les parois sombres étaient laquées d'une bande grise qui montait à hauteur de la taille, le reste des murs et des plafonds arborant une couleur ivoire plutôt sale. La cabane était complètement vide, cependant.

Ils ressortirent dans le couloir et poursuivirent leur exploration.

— « Opérateur radio », lut alors Will sur la porte de la cabane suivante.

Sur un tableau de service accroché derrière la porte, on avait encadré certains mois, et à chaque jour correspondaient des noms associés à leur tour à certaines heures de la journée. Ni Will ni son père ne firent aucun commentaire en entrant dans la pièce, environ deux fois plus longue que la précédente. Une console couverte de matériel électronique s'étirait le long du mur du fond. Ils virent aussi des boîtes de métal gris foncé dotées de multiples cadrans d'où sortaient tout un tas de fils convergeant vers une conduite qui s'enfonçait dans le sol.

— Qu'est-ce que c'est ? demanda Will en indiquant les nombreuses lampes qui surplombaient les boîtes.

— Des tubes électroniques. Ils datent d'avant l'invention des transistors, dit le Dr Burrows. Et pour compléter le tableau, voici un micro, ajouta-t-il en déplaçant l'une des chaises métalliques à dossier de toile pour ramasser un gros objet noir posé devant la console.

Il le soupesa d'une main, puis il s'empara des écouteurs posés juste à côté. Pendant ce temps, Will ouvrit un dossier posé sur la console et feuilleta les pages laminées sur lesquelles figuraient des séries de chiffres et de lettres.

— Ce sont peut-être des codes ? suggéra le Dr Burrows.

Mais Will s'intéressait bien plus à un vieux moniteur télé monté sur le mur de gauche. Il essaya différents boutons sans effet.

— Qu'est-ce que ça veut dire ? demanda Will en déchiffrant le mot Rotor sur une carte située à côté de l'écran.

Il s'agissait d'un croquis des îles Britanniques sur lequel on avait tracé des dizaines de cercles qui se chevauchaient.

– Ça ne me rappelle rien. Peut-être est-ce un acronyme, dit le Dr Burrows en haussant les épaules.

– Non... je parie que ces lettres signifient quelque chose, suggéra Will qui n'avait pas vu que son père esquissait un sourire. Des téléphones ! s'exclama Will en voyant les combinés respectivement rouge et noir fixés au mur opposé, à côté d'un vieux tableau de standardiste duquel pendaient des fils enchevêtrés. Tu crois qu'on devrait essayer d'appeler quelqu'un ?

– Ne perds pas ton temps. Ça doit faire des années qu'ils n'ont pas fonctionné. Suis-moi donc, dit-il en riant, et il invita Will à sortir de la pièce d'un geste de la main.

La cabane suivante avait à peu près les mêmes dimensions. Il s'agissait d'une véritable caverne d'Ali Baba en termes d'équipement militaire.

– Une armurerie ! s'exclama le Dr Burrows en entrant.

Les murs étaient entièrement couverts de crémaillères en bois brut. Il se pencha pour examiner une arme courte dont les contours étaient masqués par de grosses poches de graisse noirâtres, mais que le Dr Burrows n'eut aucun mal à identifier.

– C'est une mitraillette légère, déclara-t-il en s'en emparant. Une Sten... On en avait équipé les troupes britanniques dans les années 1940. On les fabriquait à Enfield et on les avait surnommées « le cauchemar du plombier ». Tu devines pourquoi. C'est laid, n'est-ce pas ?

– Ouais, vraiment très laid, répondit Will qui, à dire vrai, était émerveillé.

Le reste de la pièce était empli de matériel militaire accroché aux crémaillères ou rangé dans des caisses de métal empilées le long des murs jusqu'au plafond. Elles comportaient toutes des chiffres et des lettres, et parfois l'indication de ce qu'elles contenaient.

Will entreprit de soulever quelques couvercles. Dans la première caisse, il découvrit d'autres armes emballées dans une grosse toile enduite de graisse ainsi que des chargeurs. Il déballa l'une des armes et la tendit à son père.

– Une autre mitraillette. Elles sont toutes en parfait état, dit le Dr Burrows en essuyant le canon graisseux sur sa manche pour révéler l'éclat de l'azurage de l'arme. Comme neuve.

– On pourrait en prendre une ou deux, proposa Will.

– Non, je ne crois pas, dit le Dr Burrows en lançant un regard sévère à son fils. Remets-la où tu l'as trouvée, ajouta-t-il.

Il y avait d'autres armes de poing dans la caisse suivante qui portait l'inscription « Browning », ainsi que de nombreuses boîtes en carton couvertes de graisse qui contenaient des cartouches et des chargeurs.

– Des Browning Hi-Power, dit le Dr Burrows en regardant les pistolets. De la même époque que les Sten.

– « Mortiers de cinq centimètres », déchiffra Will sur les grosses caisses rangées au coin de la pièce.

Poursuivant ses recherches, il inspecta une pile de cartons, étroits pour la plupart, qui contenaient des munitions, puis trouva d'autres caisses moins hautes que les précédentes. Il souleva le couvercle de l'une d'elles puis, après avoir retiré une couche de toile, émit un sifflement admiratif en y découvrant plusieurs rangées de grenades.

– Non, Will, l'avertit le Dr Burrows en voyant qu'il s'apprêtait à en prendre une. Mieux vaut ne pas jouer avec ça.

– Hein ? rétorqua Will en fronçant les sourcils.

– Je sais que l'endroit est sec, mais les explosifs peuvent devenir instables avec le temps. Nous ne savons pas à qui appartiennent toutes ces choses, même s'il semblerait que tout ait été abandonné ici.

– Mais qui ? Et pourquoi ?

– Je ne le sais pas encore, répondit le Dr Burrows en se frottant le front, le maculant de graisse au passage, mais il y a assez d'armes ici pour mener une petite guerre. Tu vois ce symbole peint au pistolet sur les caisses ? Cette flèche avec une ligne au-dessus ?

Will acquiesça.

– Cela signifie qu'elles appartenaient au ministère de la Défense… ou à l'armée de Sa Majesté. Il s'agissait donc peut-être d'une installation du gouvernement, ou de tout autre chose.

– Comme quoi ? Le repaire secret du Dr No ? ironisa Will en haussant les épaules.

Le Dr Burrows secoua la tête comme si ce que venait de dire son fils était idiot.

– Non, des anarchistes… l'extrême gauche… ou la droite fasciste… comme tu voudras, dit-il en plissant le front. Mais qui que ce soit, tout ce matériel m'a l'air très officiel. Ils ont dépensé beaucoup d'argent et d'énergie, ajouta-t-il en soufflant avec exagération. Je veux dire… la simple construction d'une station hydroélectrique à cette profondeur est en soi un exploit en termes d'ingénierie. Et tout ce que j'ai vu, toute cette installation, était construit pour durer. J'en mettrais ma main au feu…

– Et donc ? pressa Will que les réflexions de son père commençaient à impatienter.

– … c'est peut-être un abri militaire souterrain… un abri anti-atomique… qui date sans doute de la guerre froide, dans les années 1950 ou 1960.

– La guerre froide ?

– Oui… c'était avant ta naissance, Will. Ce n'était pas une vraie guerre, contrairement à ce que tu pourrais croire… juste une suite de prises de position absurdes de la part des États-Unis et de l'Union soviétique. Mais les gens croyaient vraiment qu'une guerre nucléaire allait déchirer le monde, alors chaque pays avait dressé ses propres plans d'urgence. Et cela comprenait, entre autres, la construction d'abris antiatomiques… même ici en Angleterre, dit-il avant de tourner les talons, s'apprêtant à sortir.

Will lui emboîta le pas, son Browning encore à la main.

– Et si c'est un abri antiatomique… cela signifie qu'il est autonome, doté de ses propres ressources en eau, et il devait y avoir des quartiers pour le personnel quelque part par là, poursuivit le Dr Burrows qui échafaudait des théories à n'en plus finir, maintenant qu'il était lancé.

Ils ignorèrent les autres cabanes et allèrent jusqu'au bout du couloir. Ils ouvrirent une autre porte hermétique et découvrirent une pièce plongée dans l'obscurité. Cependant, le Dr Burrows ne tarda pas à trouver une rangée d'interrupteurs à l'entrée, qu'il bascula d'un revers de la main.

Toute une suite de lampes s'allumèrent les une après les autres.

– Bon Dieu ! souffla le Dr Burrows.

Le plafond était plus bas que celui du couloir, mais la zone n'en était pas moins immense. On avait disposé des rangées régulières de lits superposés dans toute la pièce.

– Je parie qu'une centaine d'hommes auraient pu loger ici ! s'exclama le Dr Burrows.

Will se précipita sur la première couchette pour en palper l'oreiller. Le lit était fait, comme tous les autres, et il comportait des draps blancs et des couvertures marron taillées dans un tissu grossier.

– Un vrai lit !

Will renversa la tête et poussa un cri de joie qui retentit sur tout le palier.

— Je vais pouvoir dormir dans un vrai lit ce soir ! hurla-t-il, puis il slaloma entre les couchettes en courant vers les pièces adjacentes qui comportaient toutes une porte peinte en gris sur laquelle figurait un numéro.

— Des douches ! cria-t-il en jetant un coup d'œil dans la première pièce. Des toilettes ! dit-il en inspectant la suivante.

Will parcourut ainsi plusieurs pièces.

— À manger ! Il y a de la nourriture dans celle-ci ! hurla-t-il en disparaissant dans l'une d'elles.

Le Dr Burrows accourut aussitôt.

Il s'agissait d'une cuisine dotée de fours et d'un long gril, semblable à celle d'un grand restaurant, mais Will s'intéressait avant tout au nombre incroyable de boîtes de conserve entreposées sur les étagères et dans les placards.

Il s'empara d'une grosse conserve rectangulaire sans étiquette, mais dont le contenu était imprimé en petites lettres bleues.

— Du « corned-beef », lut-il à voix haute. Tu crois que ces conserves sont encore bonnes ?

— Possible, répondit le Dr Burrows en prenant la boîte des mains de son fils pour vérifier s'il n'y avait pas de traces de rouille, ni de fuite. Will, essaie donc de nous dénicher un ouvre-boîte, tu veux bien ?

Chapitre Vingt-deux

— A ttention ! bafouilla Chester en gesticulant frénétiquement. Il venait de voir une ombre derrière Martha alors qu'elle entrait dans les Grottes aux loups où il l'attendait en compagnie d'Elliott.

La créature renifla, et Bartleby parut alors en pleine lumière. Il baissait la tête comme s'il avait honte de lui-même.

— C'est donc ce satané chat ! cria Chester.

— Tout va bien, dit Martha en faisant signe au chat d'approcher. Il s'assit à ses pieds, le museau levé vers elle.

— Je ne pouvais pas le laisser dehors à la merci des araignées et des loups.

— Mais il s'apprêtait à bondir sur Will. Il allait l'attaquer, dit Chester qui tenait sa carabine à la main. On ne peut pas lui faire confiance.

— C'est à cause des Styx, dit Elliott avec nonchalance en mordant dans sa viande d'araignée.

— Qu'est-ce que tu veux dire ? demanda Chester.

— Après l'avoir capturé, ne l'ont-ils pas ramené dans la Colonie ?

— Oui, c'est ce qu'a dit Will. Et alors ?

— Il y a de fortes chances pour qu'ils l'aient soumis à la Lumière noire, dit Elliott. Si c'est le cas, il n'avait pas d'autre choix que d'obéir à Rébecca. Les Styx peuvent briser la volonté des hommes les plus résistants et en faire leurs esclaves grâce à la Lumière noire. Et Bartleby n'est qu'une bête. Il pourrait nous être utile, de toute façon, ajouta-t-elle.

— Je crois que c'est moi qui suis bête, marmonna Chester en abaissant son arme, les yeux toujours rivés sur le chat avec un air suspicieux. On aurait dû manger des burgers au Bartleby dans le sous-marin.

Martha caressa la tête glabre de Bartleby, encore maculée de jus de champignon.

– Non, Elliott a raison. C'est un Chasseur et il pourrait encore nous être utile, dit-elle.

Le Dr Burrows entra dans la cabine de l'opérateur radio tandis que Will se prélassait sur l'une des chaises en toile, les pieds posés sur la console. Il plongea une fourchette dans une grosse boîte d'ananas en morceaux et l'enfourna dans sa bouche.

– Miam… c'est pas mal du tout. C'est la grande vie, n'est-ce pas, papa ? dit-il en mâchonnant.

– N'en mange pas trop. Ton corps n'a pas l'habitude de digérer ce fruit-là, indiqua le Dr Burrows en posant une gamelle en fer-blanc sur la console.

Il sortit de sa poche quelques petits paquets pliés dans du papier d'aluminium. Will se redressa aussitôt.

– Je t'ai apporté des crackers, dit le Dr Burrows.

– Super ! Et qu'est-ce qu'il y a là-dedans ? demanda Will en regardant la vapeur s'échapper de la gamelle.

– Du thé, dit le Dr Burrows. Essaie donc.

– Il est de la bonne couleur, remarqua Will avant de prendre une gorgée. Beurk… c'est dégueu ! C'est bien trop sucré ! s'exclama Will en grimaçant.

– C'est à cause du lait concentré. J'adorais ça quand j'étais petit. On en mettait sur les pêches…

Le Dr Burrows s'assit sur la chaise à côté de Will et se remémora une grand-tante que son fils n'avait jamais rencontrée, tout en jouant avec les interrupteurs de la console. Tout à coup, alors que le Dr Burrows évoquait avec émotion le pâté de bœuf et de rognons qu'elle préparait spécialement pour lui, il enclencha un bouton au coin de l'unité principale : un gros cadran s'illumina aussitôt d'une lumière jaune. Plusieurs tubes électroniques s'embrasèrent et commencèrent à émettre une lueur orangée. Ils entendirent un grésillement soudain provenant d'un petit haut-parleur accroché en haut du mur, puis le son sembla osciller. On aurait dit le son des vagues qui se brisent sur une plage lointaine. Voilà qui lui avait cloué le bec.

– Dieu merci, marmonna Will, ravi que son père ait écourté ses interminables réminiscences.

– Oh, je sais. C'est peut-être notre sauveur, dit le Dr Burrows sans comprendre la raison de la remarque de son fils, tandis qu'il tournait le cadran situé au centre de l'unité principale.

Mais il n'obtint rien d'autre que des grésillements et abandonna ses tentatives après quelques minutes en secouant la tête.

– Certains tubes ont dû griller, dit-il en indiquant les ampoules encore éteintes au sommet de la machine.

– On ne pourrait pas les réparer ? demanda Will.

– J'ai vu des tubes de rechange dans l'une des remises, mais je ne saurais pas par où commencer. Ça dépasse mes compétences, grommela le Dr Burrows comme s'il était furieux contre lui-même.

Il soupira, se renfonça dans son siège en jouant avec un paquet de crackers.

– De toute façon, je n'ai pas la moindre idée de ce que signifient ces réglages, ni même du fonctionnement de cet équipement, dit-il avec regret.

Le Dr Burrows se releva et fit claquer plusieurs fois sa langue contre son palais.

– C'est peut-être une perte de temps, mais tant que tu y es, tu pourrais essayer de balayer toutes les longueurs d'onde, Will. Cet équipement ne servait probablement qu'à communiquer à l'intérieur du port, et puisque nous sommes seuls ici... dit-il en quittant la pièce sans prendre la peine de terminer sa phrase.

Will prit le relais et tourna lentement le cadran en appuyant sur plusieurs boutons pour essayer différentes combinaisons.

– Allô, allô, y a quelqu'un ? répéta-t-il dans le micro, la bouche tellement pleine d'ananas que ses paroles étaient à peine intelligibles.

Puisque ses efforts ne semblaient générer qu'un grésillement dans le haut-parleur et qu'il avait assez mangé d'ananas, il finit par abandonner.

Non, se dit-il, dépité. *C'est vraiment une perte de temps.*

Il ouvrit le paquet de crackers et grignota un biscuit en scrutant le reste de la pièce. Son regard se posa sur deux téléphones accrochés au mur. Il se leva et souleva le combiné du téléphone rouge, puis y colla son oreille pour vérifier la tonalité. Comme il n'entendait rien, il raccrocha puis composa des numéros au hasard pour voir s'il obtenait quoi que ce soit.

– Le « Batphone » est hors d'usage, grommela-t-il en reposant le combiné.

Will gloussa, puis décrocha soudain le combiné du téléphone noir et composa le numéro de sa maison à Highfield en faisant tourner le cadran rotatif de l'index.

– Comment ils ont pu supporter un truc pareil ? dit-il en regardant le cadran revenir à son point d'origine.

Il fallait une éternité pour pouvoir enfin composer le chiffre suivant. Comme ce serait étrange, se dit-il, si sa mère lui répondait. Ce serait la conversation du siècle.

Il ferma les yeux et l'imagina.

Click !

Salut maman, c'est Will.

Elle serait sans aucun doute furieuse contre eux.

Mon Dieu, mais où étiez-vous passés tout ce temps ? Vous n'avez pas idée de ce que vous m'avez fait endurer, n'est-ce pas ? Espèces de morveux égoïstes ! Rentrez à la maison sur-le-champ ! beuglerait-elle alors à pleins poumons.

Euh, maman, pas si vite. Nous nous trouvons à des milliers de kilomètres sous terre, dans une sorte de complexe secret appartenant au gouvernement…

Il abandonna sa conversation imaginaire. Il n'entendait rien à l'autre bout du fil.

– Y a quelqu'un ? Y a personne ? marmonna-t-il.

Il s'apprêtait à raccrocher lorsqu'il décida soudain d'essayer à nouveau.

Il parvint à se remémorer le numéro de mobile de sa mère, même si elle le laissait rarement allumé, de toute façon. Il le composa et attendit. Il tressaillit tout à coup, car un bruit blanc retentit.

Dans le cabinet d'avocats où elle travaillait, Mme Burrows était assise à son bureau et tapait à la machine comme une furie. Elle portait des écouteurs, car elle écoutait un dictaphone et transcrivait la lettre de l'un des associés qui traitait d'une procédure de divorce. Le couple se battait pour la garde de leur fille de cinq ans. Par-delà la sécheresse de la langue juridique, Mme Burrows trouvait la situation poignante. Elle imaginait les bouleversements et les déchirements de la famille.

Pensant avoir entendu sonner son mobile, elle ôta ses écouteurs et l'extirpa de son sac à main. Il sonnait encore lorsqu'elle s'en empara. Elle répondit et entendit un crépitement sonore.

– Allô, dit-elle au moment même où la communication fut coupée.

Elle étudia le numéro inconnu – en tout cas, ce n'était pas un numéro londonien.

– Encore un de ces satanés démarcheurs, dit-elle en glissant son téléphone dans son sac à main avant de reprendre sa lettre.

Au second retentissement de bruit blanc, Will avait éloigné le combiné de son oreille et mis fin à cet appel.

– Qu'est-ce que je fiche, bon sang ? se demanda-t-il, décidant néanmoins d'essayer de nouveau.

Il eut soudain un trou de mémoire. Il ne retrouvait plus un seul numéro. Il ne connaissait pas celui des parents de Chester, ni celui de l'appartement de tantine Jeanne, et pensa en dernier recours à téléphoner aux urgences.

Soudain, le numéro qu'Elliott avait sans cesse bafouillé dans son état fébrile lui revint en mémoire. Il le connaissait par cœur et le composa aussitôt. Là non plus, il n'obtint aucune connexion. Et cette fois, il n'entendait pas le moindre crépitement dans le combiné.

– Ici Will Burrows. Je vous appelle depuis les entrailles de la Terre et je compte bien revenir sous peu. Merci. Au revoir ! déclara-t-il avant de raccrocher violemment le combiné.

Il grignota un autre cracker, puis sortit pour voir ce que son père fabriquait.

– Je ne sais pas comment tu peux boire ce truc, dit Will en s'approchant.

Le Dr Burrows sirotait de temps à autre, courbé au-dessus d'une table qu'il avait installée dans les dortoirs. Il y avait une accumulation de dossiers, de boîtes et de liasses de feuilles volantes au pied de sa chaise. Il avait manifestement rassemblé tout ce qui pouvait lui sembler utile, et entrepris d'en faire le tri.

Il avait déployé une sorte de plan en papier grisâtre parsemé de quelques zones pastel, si grand qu'il couvrait toute la surface de la table. Le Dr Burrows finit de boire son thé et reposa son gobelet sur le plan : Will y repéra une zone dont les hachures contrastaient avec le fond plus clair. Il reconnut aussitôt, à la forme, qu'il s'agissait du port et du complexe où ils se trouvaient à présent. Le fleuve ressemblait à un pâle ruban bleu tandis que de fines lignes jaunes partaient de la caverne, ponctuées çà et là de triangles rouges. Will en déduisit qu'il s'agissait de bornes correspondant aux triangles peints sur les parois de la faille et qui les avaient conduits jusqu'au port.

— Quelque chose d'intéressant ? demanda Will, penchant la tête en avant.

— Non, pas vraiment, répondit le Dr Burrows, perdu dans ses pensées. Si ce n'est qu'ils exploraient la zone en quête de sources d'eau potable.

Les petites tablettes de pierre logées dans un mouchoir crasseux attirèrent l'attention de Will qui ne les avait vues que très brièvement auparavant. Le Dr Burrows en tenait une à la main et l'examinait attentivement.

— Je peux voir ? demanda Will.

— Fais attention ! Ne les laisse pas tomber, marmonna le Dr Burrows en griffonnant quelques mots illisibles sur son bloc-notes.

Will s'empara de l'une des tablettes.

— Waouh ! Tu disais que les gravures étaient minuscules, tu ne croyais pas si bien dire ! s'émerveilla-t-il en plissant les yeux pour déchiffrer les inscriptions contournées et les très petits diagrammes.

— Je peux y passer tout le temps que je veux, je n'arrive pas à déchiffrer le script. Je suis dans une impasse, souffla le Dr Burrows en se renfonçant dans sa chaise d'un air résigné. Je me souviens de quelques mots, mais ce n'est pas assez. Il me faut quelqu'un qui sache décrypter les codes pour comprendre ce bazar.

— Tu veux que j'essaie ? proposa Will avec enthousiasme.

— Non, c'est trop complexe, dit le Dr Burrows. Ce serait une perte de temps.

— Où mène cette voie d'après toi ? demanda Will en prenant la seconde tablette pour la comparer à la première.

Le Dr Burrows griffonna furieusement sur une page blanche de son bloc. Puis il s'écarta pour que Will puisse voir ce qu'il avait dessiné : deux hommes marchaient à l'intérieur d'un cercle au centre duquel brillait un soleil stylisé aux rais irréguliers.

— C'est une peinture murale que j'ai découverte dans un temple antique au cœur des Profondeurs. Elle représente un monde à l'intérieur d'un monde, dit-il avant de soupirer.

— Ouais, j'ai déjà vu le dessin que tu en avais fait, se souvint Will.

— Quoi ? cria le Dr Burrows en se levant d'un bond, renversant au passage la chaise sur laquelle il était assis. Comment diable est-ce possible ?

– Je te l'ai dit, papa, on avait trouvé quelques-unes de tes pages à côté du Pore.

– Oui, mais je les croyais illisibles… lessivées par l'eau ! cria le Dr Burrows.

Will était complètement pris au dépourvu.

– Je n'ai jamais dit ça. Elles étaient un peu déchirées, certaines étaient même trempées, mais la plupart des pages que j'ai réussi à récupérer n'étaient pas en si mauvais état. J'ai pu les lire, quoi qu'il en soit.

Le Dr Burrows vacilla légèrement, comme si on venait de lui donner un coup sur la nuque. Il voulut s'asseoir, mais suspendit son geste en se rendant compte que sa chaise n'était plus là. Il l'attrapa avec un geste d'impatience et la redressa, puis il s'assit et gribouilla sur une page blanche comme un fou furieux. Lorsqu'il cessa enfin, quelques minutes plus tard, il poussa son bloc-notes vers Will.

– Y avait-il un dessin comme celui-ci ? Celui d'une tablette en pierre ?

Will examina les trois cartouches que venait de tracer son père. Les lettres tracées à la va-vite ressemblaient à des moustiques écrasés.

– Oui, c'est sûr. J'avais cette page-là, avec ces trois zones qui contenaient des inscriptions.

– Mais, dis-moi, où est-elle à présent ? demanda le Dr Burrows.

– Je les ai toutes mises en lieu sûr, dans la cabane de Martha.

– Dans… la cabane… de Martha… répéta lentement le Dr Burrows en détachant chaque mot.

Son visage, déjà blafard après des mois passés sous terre, sembla devenir exsangue.

– Pourquoi ? C'est important ? demanda Will avec hésitation.

– J'ai besoin de la page où figure la Pierre de Burrows pour pouvoir traduire ces tablettes. Oui, c'est important.

Will fronça les sourcils en entendant son père parler de la Pierre de Burrows, et il lui jeta un coup d'œil pour vérifier s'il était sérieux. Puis il s'empara d'une troisième tablette posée sur le mouchoir.

– La Pierre de Burrows est l'équivalent de la Pierre de Rosette, expliqua le Dr Burrows. Elle comportait trois sortes d'écritures qui signifiaient toutes la même chose dans une langue différente, dont le phénicien. C'est ce qui m'a permis de traduire les deux autres langues que je ne crois pas avoir jamais rencontrées à la Surface. Si je l'avais sous la main, je pourrais traduire ces tablettes et…

— Et quoi ? demanda Will en regardant tour à tour chaque tablette.

— Et je crois qu'il pourrait s'agir d'une carte indiquant le chemin du monde intérieur auquel croyait cette ancienne civilisation. *Le Jardin du second soleil.*

— Le second soleil, reprit Will d'un air songeur.

Le Dr Burrows fut surpris par l'absence de réaction de Will, mais son fils avait l'esprit ailleurs. Il étala l'ensemble des tablettes sur la table, puis les déplaça.

— Je peux la prendre ? demanda-t-il en indiquant celle que son père tenait encore à la main.

Le Dr Burrows la lui tendit, et Will la tourna dans tous les sens pour en examiner les bords, puis il la posa soigneusement à côté des autres.

— Des dominos, dit Will. C'est comme des dominos. Les bords sont très usés, mais tu n'avais pas remarqué les petites encoches ? Regarde, dit-il en prélevant une tablette pour la montrer à son père. Celle-ci comporte trois encoches, elle correspond donc à celle qui porte le même motif.

Will la reposa sur la table, puis il se redressa.

— Génial ! s'écria le Dr Burrows en étudiant la disposition des tablettes avec intérêt, puis il s'avachit à nouveau. Maintenant que j'ai le bon ordre, ça ne change pas grand-chose. J'ai toujours besoin de la Pierre de Burrows pour déchiffrer ces inscriptions. Et puis il faut que nous sachions où commence le chemin.

— Mais je n'ai pas encore terminé, dit Will. Attends-moi ici ! dit-il en filant chercher son sac à dos qu'il avait laissé sur sa couchette.

— Je ne bouge pas d'un pouce, répondit le Dr Burrows d'un ton amusé.

Will revint vers son père en courant, mais avant de lui montrer l'objet qu'il tenait à la main, il l'invita à regarder la première tablette.

— Regarde un peu ça, papa. Tu vois ce symbole… juste là ? dit-il en indiquant le trident minutieusement gravé dans le coin gauche de la tablette.

— Oui, répondit le Dr Burrows en haussant les épaules comme si cela n'avait rien d'exceptionnel. J'ai rencontré ce symbole plusieurs fois dans les Profondeurs, ajouta-t-il tandis que son fils triait les photos que lui avait remises Rébecca.

— Elles appartenaient à l'un des membres de l'équipage du sous-marin. Regarde un peu la dernière photo, dit Will en la jetant sur la table devant son père. Le même symbole. Ce marin doit avoir pris cette photo quelque part, non loin du sous-marin, assez près pour ne pas se faire enlever par les Lumineux.

— Non ! cria le Dr Burrows. Ça veut dire que, sans le savoir, je me trouvais peut-être au bon endroit pendant tout ce temps !

— Dans ce cas… il faut qu'on y aille aussi ! Maintenant ! s'écria Will avec le même enthousiasme que son père.

Mais le Dr Burrows se contenta de secouer la tête.

— Non, Will, on ne peut pas y retourner.

— Mais pourquoi ? demanda Will.

— Parce qu'il faut absolument que nous trouvions le moyen de remonter à la Surface. Parce que nous ne voulons pas nous couper une fois encore de toute civilisation, au cas où il y aurait une urgence. Si nous parvenons à remonter le cours de ce fleuve, nous n'aurons aucun mal à revenir ici. Ce sera du gâteau ! Nous pourrons nous laisser porter au fil de l'eau.

Le Dr Burrows s'apprêtait à ajouter quelque chose, mais il s'interrompit pour se frotter le front avant de reprendre en chuchotant presque.

— Il faut que je sache si ta mère va bien. Elle doit être morte d'inquiétude à présent. Après tout, je ne suis pas le seul à avoir été porté disparu. Il y a toi, et puis Rébecca aussi. Elle est toute seule là-haut.

Le Dr Burrows évitait le regard de Will, ce qui éveilla aussitôt ses soupçons. Son père n'avait jamais semblé très préoccupé par sa mère, et Will se demandait ce qui lui arrivait.

— Et puis, s'écria le Dr Burrows, comme s'il venait tout juste d'y penser, je croyais que tu devais rapporter ce virus à la Surface. Tu avais dit que c'était quelque chose de vital, pas vrai ?

— J'imagine que oui, répondit Will que son père venait de ramener à la dure réalité.

Il s'était laissé entraîner par l'idée qu'il allait vivre de nouvelles aventures avec son père, c'est pourquoi il avait relégué les manigances des Styx au second plan.

— Qu'est-ce qu'il y a ? demanda le Dr Burrows qui avait perçu son trouble.

— Juste que ce n'est peut-être pas vraiment le *Dominion*, répondit Will. Donc c'est peut-être une pure perte de temps.

— Pourquoi dis-tu ça ?

— Parce que tout ce qu'ont pu dire ou faire les jumelles jusqu'à présent n'a été que mensonge ou fourberie. Je trouve toujours étrange que la première Rébecca me l'ait donné. Plus étrange encore, Rébecca *bis* le savait — tu te souviens qu'elle m'a demandé de lui rendre le virus près du sous-marin ?

Le Dr Burrows réfléchit un instant.

— Mais elles avaient l'air de tenir à le récupérer. Peut-être que c'est bien l'original ? Et si tu crois vraiment qu'il est si dangereux, tu te dois de le remettre aux autorités pour qu'elles s'en occupent.

Will acquiesça d'un air résigné. Son père avait raison. Tant qu'il restait une chance, aussi infime fût-elle, que cette fiole contienne le *Dominion*, il était de son devoir de s'assurer qu'il se retrouve dans de bonnes mains. Il pourrait ainsi déjouer le plan des Styx.

— Très bien… mais quand on sera de retour en Surface et que je me serai occupé des fioles, je redescendrai avec toi, n'est-ce pas ? demanda-t-il avec un léger tremblement dans la voix. Je veux t'aider à régler tout ça, papa.

— Bien sûr, bien sûr, répondit le Dr Burrows qui évitait toujours le regard de Will.

Il se baissa pour ramasser un dossier noir qui gisait à ses pieds.

— Mais pour l'heure, j'ai une autre tâche à te confier, ajouta le Dr Burrows.

Will prit le dossier et en étudia la couverture plastique à la reliure fendue. Seules quelques lettres et quelques chiffres figuraient sur la couverture qu'il finit par soulever pour découvrir le schéma éclaté d'un mécanisme.

— Qu'est-ce que c'est ? demanda-t-il, puis, tournant la première page, il lut l'inscription suivante : « Guide d'utilisation du moteur du hors-bord ». Tu t'imagines que je vais lire tout ça, ou quoi ?

— Tu sais bien que je ne comprends rien à la mécanique. Peut-être que tu pourrais le potasser pendant que je m'occupe du hors-bord. Si ce n'est pas le bon guide, il y en a d'autres dans la bibliothèque de la cabane 23, avec plein de romans d'Alistair MacLean… et puis quelques guides traitant du maniement des armes.

— Je suis ton homme, répondit Will à ces mots.

Will consacra les quarante-huit heures qui suivirent à lire les instructions du manuel. Il apprit à amorcer et à faire fonctionner le moteur du hors-bord, s'éclipsant parfois sur le quai où il l'avait traîné avec l'aide de son père. À l'insu du Dr Burrows, Will se glissa aussi dans l'armurerie et s'empara d'une panoplie de pistolets qu'il apprit à démonter tout seul, sur une couverture déployée sur le sol dans l'une des pièces de l'abri.

Pendant ce temps, le Dr Burrows accomplissait sa part de travail. Il s'était servi d'une remorque rouillée pour tirer l'embarcation en fibre de verre au bord du quai, puis il l'avait mise à l'eau. Après s'être assuré qu'elle était bien amarrée à la jetée, il avait entrepris de la charger de provisions et de quelques couvertures. Il retournait aux magasins lorsqu'il tomba sur Will qui se tenait devant la porte anti-explosions.

– Il y a de l'eau chaude, annonça celui-ci.

Il venait de prendre une douche, ce dont témoignaient ses cheveux peignés en arrière et son visage propre – pour la première fois depuis bien longtemps. Il s'était changé et portait une chemise vert olive et un pantalon assorti.

Le Dr Burrows le regarda bouche bée.

– Les magasins de l'intendance et les vêtements se trouvent dans la cabane numéro 31, et les douches dans la cabane 27. Je t'y ai laissé du shampoing et du savon, dit tout simplement Will en poursuivant son chemin.

– Will ! s'exclama soudain le Dr Burrows en apercevant le Browning Hi-Power qui dépassait de sa ceinture. Je t'avais pourtant dit de ne pas…

– Il n'est pas chargé, répondit Will sans même ralentir.

Une fois hors de vue, il lança la boîte de cartouches en l'air en souriant. Il savait que le Dr Burrows n'entendrait probablement pas les tirs quand il serait rentré dans l'abri.

C'est en forgeant qu'on devient forgeron, se dit-il à lui-même.

Le lendemain, ils traînèrent le moteur de hors-bord jusqu'à l'embarcation, et Will réussit à l'installer. Le moteur démarrait, tournait pendant quelques secondes, puis s'arrêtait en crachotant. Will tenta tant de fois de l'amorcer en tirant sur la poignée qu'il n'avait plus de force dans les bras. Le Dr Burrows prit donc le relais. Suants et couverts de crasse et de graisse, ils parvinrent enfin. Le moteur recracha une fumée noire pendant plusieurs minutes en ronronnant, puis il cessa d'avoir des ratés et produisit un vrombissement continu. Le Dr Burrows félicita son fils d'un geste du pouce, mais ses éclats de rire se perdirent dans le bruit du moteur. Will inclina le hors-bord de telle sorte que l'hélice touche à peine l'eau, puis il lança le moteur. Un torrent jaillit aussitôt derrière l'embarcation.

– Mission accomplie, conclut Will en coupant les gaz, et les derniers échos du rugissement du moteur retentirent dans la caverne.

– Excellent ! le félicita le Dr Burrows. Rappelle-moi que nous devons emporter du carburant avant de partir.

Ils sortirent du bateau et gagnèrent la jetée.

– Du travail d'équipe, dit-il en lui tapotant doucement l'épaule, puis ils se dirigèrent vers les dortoirs.

Après une bonne nuit de sommeil et un petit déjeuner, ils sortirent de l'abri puis longèrent la jetée jusqu'à l'endroit où était amarrée l'embarcation.

– Sympa, ton manteau, papa, dit Will en admirant le vieux duffle-coat déniché par le Dr Burrows.

Doté d'une capuche et de boutons oblongs, il était taillé dans un tissu fauve très résistant qui semblait pouvoir tenir debout tout seul.

– C'est un classique, un Montgomery taillé dans de la toile de couverture Fearnought. Mon père avait exactement le même. Il l'avait acheté dans un surplus de l'armée. Je me rappelle l'avoir vu le porter quand j'étais jeune, dit le Dr Burrows d'un ton affectueux.

Après avoir fini d'admirer son nouveau manteau, il releva les yeux et remarqua les deux gros fourre-tout kaki que transportait son fils.

– T'es sûr que tu emportes assez de choses ?

– J'ai pris deux sacs de couchage, et d'autres trucs qui pourraient nous être utiles, répondit aussitôt Will en faisant comme s'ils étaient bien moins lourds qu'il n'y paraissait.

– J'imagine qu'il nous faudra de quoi lester un peu le fond de l'embarcation, au cas où ça secouerait, dit le Dr Burrows.

– La seule chose qui m'inquiète, ce sont les fioles de *Dominion*, dit Will en regardant la poche de la chemise militaire qu'il avait réquisitionnée. On ne peut pas se permettre de les égarer. À aucun prix.

Ils avancèrent en silence le long du quai, puis Will reprit la parole.

– Papa, tu sais, c'est uniquement à cause des fioles que je t'accompagne. Sans quoi je serais retourné directement retrouver

Chester et Elliott. Et tu sais, je reviendrai les chercher dès que j'aurais remis le virus à quelqu'un.

Le Dr Burrows s'arrêta brusquement.

– Will, tu as été très clair. J'espère que tu ne t'imagines pas que j'en ai terminé avec cet endroit... Je viens tout juste de gratter la surface. Non, je reviendrai, c'est sûr, pour finir ce que j'ai commencé, dit-il en secouant la tête. Si toutefois on arrive à rentrer chez nous, marmonna-t-il ensuite dans sa barbe alors qu'ils se rendaient à l'embarcation.

Ils y placèrent tout leur équipement, puis le Dr Burrows s'adressa de nouveau à son fils.

– J'oubliais presque, dit-il en tirant deux bonnets de laine de la poche de son duffle-coat qu'ils enfilèrent tous deux. Ça nous gardera au chaud.

– Bonne idée, papa, dit Will avec un grand sourire ironique.

Avec son bonnet enfoncé sur la tête et sa barbe clairsemée, le Dr Burrows ressemblait vraiment à un capitaine tout ratatiné.

– En avant ! s'écria-t-il tandis que Will démarrait le hors-bord.

Ils firent à plusieurs reprises le tour du port, puis, quand Will eut maîtrisé la manœuvre, il suivit les instructions de son père et accéléra avant de virer sous l'arche pour rejoindre le canal. Le Dr Burrows n'aurait pas pu voir plus juste, car Will dut mettre les gaz à fond pour avancer à contre-courant.

Ils quittèrent la portion illuminée du fleuve, et le Dr Burrows se posta en proue avec la lampe pour éclairer la voie. Il faisait office de vigie et indiquait à Will en hurlant les affleurements rocheux ou les virages en épingle qui ponctuaient le canal. Le périple était bien plus houleux que ne l'aurait cru Will, et ils furent très vite trempés jusqu'aux os par les embruns du fleuve glacé et les lames qui passaient parfois par-dessus la coque. Will n'était pas mécontent d'avoir enfilé un bonnet de laine et plusieurs épaisseurs de vêtements en prévision du voyage.

Le fleuve semblait sans fin. Il sinuait à travers les entrailles de la Terre sur des kilomètres et des kilomètres. Seuls de grands cercles blancs badigeonnés sur les parois irrégulières témoignaient du passage de l'homme et leur indiquaient la bonne direction lorsque le fleuve bifurquait. Le Dr Burrows ouvrait l'œil tandis que Will menait leur embarcation toujours plus haut.

Lorsqu'il se sentit trop épuisé pour continuer à barrer le horsbord, il changea de place avec son père. Will aurait bien aimé pouvoir dormir, mais c'était impossible : quelqu'un devait se tenir à la proue avec une lampe, sans quoi ils auraient foncé à l'aveuglette dans ce chaos aquatique. Il ne faisait pas moins froid en proue, mais au moins Will pouvait reposer ses bras douloureux.

Ils poursuivirent sans s'arrêter, car nulle part ils n'auraient pu se mettre à l'abri de ce torrent continu, mais le Dr Burrows avait réussi à alimenter le moteur sans le couper. Sans doute un jour plus tard, Will aperçut un nouveau symbole : un cercle blanc contenant un carré noir. Il fit signe à son père de s'en approcher, et ils suivirent ensuite une série de symboles similaires le long d'un coude pour déboucher sur une zone bien plus vaste. Le canal devait mesurer au moins une centaine de mètres de large.

Ils venaient de repérer une forme pâle dans le lointain au cœur de ces eaux plus paisibles, et le Dr Burrows décida de s'en approcher. Il s'agissait d'un ponton en métal sans doute autrefois peint en blanc, même s'il était à présent maculé de rouille, avec une jetée juste derrière, ainsi qu'un petit quai construit par l'homme. Le Dr Burrows coupa le moteur, et ils dérivèrent vers la paroi.

— Je l'ai ! hurla Will en attrapant la rampe de métal pour stabiliser l'embarcation.

Il amarra la proue et ils débarquèrent enfin.

— Ça fait du bien de se retrouver sur la terre ferme, dit le Dr Burrows en tapant du pied.

Il prenait visiblement plaisir à sentir le sol dur sous ses semelles. Il ôta son bonnet et l'essora tandis que Will jetait un rapide coup d'œil alentour. Le quai était beaucoup plus petit que celui duquel ils étaient partis, et il ne lui fallut que quelques minutes pour revenir.

— Il n'y a pas grand-chose ici, papa. Quelques réservoirs d'essence et un petit bâtiment, complètement vide, mis à part un téléphone.

— C'est ce que je pensais, dit le Dr Burrows. Il s'agit probablement d'une escale d'avitaillement, une sorte d'étape où la péniche et les bateaux pouvaient s'approvisionner en carburant. C'est une très bonne chose, car nous avons déjà consommé deux bidons d'essence. Je commençais à me demander si on en aurait assez pour remonter à la Surface.

— Mieux vaut vérifier s'il reste du carburant dans les réservoirs, dans ce cas, dit Will.

Il s'apprêtait à partir lorsqu'il s'arrêta soudain puis se retourna vers son père.

— Papa, on est bientôt arrivés ?

Le Dr Burrows gloussa en se curetant l'oreille avec un doigt pour essayer d'en faire sortir l'eau.

— Tu me demandais la même chose lorsque nous prenions la voiture et que nous partions en expédition, à la recherche de fossiles. Tu étais très impatient d'arriver. Tu te souviens ?

— Eh bien, on arrive bientôt, oui ou non ? insista Will en souriant.

— Difficile à dire, mais je dirais que nous n'avons pas parcouru plus d'un quart du trajet, dit le Dr Burrows. Peut-être moins, ajouta-t-il en agitant les bras, puis il sautilla sur place.

— Pourquoi tu fais ça ? demanda Will, intrigué.

— Nos gestes sont comme empesés, tu as remarqué ? Même ce sac paraît plus lourd, dit-il en le soulevant lentement. Lorsque nous atteindrons la surface, nous aurons l'impression d'avoir du plomb dans les jambes.

— Le retour à la gravité. Je n'y avais pas pensé, dit Will en soupirant. On va perdre nos super pouvoirs.

Ils dressèrent leur campement dans le bâtiment, allumèrent un poêle à essence situé dans l'entrée pour se réchauffer et sécher leurs bottes et leurs vêtements trempés. Après un bon repas chaud, ils se glissèrent dans leurs sacs de couchage et s'endormirent profondément dans les minutes qui suivirent.

Will se réveilla lorsque son père lui passa sous les narines une gamelle en fer-blanc emplie d'un liquide brûlant.

— Beurk ! C'est pas encore ton fameux thé ! dit Will avec un grognement. Je ne peux pas roupiller encore une petite heure ? Je suis vanné.

— Remue-toi, gros paresseux. Il est grand temps de commencer la journée, dit le Dr Burrows en s'asseyant.

Will se leva donc, malgré ses protestations. Ils repartirent sur leur bateau, passèrent plusieurs autres escales d'avitaillement semblables à la première et atteignirent enfin un endroit bien plus vaste.

— Nous sommes peut-être arrivés ! hurla le Dr Burrows, à la barre.

Chapitre Vingt-trois

À la périphérie de Cardiff, un homme rentrait chez lui après avoir déverrouillé la porte d'entrée. Il n'alluma pas la lumière, posa son parapluie sur la table du vestibule puis se rendit à la cuisine. La maison était plongée dans l'obscurité. L'homme vérifia que la bouilloire était pleine, puis il alluma la plaque électrique. Il semblait fixer la lumière rouge à la base de la bouilloire tandis que l'eau chauffait avec un bruit sourd. Il prit une tasse dans le placard et attendit qu'elle se mette à bouillir.

— Sam... dit Drake tapi dans les ténèbres.

L'homme s'étrangla presque de surprise et laissa tomber la tasse qui se brisa sur le sol.

— Mon Dieu... Drake ! C'est bien toi, Drake ?

— Salut, Sam ! dit Drake. Désolé de t'avoir fait une telle frayeur, mais si tu n'allumes pas la lumière...

— Je te croyais mort, dit l'homme précipitamment. Qu'est-ce que tu fais ici ? demanda-t-il soudain avec colère. Tu n'es pas censé t'approcher de moi. Ils pourraient être aux aguets.

— Non, je me suis assuré qu'on était en sécurité.

— On n'est jamais en sécurité ! rétorqua Sam.

— Tu as toujours été nerveux, répondit Drake en secouant la tête. Comment va la famille, au fait ?

— Je ne sais pas. Raconte-moi, toi, si tu sais. Je ne peux plus les voir. J'ai dû les abandonner pour les protéger.

Sam se rapprocha de l'évier, écrasant les tessons sous ses pas.

— J'espère juste qu'on ne t'a pas repéré en chemin, dit-il, manifestement encore très nerveux. Tu sais bien qu'ils ont démantelé le réseau, non ? Et que la plupart des anciennes équipes sont mortes, ou enterrées si profond que ça revient à peu près au même ?

— Ouais, répondit Drake avec nonchalance, ce qui sembla redoubler la fureur de son hôte.

— Oh, désolé, je n'avais pas compris qu'il s'agissait d'une visite de courtoisie. Je t'aurais bien proposé du café, mais je viens de briser mon unique tasse.

— J'ai besoin d'aide, Sam.

— Comment puis-je être sûr qu'ils ne t'ont pas attrapé ? Ça fait... Combien déjà ?... Trois ans que tu as disparu. Ils t'ont peut-être envoyé ici. Comment puis-je te faire confiance ?

— Je pourrais te retourner le compliment. Comment puis-je te faire confiance, à toi, Sam ?

— C'est inutile. L'époque où je bourlinguais encore est bel et bien révolue. Je ne suis plus cet homme-là, et t'es tout seul maintenant, mon pote, dit Sam avant de pousser un profond soupir. Je ne sais pas comment j'ai pu croire qu'on pourrait gagner. Ils sont bien trop malins et trop bien établis. C'est une bataille perdue d'avance.

— Pour l'amour de Dieu, mec, tu ne peux donc pas les appeler par leur nom ? Tu parles des *Styx* ! rugit Drake.

Sam resta silencieux et avança d'un pas traînant vers la fenêtre, puis il s'appuya contre l'évier. Il faisait encore assez jour dehors pour que Drake distingue son profil. Il portait des lunettes noires.

— Quelque chose ne va pas ? demanda Drake.

— Ils m'ont rendu aveugle, Drake. Je ne vois rien du tout.

— Comment ça, bon sang ? Comment c'est arrivé ?

— Je crois qu'ils utilisent des infrasons, un peu comme la Lumière noire, mais à plus grande échelle, répondit Sam. Je me rendais à un rendez-vous au nord de Highfield lorsque je me suis arrêté à un carrefour. J'ai entendu un son grave et sourd, comme si j'étais sous l'eau. J'avais l'impression que ça vibrait à l'intérieur de ma tête. J'étais incapable de bouger le moindre muscle. Je n'ai aucune idée de qui s'est passé ensuite. Je suis revenu à moi deux jours plus tard. J'étais dans un hôpital, la tête bandée. Les Styx m'ont ôté la vue, dit-il, employant pour la première fois leur nom qu'il cracha comme s'il s'agissait d'un poison. Je suis encore effaré qu'ils ne m'aient pas tout bonnement tué.

— Peut-être qu'ils voulaient envoyer un signe au reste d'entre nous, dit Drake d'une voix douce. Un avertissement.

— Peut-être, répéta Sam. Mais je ne peux pas reprendre le service actif, pas comme ça, Drake, même si je le voulais.

— Je suis navré. Je ne savais rien de tout ça. Je viens à peine d'émerger des Profondeurs.

— Non, comment t'aurais pu ? questionna Sam d'une voix creuse.

— Je me demande bien quel scientifique ils ont attrapé en Surface pour l'obliger à mettre au point cette technologie subsonique, s'interrogea Drake à voix haute.

— Peut-être que c'est un produit maison. Peut-être que les scientifiques de la Colonie l'ont fabriqué eux-mêmes.

— Il faut que je m'en aille, dit Drake en s'éclaircissant la voix.

— Une dernière chose avant que tu ne partes. J'imagine que tu te souviens de l'équipement que j'ai installé sur un serveur distant à l'université, lorsque nous avons fondé le réseau ? Le système d'échange de messages que personne n'était censé connaître ?

— Oui, bien sûr, confirma Drake.

— Eh bien, quelqu'un en a eu vent, dit Sam.

— Qu'est-ce que tu veux dire ?

Sam se frotta le front.

— Je ne sais pas pourquoi je ne l'ai jamais déconnecté du réseau lorsque tout s'est effondré, mais je vérifie les messages de temps à autre. Il y a deux jours, j'en ai trouvé un pour toi. Il y avait beaucoup de parasites, mais il semblerait qu'il provienne d'un certain Will Burrows. Ce nom te dit quelque chose ?

— Will Burrows… répéta Drake d'un air nonchalant sans réagir à l'information alors même que son pouls venait d'accélérer. Non, ça ne me dit rien, mais merci. Je me connecterai au serveur et j'écouterai un coup, dit Drake. Et je suis désolé d'avoir débarqué comme ça. Bonne chance, Sam.

— À part ça, y a-t-il quelque chose que je puisse faire pour toi ? Tu veux manger quelque chose ? proposa Sam, mais Drake avait déjà quitté les lieux.

— Mais le fleuve remonte encore plus haut, indiqua Will à son père alors qu'ils marchaient le long du quai

Ils étaient tout dégoulinants, et leurs bottes produisaient un bruit de succion à chacun de leurs pas.

— Tu ne crois pas qu'on devrait le suivre ? ajouta-t-il.

– Il est possible qu'il ne remonte pas jusqu'à la Surface, dit le Dr Burrows en haussant les épaules. Par ailleurs, regarde un peu tous ces bâtiments… et la grue.

Will et son père s'arrêtèrent pour contempler les édifices qui se dressaient devant eux.

– Cet endroit sert forcément de dock de chargement avant la descente du fleuve. T'as vu ça ? ajouta-t-il en désignant une grande arche aux bords peints en blanc tout au bout du quai.

Ils s'approchèrent tous deux.

– Cette arche est assez haute pour laisser passer un camion, remarqua le Dr Burrows.

– Pas aujourd'hui en tout cas, dit Will en cognant contre le mur de brique qui en scellait l'accès.

Mais le Dr Burrows s'éloignait déjà dans la pénombre d'un pas déterminé. Will le rattrapa et trouva son père devant une double porte. Tout comme l'arche, le chambranle était en béton.

– C'est sûrement l'entrée du personnel, suggéra le Dr Burrows.

On l'avait également condamnée. Il posa les mains sur les moellons, puis tapota.

– Des parpaings en béton de mâchefer, dit-il.

Il vérifia le mortier qui bavait des joints entre les parpaings gris en plusieurs endroits, rappelant du dentifrice séché, puis il en arracha un morceau.

– Travail négligé. On a fait ça à la hâte.

– Et qu'est-ce qu'on fait, maintenant ? demanda Will.

– À moins qu'on ne trouve une autre sortie, on ne devrait pas avoir trop de mal à démolir ce mur.

Ils inspectèrent rapidement les bâtiments et le reste du quai puis conclurent que c'était la seule sortie possible.

– Va chercher les outils, s'il te plaît, ordonna le Dr Burrows en tapant dans ses mains.

Will rebroussa chemin, puis remonta dans l'embarcation. Il regarda les deux fourre-tout remplis de matériel. Si son père voulait abattre un mur, il y avait bien une façon, certes un peu moins propre, mais nettement plus rapide.

– Les outils ! cria le Dr Burrows avec impatience.

Will en conclut qu'il était sans doute plus sage de ne pas mentionner les explosifs qu'il avait stockés. Il sortit du bateau et se précipita vers la porte, apportant le vieux sac de toile que son père avait pris dans les magasins de l'intendance lorsqu'ils se trouvaient encore dans l'abri.

Le Dr Burrows fouilla dans le sac jusqu'à ce qu'il y trouve un long pied-de-biche. Il se mit aussitôt au travail, ôtant le mortier qui scellait les joints d'un parpaing avec la pointe de son outil.

— Comme dans du beurre, marmonna-t-il dans sa barbe en voyant qu'il était assez facile à déloger.

Quand il eut ôté une assez grande quantité de mortier, il enfonça son pied-de-biche sous le parpaing pour faire levier.

— Et voilà, dit-il lorsque le bloc se descella et tomba à ses pieds. On a traversé le mur ! Et il n'y a qu'une épaisseur de briques.

Le Dr Burrows approcha son globe lumineux de la brèche, mais ils ne virent rien d'autre que les ténèbres.

— Il faut l'élargir, déclara le Dr Burrows en remettant le pied-de-biche à Will sans lui laisser le temps de protester. J'ai besoin d'un peu de tranquillité pour pouvoir réfléchir, ajouta-t-il, puis il tourna brusquement les talons et s'éloigna.

— Réfléchir à quoi, au juste ? lui lança Will, mais le Dr Burrows fit semblant de n'avoir rien entendu et s'éloigna en produisant un bruit de succion à chaque pas.

Will savait bien que son père s'en allait piquer un somme et qu'il allait se retrouver tout seul à faire le gros du travail.

— Les choses ne changent donc jamais, dit Will d'un ton plaintif en attaquant le parpaing suivant. Non, jamais.

Will dégagea un passage assez large pour qu'ils puissent passer de l'autre côté, puis il partit chercher son père qu'il trouva allongé et à moitié endormi à côté du poêle à essence.

— Comment se passe ta réflexion ? lui demanda Will.

— Hum… bien, répondit le Dr Burrows tout ensommeillé. Et le mur ?

— C'est fait. Il y a une pièce de l'autre côté.

Le Dr Burrows insista pour qu'il débarque tout le chargement du bateau sur le quai. Ils trièrent ensuite ce dont ils avaient besoin et s'approchèrent enfin de la brèche que venait d'ouvrir Will.

— Après toi, je t'en prie, dit le Dr Burrows.

Laissant son père derrière lui, Will passa de l'autre côté et entra dans un couloir rempli de bétonnières et de vieilles planches. Ils arrivèrent bientôt devant une solide porte de métal qui comportait deux poignées. Ils parvinrent à les faire basculer l'une et l'autre au prix de maints efforts et avec force gros mots, puis ils poussèrent la porte.

— Non, pas encore de l'eau ! s'écria Will en voyant un véritable déluge s'écouler tout autour d'eux.

Il s'agissait d'un fluide opaque et extrêmement nauséabond. Le souffle coupé par la puanteur, ils entrèrent dans la pièce en pataugeant. Elle devait mesurer une vingtaine de mètres de large et comportait des rangées de casiers de chaque côté. À l'autre extrémité de la pièce se trouvait une porte tellement rouillée qu'ils abandonnèrent bientôt tout espoir de l'ouvrir. Ils commençaient aussi à ressentir des vertiges à cause de la puanteur.

– Papa ! s'exclama Will d'une voix étouffée en se pinçant les narines.

Will venait de découvrir une autre entrée derrière ce qui ressemblait à première vue à un placard. La pièce adjacente mesurait deux mètres carrés, et l'on avait fixé de gros barreaux à la paroi. Will y grimpa aussitôt, mais il se cogna la tête contre des planches pourries en haut de l'échelle.

– Attention ! cria son père alors que des morceaux de poutre lui retombaient sur la tête, mais peu importait à Will qui voulait sortir de là. Il se fraya un passage à travers un buisson de ronces, et se redressa enfin.

– La Surface, souffla-t-il.

Il fit quelques pas hésitants, renversant la tête en arrière pour admirer le ciel infini au-dessus de lui, quand il ressentit subitement le besoin de s'accroupir, comme si cette vision avait quelque chose de trop intense pour lui.

– Je me demande quelle heure il est. Sommes-nous au crépuscule ? s'interrogea le Dr Burrows en se redressant à côté de Will. Ou est-ce l'aube ? ajouta-t-il d'un ton abattu en scrutant le ciel noir et sans nuages.

– Papa ! On est dehors ! On a réussi ! s'écria Will en se tournant vers lui. On est rentrés chez nous !

Il n'arrivait pas à croire que son père ne soit pas sur un petit nuage.

Le Dr Burrows ne répondit pas tout de suite.

– Ce n'est pas tout à fait le retour en fanfare auquel j'aspirais, Will, dit-il d'un ton dépité. Après tout ce que j'ai vu et tout le travail que j'ai accompli là-bas…

Le Dr Burrows enfonça le pied dans les herbes hautes qui se dressaient devant lui.

– Je voulais… revenir avec quelque chose qui épaterait le monde… Je voulais tournebouler toute la communauté des archéologues.

Il retint sa respiration pendant quelques secondes avant de reprendre.

— Au lieu de ça, tout ce que j'ai à leur montrer, c'est un sac d'outils datant de la guerre froide, dit-il en jetant son sac qui retomba par terre avec fracas... et l'une des pires coupes de cheveux de toute l'histoire de l'humanité. Non, sans mon journal, mes très estimés collègues devront me croire sur parole lorsque je leur raconterai tout le tremblement, tout ce que j'ai vu... Eh bien, voilà qui n'arrivera pas, n'est-ce pas ?

Will acquiesça. Il comprenait à présent pourquoi son père était si abattu. Il se demandait s'il fallait à nouveau aborder le sujet des Styx. Son père risquait d'avoir un réveil brutal lorsqu'il saurait qu'il n'avait pas du tout le loisir de publier tous ses secrets, car la plupart appartenaient aussi aux Styx. Ils ne le laisseraient jamais faire. Mais mieux valait ne rien dire plutôt que de risquer une nouvelle dispute avec son père. Will n'était pas d'humeur. Il était bien trop fatigué pour ça.

Il cueillit une feuille sur un jeune arbuste et la froissa dans sa main, puis il en huma la *verdeur*. Cela faisait si longtemps qu'il n'avait pas vu pareille chose.

— Où on est, d'après toi, papa ?

— Eh bien, une chose est certaine, nous n'avons pas émergé au fond d'un volcan éteint d'Islande, ironisa le Dr Burrows en balayant les alentours avec le faisceau de sa lampe.

Il y avait des arbres adultes un peu partout autour d'eux.

— Ce n'est peut-être même pas l'Angleterre. On a parcouru un sacré bout de chemin, dit Will en s'avançant de quelques pas.

— Très franchement, je doute que nous soyons allés si loin.

Ils commencèrent à explorer les lieux dans la lumière déclinante et se frayèrent un chemin à travers les broussailles.

Il semblait y avoir une forte concentration de bâtiments désaffectés dans un périmètre relativement restreint. La zone était traversée par une route dont l'asphalte avait été colonisé par d'innombrables buissons, ce qui la rendait très difficile à distinguer du reste du paysage.

Il s'agissait de constructions en briques à un ou deux étages, dont presque toutes les fenêtres étaient brisées. Will et son père n'eurent aucune difficulté pour y entrer, car toutes les portes étaient soit ouvertes, soit sorties de leurs gonds. À l'intérieur, les sols étaient maculés d'écailles de peinture tombées des plafonds, ce qui donnait l'impression qu'ils étaient enneigés. Will et le Dr Burrows exploraient le premier étage de l'un de ces bâtiments lorsqu'ils aperçurent les phares d'un véhicule dans le lointain. Il fonçait dans la nuit de plus en plus épaisse.

– Je ne sais pas de qui il s'agit, mais je n'ai aucune envie de me frotter à eux, murmura le Dr Burrows. Restons cachés pendant quelque temps. Nous inspecterons cet endroit à la première heure demain matin.

– D'accord, répondit Will qui n'attendait que ça.

C'était à peine s'il tenait encore debout. Ils trouvèrent un coin au sec dans l'une des pièces du rez-de-chaussée et se glissèrent dans leurs sacs de couchage.

Ils déposèrent le globe lumineux à demi couvert entre eux sur le sol pour éviter de signaler leur présence. Will regarda, derrière ses paupières fatiguées, une branche d'arbre qui avait poussé à travers l'une des fenêtres cassées. Puis, incapable de garder les yeux ouverts plus longtemps, il emplit ses poumons d'air frais. Peut-être était-ce à cause de ses origines – après tout, sa famille était originaire de la Colonie – ou de son séjour prolongé sous terre, mais il était devenu extrêmement sensible aux mouvements de la Surface. Ce n'était pas tant la stridulation des insectes ou l'appel sporadique des oiseaux en plein vol, mais les silences, les rythmes de la nature. Il sentait presque pousser la végétation autour de lui.

Mais plus encore, les éléments qui l'avaient accompagné dans les profondeurs de la Terre lui manquaient désormais – le tassement presque imperceptible de la roche et du terreau, et les odeurs primales, simples et rassurantes qui chatouillaient la base du nez. Son existence souterraine lui manquait déjà, même s'il ne comptait pas en souffler mot à son père. C'est sur ces pensées fugitives qu'il sombra dans le sommeil.

Will roula sur le dos et papillonna des paupières.

Il hurla en sentant la brûlure de l'intense lumière sur sa rétine, et se réfugia rapidement dans la pénombre en se cachant les yeux. Après avoir beaucoup cligné, il entra lentement dans la lumière en se protégeant le visage. Il s'extirpa de son sac de couchage en se tortillant et enfila ses bottes, mais il avait l'impression que chacun de ses gestes était incroyablement empesé. Il comprit alors qu'il subissait les effets d'une gravité normale.

– Bonjour, lui dit son père d'un ton enjoué en entrant dans la pièce, écrasant des débris de verre sur le sol.

– Bonjour, répondit Will, puis il bâilla comme un ogre.

– Réveil difficile ? lui demanda le Dr Burrows.

– Ouais, répondit Will avec un nouveau bâillement.

– Tu subis sans doute une forme de décalage horaire. « Un décalage horaire souterrain », dit le Dr Burrows en riant tandis qu'il allumait le réchaud pour faire chauffer de l'eau.

Il consulta sa montre, puis il lança un coup d'œil à son fils.

– Tu n'as pas la moindre idée du temps que tu as passé à dormir, ni de l'heure qu'il est, n'est-ce pas ? demanda-t-il, puis il poursuivit sans attendre de réponse : tu te rends compte que tes journées duraient probablement plus de vingt-quatre heures ? Tes rythmes circadiens doivent être sacrément chamboulés.

– Qu'est-ce que tu veux dire ? demanda Will, non pas tant par intérêt que pour faire plaisir à son père.

– En l'absence de rayonnement solaire, le taux de mélatonine présent dans le cerveau cesse de suivre des rythmes normaux. Il devrait croître au coucher du soleil. C'est pour ça qu'on a sommeil.

Le Dr Burrows attrapa le globe lumineux pour en examiner les fluides internes qui avaient réagi à la lumière en virant au noir d'encre.

– Sous terre, nous n'avons que ces globes. La lumière qu'ils émettent se rapproche de celle du soleil, mais ils ne s'éteignent jamais. Ils ne respectent pas l'alternance entre le jour et la nuit à laquelle nous sommes habitués…

– Oh papa, tu peux pas me raconter ça une autre fois, supplia Will. Je ne te suis pas vraiment.

Son père retomba dans un silence vexé, qui se prolongea alors même qu'ils sirotaient leur thé trop sucré.

– Très bien, commença le Dr Burrows. Si tu veux bien m'écouter maintenant…

Will acquiesça en marmonnant.

– Nous nous trouvons sur une base aérienne désaffectée. Je ne sais pas très bien où elle se situe, mais nous sommes certainement en Angleterre, et puis on dirait qu'il y a une patrouille de sécurité, mais ce ne sont pas des soldats. Sans doute une compagnie privée. Allons, emballons ce dont nous avons besoin et cachons le reste ici.

– Pourquoi ? Qu'y a-t-il de si urgent ? demanda Will.

– Nous partons pour Londres.

Ils firent un tour rapide de la base, et le Dr Burrows radota tout du long, spéculant sur la fonction de chacun des bâtiments.

On avait amassé de la terre tout autour des murs et dressé un rempart devant l'entrée de l'une des constructions. Le Dr Burrows expliqua à Will que c'était pour protéger le bâtiment des bombes. Il ne restait plus rien à l'intérieur, sinon un système d'air conditionné vieillot et des mètres de câbles électriques qui couraient un peu partout. Selon le Dr Burrows, il s'agissait d'un centre de contrôle. Il y avait une entrée de l'autre côté du bâtiment, et ils découvrirent là la véritable fonction de l'endroit, laquelle était bien plus macabre. Ils se retrouvèrent dans une longue pièce dont l'un des murs était couvert de crémaillères métalliques. Elles comportaient chacune trois étagères distinguées par un numéro peint au pochoir sur le mur blanchi à la chaux.

— Du désinfectant, déclara Will en humant l'atmosphère. C'était l'hôpital, ou quoi ?

— Sans doute une morgue.

— Quoi ? Pour les cadavres ? demanda Will.

Son père acquiesça et, lorsqu'ils entrèrent à nouveau dans la lumière, lui indiqua le clocher d'une église dans le lointain.

— Partons dans cette direction. Il y aura forcément une route à côté de l'église.

Ils arrivèrent sur un énorme tarmac fissuré et couvert de monceaux de gravats de béton.

— J'imagine que c'était la piste de décollage, dit Will en parcourant du regard la bande d'asphalte, puis il essaya de déterminer la fonction des grands bâtiments semblables à des entrepôts qui se trouvaient non loin de là.

— Ce sont des hangars de classe C, dit le Dr Burrows. Tout ça date de l'après-guerre, comme l'abri souterrain qu'ils ont construit en dessous.

Will et le Dr Burrows traversèrent un champ, puis une haie, descendirent le long d'un accotement, et se retrouvèrent enfin sur une route à une voie qu'ils suivirent jusqu'à un village minuscule. Le Dr Burrows fonça droit sur la seule boutique du coin qui faisait à la fois office de bureau de poste et de commerce de proximité.

Avant d'entrer, Will attrapa son père par le bras.

— De l'argent ! On n'a pas d'argent !

— Oh, vraiment ? répondit le Dr Burrows. Il défit la boucle de sa ceinture puis l'ôta cérémonieusement. Il y avait une fermeture Éclair sur la face intérieure. Il l'ouvrit et sortit un sachet en plastique fermé par un élastique qui contenait une liasse de billets ; il les compta avant de les fourrer dans sa poche.

— Il faut être sûrs qu'on aura assez pour payer notre voyage. Évitons les extravagances, Will.

Une sonnette tinta au-dessus de la porte. Un homme corpulent émergea de la pièce du fond en titubant. Will choisit quelques chips et préleva une boisson en cannette dans le réfrigérateur. Le Dr Burrows, quant à lui, n'avait d'yeux que pour les chocolats, mais il pensa à prendre aussi un journal après coup.

— On dirait qu'il va faire beau, dit l'homme d'un ton sympathique, mais avec un léger sifflement dans la voix.

Il portait une chemise brune à carreaux et une cravate tissée dans une matière qui semblait plus adéquate pour une paire de chaussettes.

— En effet, répondit le Dr Burrows. Puis-je vous demander où nous sommes exactement ? demanda-t-il en s'éclaircissant la voix.

— Où nous sommes ?

L'homme calculait le total de leurs achats lorsqu'il s'arrêta soudain pour dévisager le Dr Burrows.

— Oui, le nom du village ?

— West Raynham, répondit le commerçant, un peu perplexe.

— West Raynham, répéta le Dr Burrows comme s'il cherchait à se rappeler s'il avait déjà entendu ce nom. Et dans quel comté sommes-nous, au juste ?

— Norfolk… au nord du Norfolk, répondit-il en jetant un drôle de regard à Will cette fois.

— Ça fait un moment qu'on est sur la route, expliqua le Dr Burrows.

— Ah… ! acquiesça l'homme en sortant l'addition.

— Et pour se rendre à Londres, quel serait le meilleur itinéraire ? demanda encore le Dr Burrows en lui tendant un billet de vingt livres froissé.

— Par la route ? répliqua l'homme en lissant le billet entre ses doigts boudinés, puis il en examina le filigrane à la lumière.

Visiblement satisfait, il le déposa dans sa caisse.

— Non, en bus ou en train.

— Dans ce cas, vous devez vous rendre dans la ville la plus proche, Fakenham. C'est à une dizaine de kilomètres d'ici, précisa-t-il en indiquant la direction, puis il mit une main devant sa bouche pour tousser.

Il prit plusieurs inspirations asthmatiques avant de continuer.

– Vous pouvez prendre un bus jusqu'à Norwich, puis sauter dans un train. Sinon, il y a un car qui part de Fakenham deux fois par jour. C'est lent, mais c'est moins cher.

– Va pour le car, dans ce cas, décida le Dr Burrows. Merci beaucoup, dit-il en reprenant sa monnaie.

Will tenait la porte à son père lorsqu'il se retourna vers l'homme derrière le comptoir. Il plissait le front comme s'il avait oublié quelque chose.

– Mais dites-moi, il n'y a pas eu d'épidémie en Angleterre, n'est-ce pas, au cours des deux derniers mois ?

– Une épidémie ? demanda l'homme d'un air confus.

– Oui, une maladie contagieuse, et puis des morts ? clarifia le Dr Burrows.

– Non, rien de tel, répondit l'homme d'un air pensif. À part une méchante gastro qui circule ces temps-ci.

– C'est bien ce que je pensais. Merci encore, répondit le Dr Burrows qui se pencha vers Will à peine la porte refermée derrière eux. Au temps pour ce fameux fléau styx qui devait décimer la population, murmura-t-il d'un ton théâtral comme s'il avait osé éventer quelque terrible secret.

– Je n'ai jamais dit que c'était déjà arrivé, se défendit Will. Et rien ne se passera s'il ne tient qu'à moi. Or il se trouve que je détiens les fioles.

– C'est certain, répondit le Dr Burrows sans grande conviction. Il est toujours temps de sauver le monde.

Will laissa glisser les commentaires de son père.

Ils s'assirent sur un mur en face du magasin et se délectèrent de leurs achats. Savourant ses chips à chaque bouchée qu'il accompagnait d'une gorgée de Coca Light, Will ferma les yeux de bonheur.

– Je n'aurais jamais cru que ces petites choses m'auraient autant manqué.

Le Dr Burrows mangeait ses barres chocolatées en silence.

– Je ne te le fais pas dire, commenta-t-il en avalant sa dernière bouchée, puis il descendit du mur d'un bond. Fais sauter les cales, mon pote ! ajouta-t-il avec exubérance en faisant mine de s'envoler.

Voyant que Will ne réagissait pas, il sourit d'un air idiot.

– Je plaisante, Will. Tu n'as pas compris ? Fais sauter les cales. Nous sommes sur un terrain d'aviation. C'est comme ça qu'on procédait avec les vieux avions : on ôtait les cales placées sous les roues. Or tout ce chocolat, ça cale ! C'est une blague.

– Tout va bien, papa ? demanda Will.

Son père, qui d'ordinaire n'était pas du genre à plaisanter, se comportait très bizarrement.

— Je crois que j'ai mangé un peu trop de sucre, admit-il. J'ai peut-être abusé, ajouta-t-il en fronçant les sourcils.

— Je crois bien que oui, répondit Will en descendant du mur.

Mais le Dr Burrows, encore tout excité, refusait catégoriquement de vérifier s'ils pouvaient attraper un bus qui les conduirait à la ville la plus proche.

— Ça nous fera du bien de marcher. En avant pour Fakenham, déclara-t-il d'un ton grandiloquent en traversant le reste du village à grandes enjambées.

Lorsqu'ils arrivèrent enfin à Fakenham, épuisés et en sueur, c'était le jour du marché. Les commerçants installaient leurs marchandises sur les étals ou bien sirotaient leur thé dans des gobelets en polystyrène. Le Dr Burrows trouva l'arrêt d'où partaient les cars et étudia les horaires pour connaître l'heure du prochain départ pour Londres. Ils avaient encore deux heures à tuer, alors ils vagabondèrent autour de la place principale tandis que les gens affluaient pour faire leur marché. La zone fut bientôt bondée, ce qui mit Will particulièrement mal à l'aise. Il regardait sans cesse par-dessus son épaule en essayant de voir le visage de chaque passant, mais la foule était bien trop nombreuse.

— Papa, dit-il en indiquant un café un peu plus haut sur la route.

— Pourquoi pas ? Je donnerais n'importe quoi pour un café, dit-il avant d'hésiter : Will, fais attention à ce que tu manges. Tu as vu ce qui m'est arrivé, conseilla-t-il d'un ton posé. Il faut éviter de consommer trop de sucre ou de graisse, car nous en avons perdu l'habitude.

Malgré les supplications de Will qui rêvait d'un petit déjeuner complet, ils commandèrent des tartines de pain grillé et une boisson puis s'assirent à une table dans un coin du café.

Les autres clients leur lançaient des regards méfiants, non pas tant à cause de leurs uniformes militaires vert olive qui, après tout, n'avaient rien de décalé dans cette ville-là, mais plutôt à cause de leurs drôles de coupes, et de leurs chevelures crasseuses au possible. Will enroula l'une de ses dreadlocks blanches autour de ses doigts en étudiant les cheveux hérissés de son père. Absorbé par la lecture de son journal, le Dr Burrows ressemblait à un vieux punk sur le retour.

— Tu ne penses pas qu'on devrait faire quelque chose pour nos cheveux ? Je crois qu'on fait un peu tache ici, et il faut à tout prix éviter d'avoir la police sur le dos, n'est-ce pas ? N'oublie pas qu'on a été officiellement portés disparus, dit Will à son père en se penchant vers lui.

Le Dr Burrows étudia la suggestion de son fils, puis il acquiesça.

– Ce n'est pas une mauvaise idée, Will, conclut-il, puis il se leva pour aller demander à la dame derrière le comptoir où se trouvait le coiffeur le plus proche.

Ils s'y rendirent aussitôt.

Will n'était pas certain que son père ait fait le bon choix en demandant une coupe courte au coiffeur, et il commençait même à le regretter en le voyant tondre ses longs cheveux dans le miroir. Will trouva toutefois que leurs nouvelles coupes bien nettes s'accordaient parfaitement avec leurs tenues militaires. Le car arriva à l'heure, et ils embarquèrent aussitôt, mais le voyage se révéla extrêmement long ; le chauffeur semblait en effet s'arrêter dans chaque village. Will et le Dr Burrows en profitèrent donc pour rattraper quelques heures de sommeil. Lorsqu'ils se retrouvèrent bloqués dans un embouteillage à l'extérieur de Londres, Will ouvrit un œil à demi et inspecta les rangées de voitures et de camions immobilisées sur les autres voies, puis il leva les yeux vers l'horizon lointain. « Trop de gens », marmonna-t-il d'une voix endormie, puis il sombra de nouveau.

Le car arriva enfin à destination au milieu de l'après-midi, et la porte s'ouvrit avec un sifflement pneumatique.

– Euston Station ! Tout le monde descend ! cria le chauffeur.

– Je ne vais jamais m'y habituer, marmonna Will alors qu'ils gagnaient le hall de la gare qui grouillait de gens.

On entendait le bourdonnement incessant de la circulation sur Euston Road, mais le Dr Burrows ne semblait pas s'en préoccuper le moins du monde.

– Vite ! Ce bus ! Ils nous conduira à Highfield ! s'exclama-t-il en indiquant le véhicule. Mais où sont passés tous les bus à deux étages ? demanda-t-il soudain d'un air confus.

CINQUIÈME PARTIE

De retour à Highfield

Chapitre Vingt-quatre

À la surprise de Will, le Dr Burrows choisit de ne pas remonter la Grand-Rue de Highfield une fois descendu du bus.

– Je veux juste jeter un coup d'œil au musée, expliqua-t-il.

– Papa... ce n'est pas sûr. Je ne crois pas qu'on devrait... objecta Will, sachant qu'il gaspillait sa salive pour rien car son père filait déjà d'un pas déterminé, menton en avant.

Parvenu au musée, le Dr Burrows gravit les marches et entra avec Will à sa suite qui traînait quelques mètres en arrière.

Will se disait justement que le hall principal lui semblait bien plus éclairé que dans son souvenir lorsque son père s'arrêta net. Il observait la scène avec l'attitude d'un propriétaire quand il vit quelque chose tout au fond de la pièce.

– Qu'est-ce que c'est que tout ce bazar ? s'exclama-t-il avant de reprendre sa marche.

Le Dr Burrows se rapprocha d'une haute vitrine en faisant couiner les semelles de ses bottes sur le parquet poli. Un mannequin vêtu d'un uniforme d'infanterie du génie de la Seconde Guerre mondiale y était exposé dans toute sa splendeur.

– Mais qu'est-il advenu de *mon* exposition militaire ? marmonna-t-il en cherchant du regard les deux vitrines abîmées dans lesquelles il avait disposé un fatras de boutons ternis, d'insignes régimentaires et d'épées d'apparat toutes rouillées.

Will contourna le mannequin pour regarder une autre présentation.

– « En souvenir des braves de Highfield », lut-il tandis que son père se joignait à lui.

Ils s'appuyèrent tous deux sur les vitrines affaissées pour contempler les carnets de ration et les registres, les masques à gaz et autres objets de guerre dont le nom et l'usage figuraient sur de splendides étiquettes.

Le Dr Burrows prit une grande inspiration, puis il se tourna vers un écran de télévision encastré dans une console en mélamine d'un blanc brillant situé à côté des nouvelles vitrines.

– « Touchez pour activer », marmonna-t-il en lisant les instructions affichées à l'écran, et il s'exécuta.

Le moniteur commença aussitôt à diffuser une série de films en noir et blanc qui ressemblaient à des séquences tirées des anciennes actualités. Les premières scènes avaient été tournées de nuit. On y voyait des pompiers munis de lances à incendie qui tentaient d'éteindre des maisons en flammes.

– Je me souviens de cette époque comme si c'était hier, commentait un vieil homme à la voix chevrotante. Mon père fut l'un des premiers à se porter volontaire à Highfield comme préposé à la défense passive.

Will regardait les scènes qui montraient les suites du raid. Sous un soleil brumeux, des hommes vêtus d'uniformes poussiéreux déblayaient frénétiquement les gravats qui jonchaient les trottoirs et les jardins devant les maisons.

– Le raid le plus sévère a eu lieu en février 1942. Une bombe s'est écrasée directement sur le salon de thé Lyons, dans le centre commercial de South Parade. Je me souviens qu'il était bondé. Il y avait plein de gens qui déjeunaient lorsque les Allemands ont largué cette mine. C'était atroce… il y avait des blessés et des morts partout. Et puis il y a eu un autre raid cette nuit-là, encore pire que le premier.

Will regarda ensuite un clip où l'on voyait deux vieillards assis sur leurs chaises au milieu des décombres au rez-de-chaussée d'une maison, regardant fixement la caméra en fumant. Ils avaient l'air épuisés et abattus. Will s'efforça d'imaginer leurs souffrances. Ils avaient non seulement perdu leur maison et tous leurs biens mais aussi leur femme et leurs enfants qui avaient péri dans le bombardement. Will fut soudain touché par leur calvaire. Il trouvait la scène poignante et comprit alors que ce qu'il avait vécu n'était rien comparé à ce que ces hommes, et des centaines de milliers d'autres, avaient subi pendant la guerre. Puis il se concentra de nouveau sur le commentaire audio.

– Mon père a travaillé pendant deux jours et deux nuits pour trouver...

Le Dr Burrows toucha soudain l'écran, interrompant la séquence.

– Mais j'étais en train de regarder, papa, protesta Will.

Son père fit claquer sa langue et lui lança un regard glacial avant de partir d'un pas lourd vers la porte située à l'autre bout du hall... où se trouvaient les archives et son ancien bureau.

Mais au moment même où il posait le pied sur le seuil de la porte, un jeune homme s'interposa.

– Je suis navré, monsieur, mais vous ne pouvez pas entrer ici. C'est interdit au public, dit l'homme d'une voix aimable, mais ferme. Réservé au personnel du musée, j'en ai bien peur.

Il portait un élégant costume bleu et arborait sur le revers de sa veste le badge « Conservateur ». Il semblait très jeune, même aux yeux de Will.

– Je suis... commença le Dr Burrows, mais il s'arrêta net.

Will venait de lui asséner un coup dans les reins sans que le jeune homme s'en aperçoive.

Le Dr Burrows grogna, et l'homme recula d'un pas. Le père de Will devait lui faire un drôle d'effet, vêtu de son duffle-coat de l'ancienne marine boutonné jusqu'au col, et affublé d'un bonnet de laine enfoncé jusqu'aux oreilles.

– Puis-je vous être utile, monsieur ? J'ai vu que vous admiriez notre nouveau dispositif interactif. Je serais ravi de vous offrir une visite guidée de nos autres expositions, déclara le jeune homme en embrassant l'étage du regard tout en baissant la voix, comme s'il confiait quelque secret fondamental au Dr Burrows. Mais j'ai bien peur que la plupart n'aient rien d'exceptionnel. Vous avez sans doute remarqué que ce musée est un peu... euh... comment dirais-je... qu'il a besoin d'être modernisé. L'ancien conservateur l'a terriblement négligé, ajouta-t-il en prenant une profonde inspiration, comme s'il se préparait à s'atteler à cette tâche titanesque. Mais maintenant que je suis aux commandes, j'ai l'intention de rénover, grâce aux fonds assez sub-stan-tiels que j'ai réussi à obtenir, dit-il en détachant bien chaque syllabe.

Le jeune homme était radieux. Il s'attendait à ce que le Dr Burrows manifeste un certain enthousiasme, mais son sourire s'effaça bientôt.

– J'aime ce musée tel qu'il est, dit le Dr Burrows d'une voix étranglée.

Will souffrait pour son père. On venait de dévaloriser tout le travail qu'il avait accompli dans ce musée en quelques phrases. Tête baissée, son père semblait se dégonfler sous ses yeux, telle une baudruche. Will aurait voulu dire quelque chose, mais il ne trouvait pas les bons mots. L'ironie de la situation était que son père n'avait aucune raison d'avoir honte.

Après les découvertes innombrables et remarquables qu'il avait faites au cœur de la Colonie et dans les Profondeurs, on louerait un jour les qualités de grand explorateur et d'éminent scientifique du Dr Burrows, sans doute même le plus éminent du siècle. Mais rien de tout cela ne comptait pour le moment, alors que son père se tenait là, les épaules tombantes et l'air dépité. Will ne comprenait pas pourquoi il semblait encore se soucier autant de cet endroit de troisième zone, qui ne pourrait jamais espérer rivaliser avec les musées plus riches du centre de Londres.

– Ces expositions ont demandé beaucoup de temps et d'efforts, vous savez, dit le Dr Burrows. Je pense qu'elles remplissent parfaitement leurs fonctions.

– Eh bien, il en faut pour tous les goûts, répondit le jeune homme sur la défensive. Les choses ont énormément changé de nos jours. Tout repose sur l'interactivité et l'implication communautaire. Le truc consiste à attirer l'attention des enfants grâce à de nouvelles technologies de pointe, mais aussi à intégrer les habitants du coin en les invitant à participer au montage de capsules témoins, par exemple. Oui, interaction et implication riment avec intérêt et investissement. C'est la règle des quatre I.

Will scruta le hall en se demandant si la vision du nouveau conservateur connaîtrait un quelconque succès à Highfield. Peut-être ce musée plutôt poussiéreux et négligé reflétait-il véritablement l'âme de cet arrondissement.

– Dites-moi, vous habitez ici ? demanda le conservateur pour rompre le silence.

– En quelque sorte, répondit le Dr Burrows.

– Eh bien, si jamais vous êtes intéressé, sachez que je suis toujours à la recherche de personnes pour m'aider à gérer le musée, vous savez, pour…

– Les week-ends, l'interrompit le Dr Burrows. Ah, oui, l'équipe du samedi.

Le visage du conservateur se fendit soudain d'un large sourire : il pensait avoir déniché une nouvelle recrue.

— J'imagine que vous avez enrôlé le major Joe, et puis aussi Pat Robbins, Jamie Dodd... et je parie qu'il y a aussi Franny Bartok.

Le conservateur acquiesça chaque fois que le Dr Burrows donnait un nom. Will, qui s'était avancé à côté de son père, remarqua qu'il avait l'œil malicieux. Il préparait forcément quelque chose.

— Et comment pourrais-je oublier, le grand, l'unique, j'ai nommé Oscar Embers.

— Oscar Embers ? Non, je ne connais personne de ce nom-là, répondit le conservateur qui avait cessé d'acquiescer.

— Non ? Vous êtes sûr ? C'était un acteur à la retraite, le plus investi et le plus passionné de tout le lot.

Le conservateur ne put s'empêcher de remarquer le coup d'œil entendu qu'échangèrent alors Will et le Dr Burrows.

— Non, je ne l'ai jamais croisé, dit le conservateur d'un ton catégorique, puis il plissa les yeux comme s'il suspectait quelque chose. Et puis-je vous demander, monsieur, comment il se fait que vous en sachiez si long sur mes volontaires alors que je ne vous ai jamais rencontré ?

— J'étais... commença le Dr Burrows avant d'être interrompu par Will qui toussa bruyamment pour avertir son père... J'aidais votre prédécesseur du temps où il travaillait encore là. Je le connaissais bien.

— Ah, ce serait donc le Dr..., dit le conservateur en fronçant les sourcils alors qu'il cherchait le nom exact. Bellows ou Bustows, quelque chose dans ce goût-là.

— Burrows, le Dr Burrows, rectifia sèchement l'intéressé.

— Oui, c'est ça. J'imagine que vous savez que le pauvre gars a disparu. C'était avant que je ne reprenne les rênes du musée. Je n'ai donc aucune idée de sa personnalité.

— C'était un homme très impressionnant, répondit le Dr Burrows, soudain laconique. Mais je crains qu'il ne nous faille vous quitter à présent.

— Vous êtes sûr de ne pas vouloir faire le tour des nouvelles expositions ?

— Une autre fois peut-être. Merci, quoi qu'il en soit, et bonne chance pour vos projets, dit le Dr Burrows en tournant brusquement les talons.

Il marmonnait dans sa barbe, mais dehors il se déchaîna.

— Interactif ! Bah ! Ce jeune novice à peine sorti de l'université va flamber des milliers de livres pour rien du tout, bon sang ! Le musée n'aura plus assez de fonds et devra fermer, et on mettra toute ma collection au placard, dit-il en tapant si fort du pied sur le trottoir que le mur d'en face en renvoya l'écho.

— Papa, du calme, tu veux bien, le pressa Will qui ne voulait pas que le comportement de son père attire l'attention. Je sais pourquoi tu t'es renseigné à propos d'Oscar Embers, dit-il en essayant de distraire un peu son père. C'est vraiment très étrange que le nouveau conservateur n'ait pas entendu parler de lui. Il traînait toujours dans le coin, n'est-ce pas ?

— Oui, acquiesça le Dr Burrows, très étrange.

— La jumelle disait donc la vérité. C'était une taupe qui travaillait pour les Styx, et on ne devrait pas rester par ici. Je te le dis, on n'est pas en sécurité à Highfield.

Le Dr Burrows pinça les lèvres d'un air songeur, puis il leva soudain un index.

— Je sais ! Oscar a dû mourir subitement, avant que ce nouveau type ne prenne le relais, dit-il d'un ton enjoué. Après tout, Oscar n'était pas de la première jeunesse ! Et il y a une seule manière de savoir si c'est bien ce qui s'est passé.

— Comment ? demanda Will, mais son père avait redémarré en trombe.

Ils remontèrent la Grand-Rue et s'arrêtèrent devant une boutique qu'une équipe d'ouvriers était en train de vider. Le Dr Burrows regarda les vieilles étagères peintes en vert que l'on avait arrachées et empilées sur le trottoir devant la boutique.

— Le magasin des Clarke a disparu. Rien n'est donc jamais sacré ? dit-il en parlant du vieux primeur qui, de mémoire d'homme, avait toujours été là. Ces satanés supermarchés, voilà tout ce qui reste ! pesta-t-il.

Will devina aussitôt que cette fermeture ne se résumait pas à ça. Il s'apprêtait à dire à son père ce qu'il savait des frères Clarke qui entretenaient des liens privilégiés avec la Colonie, mais il se ravisa. Le Dr Burrows avait bien assez de mal à accepter ce qu'il savait déjà. Will ne voulait pas rendre les choses encore plus compliquées.

Ils tournèrent à l'angle de la Grand-Rue, longèrent le vieux couvent et ne tardèrent pas à arriver dans Gladstone Street où le Dr Burrows s'arrêta pour examiner une rangée d'hospices.

— Qu'est-ce qu'on fait ici, papa ?

— On vérifie les faits, répondit le Dr Burrows en se dirigeant vers une allée étroite coincée entre deux petites maisons.

Il semblait savoir exactement où il allait quand il disparut soudain dans les ténèbres. Will le suivit, angoissé à l'idée de marcher ainsi à l'aveuglette, à quelques pas derrière lui. Il ralentit un instant et buta contre une bouteille de lait vide qu'il envoya valdinguer avec fracas sur les pavés.

Lorsqu'il revit enfin la lumière du jour, Will remarqua que l'allée était bordée de murs qui la séparaient des jardins adjacents et qu'elle se terminait sur un cul-de-sac. Le mur d'une vieille usine aux fenêtres hautes se dressait tout au bout de l'allée. Will se demandait bien pourquoi, pour l'amour du ciel, son père s'intéressait à cet endroit. Le Dr Burrows jeta un coup d'œil par-dessus le mur de droite.

– Qui habite là ? demanda Will qui avait rejoint son père et regardait lui aussi le jardin mal entretenu.

Un chat dodu traversa l'herbe clairsemée en évitant soigneusement les nombreux récipients en plastique remplis d'une eau crasseuse qui semblaient avoir envahi le jardin. Will se souvint de ce qu'il avait lu dans le journal de son père, qu'ils avaient trouvé avec Chester quelques mois plus tôt.

– C'est ici qu'on a découvert le globe lumineux, n'est-ce pas ?

– Oui, c'est la maison de Mme Tantrumi.

– Et alors, qu'est-ce qu'on fait là ? demanda Will en haussant les épaules.

– C'est une amie d'Oscar.

– Et donc, tu vas lui demander ce qui lui est arrivé ?

– Oui, j'en ai l'intention, confirma le Dr Burrows d'un air décidé. Et il y avait plus qu'un simple globe lumineux ici.

– Qu'est-ce que tu veux dire ? lui demanda Will d'un air perplexe.

– On a trouvé ce globe lumineux dans la cave juste derrière ces marches, là-bas, l'informa le Dr Burrows en jetant un coup d'œil à la porte sombre. Il y avait aussi une garde-robe remplie de manteaux de Colons.

– Des manteaux de Colons, répéta Will, saisissant soudain le sens des paroles de son père. Bon Dieu ! Papa ! T'as perdu la tête, ou quoi ? s'écria-t-il en regardant nerveusement de tous côtés. Il s'agit probablement d'un accès à la Colonie. Il pourrait y avoir des Styx dans cette maison.

– Non, juste une charmante vieille dame, Will.

– Mais, papa ! gémit Will en tapant du pied.

Que son père ne l'écoutât pas l'agaçait tant qu'il avait l'impression de se retrouver dans la posture d'un gamin capricieux à qui l'on aurait refusé de céder. Il attrapa le Dr Burrows par le bras, comme pour l'écarter du mur.

— C'est complètement dingue ! On doit partir d'ici, plaida Will. Il le faut !

— Lâche-moi, Will, ordonna le Dr Burrows en se tournant vers lui avec un regard sévère.

Will obéit et relâcha son emprise. Son père était bien déterminé à y aller.

— J'ai passé ma vie à me tenir en retrait au lieu de faire ce que j'aurais dû faire. C'était trop facile de trouver une excuse, de remettre les choses à plus tard. Dieu sait si *moi* j'en sais quelque chose. Mais au moment même où je te parle, j'ai besoin de vérifier les dires de ta sœur... de cette jumelle, corrigea-t-il après un instant d'hésitation. Il faut que je découvre si Oscar travaillait vraiment pour les Styx. Il faut que je vérifie les faits par moi-même.

— Tu as sans doute raison, papa, acquiesça Will à contrecœur.

— Bien, dit le Dr Burrows en se hissant sur le mur.

Le Dr Burrows dérapa en atterrissant de l'autre côté et se retrouva les fesses dans une bassine qui se fracassa sous son poids, et le bruit du plastique brisé se réverbéra dans tout le jardin. Le Dr Burrows se releva avec force jurons en essuyant les algues collées à son duffle-coat.

— Pas cette fois encore ! marmonna-t-il dans sa barbe.

Will resta où il était et regarda son père qui toquait doucement à la porte de derrière.

— Mme Tantrumi... appela le Dr Burrows. Vous êtes là ? C'est moi... Roger Burrows.

La porte s'entrouvrit, et une énorme boule de poils noire et blanche bondit hors de la pièce, fila entre les jambes du Dr Burrows et fonça directement dans le jardin.

— Un chat ? grommela le Dr Burrows, très surpris, en faisant quelques pas hésitants en arrière.

Un visage ridé parut dans l'entrebâillement, il vit alors un œil myope qui l'observait.

— Bonjour ? Qui est-ce ?

— Mme Tantrumi, tout va bien. Ce n'est que moi, Roger Burrows.

— Qui ça ?

— Le Dr Burrows. Je... hum... vous ai rendu visite l'an dernier pour vous parler du globe lumineux qu'Oscar Embers m'avait apporté. Vous vous souvenez ?

La vieille femme ouvrit la porte en grand. Elle avait les cheveux blancs, fins et clairsemés. Elle était vêtue d'un tablier à motifs floraux qu'elle avait si mal attaché que les grosses fleurs jaunes et blanches étaient tout de travers. Elle vacillait sur ses pieds et s'appuyait sur le chambranle, comme pour garder l'équilibre. Elle ajusta ses lunettes, peinant visiblement à accommoder sur le Dr Burrows.

– Oui, bien sûr que je me souviens de vous, finit-elle par répondre. Vous venez du musée. Vous m'avez écrit cette charmante lettre.

– Oui, c'est cela, répondit le Dr Burrows avec soulagement.

– Comme c'est gentil de me rendre à nouveau visite, sourit-elle, le visage radieux. Vous prendrez bien un peu de thé, n'est-ce pas ?

– Mais très volontiers, répondit le Dr Burrows d'un ton chaleureux tandis que la vieille femme retournait dans sa cuisine en se dandinant.

Le Dr Burrows resta dans l'encoignure de la porte. Il se baissa pour caresser un vieux chat terriblement maigre, mais à sa grande surprise le chat tenta de le griffer en crachant.

– Orlando ! En voilà des façons, vilain garçon ! Je suis vraiment navrée, Dr Burrows. Il n'a pas l'habitude des étrangers. J'espère qu'il ne vous a pas griffé.

– Rien de grave, dit le Dr Burrows en se frottant le doigt dont la peau avait été arrachée.

Il jeta un regard furieux au chat qui se tenait encore là, le collier tout hérissé, version féline du chien de garde.

– Mme Tantrumi, je suis venu vous parler d'Oscar Embers. Est-ce qu'il va bien ?

La vieille dame se redressa devant l'évier et laissa couler le robinet à flot. Elle serrait si fort la poignée de la bouilloire qu'elle en avait les doigts exsangues.

– Non, la pauvre chère âme a trébuché sur la route et s'est cassé le bras.

Elle fixa l'eau qui tourbillonnait avant de disparaître dans le conduit d'évacuation.

– Et puis il a contracté une méchante infection à Highfield General. Il a été terriblement malade. Il s'est rétabli, mais les médecins ont décrété qu'il ne pourrait pas rester seul et l'ont expédié dans une maison de retraite. Je ne le vois plus du tout.

– Savez-vous dans quelle maison de retraite on l'a envoyé ? demanda le Dr Burrows.

— Non, et je ne peux pas lui rendre visite, pas avec des hanches dans cet état-là, répondit-elle d'une voix empreinte de regret. Il me manque tellement. C'était un bon ami.

— Je suis vraiment désolé, dit le Dr Burrows sans grande conviction. Mais vous devez bien avoir une petite idée de l'établissement où il se trouve ?

— Non, mon cher, répondit Mme Tantrumi en remplissant la bouilloire, puis elle s'achemina jusqu'à la cuisinière à grands renforts de « ah » et de « oh », comme si chacun de ses pas lui causait une douleur terrible.

— Ce bon vieil Oscar, dit le Dr Burrows d'une voix lointaine en se tournant vers la porte de la cave. Verriez-vous un inconvénient à ce que je jette un coup d'œil en bas, là où on a trouvé le globe lumineux ?

— Le blob lumineux, mon cher ? Qu'est-ce que c'est ? lui demanda-t-elle en plissant les yeux.

— La sphère en verre… l'objet dont vous avez fait don au musée. Vous vous souvenez ?

Mme Tantrumi réfléchit un instant. Ses mains frêles tremblaient.

— Oh, oui, bien sûr. Je sais. Oui, je vous en prie, allez donc jeter un coup d'œil, si vous voulez, dit-elle en attrapant une grosse boîte en fer posée sur le plan de travail. Vous prendrez bien un biscuit d'abord ? proposa-t-elle en peinant à soulever le couvercle.

Le Dr Burrows, une gaufrette à la confiture de groseilles à la main, jeta un coup d'œil à Will dont la tête dépassait à peine du mur du jardin. Il haussa les sourcils puis descendit les marches en brique couvertes de mousse qui menaient à la cave. Arrivé en bas, il se précipita dans la pièce située sous l'entrée de la maison. Tout était silencieux dans cette cave plongée dans la pénombre, mis à part le bruit de ses pas sur le sol de terre battue.

Quand ses yeux se furent habitués à la pénombre, il vit que la garde-robe n'était plus à sa place. À dire vrai, elle avait complètement disparu.

— Bon sang ! grommela-t-il. Quelqu'un l'aura piquée !

Sans cesser de marmonner, il prit le temps d'examiner le vieux piano qui moisissait le long d'un mur humide. Il semblait encore plus délabré que la première fois. Un pan s'en était détaché, et l'instrument penchait sur le côté, comme s'il était à deux doigts de s'effondrer. Il souleva le couvercle et se mit à jouer. De nombreuses touches n'émettaient plus aucun son à présent. Puis il fit le tour de la pièce en longeant le mur et en tapant du pied, certain qu'il allait trouver une trappe quelque part. Mais le sol lui paraissait compact. Il s'apprêtait à sonder les murs lorsqu'il entendit un bruit juste derrière lui.

Il pivota sur ses talons.

Il vit une silhouette se découper dans la lumière qui venait du jardin. Elle tenait quelque chose à la main, qui étincelait comme du métal poli.

— Cette fois, vous êtes allé trop loin ! hurla-t-elle.

— Mme Tantrumi ! s'écria le Dr Burrows en reconnaissant sa voix.

La vieille femme se déplaça à une telle vitesse qu'elle le prit par surprise et tenta de le larder d'un coup de couteau, un sourire plein de rage aux lèvres. Elle n'avait plus rien à voir avec la vieille dame fragile qu'il avait connue.

Tout à coup, on entendit un grand fracas tandis que les gaufrettes et les biscuits fourrés valsaient en tous sens. Mme Tantrumi s'arrêta net, lâcha le couteau menaçant et bascula en arrière.

— Will… souffla le Dr Burrows en voyant son fils qui se trouvait juste derrière la vieille furie.

Le Dr Burrows avait l'air déboussolé. Il essayait de comprendre ce qui venait de se passer.

— Elle… elle allait me poignarder. Merci, Will, dit-il en lançant un regard plein de gratitude à son fils.

— De rien. J'hésitais entre ça, dit-il en lui montrant la boîte à biscuits, désormais vide et toute cabossée, ou un pot de fleurs pour l'assommer.

Ils regardèrent tous deux Mme Tantrumi qui gisait sur le flanc. Le coup l'avait sonnée, mais elle paraissait récupérer assez vite. Elle se frotta le crâne d'un air contrit puis chercha aussitôt à récupérer son couteau.

— Qu'est-ce qu'on fait maintenant ? demanda le Dr Burrows en regardant la vieille dame qui avançait sournoisement la main vers son arme.

— On l'empêche de nous tuer ? suggéra Will en lui clouant le poignet au sol avec son pied.

— Dégage !

Mme Tantrumi semblait avoir recouvré ses forces et elle se mit à souffler et à cracher à l'encontre de Will et de son père. On aurait cru l'un de ses chats sauvages.

– Votre heure est venue ! Personne n'échappe à la Colonie ! tempêta-t-elle.

– Une charmante vieille dame, tu disais ? commenta Will.

Le Dr Burrows secoua la tête. Il regardait la vieille femme avec un mélange d'horreur et de fascination tandis qu'elle s'efforçait de dégager sa main de sous le pied de Will.

– Je n'y crois pas, murmura-t-il.

– Tu ferais mieux pourtant, rétorqua Will.

– Mais…

– Non, écoute-moi maintenant, papa, ils ont des agents un peu partout. Étant donné que Monstrueuse Mamie travaille de toute évidence pour eux, il s'ensuit qu'Oscar Embers aussi, tout comme l'a dit la jumelle. Les Styx ont même des hommes dans la police et au sein du gouvernement. On ne peut donc faire confiance à *personne*. À partir de maintenant, tu regardes où tu mets les pieds. Compris ?

– Morts ! Vous êtes morts, tous les deux ! hurla Mme Tantrumi tandis que Will se baissait pour ramasser le couteau sans pour autant relâcher la pression sur son poignet.

– Je ne crois pas, rétorqua Will en ricanant. Et on va vous arrêter, vous et vos amis putrides, même si on doit en mourir.

– Vous mourrez ! cria-t-elle. Nous sommes trop nombreux !

– Allons, papa, laissons donc cette vieille sorcière !

Will grimaça, puis jeta le couteau au-dehors avec un air de dégoût. Un chat poussa un miaulement de surprise dans le jardin.

– Oh, je crois que j'en ai eu un, dit Will, et Mme Tantrumi déversa aussitôt un tel flot d'injures que le Dr Burrows se boucha les oreilles pour ne plus entendre ses vociférations.

Will libéra le poignet de la Styx et s'éloigna vivement, le Dr Burrows sur ses talons, qui n'avait nullement l'intention de rester seul avec cette furie. Ils gravirent les marches du jardin, éblouis par la lumière du jour, et entrevirent tout à coup quelqu'un qui sautait par-dessus le mur du jardin pour atterrir sur la pelouse boueuse, puis évitait habilement les récipients en plastique remplis d'eau croupie.

– Qu'est-ce qui s'est passé là-dedans ? demanda-t-il dans un murmure impatient.

Will n'en croyait pas ses yeux.

– Drake ! s'exclama-t-il.

– Drake ? répéta le Dr Burrows.

– Dis-moi juste ce qui s'est passé, demanda de nouveau Drake en indiquant la cave d'un geste de la tête. Qui est-ce qu'il y a là-dedans ?

– Un agent des Styx, répondit Will. Je n'arrive pas… j'ai… vous devez… le virus… comment est-ce que vous… bafouilla-t-il en un flot de paroles incohérentes.

– Plus tard, l'interrompit Drake, et il sortit un revolver qu'il tendit à Will. Tiens, prends ça. J'ai enclenché la sécurité.

– C'est bon. J'en ai déjà un, dit Will en ouvrant un pan de son blouson pour lui montrer le Browning Hi-Power qu'il avait glissé dans son pantalon.

Le Dr Burrows fit claquer sa langue pour marquer sa désapprobation, mais Drake se contenta de lui adresser un petit sourire.

– Super. Au fait, Will, j'adore ton nouveau look, dit-il en remarquant ses cheveux courts et son treillis.

Puis Drake entra de nouveau en action. Il se glissa derrière le Dr Burrows et descendit les marches avec prudence.

– C'est une vieille femme, mais une vraie furie, commenta Will pour le mettre en garde, mais Drake avait déjà disparu dans la pénombre de la cave.

– Qu'est-ce qu'il va faire ? Lui loger une balle dans la tête ? demanda le Dr Burrows.

– C'est ce que j'aurais fait, mais elle s'est éclipsée, gronda Drake qui avait entendu sa remarque alors qu'il se ruait hors de la cave. Ça veut dire que les Cols d'albâtre sauront que vous êtes de retour et que ça va recommencer à chauffer.

– Elle est partie ? Mais c'est impossible ! s'exclama Will, abasourdi.

– Il n'y a aucune issue, ajouta le Dr Burrows en adressant un regard sceptique à Drake. J'ai vérifié moi-même.

Le Dr Burrows fit mine de retourner dans la cave, mais Drake l'attrapa par le coude et le fit pivoter sur lui-même.

– Non, c'est une perte de temps. Vous ne la trouverez jamais ! rugit-il. J'ai entendu dire qu'il y avait une porte quelque part par ici. Quelqu'un m'en a parlé, ajouta-t-il en se tournant vers Will qui le regarda d'un air interrogateur. Il faut qu'on file d'ici, et vite, dit Drake au Dr Burrows, puis il s'avança vers Will avec un grand sourire. Je ne sais pas comment te dire combien je suis content de te revoir, Will. Je dirais même que c'est un sacré miracle ! Tu as réussi l'impossible. Vous êtes tous sortis du Pore ?

– Oui… non, nous… répondit Will qui manqua s'étrangler.

Drake venait de poser un genou à terre et visait la porte de la cuisine. Il avait dégainé en un clin d'œil. En revanche, Will mit beaucoup plus de temps pour sortir son propre Browning

Hi-Power, car il n'avait pas l'entraînement de Drake. La porte encore entrebâillée s'ouvrit à peine. Will retint son souffle et vit soudain un chat noir galeux pointer son nez. L'animal leur adressa un regard indifférent avant de se retirer dans la cuisine.

– Oui, il faut que vous fassiez attention à ses minous… ce sont des brutes sauvages. L'un d'eux m'a méchamment griffé, commenta le Dr Burrows d'un ton flegmatique en regardant Drake et son fils, prêts à tirer.

– On n'est jamais trop prudent. Cet endroit grouille de Styx, dit Drake en se redressant. J'imagine qu'il s'agit de ton père, demanda-t-il à Will en se tournant vers le Dr Burrows avec froideur. L'intrépide explorateur ?

Will acquiesça.

– Et tu es revenu à Highfield pour voir ta mère, Will ?

– Ma femme… oui, bien sûr, intervint aussitôt le Dr Burrows sans laisser le temps à son fils de répondre.

– Eh bien, si vous pensiez la trouver dans votre ancienne maison, vous perdez votre temps. Elle l'a vendue, dit-il en rangeant son revolver.

– Elle a fait quoi ? s'exclama le Dr Burrows, atterré.

Will reprenait ses esprits après le choc de ses retrouvailles avec Drake. Quelque chose clochait.

– Mais, comment avez-vous su qu'on serait là ? Comment avez-vous su qu'on était encore en vie ?

– Lorsque tu as composé ce fameux numéro, ton message a été enregistré sur un serveur sécurisé au pays de Galles.

– Numéro ? Message ? répéta Will.

Il finit par comprendre. Il s'agissait de l'un des appels qu'il avait passés depuis le vieux téléphone de l'abri antiatomique.

– La ligne fonctionnait donc toujours ! Et c'était votre numéro ! dit Will en agitant la tête. Je ne savais pas du tout à quoi il servait.

– Seule Elliott peut te l'avoir donné. J'imagine qu'elle est encore en vie. Est-ce qu'elle va bien ?

– J'espère, répondit Will. On a été séparés après qu'elle a déclenché une énorme explosion.

– Typique, gloussa Drake. Et Chester ?

– Il devrait être avec Elliott, mais Cal… un truc terrible…

– Je sais pour Cal, l'interrompit Drake avec douceur. J'étais là. J'ai tout vu.

– Vous étiez là-bas ? Près du Pore ? bafouilla Will.

– Oui, avec Sarah… qui vivait ses derniers instants.

– Non, dit Will. Elle est morte ?

Drake détourna le regard, comme s'il savait à quel point cette révélation serait douloureuse pour le jeune garçon.

– Will, elle s'est jetée dans le vide, entraînant les jumelles avec elle. Je crois qu'elle a agi ainsi pour se racheter. Elle s'était mal comportée envers toi, et c'était son ultime recours.

– Oh, mon Dieu… souffla Will.

Il avait gardé l'espoir qu'elle ait pu survivre d'une façon ou d'une autre, mais ce que venait de lui dire Drake l'avait anéanti. Will essaya de dire quelque chose. Il aurait voulu en savoir plus sur ce qui s'était passé ; mais sa voix s'étranglait dans sa gorge serrée, si bien qu'elle était inaudible.

Le Dr Burrows ignorait tout des sentiments de Will. Il ne se doutait pas des souffrances que causaient à son fils le souvenir de la mort de Cal et, maintenant, le récit de l'ultime sacrifice de Sarah. Encore contrarié par la façon dont Drake l'avait malmené et bien plus déconcerté d'apprendre qu'il était désormais sans abri, le Dr Burrows reprit la parole avec un culot inhabituel.

– Hé, Duchmoll, oui, vous, le flingueur, vous avez pas dit qu'il valait mieux ne pas traîner dans le coin ?

Drake ne se retourna pas pour répondre, mais Will perçut dans ses yeux un léger tressaillement qui trahissait son agacement.

– Je m'appelle Drake et oui, il faut partir maintenant. Vous m'avez mal compris, ou quoi ? Je vais vous emmener ailleurs, là où vous pourrez rester cacher pendant un moment, et peut-être que vous aurez l'occasion de revoir votre femme au passage.

– Vous savez où elle se trouve ? demanda aussitôt le Dr Burrows.

– Viens, Will, dit Drake d'une voix douce en posant la main sur l'épaule du jeune garçon à bout de nerfs, pour le guider vers le mur du jardin. On a pas mal de choses à se raconter, mais pas ici. Partons.

– Parfait, déclara le Dr Burrows en les regardant s'éloigner.

Même s'il avait du mal à l'admettre, il était furieux de voir cet étranger imposant le supplanter dans le cœur de son fils. Will et Drake étaient manifestement très liés.

Chapitre Vingt-cinq

D rake partit devant pour vérifier que la voie était libre. Il fit signe à Will et au Dr Burrows de s'approcher, puis il les escorta loin de la maison de Mme Tantrumi. *Comme c'est agréable de retrouver Drake*, se dit Will. Il se demandait s'il allait s'entendre avec son père, d'autant que le Dr Burrows semblait peu enclin à admettre les faits, à savoir que les Styx constituaient une véritable menace. Il espérait simplement que ce qui s'était passé chez Mme Tantrumi lui ouvrirait les yeux.

D'un geste de la main, Drake signifia à Will qu'il devait rester en arrière pendant qu'il se rendait au bas de la rue. Il ralentit, jeta un coup d'œil au croisement, puis disparut. Drake était aussi prudent que dans les Profondeurs.

— Toute cette mascarade est-elle vraiment nécessaire ? grommela le Dr Burrows. Qu'est-ce qu'on pourrait bien nous faire ici ? Nous sommes à Highfield, bon Dieu !

— Ils ont essayé de nous kidnapper, Chester et moi, alors qu'on rentrait de l'école. Il ne s'agissait que de deux Colons. Mais s'ils nous envoient les Limiteurs…

Will ne finit pas sa phrase.

« Bah », articula en silence le Dr Burrows, puis ils se hâtèrent de rattraper Drake qui les fit passer par un portail en fer ouvrant sur une allée étroite.

— La place Martineau. Vous nous emmenez là-bas, n'est-ce pas ? demanda le Dr Burrows en voyant que l'allée longeait une rangée de maisons mitoyennes datant de l'époque du roi George.

— Ouais, mais on passe par l'arrière, répondit Drake.

L'allée était bordée de hauts murs en brique rouge et recouverte de pavés usés entre lesquels les herbes poussaient en abondance. Des tas de vieilles poubelles et de cartons vides ralentissaient la progression des trois acolytes.

— Allons, le pressa Drake tandis que le Dr Burrows se relevait après avoir glissé sur une boîte à pizza détrempée.

Drake s'arrêta devant une porte en bois à la peinture noire et écaillée, et dont la partie inférieure était pourrie. Ils entrèrent dans une petite cour arrière bétonnée, où trônaient dans un coin des cabinets d'époque. Drake ouvrit la porte de derrière avec une clé, et ils entrèrent dans un couloir d'une sinistre couleur brun sombre dont l'état laissait à penser que la décoration n'avait pas été refaite depuis des décennies.

Ils gravirent plusieurs escaliers aux rampes en fer forgé, dont les marches grinçaient sous chacun de leurs pas. Lorsqu'ils arrivèrent au dernier étage, Drake les fit passer par une porte si basse qu'ils durent se courber avant d'entrer dans une pièce miteuse, éclairée par une petite lucarne tendue de toiles d'araignée. Il s'agissait sans doute du grenier d'une des maisons mitoyennes qui donnaient sur la place Martineau, se dit Will.

Drake referma la petite porte et tira deux verrous, puis il s'approcha de la fenêtre et scruta le dehors à travers les carreaux poussiéreux.

— Qu'est-ce qu'il y a là-bas ? demanda le Dr Burrows en collant presque son visage à la vitre.

— Pour l'amour de Dieu, mon vieux, ne vous montrez pas comme ça ! rugit Drake en le tirant aussitôt en arrière.

— Ne vous avisez pas de me toucher de nouveau ! le menaça le Dr Burrows en se dégageant brusquement. Je ne sais pas à quoi vous jouez, mais vous allez le regretter si vous continuez, ajouta-t-il en se plantant devant Drake.

Will n'avait jamais vu son père dans un tel état, lui qui s'était toujours efforcé d'éviter toute confrontation. Drake dépassait le Dr Burrows de plusieurs centimètres, et il était difficile d'imaginer son père remporter un combat, et certainement pas contre cet homme qui s'était battu contre les Limiteurs, remportant régulièrement la victoire. Quoi qu'il en soit, le Dr Burrows tremblait de tous ses membres. On aurait dit un jeune coq nain sur le point d'attaquer.

Drake et le Dr Burrows s'affrontaient du regard, irradiant toute la pièce de leur colère contenue. Will avait l'étrange sentiment de se retrouver à nouveau face à Cal et Chester, lesquels n'avaient jamais cessé de se chamailler, l'obligeant à s'interposer. Will se sentit contraint là aussi d'intervenir, car il n'appréciait pas du tout la tournure que prenait la situation.

— Papa, il faut que tu sois plus prudent. Souviens-toi de ce qui est arrivé avec cette vieille femme. Elle s'apprêtait à te poignarder.

La lèvre supérieure retroussée de colère, le Dr Burrows tourna lentement la tête vers son fils.

— Tu ne sais pas vraiment qui est cet homme, ni ce qu'il a fait. Souviens-toi de ce que je t'ai dit à propos des étrangers. Il ne faut jamais faire conf…

— Drake n'est pas un étranger ! Il m'a sauvé la vie dans les Profondeurs ! s'écria Will. Il s'est occupé de nous. Il est au courant de ce qui se trame.

— Dr Burrows, que faut-il faire pour vous convaincre que nos vies sont en danger ? demanda Drake d'une voix égale.

— S'il te plaît, papa, écoute-le, implora Will.

Le Dr Burrows soupira, puis il se retira dans un coin du grenier où il s'assit lourdement sur une vieille malle.

Drake, qui ne semblait pas perturbé le moins du monde par cette confrontation, se tourna aussitôt vers Will, souriant.

— Bien, mets-moi à niveau.

— D'accord, répondit le jeune garçon en jetant un coup d'œil à son père assis dans la pénombre dans un silence boudeur. J'ai quelque chose pour vous.

— Mets-toi d'abord à l'aise. On a pas mal de choses à se raconter, dit Drake en s'asseyant en tailleur sur le sol.

Will l'imita, puis il fouilla dans la poche de sa veste dont il sortit la blague en cuir qui contenait les deux fioles et défit la toile de jute qui les enveloppait.

— Ne me dis pas que c'est ce que je pense ! s'exclama Drake avec étonnement.

— Eh bien si. Celle-ci contient le virus, dit Will en lui tendant la fiole scellée par un bouchon noir, dont Drake s'empara avec le plus grand soin.

— Le *Dominion*, dit-il à voix basse en observant la fiole à la lumière du jour qui filtrait à travers la petite fenêtre. L'autre contient donc le vaccin ? demanda-t-il.

Will acquiesça et lui tendit la fiole au bouchon blanc que Drake déposa doucement sur le sol à côté de lui.

Will tressaillit soudain en entendant son père s'éclaircir la voix.

– Dites-moi, Drake, je présume que vous croyez à toute cette histoire de complot ? Vous pensez vraiment que les Styx vont se servir d'un virus mortel pour tous nous supprimer ?

– Non, pas tous, répondit Drake. Ils veulent juste dépeupler la Surface, puis conquérir ce qui restera.

– Je n'ai jamais entendu autant de foutaises ! contra le Dr Burrows depuis la pénombre. Dites-moi que vous ne croyez pas à tout ça.

– Pendant que vous étiez sous terre, vous avez manqué l'épidémie du *Supervirus*. Les Styx se mettaient en jambe avant de lâcher quelque chose de bien plus virulent et bien plus dangereux, le *Dominion*. Leur plan est sacrément rusé. En se servant d'un agent biologique, ils peuvent exterminer la population surfacienne en gardant les infrastructures intactes. Vous voyez, les bâtiments, les routes, les voies de chemin de fer… tout ce dont ils auront besoin sera à leur disposition. Et lorsqu'ils attaqueront, nous ne serons plus assez nombreux pour résister.

– Mais pourquoi le font-ils maintenant ? demanda Will. Cela fait des siècles qu'ils vivent sous terre, n'est-ce pas ?

– J'ai deux théories sur la question. Leur population s'est tellement accrue qu'il est temps pour eux de gagner de plus verts pâturages.

– Ou bien ?…

– Ou bien parce que, et c'est l'explication la plus plausible, à la vitesse à laquelle Highfield s'urbanise, la Colonie perd ses conduites d'aération par douzaines à mesure que l'on démolit les anciens bâtiments. Et ça augmente du même coup le risque que quelqu'un ne pige ce qu'il y a là-dessous – ce serait alors la Découverte, comme disent les Colons.

– Oui, la Découverte, marmonna Will en se souvenant de la première fois où il avait entendu mamie Macaulay en parler.

– Mais diffuser un virus mortel, comme des terroristes ? dit le Dr Burrows en secouant la tête. Ils en ont vraiment le pouvoir ?

– Bien sûr. Cela n'a rien de nouveau. Les Styx nous ont déjà joué le même tour plusieurs fois par le passé, expliqua Drake. Vous connaissez toutes les principales épidémies : la grippe asiatique, la grippe espagnole, et la grande peste de Londres en 1665 – elles furent toutes l'œuvre des Cols d'albâtre.

– J'aime les gens qui ont de l'imagination, rétorqua le Dr Burrows avec un rire cynique. Mais trop, c'est trop !

– Dans une certaine mesure, les Styx ne diffèrent pas vraiment des virus, poursuivit Drake d'un air songeur en balançant la fiole étincelante devant lui. Vous en savez long sur les virus, Doc ? Vous connaissez leur *modus operandi ?*

— Je ne peux pas dire ça, répondit-il en ricanant.

— Eh bien, ce sont de minuscules organismes, si petits qu'il faut des filtres spéciaux pour les attraper. Ils n'ont pas d'équivalent sur Terre. À dire vrai, ils ressemblent à des fusées miniatures, et l'on peut même les cristalliser. On ne saurait dire s'ils sont vivants, au sens où nous l'entendons vous et moi. Et ce n'est pas une mince affaire que d'en identifier un nouveau.

— Et donc, en quoi sont-ils semblables aux Styx ? l'interrompit le Dr Burrows.

Drake continua comme si de rien n'était.

— Ils attaquent une cellule hôte en s'accrochant à sa membrane. Puis ils y injectent leur matériel génétique et en prennent le contrôle. Ils utilisent les mécanismes internes de la cellule pour se reproduire à toute allure jusqu'à ce qu'ils soient si nombreux qu'elle finit par éclater. Alors, des millions de virus identiques s'échappent en quête de nouveaux hôtes à infecter. Ce sont les rats qui font couler le navire, conclut Drake en touchant la fiole du bout du petit doigt.

— Mais vous parlez d'organismes qui tuent les gens, protesta le Dr Burrows d'un ton outré. On dirait que vous les admirez.

— J'admire leur volonté de survivre. Simple, sans entraves. Leur objectif n'est pas de tuer. À dire vrai, si leur hôte perd la vie, ce n'est pas bon pour leurs affaires. Les virus les plus malins maintiennent leurs hôtes en vie... car ils en dépendent.

— Qu'est-ce que vous êtes en train de dire ? Que les Styx sont comme des virus, car ils se servent des humains... pour parvenir à leurs fins ? demanda le Dr Burrows en haussant les sourcils. Concept intéressant, j'imagine, mais fort peu crédible.

De toute évidence, cet échange avec le Dr Burrows avait fini par lasser Drake qui se tourna vers Will.

— Tout ce que je puis dire, c'est que je suis impressionné, dit-il au jeune garçon ; il plissa soudain le front comme si quelque chose le troublait. Mais attends un peu... la seule façon dont tu as pu obtenir ces fioles...

— C'est par l'une des jumelles, compléta Will. C'est bien ça.

— Donc... tu les as prélevées sur son cadavre ?

— Non, elle me les a données, dit Will d'une voix tremblante. Les deux Rébecca ont tenté de les récupérer dans la zone du sous-marin, mais je n'allais pas les laisser faire.

– Mais nous avons affaire à des *Styx*, et toute cette histoire me paraît trop simple. Tu es absolument certain que ces fioles contiennent bien le vrai *Dominion* ?

– Eh bien, j'espère, répondit Will en toute honnêteté.

– Il faut que tu me racontes tout depuis l'instant où tu es tombé dans le Pore, dit Drake. Prends ton temps surtout. Rien ne presse.

Chapitre Vingt-six

Will et Drake parlèrent pendant plusieurs heures, puis Drake se leva pour se dégourdir les jambes.

— Tu n'as donc pas vu ce qui est arrivé aux deux Rébecca, ni au Limiteur, dit-il en grimaçant. Je n'aime pas ça. Trop de flou.

Will fut troublé par sa réponse.

— Eh bien, soit ils ont été réduits en miettes, soit ils ont réussi à monter à bord du sous-marin, auquel cas ils sont tombés très bas. J'espère juste que Martha a réussi à emmener Chester et Elliott dans l'autre…

— Allons, ça suffit, intervint le Dr Burrows avec impatience. Vous deviez me montrer où se trouve ma femme.

Il n'avait pas bougé de sa malle depuis son altercation avec Drake, mais il se leva.

— Oui, c'est vrai, reconnut Drake.

Il s'empara d'un escabeau posé contre le mur, le plaça au centre du grenier, puis il grimpa dessus pour ouvrir une lucarne et monter sur le toit. Le Dr Burrows et Will lui emboîtèrent le pas et se retrouvèrent sur une plate-forme recouverte de plomb, sous un ciel crépusculaire.

Le Dr Burrows ne prêta pas attention à la vue sur la place en contrebas ; il s'intéressa plutôt à l'épais conduit de cheminée qui se dressait sur le côté du toit. Il se hissa sur la pointe des pieds pour toucher l'un des tuyaux en terre cuite.

— J'étais en train d'échafauder une théorie selon laquelle il y aurait des conduites d'aération à l'intérieur de ces cheminées, dit-il comme s'il se parlait à lui-même.

— Vous aviez vu juste, confirma Drake. Certaines recrachent l'air vicié des stations de ventilation, d'autres aspirent de l'air frais.

À dire vrai, cette place tout entière de même que d'autres bâtiments situés dans les parties les plus anciennes de la ville ont été érigés par les hommes de Martineau. Mais cette place, Martineau Square, c'est le centre névralgique depuis lequel opèrent les Styx.

— Si c'est le cas, pourquoi nous avez-vous conduits ici, bon sang ? demanda le Dr Burrows.

— Mis à part le fait que c'est bien le dernier endroit où ils auraient l'idée de vous chercher, je vous ai amenés ici...

Drake s'interrompit. Il s'apprêtait à pointer quelque chose du doigt lorsqu'il laissa soudain retomber sa main en observant attentivement Will.

— Ne t'approche pas trop près du bord. On pourrait te voir, lui dit-il.

À peine avait-il vu le bord du toit que Will avait été repris par l'irrésistible envie de s'approcher du vide. Ce double de lui-même si puissant avait repris le contrôle et l'avait forcé à avancer de quelques pas. Will avait réussi à résister malgré tout.

— Aidez-moi, murmura-t-il, lorsque, dégoulinant soudain d'une sueur froide, il s'effondra sur la chape de plomb.

— Qu'est-ce qui se passe ? demanda Drake en se précipitant vers Will. Je ne savais pas que tu avais le vertige.

— Non, dit Will d'une voix étranglée, ou du moins, pas jusqu'à récemment, ajouta-t-il en suppliant Drake du regard tout en s'efforçant de réprimer ses larmes. C'est différent. Je ressens sans cesse cette envie... cette pulsion... comme s'il *fallait* que je saute. Je ne sais pas ce qui ne va pas.

— Quand est-ce que ça a commencé ? demanda Drake en s'accroupissant à ses côtés.

— Il y a peu. C'est comme si j'avais envie de me suicider ! Est-ce que je deviens fou ?

— Qu'est-ce qu'il y a, Will ? demanda le Dr Burrows qui se tenait à ses côtés, impuissant. Qu'est-ce qui se passe ?

— Je crois que je sais, dit Drake en attrapant gentiment le jeune garçon. Ils t'ont soumis à la Lumière noire, n'est-ce pas ?

— Oui, répondit Will, le corps secoué de violents tremblements alors qu'il résistait de toutes ses forces à l'envie de se précipiter dans le vide.

Il avait l'impression qu'une bataille faisait rage dans chacun de ses membres, et que chaque groupe musculaire luttait contre tous les autres pour remporter la victoire.

— Au cachot. Pas mal de fois, souffla-t-il.

– Dans ce cas, tu n'y es pour rien. Ce sont les Styx qui t'ont fait ça.

– Lui ont fait quoi ? hurla le Dr Burrows.

– Ne vous en mêlez pas et baissez le ton ! rétorqua sèchement Drake. Will, ils ont implanté cette envie en toi. Ils t'ont conditionné… t'ont fait un lavage de cerveau, si tu veux. Lorsqu'ils t'ont interrogé, ils ont probablement laissé quelque chose dans ton inconscient, comme une capsule empoisonnée qui devait s'activer si tu quittais la Colonie.

Will regarda fixement Drake sans comprendre ce qu'il lui disait.

– Ce n'est pas toi. Souviens-t'en bien. Ils t'ont fait ça, et tu peux réprimer cette pulsion. Viens avec moi.

Drake aida Will à se relever, puis il enroula son bras autour de son torse et l'aida à marcher jusqu'à l'extrémité du toit. Drake ne le lâcha pas une seconde, et ils restèrent ainsi au bord du vide, au sommet d'un bâtiment de trois étages.

– Vous croyez que c'est une si bonne…, commença à objecter le Dr Burrows.

– Je vous ai dit de ne pas vous en mêler, Doc ! rugit Drake. Will, regarde la route, là-bas. Tu as une image dans la tête, et elle semble presque réelle, n'est-ce pas ?

Will acquiesça, incapable de contenir ses larmes à présent.

– Je parie que tu t'imagines écartelé sur le bitume. Tu as l'impression que c'est ce qui résoudrait tous tes problèmes, que c'est quelque chose de juste.

– Oui, répondit Will d'une voix enrouée. Mais comment le savez-vous ?

– Ça n'a pas d'importance. Will. Il faut que tu restes avec moi et que tu m'écoutes, dit-il en posant une main sur le front du garçon pendant un instant. Tu dois comprendre que l'image qu'ils ont placée dans ta tête a quelque chose d'intrinsèquement faux. Tu ne ressens aucune douleur, tu ne ressens rien… Tu ne ressens aucune perte, n'est-ce pas ?

– Non, rien, répondit Will en secouant la tête.

– Les Styx ont modifié les connexions de tes synapses. C'est eux qui t'ont poussé à penser ainsi. Résiste à cette vision, car elle est fausse. Pense plutôt à ce que nous ressentirions, ton père et moi, si tu venais à sauter pour de bon. Mets-toi à notre place et tente d'imaginer l'impact qu'aurait sur nous ton suicide. Tu y es ?

– J'essaie, coassa Will.

Drake ôta son bras et s'éloigna de lui.

— Tu es seul à présent, mais c'est toi qui contrôles la situation, et non les Styx. Dis-moi comment tu te sens ?

— Mieux… Oui, c'est comme si j'étais redevenu moi-même… comme si cette voix dans ma tête n'était plus aussi forte, dit Will en s'essuyant les yeux. Je peux regarder en bas maintenant, et cette image n'est plus aussi nette. Oh, c'est tellement bête…

— Non, loin de là, Will, protesta Drake en prenant à nouveau le jeune garçon dans ses bras. On va recommencer encore et encore, jusqu'à ce qu'il ne reste plus rien de leur conditionnement. Je peux t'aider à t'en débarrasser.

— Mais je ne ressentais pas ça dans les Profondeurs. Pourquoi maintenant ? demanda Will en baissant la tête comme s'il était complètement épuisé.

— C'est ce qu'ils voulaient, dit Drake en haussant les épaules. C'est sans doute une clause incluse dans la police d'assurance styx, au cas où tu partirais en cavale. Une sorte de mécanisme de sûreté intégré.

Le Dr Burrows claqua de la langue pour marquer sa désapprobation.

— Quel tas de balivernes ! dit-il. Je crois que c'est vous qui avez besoin de vous faire soigner, Drake. Vous êtes tellement parano que ça fait peur à voir.

— Non, c'est vous qui refusez d'admettre ce qui se passe, rétorqua Drake en se tournant vers lui, alors que vous l'avez vu de vos propres yeux. Cette vieille femme avait la ferme intention de vous tuer. Comment vous expliquez ça ?

— Elle… commença le Dr Burrows.

— Mme Tantrumi est peut-être un agent des Styx, mais il est possible qu'ils lui aient fait subir un lavage de cerveau. Auquel cas ça n'en fait qu'une parmi tant d'autres. Des centaines, voire des milliers de personnes ont reçu un conditionnement plus ou moins profond. Certaines d'entre elles occupent des postes influents – des hommes d'affaire, des parlementaires, des gradés de la police et de l'armée. Il suffit d'un mot clé ou d'un simple signal des Cols d'albâtre pour qu'ils s'exécutent sans le savoir.

— Bartleby, dit Will. Dans la zone du sous-marin, il a suffi que la jumelle lui parle pour qu'il se comporte comme si j'étais son pire ennemi. Ça marche aussi sur les animaux ?

— On dirait bien que oui, acquiesça Drake.

— Et Sarah… Sarah Jérôme ? Est-ce qu'ils l'ont soumise à la Lumière noire, elle aussi, pour qu'elle se lance à ma poursuite ?

– Non, pendant le peu de temps où je l'ai connue, il ne m'a pas semblé que c'était le cas. Je crois que les Styx avaient perçu sa vulnérabilité, et c'est ainsi qu'ils l'ont piégée, tout simplement.

– Piégée ?

– Oui, s'ils n'arrivent pas à contraindre les gens par la menace, les pots-de-vin ou leurs mensonges élaborés, ils les manipulent. Mais il faut des semaines, voire des années d'exposition à la Lumière noire pour provoquer autre chose que des réactions impulsives chez un humain ordinaire.

Will fronça les sourcils. Il ne comprenait pas ce que Drake voulait dire.

– De brusques changements de comportement... inciter quelqu'un à réagir à un mot clé ou à une situation. Dans ton cas, Will, lorsque tu te retrouves face à un précipice.

Will n'était pas certain d'avoir bien saisi.

– Mais je peux vraiment vaincre cette impulsion ?

– Évidemment. Il semblerait qu'ils t'aient conditionné pendant quelques semaines seulement. Avec un peu de chance, j'arriverai à inverser le processus. Mais d'autres n'ont pas cette chance. Ils ont été si bien programmés qu'on ne peut rien faire pour eux, dit-il en prenant une longue inspiration. On va rester ici pendant un moment. Tu peux tenir le coup ?

– Je crois, répondit le jeune garçon.

Ils attendirent une demi-heure. Drake resta perché au bord du toit, consultant de temps à autre sa montre tandis que le ciel s'obscurcissait peu à peu.

Il fit brusquement signe au Dr Burrows de s'approcher.

– Voilà votre femme, dit Drake en indiquant l'endroit où la rue débouchait sur la place.

– Célia ? dit le Dr Burrows en se haussant sur la chape de plomb.

– Qu'est-ce qu'elle fait là ? demanda Will qui se tenait à côté de Drake.

– Tu vois la troisième maison en partant du bout ? demanda Drake en lui montrant une demeure mitoyenne de l'autre côté de la place.

– Oui, confirma Will.

– Ta mère loue un appartement au premier étage. Elle a pris un travail temporaire pour payer le loyer.

– Un travail ! s'exclama Will comme si une guêpe l'avait piqué. Vous me dites que ma mère s'est trouvé *un emploi ?* dit-il incrédule.

– Oui, répondit Drake. Et elle va à la gym tous les matins… Sacré changement de personnalité, comme si elle essayait de tourner la page. Elle a aussi effectué des recherches sur l'histoire de Martineau et de Highfield aux archives locales pour vérifier s'il n'y avait pas un lien avec vos disparitions. Elle est très méticuleuse, je peux te le dire. C'est pour cela que la Colonie garde un œil sur elle.

– Oh ! vous voulez dire que les Styx sont après elle, maintenant ? grogna le Dr Burrows.

Will et son père la regardèrent approcher et remarquèrent qu'elle n'était pas seule lorsqu'elle entra sur la place.

– Elle est accompagnée ! Par un homme ! dit le Dr Burrows qui commençait à s'agiter.

– Oui, et il ne faut pas lui faire confiance, l'informa Drake.

– Je dois lui parler ! Il faut que j'aille la voir ! s'écria le Dr Burrows, pris de frénésie.

– Je suis désolé, Doc, mais c'est impossible. Pas maintenant, lui dit Drake avec fermeté.

Mais avant même que Drake n'ait eu le temps de l'écarter du vide, en un clin d'œil le Dr Burrows avait déjà hurlé le nom de Célia. Il se débattit, mais Drake le plaqua sur le dos en l'accompagnant au sol d'un mouvement fluide, puis il lui fit une clé à la tête qui l'empêcha d'émettre le moindre son.

– Espèce de malade ! gronda Drake. Will, va voir si quelqu'un a entendu ça ! Et si tu t'avises de faire l'idiot et de sauter, je te tue de mes propres mains !

– Vous avez entendu ça ?

Mme Burrows s'apprêtait à ouvrir sa porte, mais elle scrutait à présent la place et le jardin négligé qui se trouvait en son centre.

– Entendu quoi ? demanda Ben Wilbrahams.

– J'ai cru entendre… j'ai cru entendre quelqu'un crier mon nom, dit-elle d'un air amusé. On aurait dit…

– Eh bien, je n'ai rien entendu, répondit Ben Wilbrahams sans équivoque. Si ce n'est le bruit du vent.

Mme Burrows haussa les épaules et inséra sa clé dans la serrure. Ben Wilbrahams la suivit à l'intérieur. Elle n'avait pas vu les grands hommes maigres qui affluaient sur la place, ni tout le remue-ménage sur le toit d'en face.

Lorsque Will vit ce qui se passait en bas, tous ses problèmes de vertige se dissipèrent d'un coup.

— On a des ennuis, lança-t-il à Drake. On dirait que quatre Styx viennent par ici, et vite.

— Vous avez intérêt à vous tenir tranquille, avertit Drake en relâchant le Dr Burrows, puis il rejoignit Will au bord du toit.

Will tendit le cou pour voir l'autre bout de la place et sentit soudain que quelque chose venait d'atterrir à ses pieds. Il baissa les yeux et vit un trou dans la chape de plomb qui s'inclinait à quarante-cinq degrés vers la gouttière. Le même phénomène se produisit encore, mais cette fois il avait les yeux rivés sur le toit lorsqu'un second trou apparut.

— Euh… Drake, dit-il en les pointant du doigt.

— Un tireur embusqué ! siffla aussitôt Drake en tirant Will en arrière.

Le Dr Burrows s'était relevé, soupirant avec rancœur, et comptait bien lui dire ses quatre vérités lorsqu'un son aigu le fit tressaillir. L'un des tuyaux de cheminée venait tout simplement d'exploser à quelques centimètres de son visage tandis que des fragments de terre cuite retombaient en pluie tout autour de lui.

— Bon sang ! Qu'est-ce qui se passe ? bafouilla le Dr Burrows.

Il se jeta à terre en se couvrant la tête avec les bras, puis il se releva et détala en éparpillant des tessons de céramique au passage.

Drake fonça à l'arrière du toit pour vérifier l'allée à l'arrière de la maison.

— Baissez-vous et restez groupés, ordonna-t-il à Will et à son père tandis qu'il escaladait le parapet de brique pour rejoindre le toit adjacent.

— Vous voulez dire qu'on vient de nous tirer dessus ? demanda le Dr Burrows en essuyant la poussière sur son visage.

— Oui, tu viens de leur révéler notre position. Tu ne peux donc jamais faire ce qu'on te dit, papa ? répliqua Will avec exaspération, et il emboîta le pas à Drake.

À croupetons et en file indienne, ils avancèrent ainsi de toit en toit le long de la rangée de maisons.

— Mais je n'ai entendu aucun coup de feu, murmura le Dr Burrows.

– Ils utilisent des silencieux, ou quelque chose dans ce goût-là, et peut-être des balles à vitesse réduite.

– Va t'asseoir au premier rang, Will. T'as bien potassé tes manuels militaires, pas vrai ? commenta Drake avec un sourire.

Lorsqu'ils atteignirent la dernière maison de la rangée, Drake rampa à plat ventre sur le toit, ouvrit une trappe puis se glissa à l'intérieur et retomba au milieu de vieux cartons dans le grenier situé juste au-dessous. Will et Burrows suivirent le même chemin.

– Et maintenant, on fait quoi ? Ils vont encercler tout le pâté de maisons, déclara Will en balayant le grenier vide du regard. La pièce était identique à l'endroit où ils se trouvaient précédemment.

Will imaginait déjà une armée de Styx et de Colons en train de se mettre en position à l'extérieur.

Drake alluma une petite lampe torche qu'il coinça entre ses dents, puis il s'approcha du mur de brique où couraient les conduits de cheminée et tapota la paroi.

– Ne te retrouve jamais dans un endroit sans avoir au moins deux plans d'évasion, dit-il du coin de la bouche en sondant le mur qui rendit soudain un son différent, bien que le briquetage semblât parfaitement identique.

Le mur sonnait creux comme du métal. Il appuya dessus, et une petite trappe s'ouvrit. Will et le Dr Burrows se rangèrent aussitôt à ses côtés pour jeter un regard au fond du conduit. Il y avait une échelle de métal rouillée fixée à la paroi intérieure.

– Trop cool, le plan d'évasion ! s'exclama Will, soulagé de voir cette issue de secours.

– Oui, et c'est grâce à Martineau, dit Drake.

– Sir Gabriel Martineau ? demanda le Dr Burrows.

– Bien sûr. Il adorait les passages secrets et demandait à ses hommes d'en construire au gré de ses caprices. Il était en général si pressé qu'il n'avait pas le temps d'en consigner l'existence dans ses archives.

– Les Styx ne connaissent donc pas celui-là ? demanda Will.

– J'espère sincèrement que non, répondit Drake en se tournant vers le Dr Burrows. Et… Doc, vous avez encore besoin d'autres preuves de la menace posée par les Styx ? ajouta-t-il d'un ton plein de sous-entendus. Une balle dans la tête, par exemple ?

Le Dr Burrows fronça les sourcils, mais il se dispensa de tout commentaire.

– Bien. Alors ramassez vos affaires et descendez. Arrivé en bas de l'échelle, tournez à gauche.

Will et son père s'exécutèrent, puis ils s'acheminèrent le long du passage aux parois de pierre. Il était assez haut de plafond pour qu'ils puissent s'y tenir l'un comme l'autre debout. Un petit ruisseau brunâtre s'écoulait au centre du passage, dont les parois et le plafond étaient couverts d'un dépôt visqueux, noir et luisant.

— Regarde ! Des peintures ! s'écria soudain Will en découvrant une fresque murale à la lumière du globe du Dr Burrows. Un homme et un bateau.

— Je crois qu'il s'agit de Noé et son arche, déclara le Dr Burrows en inspectant l'image figurant sous les guirlandes d'algues noires et les pâles traînées de calcaire. Mais ce n'est pas une peinture. On a gravé cette fresque dans la pierre.

— En voici une autre avec un homme et une femme, dit Will en regardant la paroi opposée.

— Sans doute Adam et Ève, dit le Dr Burrows. Ce sont toutes des scènes bibliques que l'on a gravées dans la craie avec talent. Le travail de l'artiste est époustouflant. Remarquable !

Drake semblait prendre son temps pour refermer la trappe. Lorsqu'il les rattrapa enfin, il trouva le père comme le fils flânant nonchalamment le long du passage, captivés par les fresques murales.

— Je vous avais dit de vous activer ! rugit-il.

— Mais c'est une découverte importante, dit le Dr Burrows. Pourquoi a-t-on gravé ces fresques ici ?

Drake jeta un coup d'œil las sur les parois derrière eux.

— Il y a trois siècles de cela, ce passage menait à la maison de sir Gabriel Martineau. Il pouvait se rendre à l'église à pied sans se mouiller lorsqu'il pleuvait, expliqua Drake en entraînant le Dr Burrows par le bras. Et maintenant, si ça ne vous dérange pas, pourrions-nous conclure la visite pour aujourd'hui, messieurs ?

Ils progressèrent à vive allure dans le passage dont le sol commençait à s'incliner, arrivèrent à une bifurcation, tournèrent à gauche pour déboucher après plusieurs centaines de mètres sur ce qui ressemblait fort à un cul-de-sac. Drake s'approcha de la paroi, tendit sa lampe torche à Will et palpa la pierre jusqu'à ce qu'il sente enfin deux blocs légèrement en retrait.

— Je parie qu'il y a un loquet caché qui déclenche l'ouverture d'une autre porte secrète, murmura Will à son père.

Il était tout excité, mais à sa grande surprise Drake décocha un puissant coup de pied aux deux blocs.

– Un loquet caché, hein ? chuchota le Dr Burrows tandis que Drake continuait à donner des coups de talon dans le mur en frappant de toutes ses forces.

Tout un pan s'effondra enfin avec fracas. Drake récupéra sa lampe torche pour éclairer la brèche. Will et son père virent se profiler un crâne à mesure que la poussière retombait peu à peu, puis un tas d'os décomposés éparpillés sur le sol. Drake avait en effet délogé un vieux cercueil en plomb qui s'était ouvert en tombant.

– Où sommes-nous ? demanda Will d'une voix voilée en se hissant à travers la brèche à la suite de Drake.

– Tout va bien. Tu ne risques pas de les réveiller, répondit Drake sans faire le moindre effort pour atténuer le son de sa voix.

– Dieux du ciel ! souffla soudain le Dr Burrows en voyant la masse de restes humains qui jonchaient le sol et crissaient en s'effritant sous leurs pieds.

Le Dr Burrows leva son globe et découvrit d'autres cercueils intacts posés sur des corniches en pierre. Les trois acolytes se trouvaient dans une pièce de dix mètres carrés environ dont le plafond s'élevait loin au-dessus de leur tête, comme s'il s'agissait d'un puits.

– Nous sommes dans une chambre funéraire ! s'exclama le Dr Burrows.

– Bien vu, Doc. Lorsque Martineau décréta qu'il n'avait plus besoin de ce souterrain privé, il en fit don à l'un de ses amis. Cet industriel le transforma en caveau de famille, et on dirait bien qu'ils sont tous là.

Drake traversa la pièce puis escalada les corniches jusqu'à ce qu'il atteigne le sommet.

– Éclairez-moi un peu, dit-il en longeant un mur de pierre sur lequel il dénicha un petit barreau en fer rouillé horizontal qu'il fit pivoter.

– C'est une porte ? demanda Will en relevant sa lampe.

– C'est bien ça. Heureusement pour nous, elle s'ouvre aussi de l'intérieur, dit Drake. Au cas où l'un de ces gars-là aurait eu envie de sortir, j'imagine !

Drake cala son épaule contre la lourde porte en pierre et poussa de toutes ses forces. Elle s'ouvrit lentement avec un grincement sourd.

– Eh bien, vous attendez quoi, au juste ? lança-t-il à Will et au Dr Burrows en se faufilant dans l'entrebâillement.

Will n'était pas très à l'aise, car il ne savait pas vraiment sur quoi il posait les mains en escaladant les corniches. Plusieurs cercueils étaient en effet tombés en morceaux, et il n'avait aucune envie de poser les doigts sur des os visqueux.

Arrivé au sommet, Will sortit du mausolée et inspira l'air nocturne tout en balayant du regard les alentours. D'innombrables rangées de pierres tombales s'étendaient face à lui, faiblement éclairées par la lumière des réverbères qui brillaient derrière le mur du cimetière.

— L'église de Highfield ! marmonna-t-il en voyant le bâtiment qui se profilait devant lui.

— Par ici, dit Drake.

Ils se rendirent dans une autre partie du cimetière, sinuant entre les petits bosquets d'arbres et les touffes de prêles qui leur arrivaient aux genoux.

— Mettez-vous à l'aise, messieurs. Nous allons rester quelques instants ici.

Perchés en haut d'une grande dalle de pierre couverte de mousse, Will et le Dr Burrows en profitèrent pour se détendre un peu les jambes. Ils subissaient désormais une force de gravité normale, et leurs pieds leur semblaient extrêmement lourds.

— Tu sais qu'il s'agit du caveau de la famille Martineau ? demanda le Dr Burrows en montrant à Will une tombe dont le sommet était orné de petites statuettes en pierre représentant des hommes munis d'une pioche et d'une pelle.

Will avait déjà exploré le cimetière, mais jamais après la tombée de la nuit. À présent qu'il observait la tombe indiquée par son père et sentait la pierre froide et humide sous ses paumes, cet endroit lui semblait étrangement familier. Un souvenir enfoui au plus profond de sa mémoire se ravivait, mais il était si lointain que Will aurait pu tout aussi bien tenter d'attraper une volute de fumée entre ses doigts. Il haussa les épaules, puis fredonna en grattant la mousse de ses ongles.

— Qu'avez-vous pensé du journal ? demanda Mme Burrows à Ben Wilbrahams.

L'Américain ramassa deux piles de livres posées sur un fauteuil et les déposa sur la table, puis s'assit enfin.

— Désolée, ils sont à mon mari, s'excusa-t-elle tandis que Ben Wilbrahams étudiait la tranche d'un guide de développement personnel.

— *La Puissance du Moi – Exercices pour apprendre à croire en soi*, lut-il en haussant les sourcils d'un air interrogateur.

– Eh bien, quelques-uns sont à moi, convint Mme Burrows au moment où un éclair aveuglant traversa la pièce, malgré les rideaux fermés.

Ils entendirent alors une déflagration stupéfiante. L'un des rideaux se gonfla comme sous l'effet du vent, accompagné par un bruit de verre brisé.

– Bon sang ! Qu'est-ce que c'était que ça ? s'écria Mme Burrows en se précipitant vers la fenêtre pour ouvrir les rideaux.

De l'autre côté de la place, le toit de la dernière maison de la rangée avait été complètement détruit. Des flammes jaillissaient des quelques poutres encore en place. Les sirènes d'alarme des voitures hurlaient, tandis que des tuiles et des morceaux de toit retombaient en pluie sur le reste de la place.

– Quelqu'un a peut-être besoin d'aide, dit Ben Wilbrahams. J'y vais.

Mme Burrows scrutait le trottoir devant la maison.

– Je ne crois pas qu'il y ait de blessés. Mais, au nom du ciel, qu'est-ce qui a bien pu causer ça ? demanda-t-elle en remarquant que le souffle de l'explosion avait brisé l'une de ses vitres.

– Je ne sais pas. Peut-être une fuite de gaz, répondit Ben Wilbrahams en enfilant sa veste alors que les sirènes des voitures de police et des ambulances hurlaient dans le lointain.

– Je ne comprends pas, dit le Dr Burrows à Drake. Avec tout ce que vous savez des Styx et de la Colonie, vous pourriez retourner toutes leurs cartes et dévoiler leur jeu. Pourquoi n'allez-vous pas tout simplement trouver les autorités ?

– Vous ne saisissez pas du tout, n'est-ce pas, Doc ? Ça se joue à bien plus grande échelle. Ça fait des siècles que le loup est dans la bergerie, répondit Drake. Ils ont des agents à tous les niveaux de la police *et* du gouvernement.

– Dans ce cas, parlez-en directement à la presse, et diffusez cette histoire, suggéra le Dr Burrows. Rendez-la publique.

– On a déjà essayé, mais toutes les preuves ont mystérieusement disparu, et des gens ont fini par se faire tuer. Des gens de bien.

Ils entendirent alors une formidable explosion. Will et le Dr Burrows se relevèrent en sursautant. Tout un pan du ciel nocturne venait de s'embraser.

– Ça vient de la place Martineau ? demanda le Dr Burrows.

– Oui, j'ai piégé la porte du conduit avec une grenade, expliqua Drake.

La lumière s'atténua peu à peu, et les ténèbres enveloppèrent à nouveau le ciel.

– Mais… vous ne pouvez pas continuer à faire sauter les bâtiments comme ça… Nous sommes à Highfield… à Londres… pas dans quelque zone de guerre.

– Si, il s'agit bien d'une zone de guerre, rétorqua Drake.

Chapitre Vingt-sept

Drake conduisit Will et le Dr Burrows dans une maison mitoyenne assez morne, située dans l'arrondissement voisin. Le trajet n'était pas long, mais le mouvement du véhicule avait fini par bercer le père comme le fils, et ils s'étaient endormis. Ils se réveillèrent lorsque Drake gara la voiture derrière une haute haie. Il les accompagna à l'intérieur de la propriété plongée dans le noir. L'intérieur était sale et ne comportait qu'un tapis taché et quelques meubles abîmés.

— Vous ne vivez pas ici, n'est-ce pas ? demanda le Dr Burrows, quelque peu surpris, en se traînant d'un pas léthargique dans le salon mal entretenu où il déposa son sac.

— Je n'habite nulle part, répondit Drake en se dirigeant vers la porte. C'est juste un endroit pour cette nuit. Il y a des couvertures et un sac de couchage sur le canapé. Vous trouverez de la nourriture dans le frigo.

— Vous voulez que je vous aide ? proposa Will en bâillant.

— Non, c'est bon, merci. Je vais rendre visite à un ami qui a une dette envers moi, et faire analyser le contenu de ces fioles, dit Drake en tapotant la poche de sa veste.

— Mais après tout ce qui s'est passé, vous pensez que nous sommes en sécurité ici ? demanda le Dr Burrows en s'affalant dans le canapé.

— Oui, ça ira pour un moment, acquiesça Drake. Mais gardez les rideaux tirés.

Il s'apprêtait à partir, lorsqu'il claqua soudain des doigts.

— Will, pendant que j'y pense, donne-moi un peu de cette plante... comment tu dis, déjà ? L'anis... ?

– Le feu d'anis.

– Le feu d'anis, répéta Drake. Je vais en profiter pour la faire analyser aussi.

– D'accord, dit Will en fronçant les sourcils, car il n'était pas certain de comprendre pourquoi cela revêtait une telle importance aux yeux de Drake.

Will entreprit de défaire son sac à dos, en prenant bien soin de dissimuler sa boîte de cartouches aux yeux de son père, puis il sortit son casque de vision nocturne.

– Ah, voici un vieil ami. Mon casque de rechange. C'est Elliott qui te l'a donné ?

– Oui, mais il a cessé de fonctionner.

– Est-ce que tu as exposé l'élément qui se trouve à l'intérieur à un fort rayonnement lumineux ?

– Non, rien de tel, Drake. Je ne m'en suis pas servi pendant plusieurs semaines et quand j'ai voulu l'utiliser à nouveau il était complètement mort, dit-il en démêlant la lanière et le bandeau auquel était accrochée la lentille rabattable.

– Fais-moi voir ça.

Will lui tendit le casque, puis continua à déballer le contenu de son sac à dos. Il venait de sortir quelques brins de feu d'anis lorsqu'il repéra son appareil photo au fond du sac.

– Quel idiot ! s'écria-t-il en se tournant vers son père. J'avais complètement oublié mon appareil !

– Ton quoi ? demanda le Dr Burrows en redressant mollement la tête.

– Mon appareil photo ! J'ai pris des photos de la Colonie et des Profondeurs, et plus important encore… des pages de ton journal. J'ai terminé ma pellicule dans la cabane de Martha, et je suis sûr que ton croquis de la Pierre de Burrows y figure.

Le Dr Burrows mit une seconde à comprendre ce que lui disait Will, puis il se releva d'un bond.

– Will…

Il était si heureux qu'il pouvait à peine parler.

– Tu es un vrai génie ! dit-il en riant. Certes doublé d'un crétin, puisque tu l'avais oublié jusqu'à maintenant, mais un génie quand même.

– Drake, est-ce qu'on peut les faire développer et agrandir ? demanda Will.

— Je crois que oui, répondit Drake. Autre chose, peut-être ? Tu veux qu'on repasse ton treillis et qu'on cire tes chaussures, par la même occasion ?

Dès que Drake fut parti, Will fonça droit sur le frigo. Il s'empara de deux sandwichs et d'une brique de lait qu'il but sans même prendre un verre. Il retourna dans le salon où il trouva son père en train d'examiner les tablettes de pierre posées sur ses genoux, bien calé dans le canapé, une couverture sur les jambes.

— Je finirai peut-être par les déchiffrer, Will.

— Bonne nuit alors, papa, grommela Will en regardant le plancher.

Will et le Dr Burrows dormirent jusque tard dans la matinée et furent réveillés par le retour de Drake.

— Rouleaux au bacon, dit-il en posant un sac en papier et deux gobelets en polystyrène sur la table.

— Sensass ! dit Will en s'extirpant de son sac de couchage.

Alors qu'il s'approchait de la table pieds nus, il se souvint tout à coup de la raison pour laquelle Drake était parti la veille.

— Alors, vous avez fait analyser les fioles ?

Drake souffla sur son thé. Il avait l'air épuisé, et Will se demanda s'il avait pu dormir un peu.

— Non, ça prendra quelques jours, dit-il.

Le Dr Burrows parut aux côtés de Will et plongea la main dans le sac en papier, pour en retirer un rouleau au bacon qu'il commença aussitôt à dévorer.

— Vous avez réussi à faire tirer les photos ? demanda-t-il.

— Vingt-cinq par vingt, j'espère que ça vous ira, répondit Drake en lui tendant un paquet.

Le Dr Burrows l'ouvrit frénétiquement et regarda les clichés à toute vitesse, triant au passage les photos de son journal. Il s'arrêta tout à coup, et s'approcha pour mieux voir.

— Oui, marmonna-t-il en collant presque son nez sur la photo. Oui ! dit-il à nouveau en montrant la photo de la Pierre de Burrows à Will.

Sans le moindre mot de remerciement à Drake, il se retira sur le canapé, emportant la photo et le reste de son rouleau au bacon.

— On devrait pouvoir s'en sortir avec une loupe, marmonna-t-il.

— J'imagine que vous voulez aussi que j'aille vous en acheter une ? demanda Drake.

— Oui, aussi vite que possible, répondit le Dr Burrows, complètement fasciné par la photo. Et puis des crayons noirs et du papier.

— Vos désirs sont des ordres, rétorqua Drake d'un ton sarcastique.

Will examina à son tour les photos que son père avait jetées sur la table. La plus éloignée avait été prise dans la maison Jérôme. On y voyait Cal assis sur son lit qui souriait de toutes ses dents. Will avait du mal à la regarder, il passa rapidement à la suivante. Il s'agissait cette fois de la rue principale du Quartier, le jour où ils étaient descendus, Chester et lui, dans la galerie située sous la maison des Burrows. Un œil gigantesque occupait toute la photo suivante.

— Je ne devrais pas rire, dit Will en réprimant un gloussement.

— Qu'est-ce qu'il y a de si drôle ? demanda Drake en se penchant sur le cliché.

— Je me suis servi de mon flash pour l'aveugler lorsque j'essayais de sortir Chester du cachot.

— Non, j'ai vraiment besoin d'une loupe ! s'exclama soudain le Dr Burrows depuis son canapé. Et quel jour sommes-nous, au fait ?

— Vendredi, répondit Drake.

— Célia sera-t-elle au travail ?

— Oui.

— Dans ce cas, j'irai la voir demain lorsqu'elle sera chez elle, et je ne vous laisserai pas vous mettre en travers de ma route cette fois, déclara-t-il sur le ton du défi.

— Je n'oserais jamais, Doc, dit Drake. Mais j'ai pensé que vous aimeriez peut-être y aller ce soir ?

— Non, demain conviendra fort bien, répondit le Dr Burrows en sifflotant, puis il prit quelques notes en contemplant tour à tour la photo et les tablettes de pierre.

Ses priorités étaient on ne peut plus claires.

— Boulot, boulot, boulot, commenta Drake en dépliant un journal.

— J'y suis arrivé ! beugla le Dr Burrows le lendemain matin en se précipitant sur Will, qui piquait un petit somme allongé sur le parquet.

Le Dr Burrows brandissait une liasse de feuillets devant le visage de son fils.

— J'ai trouvé mon itinéraire. J'ai juste besoin d'un point de départ.

— Mon itinéraire ? demanda Will. Tu as dit *mon* itinéraire ?

— Euh… bien sûr, je voulais dire *notre* itinéraire, répondit le Dr Burrows d'une voix fausse. Hé, Drake ! Je veux voir ma femme maintenant.

— Alors allons-y, répondit Drake, et il sortit de la pièce en agitant les clés de sa voiture.

Le soleil matinal était si intense que Will et son père durent se protéger les yeux.

— Il faut un peu de temps pour s'y habituer, commenta Drake en déverrouillant les portières de la voiture.

Ils embarquèrent, et Drake se servit de son mobile pour passer un coup de fil.

— Très bien, dit-il en raccrochant, puis il se tourna vers le Dr Burrows. Elle est chez Wilbrahams.

— Elle quoi ? explosa le Dr Burrows. Conduisez-moi là-bas ! Tout de suite !

— Pas de problème, Doc, répondit Drake qui sortit des lunettes de soleil de la boîte à gants. Chaussez-les. N'oubliez pas, la police serait ravie d'apprendre qu'on vous a vu. Et si la police vous attrape, les Cols d'albâtre aussi, expliqua-t-il en ajustant son rétroviseur pour regarder Will. Et toi, à l'arrière, garde bien la tête baissée !

Le Dr Burrows avait bondi hors de la voiture encore en marche et grimpait déjà l'escalier de la maison victorienne. Il tambourina sur la porte jusqu'à ce que Ben Wilbrahams, visiblement amusé, finisse par lui ouvrir. Le Dr Burrows entra aussitôt en le bousculant.

— Vous croyez que c'est une très bonne idée ? demanda Will qui n'avait pas quitté la banquette arrière.

— Je ne sais pas ce que j'aurais pu faire pour l'arrêter, à part peut-être l'assommer un bon coup, répondit Drake en scrutant le haut de la rue.

Une minute plus tard, le Dr Burrows sortit en trombe, Mme Burrows à ses trousses.

— C'est maman ! commenta Will tout excité en se glissant sur la banquette pour mieux voir. Waouh ! Maman, version allégée ! Elle est vraiment différente… Elle est géniale ! Mais elle n'a pas l'air ravie… ajouta-t-il en l'entendant déclamer une tirade à travers la vitre baissée de Drake.

– Tu croyais que tu pouvais resurgir comme ça et puis filer aussi sec ? Où tu étais tout ce temps ? Où sont les enfants ? Où sont Will et Rébecca ? Qu'est-ce que tu leur as fait, bon sang de bonsoir ! hurlait-elle comme une furie sans le lâcher d'une semelle alors qu'il fonçait vers la voiture.

Ben Wilbrahams n'esquissa pas le moindre geste pour la rattraper, restant sur le seuil de sa maison.

– Maman ! Maman ! cria Will qui sortit de la voiture.

Mme Burrows s'arrêta sur-le-champ, bouche bée. Elle avait l'air abasourdie. Puis elle se précipita vers Will et l'embrassa.

– Mon Dieu ! Je n'arrive pas à y croire ! Tu es là ! s'écria-t-elle en le serrant fort dans ses bras.

Will se trouva pris au dépourvu face à de telles effusions. L'ancienne Mme Burrows était froide et distante. Sa mère ne paraissait pas seulement différente, elle avait réellement changé.

Le Dr Burrows avait déjà repris sa place à l'avant lorsque Drake passa la tête hors du véhicule pour s'adresser à Will et à sa mère.

– On ne peut pas traîner dans le coin.

– Qui est-ce ? demanda Mme Burrows en regardant Drake d'un œil plein de suspicion. Est-ce l'homme qui vous a kidnappés…

– Non, il m'a sauvé la vie, maman, dit Will en lui coupant la parole.

– Montez, tous les deux ! ordonna Drake. Ce n'est vraiment pas l'endroit choisi pour tenir une réunion de famille.

Ils sortirent de Londres, et Drake les emmena à la campagne. Will parlait sans s'arrêter à sa mère en clignant des yeux, car le soleil radieux jouait à travers les vitres de la voiture. Mme Burrows l'écouta attentivement sans l'interrompre, mis à part quelques soupirs d'étonnement. Mais lorsqu'il en vint à décrire la cruauté des Styx et qu'il lui raconta l'histoire de Rébecca, et surtout comment il avait découvert en bordure du Pore qu'il y avait toujours eu deux Rébecca, elle ne put se contenir.

– Ma Rébecca… deux jeunes filles… menteuses… assassines ! Non ! Comment est-ce possible ? dit-elle d'une voix étranglée, oscillant entre l'incrédulité et la résignation.

Lorsque Will s'arrêta enfin pour boire un peu d'eau, Mme Burrows poussa un long soupir et jeta un regard à son mari assis à l'avant qui gardait un silence obstiné, les bras croisés dans une posture belliqueuse.

– À moins que vous n'ayez tous perdu la tête, et que vous ayez concocté entre vous cette histoire invraisemblable, je ne peux que la croire, dit-elle, puis elle fronça les sourcils. Vous n'essayez pas de me jouer un tour délirant, n'est-ce pas ?

– Oh, que le ciel nous préserve, elle nous a percés à jour, Will ! commenta le Dr Burrows d'un ton sarcastique.

– Qu'est-ce que tu viens de dire ? demanda Mme Burrows qui avait parfaitement entendu.

– Oui, c'est une fiction de bout en bout. J'ai passé cinq mois à Disneyland pendant que tu fourguais ma maison et que tu te faisais un nouvel ami, dit-il.

Mme Burrows plissait les yeux, ce qui n'était pas bon signe, se dit Will, et il avait raison. Elle serra le poing, se pencha en avant et, sans prévenir, flanqua un grand coup au Dr Burrows qui faillit bien en perdre ses lunettes.

– Pauvre type ! hurla-t-elle d'une voix suraiguë avant de le frapper à nouveau, en visant non pas sa nuque cette fois, mais la petite calotte dégarnie qui lui couronnait le crâne.

– Hé, arrêtez un peu, tous les deux ! dit Drake, faisant une embardée alors qu'il essayait de protéger le Dr Burrows. Pas dans la voiture, et pas devant Will.

– Qu'est-ce que j'ai fait ? bêla le Dr Burrows en se massant le crâne.

– Qu'est-ce que t'as fait ? répéta Mme Burrows à deux reprises. Espèce de sale type, sale égoïste ! Tu mets les voiles sans demander la permission à quiconque, après avoir à moitié planifié une escapade à la noix, et par ta faute mon fils et son ami se retrouvent pris au beau milieu de tout ça ! Ils auraient pu se faire tuer !

– Maman, s'il te plaît, plaida Will.

Il ne savait pas ce qui allait se passer.

– Vraiment… marmonna-t-elle sans conviction.

Ils gardèrent tous le silence suite à cette altercation, et contemplèrent la campagne qui défilait derrière les vitres. Drake s'engagea enfin sur une route à une seule voie bordée de haies sauvages. Ils traversèrent un gué puis, plusieurs kilomètres plus loin, Drake ralentit et stoppa dans un champ. Will vit alors qu'ils se trouvaient au bas d'une pente couverte d'herbe grasse.

Ils sortirent de la voiture, et Mme Burrows en profita pour attraper son mari par le col.

– Toi… tu viens avec moi ! ordonna-t-elle en l'entraînant avec une telle détermination qu'il s'exécuta.

Will fit mine de les suivre, mais Drake l'en dissuada.

– Laisse-les parler, suggéra-t-il.

Will regarda Mme Burrows qui traînait son père au sommet d'une pente herbue tel un condamné qu'on emmène à la potence. Il n'entendait pas ce qu'elle disait, mais d'après les mouvements de sa tête elle était manifestement à plein régime.

– J'ai de la peine pour lui, dit Will. La dernière fois qu'ils étaient encore ensemble à Highfield, juste avant que tout ça ne commence, ils avaient eu une grosse dispute. Papa essayait de lui dire où il allait, mais elle n'en avait rien à faire. Elle était bien trop absorbée par la télévision. C'est la seule chose qui l'intéressait... la télévision.

Drake et Will s'installèrent à l'ombre d'un grand chêne. Drake s'assit par terre et s'adossa contre son tronc épais.

– Mes parents n'ont jamais eu de mots. Pas une seule fois. Ils réprimaient tout, et j'ai toujours pensé que c'est pour cette raison que mon père est mort si jeune, lui confia Drake en inclinant la tête vers le sommet de la colline où M. et Mme Burrows gesticulaient frénétiquement. Au moins les tiens ont-ils gardé encore un peu de vitalité.

Puis il choisit deux branches tombées sur le sol, sortit son couteau et se mit à en ôter l'écorce et en aiguiser l'extrémité. Appuyé sur une branche basse, Will le regardait faire. Lorsqu'il eut fini, Drake rangea son couteau et examina le bois blanc qu'il avait mis à nu.

– Qu'est-ce qu'on obtient en frottant deux Styx ensemble ? demanda-t-il en cognant les deux petites branches l'une contre l'autre.

– Je ne sais pas, répondit Will.

– Du soufre et du feu. C'était un dicton qui circulait dans les Taudis... ils ne croyaient pas si bien dire. Ils auront certainement connu le feu. Pauvres gars.

Drake gardait les yeux fixés sur le sol par-delà les branchages. Son regard était songeur.

– Ces bâtons me rappellent le temps où nous étions sur l'île, dit Will. Elliott nous avait fait griller un anomalocaris – elle appelait ça un crabe de nuit – et des griffes du diable.

– Mes préférés, commenta Drake d'une voix lointaine.

– On mangeait des fossiles vivants, se rappela Will, puis il gloussa en pensant à l'étrangeté de la situation. Ça fait du bien de se retrouver loin des ténèbres et de l'humidité, même pour un moment. C'est drôle comme tout ça semble si loin, maintenant.

Will ferma les yeux. Il inclina son visage pour sentir la chaleur des rayons du soleil qui filtraient à travers la canopée et emplit ses poumons d'air frais.

— J'ai rêvé d'un endroit comme celui-ci lorsque j'étais dans les Profondeurs. Il y avait des herbes hautes, des nuages clairsemés dans le ciel, et le soleil brillait comme aujourd'hui… C'était bizarre, car il y avait quelqu'un avec moi dans ce rêve. Une jeune fille… mais je ne sais pas qui c'était. Je n'ai jamais vu son visage.

— Elliott ? demanda Drake d'une voix douce.

— Ha ! s'exclama Will. C'est très peu probable.

— Je ne dirais pas ça. Elle t'aime beaucoup, tu sais.

— Eh bien, elle a une drôle de façon de le montrer, dit Will en riant.

— Les filles… pardon, pour toi, les femmes, sont comme ça dit-il en s'esclaffant. Je sais que vous vous êtes brouillés après cette fameuse patrouille dans la Grande Plaine, mais elle t'a respecté car tu lui as tenu tête.

Will et Drake entendirent des voix derrière eux.

Mme Burrows se dirigeait vers l'arbre, le Dr Burrows à sa suite. Elle criait d'une voix stridente.

— Will ! Will ! Viens ici ! Il faut qu'on te parle.

— On dirait qu'on a besoin de moi, murmura Will avant de se relever.

— Ça fait du bien de se sentir désiré, lui répondit Drake en acquiesçant.

Ses parents s'arrêtèrent de l'autre côté de l'arbre. Mme Burrows était rouge de colère, alors que le Dr Burrows regardait ses pieds d'un air penaud.

— Ton père et moi, nous avons bien discuté et nous avons décidé de ne pas reprendre à partir de là où nous en étions restés, déclara Mme Burrows.

— Non, *certainement pas*, ajouta le Dr Burrows avec emphase sans relever les yeux.

— D'accord, dit Will, se demandant où ils voulaient en venir.

— Ton père estime qu'il n'a pas terminé ses fouilles souterraines, il va donc retourner là-bas dès que possible… seul, évidemment. Et nous avons décidé que tu resterais avec moi, annonça-t-elle.

— Hors de question ! rugit Will. Je repars chercher Chester et Elliott. Tu ne peux plus me dire ce que je dois faire ! Tu n'as pas la moindre idée de ce que…

– Nous trouverons un endroit loin de ces fameux Styx. Peut-être sur la côte… Brighton…

– Sûrement pas ! hurla Will. Brighton ? T'as bu ou quoi ? Ils nous retrouveront en moins de deux.

– Comment oses-tu me parler ?… s'offusqua Mme Burrows.

Cette fois, ce fut au tour de Drake d'intervenir.

– Ce n'est pas aussi simple que ça, Mme Burrows, dit-il en se touchant le sommet du crâne.

Il s'agissait manifestement d'un signal, car un homme émergea aussitôt des haies en contrebas du champ. Il s'avança vers eux à grandes enjambées.

– Qui est-ce ? Et qu'est-ce qu'il fait à rôder dans les parages ? demanda Mme Burrows.

– Il ne nous a pas quittés une seule seconde. On l'appelle le Tanneur.

– Je me fiche pas mal de savoir s'il s'agit du roi des Elfes, grogna-t-elle. D'où vient-il ?

– Il est originaire des îles Fidji. Il a travaillé dans ma division pendant un temps.

– Quoi, dans l'armée ? siffla Mme Burrows en retroussant la lèvre supérieure d'un air mauvais.

Elle était manifestement de plus en plus en colère, et Will s'éloigna d'un pas, craignant qu'elle ne recommence à décocher des coups de poing.

– On pourrait dire qu'on était au service du gouvernement, j'imagine, répondit Drake en secouant la tête. Nos fonctions étaient officieuses, jusqu'à ce que nos liens avec l'État ne soient perturbés par nos chers amis les Styx. Vous n'avez pas besoin d'en savoir plus, dit-il, impassible.

L'homme se rangea à ses côtés comme s'il attendait un ordre. Il mesurait une bonne tête de plus que Drake et semblait aussi solide que le tronc d'un vieux chêne. Il avait les cheveux noirs et courts, et arborait une moustache bien taillée. Son teint était hâlé comme s'il avait passé toute sa vie dehors. Sa peau ressemblait vraiment à du vieux cuir tanné, et son nom lui allait à merveille, pensa Will avec amusement. Il portait un ciré vert qui lui descendait jusqu'aux genoux, et un jeans. L'homme réagit soudain à un signe de Drake et ouvrit les pans de son imperméable. Will aperçut alors une arme courte qui pendait à son flanc.

– Un fusil d'assaut ? demanda Will.

– Canon scié, calibre 12, dit l'homme en adressant un sourire amical à Will et en sortant quelque chose de sa poche intérieure.

Il s'agissait d'une sorte de caméra.

– Vous disiez donc ? lança Mme Burrows à Drake d'un ton sec.

Elle n'était manifestement pas impressionnée par l'arrivée subite de cet individu armé.

Drake prit l'appareil et déploya le petit écran rabattu sur le côté.

– Alors, dites-moi pourquoi je ne peux pas emmener Will ailleurs, loin de tout ce bazar ? demanda Mme Burrows avec impatience.

– À cause de ça, répondit Drake en orientant l'appareil pour qu'elle puisse voir l'écran.

– Ben ? C'est Ben ? demanda-t-elle.

Elle arracha la caméra des mains de Drake et scruta l'écran tandis qu'il y défilait un petit film à la teinte verdâtre.

– C'est… vous avez espionné Ben ! Vous n'avez pas le droit de faire ça !

Will parvint à distinguer les images, malgré le tremblement des mains de sa mère. Cet ami n'était pas seul à l'écran. Il était en compagnie de deux hommes trapus coiffés de calottes et portant des lunettes noires. Puis l'écran s'éteignit un instant avant qu'un autre clip ne commence. On y voyait Ben Wilbrahams avec un Styx.

– C'est un de leurs agents. Vous en doutez encore ?

– Désolé pour la qualité, mais leurs rencontres ont eu lieu de nuit, et je ne pouvais pas prendre le risque de m'approcher plus près, s'excusa le Tanneur comme si la résolution de l'image avait quelque importance.

Mme Burrows haussa les épaules.

– Et alors ? Ces gens ont approché Ben. Cela ne veut rien dire. Il s'agissait peut-être de rencontres fortuites. Ils auraient pu s'adresser à n'importe qui, marmonna-t-elle.

– À six endroits différents ? En des lieux isolés ? dit le Tanneur d'un ton piquant. Je ne crois pas, ma sœur.

– Je ne suis pas votre sœur, monsieur Tânerie, ou je ne sais quoi ! lança Mme Burrows, puis elle scruta de nouveau l'écran en secouant la tête.

Elle n'était manifestement pas convaincue par les films.

– Dites-moi précisément quand vous avez filmé ça.

– Je viens de vous le dire. En six occasions différentes, et à chaque fois de nuit. Le premier clip a été tourné juste après votre première visite chez Wilbrahams, la nuit où les Colons vous poursuivaient.

— Maman ? demanda Will d'un air soucieux.

— Tu es allée chez lui ? De nuit ? s'exclama le Dr Burrows.

Mme Burrows lui jeta un regard glacial, puis elle rabattit le petit écran et rendit la caméra à Drake avec une brusquerie injustifiée.

— Si tout cela est vrai, vous connaissez Ben depuis un moment, n'est-ce pas ? lui lança-t-elle d'un ton accusateur.

— Nous avions des doutes, dit-il.

— Et vous l'avez malgré tout laissé voir mon mari et mon fils. Vous avez laissé Roger débarquer chez lui pour m'emmener. Du coup, Ben sait qu'ils sont de retour à Highfield.

— Les Styx le savaient déjà. Mais oui, j'ai pris un risque calculé en autorisant le Doc à se montrer, car j'ai besoin d'attirer les Styx hors de leur cachette, répondit Drake.

— Mais pourquoi ? demanda Will.

— Parce qu'on a fait chou blanc, intervint le Tanneur en montrant les deux fioles qui pendaient au bout de ses doigts. Tu t'es fait avoir, Will. L'une d'elles contient le *Supervirus*, et l'autre son vaccin, mais j'ai le regret de te dire que nous n'avons pas trouvé la moindre trace du nouveau virus.

— Oh mon Dieu... pas de *Dominion*, souffla Will. C'était donc un mensonge depuis le début. Elles ont continué à mentir, même lorsque nous étions dans la zone du sous-marin. Ces petites garces maléfiques n'arrêtent-elles donc jamais ?

— Mme Burrows, dit le Tanneur, que les Styx sachent que votre mari est en Surface ou non, cela ne fait aucune différence, car vos jours sont comptés.

— Hein ? dit-elle d'un ton nettement moins assuré.

— Vous n'auriez pas tardé à disparaître... Vous avez creusé trop profond... si vous voulez bien me passer l'expression, dit-il sans la moindre pointe d'humour. Mais maintenant que vous avez repris contact avec Will et le Doc, ils présumeront que vous en savez autant qu'eux. Vous êtes une femme marquée. Vous n'avez plus le choix, vous devez prendre la fuite. Mais vous n'avez pas le savoir-faire nécessaire pour garder un temps d'avance sur les Styx, et croyez-moi, ils sont malins. Ils vous rattraperont et vous tueront. Ce n'est qu'une question de temps. Ainsi vont les choses, ma sœur.

Le Tanneur récupéra la caméra que tenait Drake et la remit dans sa veste.

— Vous feriez mieux de tenter votre chance sous terre, tous les trois, dit brusquement Drake.

— Sous terre ? répéta Mme Burrows, horrifiée. Moi ?

– Super ! s'écria Will en jetant un coup d'œil à son père. C'est exactement ce qu'on voulait, n'est-ce pas, papa ? Y retourner…

– Tais-toi, Will, murmura Mme Burrows qui, à voir la manière dont elle tremblait de tous ses membres, était manifestement très troublée.

– Non, Will a raison, dit Drake. S'il a réussi à sortir du Pore avec son père, les jumelles pourraient très bien en faire autant. Elles sont peut-être déjà mortes, mais il faut que quelqu'un s'en assure. Si elles ont survécu à l'explosion des bombes d'Elliott, elles transportent encore le *Dominion* sur elles. On ne peut pas prendre ce risque-là, dit-il en regardant dans le vague comme s'il venait de penser à quelque chose. Cependant, il y a bien quelque chose que vous pourriez faire pour moi, Célia.

– Quoi ? coassa-t-elle.

– Eh bien, vous n'êtes pas vraiment taillée pour toutes ces fouilles souterraines, pas vrai ?

Mme Burrows blêmit et vacilla sur place. Will crut bien qu'elle allait s'évanouir.

SIXIÈME PARTIE

Le départ

Chapitre Vingt-huit

Au restaurant Le Petit Chef, Will et son père étaient assis face à Drake et Mme Burrows. Leurs plats venaient d'arriver, mais Mme Burrows n'avait pas encore touché au sien. Elle le repoussa et fixa l'autoroute derrière la vitre, observant le flux continu des voitures.

Drake lui avait dit qu'il allait ramener Will et le Dr Burrows dans le Norfolk après le déjeuner. Le Tanneur, qui restait pour l'heure invisible, l'emmènerait à Londres. Ils étaient donc parvenus à la croisée des chemins, et partageaient leur dernier repas avant de partir chacun de leur côté.

Des camionneurs solitaires déjeunaient à d'autres tables. Il y avait au coin de la salle un jeune couple dont le bébé bruyant trônait sur une chaise haute. Il y eut soudain un grand fracas qui fit tressaillir Mme Burrows. L'une des serveuses venait de faire tomber une pile d'assiettes. Manifestement au bord de la crise de nerfs, Mme Burrows s'empressa de boire une gorgée d'eau, puis reposa son verre sur la table d'une main tremblante.

— Il a encore fallu que tu te mêles de choses que tu ne comprenais pas, n'est-ce pas. Si tu étais resté tranquille, rien de tout cela ne serait arrivé, dit-elle très calmement.

— Qui ?... Moi ? demanda le Dr Burrows, fourchette en l'air.

— Qui d'autre veux-tu que ce soit ? répondit-elle avec amertume.

— S'il te plaît, ne le cogne pas de nouveau, dit Will en lui adressant un regard las, puis il attira le plat de frites à lui.

Mme Burrows se prit la tête entre les mains et poussa un soupir.

— Non, Will, je n'ai plus assez d'énergie pour ça, dit-elle en levant les yeux vers lui. Et puis ça n'a plus grande importance, ni pour lui ni pour moi. Nous avons déjà vécu la plus grande partie de notre vie et nous en avons fait un beau gâchis. Mais toi, tu es jeune. Tu as tout le temps devant toi. Je suis vraiment désolée, Will, ajouta-t-elle en lui pressant l'avant-bras. Tellement désolée que tu te sois retrouvé impliqué dans tout ça.

Will essuya le ketchup qu'il avait au coin de la bouche.

— Maman, j'étais *déjà* impliqué dans tout ça. Ma vraie…

— Ta vraie mère, compléta Mme Burrows.

— Oui… Sarah Jérôme aurait pu resurgir à n'importe quel moment. C'est ce que voulaient les Styx, dit-il en prenant une frite avec les doigts, puis il la mâchonna lentement. Et je leur posais problème, moi aussi. Quoi qu'il arrive, ils m'auraient enlevé ou tué à un moment ou à un autre, n'est-ce pas, Drake ?

Drake reposa sa tasse de café avant de répondre.

— Ils jouent toujours les prolongations, et ils auraient nettoyé le terrain tôt ou tard.

Le bébé se mit à hurler. Au son de ses cris perçants, les camionneurs se tortillèrent sur leurs chaises en marmonnant dans leur barbe comme si on venait de les tirer d'un profond sommeil.

— Je n'en peux plus, dit soudain Mme Burrows en se levant. Je pars.

— Une fois dehors, dirigez-vous vers la station-service. Le Tanneur se rangera à côté de vous dans une camionnette blanche, dans laquelle vous monterez, lui dit Drake.

— Ainsi soit-il, répondit Mme Burrows.

Will et le Dr Burrows se levèrent à leur tour.

Mme Burrows tendit la main à son mari. Après une seconde d'hésitation, le Dr Burrows la lui serra.

— Bonne chance, dit Mme Burrows.

— Bonne chance à toi aussi, répondit le Dr Burrows, puis il se rassit aussitôt.

Ces adieux étaient si formels qu'on aurait dit deux étrangers qui se saluaient. Will ne savait que faire.

Il resta devant sa chaise, mais Mme Burrows contourna la table pour s'approcher de lui.

— Toi, viens un peu par ici, dit-elle en l'embrassant.

Elle pleurait, et c'est tout ce qui retenait Will de pleurer à son tour.

Elle continua à le serrer dans ses bras comme si elle ne voulait plus le lâcher.

– Prends bien soin de toi, Will. Souviens-toi toujours que je t'aime, dit-elle enfin d'une voix étranglée, puis elle se dirigea vers la sortie en s'essuyant les yeux.

– Je t'aime aussi, maman, dit-il, mais elle avait déjà franchi le seuil et s'éloignait vers le parking.

Will se laissa lourdement retomber sur son siège. Il jeta un coup d'œil aux frites qui restaient, mais il n'en voulait plus. Il ne se souvenait pas de la dernière fois où sa mère lui avait témoigné une telle affection, ni même tenu pareils propos. Même si elle s'était sûrement comportée ainsi pendant son enfance, il n'en gardait pas le moindre souvenir. Au coin de la salle, le bébé recommença à brailler. Ce n'est qu'au prix de tous ces cauchemars qu'ils avaient fini par abandonner leur vie factice, se dit Will, et que sa mère lui avait enfin révélé son amour. Et réciproquement.

Soudain submergé par l'émotion, Will se sentit envahi par un terrible sentiment de perte.

Lorsque la serveuse revint avec les trois boules de glace – chocolat, fraise et vanille – qu'il avait commandées, il s'empressa d'en engloutir une cuillerée afin d'éviter que Drake ou son père ne remarquent les larmes qu'il réprimait. Mais le goût de la glace ne faisait qu'empirer les choses, ce parfum d'une enfance lointaine, de ces années perdues. Il se leva de table et fonça vers la porte. Il voulait parler une dernière fois à sa mère avant son départ.

Mais elle avait déjà disparu, tout comme la camionnette blanche. Il courut jusqu'à la station-service pour voir si elle n'y était pas, puis il scruta désespérément le parking du Petit Chef. En vain. Il arrivait trop tard.

Drake et son père l'attendaient à l'intérieur du restaurant, mais Will était trop bouleversé pour leur faire face. Il se cacha derrière une grosse poubelle au coin du parking à l'abri des regards et pleura à chaudes larmes en levant les yeux vers le ciel.

Ils arrivèrent près du vieux terrain d'aviation en fin d'après-midi. Au volant de sa Range Rover, Drake emprunta un chemin de traverse, puis s'arrêta. Cette fois, Will était assis à l'avant à ses côtés, tandis que le Dr Burrows était allongé sur la banquette arrière. Ils entendaient sa respiration régulière. Il dormait.

– Tout va bien, Will ? demanda Drake d'une voix calme.

– Je crois.

– Dès que tu seras de retour là-bas, tu dois retrouver Elliott.

– J'aurais commencé par là, de toute façon… Et puis Chester, ajouta-t-il.

– Oui, bien sûr, Will. Mais lorsque tu la trouveras, briefe-la à propos de mon plan. Il faut que nous soyons sûrs que les deux Rébecca et leur Limiteur soient hors d'état de nuire, et que nous avons neutralisé tout risque de voir resurgir le *Dominion* en Surface. Toi, Elliott et Chester, vous devez faire tout ce qu'il faudra. Rien… ni personne ne doit vous distraire de votre objectif, dit-il en jetant un coup d'œil au Dr Burrows qui s'agitait et grognait dans son sommeil. Je viendrais bien avec toi, mais j'ai une ou deux choses urgentes à régler, ajouta Drake en soupirant.

Will acquiesça.

– Ensuite, si vous décidez de remonter en Surface, toi et les autres, je suis sûr qu'on trouvera un arrangement. Je ne peux pas garantir que ça sera facile pour vous, mais…

– Merci, dit Will qui n'avait pas besoin d'entendre la suite. Mais on fait quoi de papa ?

– J'ai l'impression qu'il veut partir aussi loin de la Surface que possible, vu la manière dont les choses se sont passées avec ta mère. Je ne crois pas qu'il ait l'intention de remonter avant un bon bout de temps.

Drake consulta sa montre.

– Bien, on ferait mieux de réveiller la Belle au bois dormant pour vérifier votre équipement. Vous reprendrez la route ensuite.

Drake ouvrit le hayon de la Range Rover et vérifia qu'ils avaient bien tout ce qu'il leur fallait pour leur voyage. Il avait emporté deux gros sacs à dos militaires pour Will et pour son père – des « Bergen », comme il disait, d'une contenance nettement supérieure à celui dont s'était servi Will jusqu'alors.

– Et maintenant, passons aux choses sérieuses, annonça Drake en tirant un fourre-tout du coffre. Voici ton casque à amplification lumineuse, Will. Il marche parfaitement.

– Qu'est-ce qui n'allait pas ?

Drake lui montra un joint de plastique soudé à l'endroit où il avait réparé le câble.

– On a fait une minuscule incision pour couper le circuit. Ce n'est certainement pas dû à l'usure du temps. On l'a saboté.

– Rébecca, dit Will lentement. Bon sang ! Elle a dû bousiller mon casque et la lunette de la carabine. Chester avait parfaitement raison de la soupçonner. La jumelle ne voulait pas qu'on repère le Limiteur qui nous suivait.

— T'as tout compris, dit Drake, puis il sortit une boîte remplie de bombes aérosols grises sans aucune marque distinctive. On a effectué des essais sur l'échantillon de feu d'anis et découvert qu'il dégage de grandes quantités de N,N-diéthyl-méta-toluamide en s'oxydant.

— Trop facile à dire ! remarqua Will en riant.

— Du DEET, en bref. C'est un insecticide dont on se sert pour éloigner les insectes domestiques ou les bestioles dans les jardins, mais la substance que contiennent ces aérosols est fortement concentrée. Tu peux aussi essayer d'en imprégner tes vêtements et ton kit. Voilà qui devrait tenir les araignées à distance, et tes amis aussi... Évite juste d'en mettre sur ta peau. Compris ?

— Pigé, répondit Will.

— Et le carburant pour le hors-bord ? demanda le Dr Burrows.

— Tout vient à point, Doc. Je n'ai pas encore terminé, répondit Drake qui tenait le fourre-tout ouvert pour que Will puisse en voir le contenu. J'ai mis des cordes d'escalade, et comme tu aimes tant les feux d'artifice j'ai aussi ajouté des fusées d'alarme avec quelques gadgets supplémentaires.

Drake tira un troisième Bergen vers eux et l'ouvrit.

— Des explosifs, dit Will en reconnaissant les boîtes qu'utilisaient Drake et Elliott dans les Profondeurs.

— Avec une différence notable... Ils ne contiennent plus ma recette maison, mais du C4... du plastique. Ce sac est pour Elliott, mais il faudra lui dire d'être prudente lorsqu'elle posera ces merveilles. Ces explosifs sont bien plus puissants que tout ce qu'elle a pu utiliser auparavant. Et pour finir, annonça Drake en sortant d'une poche latérale du troisième Bergen une petite boîte de plastique noir et brillant de la taille d'un jeu de cartes auquel on aurait connecté un fil : c'est une balise radio, dit-il en montrant le fil à Will et au Dr Burrows. Elle émet un signal radio TBF, ce qui signifie « très basse fréquence ». Cette technologie n'en est encore qu'à ses débuts, et personne n'en connaît la portée exacte, mais dépose ces balises à des endroits stratégiques au fur et à mesure que tu avanceras. Ça t'aidera à te repérer.

— Tels Hansel et Gretel laissant des miettes de pain derrière eux au cœur d'un labyrinthe, ironisa le Dr Burrows.

— Quelque chose dans ce goût-là, mais ce sont des miettes digitales dont les batteries ont une longévité de vingt ans. Je vous ai donné quinze balises et deux traceurs radar électroniques, dit Drake en se tournant vers le Dr Burrows. Et votre carburant vous attend déjà, Doc. J'ai demandé au Tanneur de le déposer à côté du quai au cours de la nuit.

— Il a trouvé son chemin jusqu'en bas… tout simplement ? demanda le Dr Burrows avec stupéfaction.

— On n'est pas des amateurs, vous savez, répondit Drake en refermant le Bergen, puis il le fit glisser vers Will.

— Non, c'est clair, dit le Dr Burrows en reniflant, décontenancé. Vous avez accès à des armes, à des labos où vous effectuez des analyses virales, et vous possédez un équipement de vision nocturne de pointe et d'autres technologies dont je n'avais jamais eu vent jusqu'à maintenant. Mais bon sang, qui êtes-vous au juste ? Vous ne nous l'avez toujours pas dit.

— Vous avez déjà entendu parler des Illuminati, Doc ?

— Oui, bien sûr. Cette société secrète fondée en Allemagne au XVIIIe siècle, répondit le Dr Burrows d'un ton docte en jetant un regard en coin à son fils pour voir s'il était impressionné par sa culture.

— C'est ça. La société des Illuminati fut fondée par Adam Weishaupt en 1776 en Bavière, dit Drake avant de prendre une grande inspiration. Eh bien, j'imagine qu'on peut dire que nous avons quelques points communs. Nous formons un réseau clandestin réunissant des scientifiques, des militaires et une poignée de gens haut placés dans le gouvernement. Mais contrairement aux Illuminati, nous ne nous sommes pas unis autour d'un projet sinistre, loin de là. Notre unique objectif est de combattre les Styx par tous les moyens.

— Cela ne m'éclaire pas vraiment.

— Ce n'était pas vraiment le propos, rétorqua Drake, imitant les chuchotis d'un acteur de théâtre. Puis il lui adressa un clin d'œil.

Chapitre Vingt-neuf

Le fleuve emportait l'embarcation à vive allure. Will n'avait nul besoin d'actionner le moteur, sinon pour rectifier leur trajectoire et les maintenir au milieu du canal. Posté à la proue, le Dr Burrows jouait les vigies, même si Will n'avait guère besoin de son aide maintenant qu'il avait retrouvé son casque.

Ils dépassèrent la première escale d'avitaillement, mais s'arrêtèrent à la suivante pour se sécher et se reposer. Ils décidèrent de manger et choisirent un curry parmi l'impressionnante sélection de rations légères que leur avait fournies Drake.

Alors qu'ils se relaxaient après leur repas en se chauffant les mains près du poêle, Will se tourna vers son père.

– Une fois de retour en Surface, tu n'avais pas du tout l'intention de me ramener ici, n'est-ce pas ? lança-t-il d'un ton accusateur. Tu allais me confier à maman pour te débarrasser de moi. Tu ne voulais pas traîner un tel boulet. À dire vrai, c'est la seule raison pour laquelle tu voulais rentrer à la maison, n'est-ce pas ? Tu m'as menti, voilà la vérité. C'est encore cette histoire de souris blanche, pas vrai ?

– C'était pour ton propre bien, Will. J'essayais de faire ce qu'il y avait de mieux pour toi, répondit le Dr Burrows après avoir fermé les yeux quelques instants.

– Mais hier, tu t'intéressais plus à tes précieuses tablettes et tu te fichais pas mal de revoir maman, bon sang ! Elle ne compte plus du tout pour toi, n'est-ce pas ? dit Will en le foudroyant du regard.

– Comment dire, Will ? commença le Dr Burrows d'une voix voilée. C'est un peu comme mon travail au musée. Je le garde car j'ai besoin de rapporter assez d'argent à la maison pour nous maintenir tous à flot, mais ça n'a jamais été *moi*. J'ai toujours su que je pouvais faire mieux que ça… quelque chose d'exceptionnel. C'est parfois ce qui arrive quand on est dans une relation, dans un mariage, par exemple. Les gens se contentent de ce qu'ils ont, même si, au fond, ils ne sont pas vraiment heureux. Je suis navré de devoir te dire que ta mère et moi, nous nous sommes détachés l'un de l'autre. Tu as dû t'en apercevoir.

— Mais rien n'oblige à ce que ça se passe comme ça, rétorqua Will, très en colère. On ne peut pas tout laisser tomber. Tu n'as pas fait assez d'efforts !

— J'en fais maintenant, répondit le Dr Burrows. J'essaie de faire quelque chose dont les autres seront fiers. Je veux que toi, tu sois fier de moi.

— Te fatigue pas, grogna Will avec dédain en remontant le col de sa veste.

Puis il croisa les bras.

Will et le Dr Burrows s'endormirent, mais c'est à peine s'ils s'adressèrent la parole lorsqu'ils remontèrent dans l'embarcation et reprirent leur voyage. Ils sautèrent une autre escale d'avitaillement, car ils savaient qu'en poursuivant ainsi ils arriveraient sans doute au port souterrain en moins de vingt-quatre heures.

Après un jour et demi de voyage, ils virent se profiler la grille qui barrait le canal et protégeait les turbines hydroélectriques. Will était épuisé. Posté à la proue, il n'était pas aussi alerte que d'ordinaire, et c'est pourquoi il n'avertit son père qu'à la dernière minute, ne lui laissant pas assez de temps pour manœuvrer. Le Dr Burrows fut donc contraint de pousser le moteur à plein régime pour virer à temps dans le port, heurtant la paroi de l'arche au passage et brisant une partie de la coque de l'embarcation, sans toutefois causer trop de dégâts. Arrivé dans des eaux plus calmes, il coupa enfin le moteur et accosta lentement le long de la jetée.

Ébloui par l'intensité des plafonniers, Will attrapa un bollard et bondit sur le quai.

— Je parie que tu es ravi d'avoir retrouvé tes super pouvoirs, dit le Dr Burrows en riant, pour apaiser un peu la tension. Débarquons le matériel et séchons-nous.

— Papa… commença Will en s'accroupissant sur la jetée.

Il était certes encore en colère contre son père, mais il savait qu'il devait s'entendre avec lui s'ils voulaient parvenir à accomplir quoi que ce soit.

– On a parcouru tout ce chemin pour revenir ici, mais on n'a pas vraiment de plan, n'est-ce pas ?

– Bien sûr que si. J'ai une série d'indications presque complètes, contra le Dr Burrows.

– Mais tu n'as toujours pas la moindre idée de l'endroit où commence cette carte.

– Les tablettes indiquent que l'itinéraire débute à « l'endroit où la mer tombe », à côté de « la pierre unique », si ma traduction est exacte. C'est très probablement près du sous-marin. Je crois bien que cette fameuse « pierre unique » est celle qui figure sur l'une des photos du sous-marin. Qui plus est, tu m'as dit que tu pensais que la pluie qui tombait dans le gouffre était de l'eau de mer. Tout ça m'a l'air très prometteur.

– Bien, mais le sous-marin n'est plus là, maintenant qu'Elliott a réduit une bonne partie du gouffre en poussière… et avant toute chose, je veux retrouver mes amis. Il faudra ensuite que je m'assure que les jumelles et le Limiteur sont bien hors d'état de nuire.

Le Dr Burrows leva les yeux vers Will, qui se tenait sur la jetée, et prit une profonde inspiration.

– Dans ce cas, on a du pain sur la planche !

Drake resta en bas des marches, tandis que Mme Burrows frappait à la porte de Ben Wilbrahams. Il finit par lui ouvrir, vêtu d'une robe de chambre en soie et de chaussons aux pieds.

– Célia ! s'exclama-t-il, étonné, en ajustant ses lunettes posées au sommet de son crâne. Je ne m'attendais pas à voir…

Sa voix s'éteignit lorsqu'il posa les yeux sur Drake, qui le fixait d'un regard froid depuis le trottoir.

– Épargne-moi les politesses, dit Mme Burrows sans complaisance.

Elle glissa les mains dans sa veste militaire et détourna la tête avec une grimace de dédain. Elle ne prit pas la peine de regarder Ben Wilbrahams, comme si sa vue lui était devenue insupportable.

– Tu peux dire à tes amis que nous avons quelque chose qui les intéresse. Nous détenons des informations sur les jumelles et le virus qu'elles transportaient sur elles.

– Mes amis ? Le virus ?

– Je ne suis pas d'humeur à plaisanter ! aboya Mme Burrows en se tournant vers lui. Ne me fais pas perdre mon temps. Tu sais très bien de quoi je parle. Je suis prête à négocier avec les Styx. Dis-leur qu'ils peuvent récupérer le *Dominion et* les jumelles, à condition qu'ils me laissent tranquille, moi et ma famille. Je ne négocierai qu'avec une personne en mesure de me donner les garanties nécessaires. Je veux parlementer avec le grand ponte.

Ben Wilbrahams cligna des yeux sans rien dire.

— Et je sais précisément à quoi ressemble le grand Styx aux cheveux gris. Vous pouvez leur dire de ma part qu'ils n'ont pas intérêt à essayer de me duper avec un figurant de seconde zone, ajouta Drake.

C'était un mensonge éhonté, car il n'avait vu le vieux Styx que de très loin lorsqu'il donnait ses ordres en bordure du Pore.

— Et ils feraient bien de s'énerver. Dans quarante-huit heures, on abrégera les souffrances des jumelles et on balancera le virus dans un incinérateur, poursuivit Drake en brandissant les deux fioles pour que Ben Wilbrahams les voie bien, avant de les remettre dans sa poche.

— Si la réponse est oui, ajouta Mme Burrows en indiquant le heurtoir en laiton, accroche ta perruque à ce machin. Nous verrons le signal et nous te contacterons pour te dire où et quand aura lieu la transaction.

— Comment sais-tu que ?... demanda aussitôt Ben Wilbrahams en se touchant la nuque.

— Allons, j'ai déjà vu des moumoutes plus réussies aux puces ! ironisa-t-elle en ricanant, puis elle tourna les talons et descendit les marches. Souviens-toi ! Ils ont quarante-huit heures pour s'exécuter.

— On n'avait pas répété la moitié de ce que vous avez dit à Wilbrahams, mais c'était parfait, lui dit Drake sur le chemin du retour en lui lançant un regard admiratif. Je n'aurais pas mieux fait, ajouta-t-il pour la féliciter. Où avez-vous appris à vous comporter comme ça ?

— Oh, ici et là, dit-elle en haussant les épaules tout en regardant une vitrine remplie de télévisions. Mais vous ne croyez pas qu'on joue un peu trop avec le feu ? Vous ne croyez pas qu'ils vont nous tomber dessus à bras raccourcis, maintenant qu'on a mis le feu aux poudres ?

— C'est sûr, mais si on arrive à faire sortir le grand ponte, comme vous dites, et qu'on réussit à l'attraper, nous aurons une monnaie d'échange. Pour le moment, on n'a aucun atout dans notre jeu. Nous n'avons ni le *Dominion* ni les jumelles, mais...

– Mais ils ne le savent pas, l'interrompit Mme Burrows. Et qu'est-ce qu'on fait s'ils refusent de nous rencontrer ?

– Dans ce cas, on saura qu'ils ont déjà récupéré le virus et qu'ils n'ont pas besoin de nous. C'est ce qu'on veut vraiment savoir, car si c'est exact… ça voudra dire qu'on est dans un sacré pétrin.

– Je vous suis, mais pour le moment c'est moi qui sers d'appât pour pêcher les requins… ou plutôt *les requins styx*.

Chapitre Trente

– Drake, c'est moi. Je voulais juste vous dire qu'on avait atteint l'abri souterrain, dit Will, qui parlait dans le téléphone noir de la cabine de l'opérateur radio.

Il marqua une pause et entendit juste un grésillement sur la ligne.

– Est-ce que vous pouvez dire à maman…, ajouta-t-il d'une voix tremblante avant de déglutir. Dites à maman que je l'aime plus que tout au monde et que nous nous reverrons bientôt.

Le Dr Burrows passa la tête dans l'embrasure de la porte au moment même où Will reposait le combiné.

– J'ai cru t'entendre parler à quelqu'un, dit-il. Qu'est-ce qui se passe ?

– J'ai laissé un message à Drake.

Le Dr Burrows eut soudain l'air déçu.

– Tu te rends compte que cet homme se sert de nous, tous autant que nous sommes, n'est-ce pas ? Il t'a mis sur la piste des jumelles et des fioles de *Dominion*, et Dieu sait ce qu'il va demander à Célia. Il se sert des gens pour parvenir à des fins des plus discutables.

– Drake est mon ami. Et s'il n'avait pas été là, tu serais mort à l'heure qu'il est.

Ils passèrent les douze heures suivantes à trier leur matériel et à se reposer. Lorsqu'ils furent enfin prêts, Will et le Dr Burrows refermèrent l'énorme porte derrière eux, puis ils se rendirent devant le tableau électrique.

Will regarda l'aiguille du cadran principal osciller faiblement, quand son père bascula le premier interrupteur vers le haut. Il éteignit ensuite les autres, et le port fut à nouveau plongé dans le noir.

— Est-ce qu'il faut vraiment couper le courant ? demanda Will.

— Il faut toujours laisser les lieux dans l'état dans lequel tu aurais souhaité les trouver, répondit le Dr Burrows du tac au tac. On ne sait jamais quand tu pourrais en avoir à nouveau besoin.

Ils restèrent côte à côte au cœur des ténèbres. Le globe lumineux qui se trouvait dans la lanterne styx de Will s'anima peu à peu et gagna en intensité, jusqu'à ce qu'en jaillisse enfin une sublime lumière verte.

— Et c'est reparti pour un tour, dit Will à voix basse en éclairant sa main.

Ils sortirent du bâtiment en béton et se dirigèrent vers le quai, leurs gros Bergen sur le dos. Ces sacs militaires contenaient bien plus de matériel que les précédents. Will en portait un sur chaque épaule, ainsi qu'un gros fourre-tout, sa carabine et puis la mitraillette Sten, mais à la faveur de la faible gravité il avait l'impression de ne porter guère plus qu'un sac de plumes.

— J'ai de nouveau la nausée, dit-il soudain en se tournant vers son père.

— Oui, j'ai remarqué que tu avais le teint légèrement verdâtre. Moi aussi, comme la première fois que je suis descendu dans le Pore. Rien d'inquiétant, cela dit. Ton estomac se fonde d'ordinaire sur une gravité normale pour contribuer au péristaltisme, c'est-à-dire le mécanisme par lequel les muscles de ton duodénum se contractent et déplacent ainsi les aliments que tu as mâchés le long de…

— Papa, s'il te plaît, je viens de te dire que j'avais envie de vomir ! gémit Will en portant la main à sa bouche.

En entrant dans la brèche étroite, Will plaça la première des balises radio fournies par Drake, dans une crevasse située en haut de la paroi.

— Miette numéro un, dit-il.

C'était la fin de la matinée, et le soleil inondait la pièce vide. Mme Burrows était en pleine séance de yoga lorsqu'elle entendit Drake l'appeler depuis le rez-de-chaussée. Ses séances quasi quotidiennes à la gym lui manquaient, elle s'exerçait donc du mieux qu'elle pouvait sur le sol de l'une des chambres de l'hôtel qui servait de refuge à Drake pour le moment. Elle attrapa sa serviette et sa bouteille d'eau, sortit dans le couloir et se précipita en bas de l'escalier où l'attendaient Drake et le Tanneur. Le hall de l'hôtel était encore intact ; il restait le comptoir de la réception, ainsi que quelques tables et chaises disposées çà et là.

— Salut les gars ! lança Mme Burrows aux deux hommes, qui se tenaient dans l'embrasure de la porte principale. Comment ça va ?

— Wilbrahams le chauve vient d'accrocher sa perruque au heurtoir, dit le Tanneur sans ciller.

— Non ? dit Mme Burrows qui n'en croyait pas ses oreilles, avant de partir d'un fou rire caverneux auquel se joignirent Drake et le Tanneur.

Drake lui tendit un téléphone mobile.

— On a tout préparé pour la suite. Maintenant, il faut que vous lui communiquiez le lieu et l'heure, dit-il calmement.

Mme Burrows cessa de rire et s'empara du téléphone.

Chester se réveilla peu à peu en entendant Martha tambouriner sur la porte de la barricade des Grottes aux loups. Il sommeillait, allongé sur la terre meuble. Il gémit et se hissa sur ses pieds, puis se frotta le dos et gémit à nouveau. Il essuya la terre qui était restée collée à son visage.

— Je suis un homme des cavernes, grommela-t-il en rejetant sa longue chevelure en arrière, puis il alla à la porte d'entrée.

Chester laissa entrer Martha, et vit aussitôt Bartleby qui marchait d'un pas maladroit derrière elle.

— Tenez cette saleté de chat loin de moi, dit-il avec humeur.

Il remarqua soudain le grand sourire de Martha.

— J'ai touché le gros lot, annonça-t-elle gaiement.

— Beurk ! s'exclama Chester de dégoût en voyant ce qu'elle avait jeté sur le sol derrière elle.

La toison sombre et aux poils enchevêtrés de la bête dégageait un nuage de vapeur. Il était difficile de distinguer précisément ce dont il s'agissait. On aurait dit qu'un vieux tapis à longues mèches avait été jeté sur le sol, mais Chester vit soudain une grosse truffe qui dépassait.

— C'est un loup ?

— Très certainement, dit Martha. Je l'ai pris dans l'un de mes pièges. Un vrai molosse. Il a fallu que je lui tire trois fois dans la nuque pour l'abattre.

– Trois fois, répéta Chester sans trop savoir ce qu'il disait.

Martha se pencha et attrapa le loup par une patte arrière

– Je suis bien un homme des cavernes, dit Chester avec un soupir résigné lorsqu'il la vit passer devant lui en traînant la dépouille.

Il s'apprêtait à refermer la porte, lorsqu'il se souvint que Bartleby était encore dehors. Il fixait nerveusement Chester de ses grands yeux. L'animal savait qu'il n'était pas vraiment la coqueluche du moment.

Chester lui fit signe d'entrer avec un grognement plein de rancœur. Bartleby comprit le message et passa prudemment devant lui avant de détaler vers le fond de la caverne, sur les traces de Martha.

Chester lui emboîta le pas, mais ne la trouva pas dans la zone de terre meuble qu'ils occupaient généralement. Quand il la rattrapa à l'intérieur du complexe, elle était déjà en train de préparer la carcasse, sous le regard fasciné d'Elliott.

Martha extirpa l'un des globes oculaires de son orbite, y pratiqua une petite incision et le porta à sa bouche. Elle pressa dessus et goba l'œil dont le fluide se mit à dégouliner le long de son menton poilu.

– Mon Dieu ! s'écria Chester.

Martha procéda de même avec l'autre globe, mais le tendit cette fois à Elliott.

– C'est une bonne source de liquide, expliqua Martha à Elliott qui gobait l'œil.

– Ahhh ! gémit Chester en s'asseyant brusquement sur le sol.

– C'est bon, dit Elliott. Il faudra que tu essaies la prochaine fois, ajouta-t-elle en lançant un coup d'œil à Chester.

Il éructa, ce qui fit rire Elliott. Il lui fallut plusieurs secondes pour apprécier le comique de la situation. Il secoua la tête, mais Elliott concentrait déjà toute son attention sur la façon dont Martha vidait les entrailles de la bête.

Le rétablissement d'Elliott tenait du miracle. Les antibiotiques avaient fait leur effet, et elle semblait presque redevenue elle-même, même s'il y avait quelque chose de différent chez elle. D'ordinaire si taciturne dans les Profondeurs, elle se montrait maintenant avenante, parfois même enjouée.

La fièvre lui avait peut-être grillé le cerveau, comme l'avait dit Rebecca, mais Chester aimait à penser qu'Elliott était tout simplement reconnaissante que Will, Martha et lui-même se soient démenés pour lui sauver la vie. Quelle que soit la raison de ce changement, sa présence rendait supportables les longues journées qu'ils passaient enfermés dans les Grottes aux loups. Ils bavardaient et jouaient au morpion à même le sol, en grattant la terre avec des bâtons.

Elliott discutait aussi des heures durant avec Martha. Elle essayait manifestement d'en apprendre autant que possible sur les lieux. Elliott avait insisté pour que Martha lui montre comment préparer les araignées-singes avant de les cuire. Elle était même devenue experte en la matière, si bien qu'elle avait fini par se charger du repas chaque fois que Martha revenait de la chasse. Elle apprenait à présent comment apprêter un loup des cavernes.

Martha arracha une mèche au torse de la bête dont la peau, de laquelle jaillissaient de petites giclées de sang, se déchira avec un bruit atroce.

— Martha, pourquoi êtes-vous venue vous installer si loin ? demanda Chester en détournant la tête pour scruter cette partie de la grotte qu'il ne connaissait pas.

— Parce que l'odeur attirerait d'autres loups… et puis les araignées aussi, répondit Elliott en prenant le membre que venait de découper Martha pour le déposer sur une roche plate. Si tu veux te rendre utile, tu pourrais peut-être nous allumer un feu ?

— Bien sûr, répondit Chester.

La chair du loup était délicieuse, et ce changement fut le bienvenu après de nombreux jours avec de la viande d'araignée au menu. Une fois repus, ils restèrent assis là dans un silence ravi. Mais Chester avait du mal à se détendre. De plus en plus, chaque jour qui passait sans nouvelles de Will, il s'impatientait car il voulait partir à sa recherche. Il choisit ce moment pour en reparler à Martha.

— Qu'est-ce qu'on va faire ? lui demanda-t-il alors qu'elle était adossée à la paroi avec Bartleby à ses côtés. On ne peut pas rester éternellement ici.

— Maintenant qu'Elliott a repris des forces, répondit Martha comme si elle s'attendait à cette question, on pourrait retourner à la cabane. On commence à manquer de feu d'anis, mais si on s'en sert avec parcimonie, on en aura assez pour le trajet de retour.

Chester secoua la tête.

— Will y est peut-être déjà, ajouta rapidement Martha. Je ne vois pas comment il aurait pu survivre très longtemps en traînant à côté du gouffre.

— Il a survécu dans le noir complet pendant plus d'une journée sans eau ni nourriture, quand on a été séparés dans les Profondeurs. Cette fois, il a son équipement avec lui, et puis il est accompagné par son père. Will est loin d'être une mauviette.

— Eh bien, dans ce cas, on pourrait retourner du côté du gouffre et procéder à une véritable mission de reconnaissance. On ne sait jamais, si Bartleby repère son odeur, on pourra peut-être le pister. Mais nous n'avons aucune garantie de le retrouver, et nous nous exposerons au danger pendant tout ce temps-là. Si Will a survécu à l'explosion, peut-être que les Styx aussi, et n'oublie pas les Lumineux. Je ne...

— Je vais partir à sa recherche, même si je dois y aller seul, l'interrompit Chester.

Elliott s'était rapprochée pour écouter leur conversation.

— T'en dis quoi, Elliott ? demanda Chester.

— Je suis avec toi. On ne laisse jamais l'un des nôtres en arrière, dit-elle d'un ton résolu.

À cet instant, Chester se dit qu'elle ressemblait énormément à Drake, ce qui lui redonna espoir. Elliott était de retour, bien déterminée à retrouver Will.

— On continuera à le chercher tant qu'il y aura la plus petite chance qu'il soit en vie et encore là-bas, ajouta-t-elle. Il ferait la même chose pour nous.

— Oui, c'est sûr, acquiesça Chester. Ce bon vieux Will.

— Bouge-toi un peu, ou je t'abandonne ici, dit Will en menaçant son père qui traînait encore à l'arrière pour examiner une formation minérale sur le côté de la brèche.

— Ces dépôts jaunâtres qu'on voit sans arrêt... je crois vraiment que c'est de l'électrum, dit le Dr Burrows en se tournant à demi vers son fils. Tu sais ce que c'est ?

— Un minerai ? risqua Will sans le moindre enthousiasme.

— Oui, mais pas n'importe lequel, mon garçon. C'est un alliage d'or et d'argent, et il comporte une forte proportion d'or, qui plus est !

— Nous n'avons pas de temps pour ça, répondit sèchement Will. Allez, dépêche-toi un peu, tu veux !

— Qu'est-ce qui presse tant, tout à coup ? Ça fait près d'une semaine que nous sommes ici. Tes amis seront partis depuis belle lurette lorsque nous arriverons, dit le Dr Burrows en se redressant.

Il était manifeste que le Dr Burrows se fichait pas mal de Chester, d'Elliott et de Martha. Will ne répondit pas à cette dernière remarque, mais il arma sa Sten avec un mouvement d'humeur. Il avait décidé d'en faire son arme principale, car la mitraillette était plus petite et plus facile à manier que la carabine qu'il portait sur le dos. Il trouvait aussi que la Sten s'accordait plutôt bien avec son uniforme militaire.

— Il n'y a pas urgence, répéta le Dr Burrows avant de s'intéresser à nouveau aux dépôts de minerai.

Lorsque son père se remit à siffler de la façon si agaçante qui était la sienne, Will crut bien qu'il allait sortir de ses gonds.

— Amuse-toi bien avec ton électrum, dit-il entre ses dents avant de filer le long de la brèche.

Will remarqua alors l'entrée obscure d'une galerie perpendiculaire et vérifia l'aérosol insecticide, qu'il avait fixé sur son bras avec de l'adhésif. Muni de cette bombe, du casque de Drake et de la mitraillette, Will se sentait prêt à tout affronter, avec ou sans son père.

— Hé, Will ! Attends-moi ! hurla le Dr Burrows, qui aussitôt courut pour rattraper son fils.

Chapitre Trente et un

– Ça fait des années que je ne suis pas venue ici, dit Mme Burrows en passant sous l'arche de métal qui marquait l'entrée du champ communal de Highfield.

Ce récent ajout était terriblement moderne : l'arche en forme d'arc-en-ciel était constituée de tubes d'acier inoxydable poli, sur lesquels on avait fait pousser du lierre. L'alliance du lierre et de l'acier était relativement réussie, bien que l'effet en fût gâché par les nombreuses paires de baskets usées dont on avait noué les lacets entre eux avant de les suspendre au sommet de l'arche. Les slips qui s'ajoutaient aux baskets ne faisaient que compléter ce tableau miteux.

Mais Mme Burrows ne remarqua rien de tout cela. Elle avait l'esprit ailleurs, car de lointains souvenirs lui revenaient en mémoire.

– Je promenais mes enfants dans leurs poussettes, ici, lorsqu'ils étaient petits, dit-elle.

Elle releva soudain la tête et fixa Drake.

– Je promenais une jeune Styx. Pire encore, j'en poussais deux, et je n'en avais pas la moindre idée ! s'exclama-t-elle.

– Du calme, Célia, la mit en garde Drake. Évitons d'attirer l'attention.

Il lui indiqua le sentier de graviers qui menait en haut de la colline devant eux et qu'ils empruntèrent d'un pas nonchalant.

– Il n'y a pas assez de vent pour cela, commenta Drake au moment où ils dépassaient deux jeunes garçons qui tentaient de démêler un cerf-volant.

Drake et Mme Burrows levèrent les yeux vers le ciel limpide auquel les nuages semblaient accrochés.

– C'est drôle, on n'apprécie vraiment les choses qu'au moment où l'on croit les perdre à jamais, dit Mme Burrows en baissant les yeux pour admirer les herbes et les arbres luxuriants.

Elle se tourna vers Broadlands Avenue. Les toits des maisons étaient à peine visibles par-delà la courbe de la colline, sur laquelle poussait un rideau d'arbres.

– Ou qu'on les a déjà perdues.

Il y avait une zone mal goudronnée au sommet de la colline, au centre de laquelle trônait une fontaine victorienne. Drake s'en approcha et appuya sur le bouton en laiton terni : en vain, car nul jet d'eau étincelant ne jaillit du bassin au fond duquel gisaient un tapis sombre de feuilles pourrissantes et une cannette de Coca écrasée.

– Donc, j'attendrai les Styx ici demain, à peu près à la même heure, dit Mme Burrows en consultant sa montre, puis elle fronça les sourcils en scrutant la zone située en contrebas. Nous sommes vraiment en sécurité ici, maintenant ? demanda-t-elle. Ils pourraient être en train de nous espionner pour nous attraper, non ?

– C'est improbable, dit Drake. Trop de témoins.

– Mais...

– Détendez-vous. Ils savent que nous ne sommes pas assez stupides pour transporter les fioles sur nous, donc ils ne tenteront rien. Pas aujourd'hui, en tout cas. Et il est important que vous vous sentiez prête. C'est pourquoi vous devez effectuer un repérage des lieux en amont.

Drake croisa les bras et s'adossa à la fontaine.

– Ne réagissez pas à ce que je vais vous dire, mais le Tanneur a déjà placé ses hommes. Ils se trouvent dans les bosquets à la base de la colline.

– Vraiment ? dit Mme Burrows d'un ton suspicieux.

– Oui, il y en a dix, confirma Drake.

– Des hommes ? Là-bas ? Maintenant ? Comment est-ce possible ? Je ne les vois pas, dit Mme Burrows après avoir jeté un coup d'œil nonchalant en direction des fourrés.

– Ils sont tapis dans des tranchées et nous observent probablement à la lunette en ce moment même. Nous allons poster d'autres hommes à des points stratégiques, tout autour de ce périmètre. Je veux que vous le sachiez : nous faisons tout ce qui est en notre pouvoir pour vous protéger.

– Puis-je vous poser une question stupide, Drake ?

– Allez-y.

— Est-ce que les Styx possèdent des galeries sous nos pieds ? D'après ce que vous m'avez dit, ils en ont creusé un peu partout.

— Nous avons procédé à une étude géophysique et n'avons trouvé que de vagues ombres. Cela signifie probablement qu'il y avait quelques chambres souterraines, mais qu'elles se sont effondrées ou qu'on les a comblées.

— Ça fait très *Explorateurs du temps*, dit-elle.

Drake s'éloigna de la fontaine, et ils descendirent la colline tout en discutant.

— Écoutez, même si les Styx veulent nous jouer un sale tour, on les attend de pied ferme, assura Drake à Mme Burrows en se frottant les mains comme s'il se délectait à l'avance. Non, on va bien s'amuser lorsqu'on renversera les rôles et qu'on enlèvera ceux qui se présenteront au rendez-vous.

— Vous ne pensez tout de même pas que le grand ponte va venir, n'est-ce pas ? demanda Mme Burrows.

— Je ne le connais pas assez bien pour confirmer son identité, même s'il décide d'entrer en scène. Mais nous ferons subir un interrogatoire à celui qui viendra, et il fournira des informations supplémentaires à nos services de renseignement sur leurs opérations. Mais là n'est pas le propos. Nous avons obtenu tout ce que nous voulions savoir, puisqu'ils ont accepté ce rendez-vous : ils ne détiennent pas le virus.

Mme Burrows haussa les épaules.

— Peut-être qu'ils bluffent en nous faisant croire ça. Peut-être qu'ils ont déjà le virus et veulent tout simplement déterminer ce que *nous* savons au juste, ou bien nous réduire au silence.

Drake ne lui répondit pas. Ils venaient d'arriver au bas de la colline.

Chapitre Trente-deux

L e lendemain, Mme Burrows gravit la colline le cœur serré. Elle prit plusieurs grandes inspirations successives en s'efforçant de contenir son angoisse grandissante. *Tout ira bien. Ce sera bientôt fini*, se disait-elle pour se rassurer. *Ouais, d'une manière ou d'une autre*, lui répondait une petite voix intérieure à qui elle n'avait rien demandé.

Même si elle n'en avait rien dit à Drake, elle était terrorisée. D'après ce qu'elle avait entendu à propos des Styx, elle savait qu'elle allait affronter un adversaire capable des pires atrocités. Un adversaire qui n'hésiterait pas à tuer quiconque se mettrait en travers de sa route. Elle se sentait très mal préparée, comme si on venait de la parachuter au milieu des lignes de front dans un pays étranger, sans qu'elle n'ait la moindre idée de l'endroit où se terrait l'ennemi.

Mme Burrows se consola en se disant qu'elle faisait ce qu'elle pouvait pour aider Will. C'était déjà ça. Son fils était probablement au fond des entrailles de la Terre, se préparant à affronter à nouveau les jumelles mégalomanes, ce qui ne contribuait guère à la rassurer. Elle aurait dû se battre bec et ongles pour l'empêcher d'y retourner, et elle éprouvait à présent de tels remords qu'elle en avait mal aux tripes. Il était criminel d'exiger tant d'un si jeune garçon, et elle avait du mal à l'assumer.

Les aboiements d'un petit chien attirèrent son attention. Elle regarda au bas de la colline. Elle chercha l'animal et aperçut son maître en train de lui lancer une balle. Elle continua à gravir rapidement le sentier de graviers et scruta les alentours en dévisageant tous ceux qui se trouvaient dans le parc cet après-midi-là.

À une trentaine de mètres, deux adolescentes étaient assises côte à côte sur un tapis de sol. Le nez plongé dans leur livre, elles ne prêtaient aucune attention à Mme Burrows, ni à personne d'autre d'ailleurs. Puis elle entendit des éclats de voix et vit trois clochards sur un banc accroché au flanc est de la colline qui se profilait peu à peu à mesure qu'elle remontait la pente. Ils faisaient circuler entre eux une demi-bouteille et fumaient. Drake lui avait dit que les Styx se déguisaient parfois en vagabonds. Elle garda donc les yeux rivés sur eux quelques secondes et se souvint des images du Styx maigre et des Colons trapus qu'elle avait vues sur les films de vidéo surveillance du Tanneur. Non, ces clochards semblaient bien réels. Tout le monde semblait à sa place, et personne n'avait l'air louche.

Elle vérifia l'heure : 14 h 55.

Encore cinq minutes.

Peut-être s'énervait-elle pour rien. Ce Styx haut placé que Drake espérait attraper avait peut-être deviné ce qu'ils tramaient avec le Tanneur, et c'est pourquoi il ne se montrerait pas. *Ainsi soit-il*, se dit-elle. Si cette opération ne devait être qu'une perte de temps, elle pourrait toujours tenter de profiter de ce délicieux après-midi au parc. Mais elle n'arrivait pas à se détendre et referma le poing sur les fioles cachées dans sa poche.

La situation était bien trop extravagante pour ça.

Mme Burrows avait l'impression que sa vie était soudain passée à la vitesse supérieure au cours des six derniers mois. D'abord, son mari était parti en escapade, bouleversant sa petite vie tranquille. Puis, cela avait été le tour de Will et de sa fille fictive – ou plutôt de ses filles – de disparaître, alors même qu'elle avait l'impression de reprendre le contrôle de sa destinée et commençait à peine à sortir d'un long sommeil à Humphrey House. Elle s'était trouvée projetée dans une situation tout aussi improbable et mouvementée que dans les films dont elle louait les DVD, le plus souvent sans jamais en visionner la fin.

Elle regarda de nouveau l'heure : 15 h 58.

– Tout va bien ? entendit-elle dans sa minuscule oreillette.

La voix de Drake était aussi nette que s'il était à côté d'elle.

– Oui, répondit-elle en atteignant la zone goudronnée qui couronnait la colline.

Elle fit nonchalamment le tour de la fontaine à eau, puis scruta de nouveau le pied de la colline, car elle avait désormais une vue panoramique sur tous les environs. Elle vit un homme en short et débardeur qui courait devant le kiosque à musique délabré. Un couple âgé juste à côté. Tout avait l'air parfaitement innocent. Mme Burrows fit mine de se toucher le menton et parla dans le micro épinglé à l'intérieur de sa manche.

— Rien à signaler, dit-elle à Drake. Rien. Pas l'ombre d'un chat. Quinze heures.

— Et c'est l'heure fatale, ajouta-t-elle.

— Continuez à ouvrir l'œil, dit-il.

Drake se trouvait dans une camionnette pleine de bosses qu'il avait garée à l'entrée du parc. Il était en compagnie du Tanneur et de deux hommes de main – d'anciens soldats du même régiment. Il y avait trois moniteurs noir et blanc sur le plancher, qui retransmettaient les images des caméras de surveillance installées dans les arbres tout autour de la colline. Le Tanneur et ses camarades observaient très attentivement ce qui se passait à l'écran.

— Je loupe la course qui passe sur l'autre chaîne, grommela l'un des soldats avec une voix faussement teintée de regret, les yeux rivés sur l'image granuleuse de Mme Burrows.

Drake consulta sa montre.

— Il est 15 h 02. On dirait qu'ils nous ont posé un lapin, dit-il d'un ton dépité.

— Laisse-leur encore un peu de temps, suggéra le Tanneur. Lentement, lentement s'attrape l'oliphant.

— Informez les équipes qu'on poursuit l'opération, dit Drake en acquiesçant.

Le Tanneur modifia la fréquence de sa radio portative et s'adressa aux autres soldats terrés dans leurs tranchées. Pendant ce temps, Drake recommença à surveiller les environs à l'aide de ses jumelles à travers la vitre arrière de la camionnette.

Mme Burrows marchait tout doucement autour de la fontaine. Elle entendit un vrombissement lointain. Un avion avançait lentement dans le ciel, laissant une traînée blanche dans son sillage. *Je donnerais n'importe quoi pour être à bord de cet avion*, pensa-t-elle avec mélancolie.

Il était 15 h 05.

Un homme en survêtement rouge fila à bicyclette le long d'un sentier en contrebas. Le couple de personnes âgées se déplaçait à présent et remontait la colline d'un pas traînant. Ils se dirigeaient vers Mme Burrows qui dès lors les observa beaucoup plus attentivement. La vieille femme poussait un Caddie. L'homme, qui semblait très vieux, s'accrochait à son bras et s'appuyait lourdement sur une canne.

Le couple avançait si lentement que Mme Burrows esquissa un sourire. Ils n'avaient pas vraiment le profil type du Styx assassin.

– Deux retraités âgés viennent dans ma direction. À part ça, c'est aussi calme que… que… qu'un coin tranquille, dit Mme Burrows en faisant semblant d'ajuster ses cheveux.

Elle entendit Drake rire dans son oreille.

– Reçu cinq sur cinq ! dit-il.

– C'est pas vraiment le moment de faire des maths, rétorqua aussitôt Mme Burrows en gloussant exagérément pour relâcher un peu la tension.

Il était 15 h 08 maintenant.

Une mouche têtue se posa sur son front, elle la chassa aussitôt.

Mme Burrows passa de l'autre côté de la fontaine et jeta un coup d'œil au versant sud de la colline. L'homme et son chien étaient partis, mais un autre promeneur flânait sur le sentier en contrebas. Il s'éloignait de la colline. Mme Burrows chercha alors la camionnette de Drake qui observait la scène derrière les vitres teintées. Elle se tourna ensuite vers l'est pour regarder les deux adolescentes, toujours plongées dans leur lecture, et chassa de nouveau la mouche qui bourdonnait près de son oreille. Après avoir contourné la fontaine, elle vit que le couple de personnes âgées approchait lentement. L'homme avait l'air si frêle… on aurait dit qu'il allait s'effondrer sans le soutien de sa compagne.

À 15 h 10, Mme Burrows entendit des cris et des jurons. Elle vit deux clochards qui s'en allaient sur le flanc est de la colline. Le troisième était encore assis sur le banc, puis il se leva et brandit un poing menaçant avant de suivre ses compagnons en titubant. *Non, ce ne sont pas des Styx*, se dit encore Mme Burrows en les regardant passer devant la camionnette de Drake.

Elle vit alors une femme sur le sentier en contrebas. Elle promenait deux grands lévriers afghans au corps maigre et aux pattes élancées, qui semblaient vêtus de pantalons de fourrure.

La mouche bourdonnante s'approcha cette fois de son œil, l'obligeant à battre des paupières.

– Saleté ! s'exclama-t-elle.

– Qu'est-ce que c'était ? demanda Drake d'une voix soucieuse.

– Juste une mouche.

Mme Burrows entendit un couinement aigu.

Le bruit provenait des roues du Caddie de la vieille femme. Mme Burrows repartit vers le nord et vit que le couple ne se trouvait plus qu'à dix mètres de la fontaine. Ils avançaient à la vitesse d'un escargot, se rapprochant néanmoins.

Elle fit encore une fois le tour de la fontaine d'un air nonchalant, scrutant les flancs de la colline.

L'heure tournait : 15 h 11.

— J'ai de la compagnie. Les vioques sont avec moi maintenant, dit-elle à Drake.

— Oui, on les voit à la caméra, et deux de mes équipes les ont dans leur viseur, dit Drake. Ils sont cachés par la fontaine et je ne peux pas les voir.

— Ne vous inquiétez pas. Je crois que je peux m'en occuper toute seule, dit Mme Burrows d'un ton confiant dans le micro.

Elle baissa le bras dès qu'elle aperçut le couple qui contournait la fontaine. Elle ne voulait surtout pas qu'ils la surprennent en grande conversation avec la manche de sa veste.

« Couic-couic », faisaient les roues du chariot, accompagnées par le martèlement régulier de la canne du vieillard sur le sol goudronné.

Mme Burrows remonta ses manches et prit une profonde inspiration. Elle s'efforçait de garder l'attitude d'une femme qui serait venue là pour prendre le frais. Elle souffla, jeta un regard en coin en direction du couple, détournant aussitôt les yeux. La vieille femme l'observait. Elle avait de petits yeux et le regard dur derrière ses lunettes.

La mouche fondit sur le visage de Mme Burrows qui ne prit pas la peine de la chasser cette fois.

Tous ses sens furent soudain en éveil.

Elle regarda de nouveau la vieille femme.

Elle avait d'épaisses boucles blanches sans doute récemment permanentées, une petite bouche et la lèvre supérieure tendue par ses fausses dents, ce qui lui donnait un air méchant et colérique. Mme Burrows évita son regard, puis s'intéressa au vieil homme. Il aurait pu avoir dans les soixante-dix ans, et semblait porter quelque chose dans les oreilles — des appareils auditifs, présuma Mme Burrows. Le vieillard la fixa droit dans les yeux, comme s'il n'appréciait guère la manière dont elle le dévisageait. Elle se détourna aussitôt, puis s'éloigna d'un pas faussement nonchalant.

Suis-je bête, se dit Mme Burrows. Ce n'était qu'un vieux couple marié faisant un petit tour dans le parc, ou partant jouer au bingo ou peut-être même qu'ils allaient faire des courses... Quelque chose la tracassait malgré tout, et elle se tourna lentement vers eux.

Le vieil homme se pencha sur le Caddie, qu'elle distinguait parfaitement à présent ; il était bien plus grand qu'elle ne l'aurait cru et bien plus large que le type de chariot qu'on croisait d'ordinaire dans la Grand-Rue. De forme rectangulaire, il était drapé d'un tissu marron terne qui n'avait rien à voir avec les couleurs vives des habituels imprimés écossais ou floraux de ce genre d'objet. Il semblait également doté de roues nettement plus solides qu'à l'accoutumée.

La mouche se posa sur la joue de Mme Burrows, mais elle n'y prêta plus aucune attention.

Elle gardait les yeux rivés sur la vieille femme, qui ajustait des appareils auditifs semblables à ceux de son mari.

Lorsqu'elle eut terminé, elle fixa Mme Burrows droit dans les yeux.

– Bonjour, dit Mme Burrows d'une voix aimable, quelque peu embarrassée d'avoir été surprise en train de la dévisager.

– Vous vous croyez malins, n'est-ce pas ! rugit la vieille femme.

Mme Burrows ne réagit pas. Pendant une fraction de seconde, elle se demanda si elle s'adressait à son mari. C'était typiquement le genre de remarques amères que pouvait échanger un couple de cet âge.

Mais elle vit alors le vieil homme, toujours penché au-dessus du chariot, qui semblait sur le point d'enfoncer un bouton.

Était-ce une bombe ?

– Oscar Embers ! s'exclama soudain Mme Burrows qui venait de le reconnaître.

Il avait fait partie de l'équipe des volontaires du samedi au musée de son mari. Et Will lui avait dit qu'il travaillait pour les Styx, ça signifiait que la vieille femme n'était autre que...

– Tantr... Tantr... Tarentule ! dit Mme Burrows en s'efforçant de retrouver son nom exact.

– Répétez ça, demanda la voix grésillante de Drake dans son oreille. Qu'avez-vous dit ?

Il était 15 h 13...

– Con... Contact ! parvint à hurler Mme Burrows à tue-tête.

Des soldats vêtus de noir jaillirent d'un peu partout autour de la colline.

– Allez, mon gars ! cria Drake en voyant que l'un de ses soldats peinait à ouvrir les portes arrière de la camionnette.

Le Tanneur poussa le soldat pour ouvrir lui-même la portière, mais ils venaient de perdre de précieuses secondes.

– Idiots ! s'exclama Oscar Embers en appuyant sur le bouton situé sur le dessus du chariot, avec un sourire.

Un son grave déchira l'atmosphère, gagnant rapidement en intensité.

Drake hurla frénétiquement dans son oreille, et Mme Burrows se reprit. Elle crut d'abord que quelque chose allait exploser – il devait y avoir une sorte de bombe dans ce Caddie. Elle était bien trop proche pour en réchapper, se dit-elle.

Elle était cuite.

Le son atteignit un tel degré d'intensité que sa mâchoire en vibra. Il descendit ensuite d'une octave, puis d'une autre, et ainsi de suite jusqu'à n'être plus qu'un grondement sourd. Mme Burrows roula des yeux : elle avait l'impression qu'on lui passait la pointe d'un couteau le long de la colonne vertébrale. Son corps tout entier était secoué de spasmes incontrôlables. Inaudible pour l'oreille humaine, ce son était intolérable.

Et Oscar Embers pressa un autre bouton.

Les pans de tissu qui masquaient les flancs du chariot s'ouvrirent d'un coup, révélant une grosse machine aux parois laquées de noir dans lesquelles on avait encastré des disques concaves de tailles variées et de couleur argent, semblables à du mercure liquide.

Il se produisit alors une explosion dont ni Drake ni ses soldats ne purent identifier la nature.

La machine venait d'émettre une onde de choc, mur invisible d'infrasons qui n'affectaient que les êtres vivants. Mme Burrows avait été projetée à terre et gisait inconsciente sur le sol.

Les soldats qui avaient jailli des tranchées tombèrent les uns après les autres. La femme et ses lévriers afghans furent assommés, tandis que les deux adolescentes qui lisaient leur livre s'écroulèrent tout simplement sur leur tapis. Frappée par l'impulsion sonore qui avait irradié le ciel, une petite volée de moineaux vint se poser autour d'elles.

Les quelques occupants qui se trouvaient dans leur maison sur Broadlands Avenue à cette heure-là furent eux aussi affectés et s'effondrèrent à leur tour. Plusieurs voitures qui se trouvaient dans le rayon d'action de l'onde de choc s'arrêtèrent, ou bien se déportèrent vers les véhicules garés le long de la rue à mesure que leurs conducteurs s'évanouissaient.

Incapables d'ouvrir les portes à temps, Drake, le Tanneur et les deux autres soldats formaient une masse molle à l'arrière de la camionnette.

– Suffit ! ordonna le vieux Styx qui venait de rejoindre Oscar Embers et Mme Tantrumi au sommet de la colline.

Oscar Embers coupa le volume.

– Partez avant l'arrivée de la police surfacienne, ordonna le vieux Styx en ôtant ses bouchons d'oreille.

Il n'en avait plus besoin à présent.

Il s'avança vers Mme Burrows qui gisait à terre, faisant crisser le cuir de son manteau long jusqu'aux chevilles, mais il ne s'intéressa pas à elle. Il regardait les Limiteurs qui envahissaient les lieux tel un essaim de cafards. D'un geste, il ordonna aux deux Limiteurs qui gravissaient la colline au pas de course de s'emparer de Mme Burrows. Les soldats la soulevèrent de terre, et sa tête roula sur sa poitrine : elle était complètement sonnée.

– Attendez ! aboya-t-il. Fouillez-la.

L'un des Limiteurs trouva deux fioles dans sa poche et les brandit.

– Bien. Faites-les analyser, dit le vieux Styx en opinant et jetez-la au cachot.

Le vieux Styx fit ensuite le tour de la fontaine pour surveiller le travail de ses hommes qui emmenaient les soldats inconscients. D'autres Limiteurs comblaient les tranchées où s'étaient cachés les soldats et décrochaient les caméras de surveillance dissimulées dans les arbres. Il ne resterait pas la moindre trace de cette opération lorsqu'ils auraient fini.

Le vieux Styx se tourna vers le versant sud de la colline et scruta la camionnette qui se trouvait à l'entrée du parc. Les Limiteurs n'étaient pas encore parvenus jusque-là, mais les portières arrière semblaient ouvertes. Il était pourtant certain qu'elles étaient encore fermées lorsqu'ils avaient éteint leur arme sonique.

Quelque chose clochait.

Il aurait juré avoir aperçu une silhouette longue et maigre à côté du véhicule. On aurait dit l'un des siens, mais cet individu était vêtu de noir. Il fronça les sourcils.

C'était impossible.

Il était le seul Styx cet après-midi-là à ne pas porter l'uniforme des Limiteurs.

Il descendit le sentier de graviers à la hâte pour en avoir le cœur net.

Le Tanneur venait à peine de tourner la poignée de la porte lorsque l'onde sonore avait frappé la camionnette de plein fouet. Ni lui ni Drake n'imaginaient qu'ils allaient subir une telle attaque quand Mme Burrows avait donné le signal.

La camionnette ne les avait nullement protégés de l'onde infrasonore. Bien au contraire, elle n'avait fait qu'en renforcer l'effet sur les occupants. Moins d'une seconde après l'activation du mécanisme par Oscar Embers, Drake s'était évanoui tandis que le Tanneur et les autres soldats s'effondraient à ses côtés.

Drake n'avait pas vu monter dans la camionnette l'homme qui portait des bouchons d'oreille que Mme Burrows avait pris pour des appareils auditifs. Il n'avait rien senti lorsque ce même homme, qu'il aurait aussitôt identifié comme un *Styx*, avait localisé son corps inerte parmi ceux du Tanneur et des autres soldats et l'avait emporté jusqu'à une voiture stationnée non loin de là.

Il ne connut sa chance que bien plus tard…

Bureau des archives de Highfield

Oscar Ahsmi
Ext. 2213

> *Classer sous C POUR CURIEUX*
> *&*
> *COPIE À MME BURROWS*

Highfield Common : vingt patients autorisés à quitter l'hôpital psychiatrique. Le rapport officiel.

Le ministère de la Santé vient de publier une déclaration officielle concernant l'incident encore inexpliqué qui s'est déroulé lundi dernier dans le parc communal de Highfield, et dans deux rues adjacentes où l'on a découvert vingt personnes qui gisaient inconscientes.

À environ 15 h 45 lundi, les services d'urgence ont reçu les premiers appels d'urgence suite à la découverte de onze personnes évanouies dans le parc, que l'on a immédiatement transportées à Highfield General. Suite aux recherches menées par les équipes d'intervention sur Broadlands Avenue et Denewood Road en bordure du parc, neuf autres victimes ont été transférées à l'hôpital. Un certain nombre d'animaux, dont des moineaux et des pigeons, ainsi que les lévriers afghans nommés Tippy et Toppy ont été également affectés. Plusieurs personnes qui marchaient non loin de la Grand-Rue de Highfield ont rapporté par la suite avoir ressenti de soudaines nausées et des troubles de la vue. Aucune

mort n'est à déplorer, à l'exception d'un poisson rouge sur Denewood Avenue, qui se serait noyé.

Les vingt rescapés du parc, comme on les a surnommés depuis, ont tous repris conscience dans les douze heures qui ont suivi, mais certains se sont plaints de terribles migraines qui ont persisté pendant plusieurs jours. On a placé les vingt rescapés en quarantaine à Highfield General où ils ont subi des analyses visant à déterminer si une forme d'irradiation, ou bien une contamination *via* la nourriture ou l'eau était à l'origine de leurs troubles. Ces options ont été écartées depuis. Trois des vingt rescapés ont dû être soignés pour des ecchymoses ou autres blessures sans gravité suite à la collision de leur voiture avec d'autres véhicules garés le long de la rue.

On a autorisé les résidents des maisons longeant le parc à retourner chez eux, trois jours après l'incident. Cependant, il est probable que les scientifiques du ministère de la Santé, vêtus de combinaisons blanches, resteront dans le parc tant qu'il n'aura pas été rouvert au public, le temps de l'enquête. Un porte-parole de la police a déclaré que le point d'origine de l'incident se situait probablement dans le parc, mais il n'a pas pu fournir de détails étayant cette hypothèse.

Le ministère de la Santé a fermement démenti tout lien avec la nouvelle antenne du réseau mobile installée sur le toit de la caserne de pompiers de Pitt Street. Un groupe de pression local du nom de « Pas d'antennes à Highfield » fait campagne pour qu'elle soit démontée depuis l'an dernier. Mme Ruth Cook, porte-parole du groupe, a déclaré : « Il n'y a pas eu assez de recherches sur les ondes courtes dont ces antennes nous irradient, nous et nos enfants. Ce que font ces compagnies de téléphonie mobile est scandaleux. C'est criminel. Leurs dirigeants devraient faire l'objet de poursuites judiciaires. »

Les lévriers afghans Tippy et Toppy ont parfaitement récupéré et participeront au concours canin Crufts prévu en mars prochain.

T.K. Martin, reporter

Chapitre Trente-trois

— Halley fut le premier à émettre l'hypothèse d'une Terre creuse, annonça le Dr Burrows sans crier gare. Et cela remonte à 1692.

— Qu'est-ce que tu racontes ? demanda Will en s'épongeant le front, alors qu'ils dévalaient la brèche désormais plus pentue.

— Edmond Halley, tu sais... l'astronome qui a découvert la comète de Halley. Il partait du principe qu'il y avait quatre sphères concentriques imbriquées les unes dans les autres, comme des poupées russes. Puis, au XVIIIe siècle, un autre type du nom de Symmes a exhumé cette idée. Il... Oups ! s'écria le Dr Burrows en dérapant sur les ardoises qui recouvraient le sol en pente, mais il se rétablit.

— J'ai bien failli perdre les pédales.

— Je pensais que c'était déjà fait, marmonna Will.

— Où en étais-je ? Oui, la contribution de Symmes à cette théorie était la suivante : il y avait, selon lui, deux énormes trous à chaque pôle. Le gaz qui s'en échappait était à l'origine des aurores boréales, *auroræ boreales*, en latin... ou peut-être était-ce une idée de Halley.

— Papa, tu m'as déjà raconté tout ça, alors pourquoi tu recommences ? demanda Will dans un mouvement d'humeur.

— Parce que ce peuple antique que je cherchais dans la Grande Plaine doit bien être passé *quelque part*. Ils n'ont tout de même pas trouvé la mort dans le Pore, ou l'un des autres gouffres. Ce n'était pas une aberration qui se serait subitement produite un beau jour, entraînant le suicide collectif de tout un peuple, tel un troupeau de lemmings.

— Mais c'est n'importe quoi, ces histoires de lemmings. Ils ne se suicident absolument pas, souligna Will. C'est un mythe.

— Non, cela devait être autre chose, poursuivit le Dr Burrows sans prêter attention à son fils. Ils ont même bâti un temple en l'honneur de cet autre monde qu'ils croyaient trouver dans les entrailles de la planète : le *Jardin du second soleil*. Le triptyque que j'ai vu dans le temple montre clairement qu'ils pensaient qu'il s'agissait d'un endroit idyllique.

— Les araignées les ont peut-être croqués ? suggéra Will avec malice.

— Cela n'a aucun sens. Ils n'auraient pas pris la peine de tracer une carte sur ces tablettes de pierre, ni de graver ce symbole tridentin près du sous-marin, ou ailleurs, qu'est-ce que j'en sais après tout ? Non, ils étaient organisés... Ils allaient quelque part, mais où ?

Comme Will n'exprimait aucune opinion, ils continuèrent leur chemin en silence, puis le Dr Burrows reprit la parole.

— Dans les années 1960, un professeur farfelu prétendit qu'un peuple à la technologie avancée habitait à l'intérieur de la Terre et possédait des soucoupes volantes.

— D'accord, ça veut dire que Symmes et tous ces autres types étaient des professeurs mabouls aux théories loufoques. Et tu veux donc prouver que... dit-il sans ménagement.

— Qu'ils n'étaient peut-être pas si fous que ça.

— Attends ! dit soudain Will en s'arrêtant net.

Le Dr Burrows jeta un regard impatient à Will, pensant qu'il venait d'avoir une idée et s'apprêtait à lui faire part de quelque révélation sur l'endroit où était allé ce peuple antique.

Un combat idéologique faisait rage dans la tête du Dr Burrows, deux équipes adverses se livraient un combat acharné en tirant chacune sur l'extrémité d'une corde. Charles Darwin à la barbe grise dirigeait la plus forte des deux, qui comptait tous les scientifiques, historiens et autres grands penseurs que le Dr Burrows avait admirés et tenté d'imiter tout au long de sa carrière universitaire et professionnelle. En revanche, l'autre avait Lucrèce pour capitaine, lequel avait convaincu tout le monde en l'an un avant Jésus-Christ que la Terre était plate comme une crêpe, et comptait des personnalités beaucoup moins conventionnelles, tels que Halley et Symmes.

Le Dr Burrows aurait dû encourager l'équipe de Charles Darwin, mais à présent que la corde crissait et que les deux équipes tiraient toujours plus fort, il éprouvait un intérêt étrange pour l'autre équipe, un peu comme s'il commençait à prendre au sérieux les théories de la Terre creuse.

— Qu'est-ce qu'il y a, Will ? Tu viens d'avoir une idée ? demanda le Dr Burrows en retenant son souffle.

Mais au lieu de mettre en lumière la destinée de ce peuple antique, le jeune garçon pointa le faisceau de sa lanterne sur un passage situé à droite du sentier principal.

— Si nous nous approchons de l'endroit où se trouvait le sous-marin, il s'agit peut-être de l'une des galeries qu'on avait emprun-tées, puis abandonnées à cause des bébés araignées.

Will éteignit sa lanterne et rabattit la lentille de son masque à amplification lumineuse pour voir l'intérieur du passage.

— Papa, est-ce que cet endroit t'est familier ? demanda-t-il enfin.

— Je crois... que... oui, répondit lentement le Dr Burrows en se frottant le menton.

— Vraiment ? demanda Will, impressionné.

— Quelque chose dans la manière dont ce rocher tout là-haut surplombe tout le reste.

— C'est incroyable ! Tu te souviens de ça ?

— Oui, car j'avais remarqué la dernière fois qu'il avait quelque chose d'inhabituel. Il fait manifestement partie de la classe des ignoriques... je crois même qu'il pourrait s'agir de stupidite.

— Tu veux dire des roches ignées ? rétorqua Will en se tournant vivement vers son père. De la *stupidite* ? Ça n'existe pas.

— Ah ! s'exclama son père qui, profondément déçu que son fils ne prenne pas plus au sérieux la théorie de Terre creuse, avait décidé de prendre sa revanche. Écoute, Will, j'ai arpenté des kilo-mètres et des kilomètres de galeries qui se ressemblaient toutes, bon sang ! Tu crois vraiment que je pourrais distinguer ce passage parmi les milliers d'autres que nous avons croisés ?

Mais Will n'écoutait déjà plus. Il était retourné dans la galerie pour en humer l'atmosphère.

— Des araignées. Je sens des araignées.

Will posa l'un des Bergen à terre, l'ouvrit et en sortit une balise radio qu'il alluma et plaça soigneusement sur une corniche.

— C'est pour que ton pote Drake puisse trouver son chemin ? demanda le Dr Burrows d'un air narquois.

— Drake ?

— Pourquoi crois-tu qu'il t'a donné ces balises ? C'est pour pou-voir nous suivre lorsque lui en prendra l'envie, dit le Dr Burrows en se penchant soudain pour s'emparer d'une balise dans le Bergen de Will, qu'il mit dans la poche de son manteau.

— Qu'est-ce que tu comptes faire avec ça ? demanda Will en refermant son sac avant de le remettre à l'épaule.

— J'en veux juste une, répondit le Dr Burrows d'un air puéril.

— Pourquoi ?

— Au cas où on serait séparés. Comme ça, tu pourras *me* retrouver.

Will secoua la tête, leva sa Sten et s'avança lentement dans le passage.

— Des araignées, tu dis ? Je ne sens rien du tout, commenta le Dr Burrows en suivant son fils à contrecœur, tout en reniflant bruyamment.

Ils avaient parcouru quelques centaines de mètres, lorsque quelque chose détala dans les ténèbres.

— Oui, des araignées, murmura Will. J'avais raison. Et couvre-moi ce globe, tu vas bousiller mon casque.

— Retournons dans la galerie principale. On essaiera le passage suivant, insista le Dr Burrows.

Sans tenir compte de ce que lui avait dit Will, le Dr Burrows brandit son globe bien haut pour examiner les failles menaçantes qui couraient au plafond. Une araignée aurait en effet très bien pu s'y glisser.

— Mieux vaut éviter de se retrouver coincés ici, Will.

À ce moment-là, une araignée se profila dans les ténèbres. La créature se dirigeait vers Will, qui remarqua aussitôt le leurre phosphorescent au sommet du crâne de l'animal. En un éclair, elle avait bondi vers lui et atterri dans le cercle de lumière que projetait le globe du Dr Burrows.

— Dieu du ciel ! s'exclama le Dr Burrows tandis que Will ouvrait le feu avec sa mitraillette dont les tirs rapides déchiquetèrent aussitôt la bête.

— Will ! Ça suffit ! hurla le Dr Burrows en voyant ricocher les balles contre les parois de la caverne. Son fils relâcha la gâchette, puis s'avança pour inspecter les restes de la créature en gloussant.

— Tiens, prends ça, l'araignée ! dit-il en rechargeant sa Sten.

— C'était un sacré bestiau, commenta le Dr Burrows en poussant du bout du pied un morceau de son corps velu. Tu as mis un moment à l'achever, et à ce rythme tu auras épuisé tes munitions avant même qu'on ait pu traverser cette galerie.

– Oui, il m'a fallu tout un chargeur, c'est-à-dire 32 cartouches. Mieux vaut essayer l'insecticide.

– Et tu comptes t'y prendre comment, au juste ?

– Je les connais bien, ces araignées, dit Will. Son sang va en attirer tout un essaim.

– Hum… est-ce que c'est une si bonne… demanda le Dr Burrows avec nervosité sans finir sa phrase.

Will venait de dégainer son Browning Hi-Power et l'avait armé en tirant sur la glissière du pistolet.

– Tiens, j'ai ôté la sécurité, dit-il à son père en lui collant l'arme dans les mains.

On aurait cru entendre Drake.

– Nous n'avons pas vraiment affaire à des chatons, marmonna le Dr Burrows entre ses dents.

Will détacha l'aérosol fixé sur son bras par du ruban adhésif, puis il attendit en scrutant les ténèbres qui s'étendaient devant eux.

– Chuttt ! dit Will entendant des pierres que l'on déplaçait. Attention ! hurla-t-il soudain en voyant plusieurs leurres phosphorescents foncer droit sur eux.

Will avait raison. L'odeur du cadavre les attirait irrésistiblement.

– Prends ça ! cria Will en pulvérisant l'insecticide directement sur les araignées.

L'effet fut instantané. À peine les créatures eurent-elles pénétré dans le nuage de vapeur qu'elles détalèrent aussitôt en s'emmêlant les pattes à mesure qu'elles rebroussaient chemin.

– Ça marche du tonnerre, dit Will, sourire aux lèvres, en agitant la bombe aérosol devant lui. Bien joué, Drake.

La porte en fer de la cellule se rabattit contre le mur avec fracas. Un homme se tenait dans l'embrasure, bloquant presque tout le passage de son corps gargantuesque.

– Debout mon chou, dit-il. Inutile de faire semblant d'être encore sonnée.

Mme Burrows avait repris conscience depuis quelques heures, mais elle soupçonnait qu'on la surveillait. Voilà pourquoi elle n'avait pas bougé de sa couchette humide.

– Debout, Surfacienne ! Ne m'oblige pas à te traîner par les pieds ! beugla-t-il en durcissant le ton.

Après avoir repris conscience, elle avait ressenti un horrible malaise, comme si on lui avait broyé les entrailles. Elle se demandait ce que lui avait fait l'appareil que transportait le chariot. Elle ne se souvenait pas de grand-chose. La machine avait produit des sons de plus en plus graves, quand s'étaient ouverts tout à coup les pans de tissu qui recouvraient les flancs du chariot. Quoi qu'il en soit, voilà qui lui avait valu une migraine mémorable. Elle était restée allongée dans le noir complet de sa cellule en essayant d'évaluer la situation, les tempes douloureuses et un goût amer dans la bouche. Plus elle y pensait, moins l'issue lui semblait prometteuse, s'il en restait encore une, d'ailleurs.

D'après l'atmosphère confinée, il ne faisait aucun doute que les Styx l'avaient conduite sous la Surface, elle ne risquait donc pas de s'échapper. Qui plus est, les Styx n'allaient sûrement pas la renvoyer chez elle avec une claque dans le dos. Pas après le tour qu'ils avaient tenté de leur jouer.

Malgré cette situation fort peu encourageante, Mme Burrows n'était pas aussi effrayée qu'on aurait pu le croire. Il était un peu tard pour les regrets, à présent. Elle avait accepté de servir d'appât, tout en sachant qu'elle risquait sa vie. Comme les Styx la pourchassaient de toute façon, peut-être le moment était-il venu de rendre des comptes. Allongée sur sa couchette, elle prenait de grandes inspirations, car elle savait qu'elle n'avait pas le choix. Elle devait accepter ce que le sort lui réservait. Inutile de pester contre l'inévitable. Ses exercices respiratoires semblaient au moins l'avoir soulagée de sa migraine.

— Tu l'auras voulu, grogna l'homme monstrueux en s'avançant vers elle d'un pas lourd, la main tendue.

Elle se redressa aussitôt.

— Bonjour, dit-elle en lui serrant la main. Je m'appelle Célia Burrows. Comment vous appelez-vous ?

Pris au dépourvu par le comportement de sa prisonnière, l'homme lui rendit sa poignée de main.

— Je... euh... l'officier en second, bégaya-t-il.

— Un policier, c'est bien ce que je pensais, dit-elle en regardant l'étoile de couleur jaune terne qu'on avait cousue sur sa veste. À voir votre fort bel uniforme...

— Eh bien, merci, répondit-il en lui lâchant la main, et il se rengorgea en bombant le torse comme un gorille. Puis il se reprit. Allons, lève-toi, rugit-il.

— Inutile d'être aussi grossier, rétorqua Mme Burrows.

– Les manières, c'est l'homme.

– J'ai dit…

– J'ai entendu ce que vous avez dit.

Mme Burrows prit le temps de se relever, ajusta ses vêtements, puis passa devant lui et entra dans le couloir. Elle vit alors la faible lueur d'un globe lumineux sous un abat-jour, accroché au-dessus d'un bureau en bois tout au bout du couloir. Il y avait une porte ouverte à l'autre extrémité.

– Où sommes-nous ? demanda-t-elle à l'officier en second.

– En taule.

– Oui, je n'en doutais pas, dit-elle en lui souriant. Mais est-ce que nous sommes au cœur de la Colonie ?

– La Colonie se trouve à plusieurs kilomètres d'ici. On est dans le Quartier, répondit-il.

– Le Quartier, répéta-t-elle. Je crois que mon fils m'en a parlé.

– Votre fils ! siffla l'homme dont le visage pâle rougit soudain. Laissez-moi vous dire deux mots à propos de votre fils, Seth Jérôme, ou… je ne me souviens plus de son nom surfacien.

– Will, intervint Mme Burrows. Will Burrows.

– Oui, ce satané Will Burrows, dit-il avec mépris. Ce sale petit cabot m'a assommé avec une pelle ! Comme je vous le dis, ajouta l'homme avec indignation en caressant son crâne presque chauve, comme s'il souffrait encore de cette blessure.

– Pourquoi ? Vous êtes-vous comporté comme un malotru avec lui ? demanda-t-elle d'une voix mielleuse.

– Je… commença-t-il avant de rugir en grimaçant. Ne me parle pas comme…

– Si vous êtes le second, où est votre chef dans ce cas ? l'interrompit-elle. Il prend l'air dans le quartier des primates ?

L'homme ne savait pas très bien comment il devait interpréter cette dernière remarque, il lui répondit néanmoins.

– Il est de garde au guichet. Et c'est quoi le quartier des primates, au juste ? Je n'en ai jamais entendu parler auparavant.

– Non, je ne vois pas comment vous auriez pu, mais vous y seriez tout à fait à votre place. À la Surface, c'est un endroit où les spécimens imposants comme vous vont manger des bananes. C'est un lieu très prisé. Les gens viennent d'un peu partout pour les regarder.

– J'aime bien les bananes, dit l'officier en second dont l'humeur s'égayait, puis il fit claquer ses lèvres.

– C'est bien ce que je pensais, murmura-t-elle entre ses dents.

Mme Burrows s'attarda un instant pour regarder les autres cellules, alors qu'ils s'approchaient de la porte.

– Vous gardez d'autres détenus ici… Drake, ou peut-être le Tanneur ?

– Non, vous êtes la seule pour le moment, répondit l'officier en second.

Consternée par sa réponse et imaginant déjà le pire, Mme Burrows se laissa escorter jusque dans le couloir blanchi à la chaux situé à l'extérieur du cachot. Même si ses yeux ne s'étaient pas encore habitués à la lumière vive après les ténèbres de sa cellule, elle aperçut l'entrée du commissariat. Elle vit le guichet principal où un autre agent, avatar de l'officier en second mais plus jeune, tendait le cou pour la voir passer. Mais l'officier en second l'entraîna rapidement dans un couloir à droite, dont les nombreuses portes étaient closes.

– J'ai la bouche très sèche, dit Mme Burrows. J'aimerais vraiment un peu d'eau.

– Mieux vaut avoir l'estomac vide avant la Lumière noire, recommanda-t-il en hochant lentement la tête.

Voilà qui n'était pas pour rassurer Mme Burrows. Elle essaya de se souvenir de ce que lui avait dit Will à propos de la Lumière noire, tandis qu'ils parcouraient d'autres couloirs. Le bruit de ses pas légers sur les dalles polies résonnait comme un délicat contrepoint au martèlement de l'officier en second.

Elle vit alors une porte ouverte un peu plus loin devant, dont s'échappait un carré de lumière. Elle rentra les épaules, et l'officier en second la fit pénétrer dans la pièce.

Mme Burrows vit d'abord une chaise massive en bois épais et noirci par le temps. Elle se trouvait face à une table sur laquelle était posé un appareil qu'elle identifia aussitôt comme une lampe à Lumière noire, mais elle ne s'attarda pas sur cet objet. Deux Styx trônaient derrière dans toute leur effroyable splendeur. Elle les avait vus sur les vidéos du Tanneur, mais elle ne s'était jamais approchée aussi près de ces créatures qui, selon les dires de Will et de Drake, étaient l'incarnation du mal, sans compter les deux Rebecca, évidemment. Mais il s'agissait de Styx adultes, et Mme Burrows ne pouvait s'empêcher de les dévisager. Leurs cols blancs amidonnés dépassaient de leur manteau noir de jais. Ils avaient les cheveux noirs et brillants, le visage cave, l'air sévère et le teint couleur mastic. Leurs yeux semblaient habités par une force venue d'un autre monde, ce qui lui glaçait le sang.

L'officier en second l'avait aidée à s'asseoir, puis lui avait sanglé les poignets pour les maintenir sur les bras de la chaise. Elle était tellement fascinée par ces êtres étranges qu'elle n'avait pris conscience de ce qu'il faisait qu'au moment où il lui attachait les jambes. Elle contracta ses avant-bras entravés par d'épaisses sangles de cuir et comprit alors qu'elle était entièrement à leur merci. L'officier en second lui passa ensuite une sangle autour du front, qui lui tirait la tête en arrière contre l'appui-tête dont les crampons matelassés l'obligeaient à regarder droit devant elle, de l'autre côté de la table, là où se tenaient les deux Styx.

Mme Burrows entendit l'officier en second qui prenait congé en refermant la porte derrière lui. Elle se retrouvait donc seule face aux deux Styx, dans le silence le plus strident qu'elle ait jamais connu. Les deux hommes étranges se contentaient de la fixer d'un œil implacable. Leurs pupilles avaient l'éclat du diamant. Elle eut soudain l'impression que quelqu'un allait crier « Coupez ! » et qu'elle verrait alors les caméras et l'équipe de tournage… que rien de tout cela n'était réel et qu'il s'agissait seulement d'une scène de film. Elle se reprit. Non ! L'ancienne Célia Burrows tentait de reprendre le dessus. C'était exactement la manière dont elle aurait agi face à la situation auparavant. Elle devait affronter la dure réalité, et ses propres démons, tout comme les créatures maléfiques qui siégeaient devant elle.

Les deux Styx s'animèrent soudain et se tournèrent de profil pour discuter. Ils courbaient si bien l'échine que leurs corps élastiques semblaient former une arche. Elle les vit s'engager dans une suite de gesticulations saccadées, et parler une langue qui ne ressemblait à rien de connu, mais dont les sonorités rappelaient le bruit du papier qu'on déchire, ce qui n'était pas pour apaiser son angoisse.

— Pourquoi ne pas en finir une fois pour toutes ? demanda-t-elle avec défi. Faites ce que vous savez faire de mieux, espèce d'épouvantails cadavériques.

Les deux Styx cessèrent leur conversation et se tournèrent vers elle.

— Comme vous voudrez, dit d'une voix nasillarde le Styx qui se trouvait à sa gauche, puis il tendit la main vers l'appareil posé sur la table.

Il avait des gestes vifs et quasi reptiliens. De ses doigts pâles, il bascula un interrupteur situé sur une petite boîte noire reliée à un drôle d'appareil par un câble brun et torsadé. On aurait dit une sorte de lampe, mais l'ampoule, d'un violet si foncé qu'il en était presque noir, n'avait rien d'ordinaire.

La boîte cliqueta, puis se figea de nouveau. Le Styx effectua quelques réglages derrière la lampe. Mme Burrows crut voir l'esquisse d'un sourire sur ses lèvres tendues lorsqu'il retira sa main et que l'ampoule s'embrasa d'une lumière orange sombre, avant de s'éteindre à nouveau.

Brusquement, sans que les Styx aient bougé d'un pouce, les ténèbres semblèrent envahir la pièce. Mme Burrows se raidit. Elle avait l'impression de descendre à toute allure dans un ascenseur express lorsque ses oreilles se bouchèrent subitement. *Et nous voilà repartis pour un tour*, se dit-elle en sentant vibrer sa mâchoire. Elle se souvenait avoir ressenti la même chose dans le parc de Highfield au moment où avait démarré la machine qui se trouvait dans le chariot de Mme Tantrumi.

Même si elle ne les voyait pas dans l'obscurité, Mme Burrows entendait la conversation des deux Styx. Puis elle perçut un clic, comme si quelqu'un venait d'enclencher un interrupteur, et vit une pluie de minuscules étincelles qui semblaient s'abattre sur une mer étale au cœur de la nuit. Cherchaient-ils à l'effrayer avec des effets spéciaux ? *Ça n'est pas si terrible*, se dit-elle.

À tort.

Elle eut d'abord l'impression que quelque chose essayait de se frayer un passage à l'intérieur de son crâne, tel un asticot affamé qui se serait vrillé dans la chair d'une pêche trop mûre. Mais la créature était bien plus grosse qu'un asticot. Elle avait plutôt la taille d'un hérisson qui n'avait rien à voir avec les cousins de Mme Piquedru, que l'on rencontre au milieu des feuilles mortes au fond du jardin. Non, les piquants de cet animal-là étaient trempés dans un acier très tranchant. Il n'hésitait pas à lui infliger le martyre. Mme Burrows poussa un cri de douleur lorsqu'il pénétra soudain dans sa boîte crânienne, bondissant sans cesse d'un hémisphère à l'autre du cerveau. Puis il se précipita vers son visage et s'immobilisa juste derrière son œil gauche, déclenchant des spasmes involontaires de sa paupière. Il repartit ensuite au centre de son crâne. Sentant revenir sa migraine, elle grimaça. C'était bien pire encore qu'auparavant, et elle crut qu'elle allait vomir.

Les deux Styx l'assaillirent alors de questions.

– Comment vous appelez-vous ?

– Quel est votre objectif ?

– Travaillez-vous avec le dénommé Drake ?

– Quel est votre objectif ?

– Où est Will Burrows ?

– Où est votre mari, le Dr Burrows ?

– Où sont les jeunes filles que vous avez connues sous le nom de Rebecca ?

– Où sont les fioles de *Dominion* ?

– Nom ? Fonction ?

– Où sont les fioles de *Dominion* ?

Elle n'allait certainement pas leur répondre, mais chaque question semblait lui parvenir de très loin. Elle avait l'impression de regarder une comète enflammée qui fonçait sur elle dans un ciel sans étoiles. Mais chaque impact la mettait un peu plus au supplice. Son corps tout entier se raidissait alors qu'elle luttait pour se libérer de ses entraves. Elle dégoulinait de sueur.

Les Styx continuaient à la mitrailler de questions, répétant sans cesse la même chose, en variant parfois quelque peu le propos. À chaque nouvelle question, elle avait l'impression que la comète incandescente avait encore grossi et qu'un trait de pur plasma chauffé à blanc lui transperçait le corps.

Pendant ce temps-là, le hérisson maléfique fouillait à l'intérieur de son crâne au gré de ses caprices. Les souvenirs des divers événements de sa vie défilaient devant ses yeux. Elle se remémora d'abord le jour où ils avaient emménagé dans leur nouvel appartement à Highfield, avec le Dr Burrows, puis le dîner qu'ils avaient partagé au restaurant indien du coin pour fêter sa nomination au poste de conservateur du musée de Highfield. Elle se souvint de l'après-midi où Will était venu chez eux pour la première fois, lorsqu'il n'était guère plus grand qu'un bambin qui commence à marcher, et qu'ils l'avaient installé dans son parc tout neuf.

C'est à peine si elle parvenait à suivre le fil de ces souvenirs qui défilaient sous ses yeux comme si elle avait feuilleté l'album de sa vie à toute allure. Elle se demandait si elle était sur le point de mourir. Mais, non, tout cela n'était autre que l'œuvre de cette créature qui fouillait à l'intérieur de son crâne, se servant à sa guise, sans qu'elle pût faire quoi que ce soit pour l'arrêter. Elle se sentait violée.

Elle tenta de se raccrocher à l'idée qu'elle avait au moins cherché à aider Drake, et puis son fils Will à lutter contre ces gens. Mais elle avait échoué. Elle avait au moins essayé. Elle en était fière, même si, *en effet*, elle allait bientôt mourir.

Chapitre Trente-quatre

Will et son père arrivèrent enfin à un croisement.

— Je n'aurais jamais cru être aussi heureux de retrouver les terres du champignon, dit Will en regardant le sol et les parois qui en étaient tapissés.

Ils approchaient du lieu où se trouvait auparavant le sous-marin.

Il entendit alors le bruit d'une chute d'eau.

— Le gouffre, commenta Will lorsqu'ils atteignirent l'extrémité de la galerie.

Ils scrutèrent les ténèbres un instant, s'efforçant de reprendre leur respiration. Will déposa son Bergen et passa la tête hors de la galerie pour inspecter ce qui se trouvait en contrebas.

— Tu vois quelque chose ? demanda le Dr Burrows.

— Non. On est sur une sorte de surplomb, je ne vois donc pas grand-chose.

— Merveilleux ! ironisa le Dr Burrows. J'imagine qu'on va devoir retourner sur nos pas et essayer le passage suivant ?

Mais Will sortait déjà une corde d'escalade de l'un de ses sacs.

— On ira plus vite avec ça, dit-il en cherchant un point d'attache.

Il recula lentement, jusqu'à ce qu'il voie un gros rocher autour duquel il noua la corde, puis il la dévida au-dessus du vide.

— Tu devrais prendre ça, dit-il en tendant une bombe aérosol à son père avant de s'asperger d'insecticide. T'as toujours mon Browning ? demanda-t-il en fixant l'aérosol sur son bras.

Le Dr Burrows opina.

— Super. Attends-moi ici, dit Will en s'approchant du bord.

– Tu ne vas pas recommencer à faire l'imbécile, tu sais… ta peur du vide ? lui demanda son père.

– Merci de me le rappeler, répondit Will, mais non, tout va bien, semble-t-il.

En effet, les pulsions irrationnelles dont il avait tant souffert ne le troublaient plus le moins du monde. À la faveur de la faible gravité, il descendit le mur vertical presque sans effort, bien que le déluge d'eau qui s'abattait sur son visage l'empêchât de voir correctement les alentours. Il regardait sans cesse par-dessus son épaule au cas où des araignées ou des Lumineux feraient leur apparition. Il estima qu'il avait descendu les trois quarts de la corde lorsqu'il aperçut un passage latéral situé à la même hauteur que lui, mais à une trentaine de mètres de distance. Le champignon l'empêchait de s'en approcher en prenant appui sur la paroi, car il dérapait sans cesse. Il se balança donc au-dessus du vide tel un pendule et finit par se laisser choir dans la galerie.

Will arma sa Sten et sa bombe aérosol. Le passage semblait vide, il effectua malgré tout quelques pulvérisations par mesure de sécurité, lorsqu'il entendit tout à coup un bruit derrière lui. Un battement d'ailes.

Il se retourna.

Un Lumineux !

Il n'était plus qu'à deux mètres de lui, les ailes déployées, la gueule ouverte et hérissée de dents acérées.

– Bon Dieu ! hurla Will.

Agissant par pur réflexe, il aspergea la créature d'insecticide.

Will s'attendait à voir s'enfuir le Lumineux à tire d'aile, mais il resta au contraire face à lui pendant quelques secondes. C'est alors que se produisit une chose des plus étranges. Un fluide visqueux commença à suinter de toutes ses articulations, tandis que la créature s'agitait frénétiquement. Puis le Lumineux tomba en morceaux. Son abdomen fendu se détacha d'abord avec un bruit de succion, puis ce fut au tour de sa tête de rouler sur le côté avant de se séparer du tronc, lequel sombra dans le vide en tournoyant, les ailes déployées, pour disparaître dans les ténèbres.

Will mit un moment à se remettre de sa frayeur, puis il rit, soulagé. Cette scène lui avait fait penser à une limace sur laquelle on aurait saupoudré du sel, le pauvre animal écumant avant de répandre ses entrailles sur le sol dans une explosion finale.

– Eh bien, Drake, je te donne vingt sur vingt pour ce truc !

Comme si une petite voix noyée dans les brumes de son cerveau troublé l'avait appelée, Mme Burrows eut soudain une idée. Elle semblait pouvoir contrôler sa respiration, alors elle inspira de plus en plus profondément, retenant son souffle de plus en plus longtemps avant d'expirer. Comme chassée par un ventilateur, la brume se dissipa un instant. Mme Burrows s'accrocha au souvenir de ce que lui avait enseigné son maître de yoga. Tout d'abord fugace, la phrase finit par se préciser tandis qu'elle se concentrait de toutes ses forces.

Je prie pour ne pas laisser ceux qui m'entourent troubler la paix de mon esprit, commença-t-elle à se répéter en boucle.

Peut-être parlait-elle à voix haute, elle n'aurait su le dire.

Elle avait encore l'impression que son corps n'était plus qu'une baguette de bois tendue à se rompre, mais le hérisson maléfique semblait toutefois moins agité, et nettement moins efficace.

Je prie pour ne pas laisser ceux qui m'entourent troubler la paix de mon esprit.

Elle continua à se répéter ce mantra et à maintenir le rythme de sa respiration ventrale. Alors se produisit une chose des plus étranges.

Les ténèbres cédèrent la place à la lumière.

Mme Burrows avait l'impression d'avoir basculé dans une tout autre réalité, celle-là même qu'elle avait quittée lorsque les Styx avaient activé la lampe à Lumière noire. Elle voyait ce qui se passait tout autour d'elle. Elle était de retour dans la pièce fortement illuminée. Elle regardait les Styx. L'un d'eux répétait sans cesse les questions tandis que son acolyte l'interrogeait sur d'autres points. À son grand étonnement, elle répondait volontiers à ces questions et fournissait même de nombreux détails. Volontiers mais, paradoxalement, bien malgré elle.

Il lui demandait tout ce qu'elle savait à propos de Drake. Ce qu'il lui avait dit lorsqu'il était en Surface avec elle, où il l'avait emmenée et si elle avait rencontré d'autres membres de son réseau.

Ça suffit, décida la partie de son cerveau qui se trouvait dans la pièce illuminée, et Mme Burrows s'interrompit au beau milieu d'une phrase. Le Styx fronça les sourcils en la regardant de travers.

– Continue ! aboya-t-il.

– Allez vous faire voir ailleurs ! Vous n'obtiendrez rien d'autre, hurla-t-elle, puis elle ferma la bouche.

L'autre Styx cessa brusquement son perpétuel questionnement, et ils échangèrent un regard. Celui qui se trouvait derrière la lampe effectua quelques réglages, et l'ampoule vira à l'orange vif. Le hérisson maléfique grossit dans la tête de Mme Burrows. Désormais de la taille d'un chat, il avait gagné en puissance. Devenues pure énergie, ses épines grésillaient. Mme Burrows reprit ses exercices de méditation et sentit que le hérisson tournait en rond dans sa tête sans jamais parvenir à pénétrer son esprit.

Le Styx ajusta de nouveau les réglages de la lampe, si bien que la lumière orange s'intensifia encore. Le hérisson avait la taille d'un chien maintenant, mais Mme Burrows était encore capable de le repousser et de rester dans la pièce bien éclairée. Elle s'imaginait roulant à bicyclette tout en jonglant. *S'il y a bien un domaine dans lequel nous excellons, nous, les femmes, c'est lorsqu'il s'agit de passer en mode multitâche*, jubila-t-elle.

Le Styx augmenta l'intensité de la Lumière noire de plusieurs degrés jusqu'à ce que Mme Burrows n'y tienne plus.

— Je prie pour ne pas laisser ceux qui m'entourent troubler la paix de mon esprit, articula-t-elle très distinctement.

Elle savait qu'elle parlait à haute voix cette fois.

Puis elle s'évanouit.

Les Styx l'avaient vidée de toute son énergie.

L'officier en second arriva aussitôt dans la pièce, accompagné de son chef qui était un peu plus jeune que lui. Le second défit les sangles de Mme Burrows.

— Vous avez obtenu ce que vous vouliez ? demanda l'officier en chef qui avait ressenti un certain malaise.

— Elle nous a chassés de son esprit, dit le Styx.

L'officier en second s'interrompit. Les deux agents regardèrent fixement l'homme ténébreux.

— Mais personne n'a jamais fait ça avant, souffla l'officier en second avec stupéfaction.

Les Styx gardèrent le silence.

— Vous en avez donc fini avec elle ? risqua l'officier en chef.

— Non. Dès qu'elle aura repris conscience, d'ici quelques heures, nous poursuivrons l'interrogatoire. Aussi longtemps qu'il le faudra, répondit le Styx qui se trouvait derrière l'appareil à Lumière noire.

— Nous allons la briser, acquiesça l'autre Styx.

— Même si ça doit la tuer ? demanda l'officier en second.

Les Styx haussèrent les épaules.

– Ainsi soit-il, répondirent-ils presque à l'unisson.

Will était remonté dans la galerie où l'attendait son père et il lui fallut un bon moment pour le convaincre d'essayer d'atteindre l'autre passage à son tour. Le Dr Burrows accepta enfin avec force plaintes, puis il descendit le long de la corde. Will fit plusieurs fois l'aller-retour pour récupérer tout leur équipement, puis il plaça une autre balise radio avant qu'ils ne poursuivent leur route le long du passage. Arrivés face à un embranchement, ils prirent une voie au hasard et tombèrent sur une nouvelle bifurcation, puis sur une autre encore. À ce rythme, ils ne tardèrent pas à perdre tous leurs repères.

Plus important encore, ils arpentaient des pentes de plus en plus raides.

– Je crois que nous sommes largement en dessous du niveau de la brèche, remarqua Will en bondissant sur un plan incliné.

Le Dr Burrows n'était pas vraiment ravi, car il aurait voulu rester dans la brèche un peu plus longtemps.

– Nous ne savons pas où nous allons, nous ne savons pas où nous allons, répétait-il d'une voix douce-amère.

– On ne sait jamais où nous allons… répondit Will.

Ils entendirent tout à coup un bruit sourd quelque part au-dessus d'eux. On aurait dit un murmure.

Will dégaina son aérosol en un éclair, tandis que le Dr Burrows cherchait encore le Browning Hi-Power dans sa poche.

– Attends, papa, je ne vois aucune bestiole, murmura Will qui scrutait l'horizon derrière la lentille de son casque.

Ils tendirent tous deux l'oreille.

Le son reprit. Ce n'était pas juste un murmure, mais une voix humaine, et Will la reconnut immédiatement.

– On dirait Chester ! dit-il à son père.

– Attention… Il pourrait s'agir du Limiteur, le mit en garde le Dr Burrows d'une voix feutrée. C'est peut-être un piège.

– Non, c'est Chester, c'est sûr, décréta Will qui pouvait à peine contenir sa joie.

Will descendit de plusieurs octaves, adoptant une voix aussi virile et bourrue que possible.

– Chester Rawls, est-ce bien toi ? lança-t-il.

Il y eut un moment de silence, et Chester répondit enfin.

— Will ?

— Chester ! s'écria Will de sa voix normale dans un débordement de joie. Bien sûr que c'est moi ! Je suis avec papa, et tout va bien.

— Dieu merci ! Je savais que tu t'en sortirais. Elliott et Martha sont avec moi, et tout va bien aussi de notre côté. Mais c'est quoi, cette voix débile ? Et puis, vous êtes où au juste, bon sang ? Je ne vous vois pas, mais vous semblez très proches.

— Vous aussi ! Mon casque fonctionne à nouveau. On va vous rejoindre, suggéra Will. Continuez à parler pour qu'on réussisse à vous trouver.

— Reçu cinq sur cinq, confirma Chester qui entonna un poème de William Blake : « Et ces pieds dans les temps anciens, Ont-ils foulé les vertes hauteurs de l'Angleterre... », mais il chantait si faux que c'était pénible à entendre.

Quelque chose de très étrange se produisit alors. À mesure que Will et le Dr Burrows avançaient dans le réseau labyrinthique, la voix de Chester sembla s'éloigner jusqu'à devenir inaudible. Perplexes, Will et le Dr Burrows rebroussèrent chemin et entendirent à nouveau Chester.

— « En avant marchaient les soldats du Christ, et ils semblaient s'en aller à la guerre... », chantait le jeune garçon, reprenant un hymne religieux.

— Chester, tu m'entends ? Arrête un peu ce boucan, tu veux bien ?

— Bien sûr que je t'entends. Où t'étais passé ? On est là à poireauter comme des andouilles, et je commence à avoir mal à la gorge !

— Chester, c'est le Dr Burrows, intervint soudain le père de Will. Je crois savoir ce qui se passe. C'est un peu comme les galeries à écho qu'on trouve dans les grandes églises ou les cathédrales. Il y en a une dans la cathédrale Saint-Paul à Londres. Le réseau de galeries répercute nos voix, sans doute amplifiées par le champignon qui en recouvre les parois. Nous sommes peut-être beaucoup plus loin les uns des autres que nous ne le pensons, peut-être à des kilomètres de distance, mais l'acoustique des lieux transporte le son de notre voix.

Martha intervint alors dans la conversation.

— Restez là où vous êtes maintenant, dit-elle d'un ton sévère. C'est à notre tour de venir vous chercher.

Dix bonnes minutes s'écoulèrent avant que Chester, Elliott et Martha n'apparaissent au détour d'une galerie.

– Chester ! s'écria Will en bondissant de joie lorsqu'il vit les trois acolytes à travers la lentille de son casque.

– C'était vraiment trop bizarre ! Radio champignon ! On aura tout vu ! s'exclama Chester qui resta bouche bée en remarquant l'uniforme de Will et du Dr Burrows, ainsi que leur nouvel armement.

– Chester, tu ne croiras jamais où on est allés. On a trouvé un abri antiatomique, et puis un fleuve qu'on a suivi jusqu'à la Surface. On est retournés à Highfield. On est rentrés *à la maison* !

– À la maison ? s'étrangla Chester qui avait à peine compris ce que venait de lui dire Will.

– Ouais, et Elliott, ce numéro que tu répétais sans cesse lorsque tu avais de la fièvre… j'ai trouvé ce que c'était, dit Will.

– Numéro ? reprit-elle en essayant de saisir ce dont il parlait, quand elle eut un déclic. Le numéro d'urgence ! Tu l'as donc vu ! Drake est vivant !

– Un peu qu'il est vivant ! rétorqua Will. Il nous attendait à Highfield.

Une créature se détacha soudain des ténèbres juste derrière Chester. Elle fonçait à toute allure.

– Attention ! hurla Will en aspergeant la chose de son aérosol.

Bartleby s'arrêta aussitôt en s'emmêlant les pattes sur le sol fongique, puis il détala dans le sens opposé avec des glapissements de douleur.

– J'ai cru que c'était une araignée, dit Will sans le moindre remords. Vous avez donc repris le traître dans vos rangs.

– C'est peut-être un traître, mais il nous a conduits jusqu'à vous, rétorqua Chester. Et puis, tu peux parler… c'est toi qui as recueilli cette menteuse de Rebecca.

Les deux garçons se toisèrent, gardant un visage de marbre.

– Touché, dit enfin Will, et ils éclatèrent de rire en chœur.

Chester couvrit la distance qui le séparait de son ami en deux grandes enjambées et le serra dans ses bras.

– Will, ça fait du bien de te voir, dit-il, mais je ne suis pas sûr de pouvoir te pardonner un jour. Tu t'es payé des vacances express en Surface, sans moi.

– Tu me pardonneras lorsque tu verras les vivres qu'on a rapportés. Ça te dirait de manger un curry ?

– Tu plaisantes, ou quoi ? s'esclaffa Chester en gloussant.

Martha alluma un feu pour réchauffer la nourriture tandis qu'Elliott fouillait dans le Bergen que lui avait préparé Drake. Pendant ce temps, le Dr Burrows assis dans son coin griffonnait furieusement dans son journal, et Will racontait à Chester toute l'aventure du port souterrain et de leur retour à la Surface.

– Il suffit donc qu'on suive ces balises radio pour rentrer à la maison. C'est aussi simple que ça ? demanda Chester. Sans passer par les Profondeurs ni la Colonie ? ajouta-t-il en brandissant le poing. CQFD ! rugit-il.

– Ouais, mais n'oublie pas ce qu'a dit Drake. Il faut d'abord qu'on s'occupe du *Dominion*.

Chester haussa les sourcils.

– Et tu comptes faire comment, au juste ? Si ces Styx n'ont pas rejoint le sous-marin à temps *et* qu'ils ont survécu à l'explosion, les araignées ou les Lumineux les auront dévorés, ou…

– Ou peut-être qu'ils rôdent encore dans les parages, l'interrompit Will.

– Ils pourraient être à des kilomètres d'ici, dit Chester d'un air dubitatif. Et si jamais ils ont réussi à atteindre le sous-marin, ils pourraient bien se trouver à des kilomètres sous nos pieds. Allons, Will, il est très probable qu'ils soient hors course, non ?

– Drake veut en être absolument sûr.

– Dans ce cas, on y va, intervint Elliott d'un ton plein de détermination.

Elle écoutait la conversation des deux garçons et manipulait avec révérence les deux mitraillettes Sten que lui avait rapportées Will.

– On peut partir en reconnaissance et voir si Bartleby repère une piste. Si le sous-marin a atterri un peu plus bas au fond du gouffre, on n'aura pas à aller très loin pour vérifier.

– Mais si jamais il est tombé tout au fond ? objecta Chester.

Sa question demeura sans réponse, mais il n'y prêta plus guère attention, car Martha venait d'annoncer que le repas était prêt.

Bartleby était passé en mode limier. Il reniflait le sol fongique et tirait sur la laisse que tenait Martha. Ils explorèrent les différents passages, descendant de plus en plus bas jusqu'à ce qu'ils atteignent enfin l'immense cavité creusée par la bombe d'Elliott dans la paroi du gouffre. Ils passèrent de l'autre côté grâce aux cordes de Drake et s'engagèrent dans une galerie située derrière l'ancien emplacement du sous-marin.

Ils arpentèrent cette galerie de long en large, jusqu'à ce que Martha leur indique qu'ils se rapprochaient à nouveau du gouffre. Tout à coup, Will et Chester découvrirent quelque chose qui devait tout changer.

– Papa, il faut que tu viennes voir ça.

– Quoi encore ? répondit le Dr Burrows d'un ton irascible.

Il traînait en queue de peloton, prétendument pour protéger leurs arrières des attaques des araignées. Mais il n'était certainement pas très vigilant, avec sa bombe aérosol rangée dans la poche de son duffle-coat. Qui plus est, cela faisait déjà deux bonnes heures qu'il ne parlait presque pas.

Le Dr Burrows rejoignit son fils qui se tenait devant un grand rocher affleurant le champignon. On y avait gravé le fameux symbole tridentin.

– Oui ! hurla le Dr Burrows en s'empressant de poser son Bergen à terre, et il sortit la photo en noir et blanc prise par le sous-marinier. Dans le mille ! C'est bien le même rocher, confirma-t-il en le comparant à celui qui figurait sur la photo.

– Martha, vous avez raison. Nous sommes à nouveau au bord du gouffre, ajouta Will en scrutant les ténèbres où tombaient des trombes d'eau.

Il se demandait où était passé le sous-marin.

– Mais que signifie ce symbole, papa ? Qu'on est au point de départ de l'itinéraire qui figure sur la carte des tablettes ? Ça n'a pas de sens ! Ça fait un sacré bout de chemin depuis le Pore.

Le Dr Burrows ne répondit pas, il palpait les trois profondes encoches ciselées dans le rocher.

– Mais, papa, quand on y pense, comment le point de départ pourrait-il se trouver là, en fait ?

Le Dr Burrows releva la tête en esquissant lentement un sourire, puis il acquiesça.

– Bravo, Will, tu as encore vu juste. Quand tu as réussi à remettre les tablettes dans le bon ordre, j'ai d'abord pensé qu'il fallait lire l'itinéraire de gauche à droite. Quelle erreur de suivre ainsi des conventions occidentales, j'aurais dû raisonner de manière plus latérale. Le fait est que l'itinéraire se lit de droite à gauche. Ma première hypothèse était erronée, ce symbole n'indique pas le début du trajet mais la fin.

– Si on s'arrête là, je pourrais peut-être nous faire un peu de thé ? proposa Martha, mais personne ne lui prêta attention, et certainement pas le Dr Burrows qui remettait déjà son Bergen sur ses épaules comme s'il comptait reprendre la route.

— Je ne comprends pas. Si c'est la fin, où est passé le reste du chemin ? demanda Will. Où est donc allé ce peuple antique à partir de là ?

— La foi, répondit simplement le Dr Burrows.

— Hein ?

— Prenons un exemple tiré de la physique… C'est grâce à la faible gravité dont nous faisons l'expérience ici-bas que nous avons survécu à une chute de plusieurs centaines, voire de milliers de kilomètres, dit le Dr Burrows en lançant son globe lumineux en l'air avant de le rattraper par la lanière tandis qu'il redescendait lentement vers lui.

Il enroula ensuite la lanière autour de son poignet et garda le globe au creux de sa main.

— Si on continue à descendre vers le centre de n'importe quel corps massif — cette planète, par exemple —, la gravité décroît toujours plus, jusqu'à s'abolir. Peut-être qu'il y a une zone d'apesanteur.

— Désolé papa, je ne compr…

— Mais je ne parle pas juste d'une quelconque foi dans les lois de la science. Je parle de la foi en ses propres convictions, ses croyances. J'ai manqué de foi pendant bien trop longtemps, alors que la foi peut déplacer des montagnes, la foi peut vous ouvrir les yeux sur de nouveaux territoires.

— Eh bien, on fait une pause, ou quoi ? demanda de nouveau Martha.

Le Dr Burrows ne détacha pas les yeux de son fils.

— Tu me crois égoïste et insensible, Will, mais certaines idées sont trop importantes pour laisser quiconque se mettre en travers de notre route. Je suis désolé que tu aies pu penser que j'étais un mauvais père pour toi, mais un jour tu comprendras, dit-il en s'avançant vers lui.

Le Dr Burrows chercha la balise radio dans sa poche et la brandit devant lui.

— Tu pourras me retrouver si tu le souhaites. À toi de voir, Will.

— Qu'est-ce que tu veux dire ?

Le Dr Burrows passa devant Will, s'arrêta au bord de la corniche et se jeta soudain dans le vide.

— Papa ! hurla Will en essayant de le rattraper… en vain, car le Dr Burrows avait déjà disparu.

— Non ! murmura Chester.

Martha et Elliott accoururent et virent le Dr Burrows tournoyer dans le vide tandis que la lueur du globe lumineux qu'il tenait à la main disparaissait peu à peu.

– Il vient de se suicider, marmonna Martha, incrédule. Il est fou, ou quoi ?

Remis du choc initial, tous fixèrent les ténèbres infinies qui s'étendaient à leurs pieds. Will se mit alors à siffler entre ses dents, comme le faisait son père lorsqu'il était plongé dans ses pensées.

– Papa est certes un peu dingue, dit-il enfin en jetant un regard à Martha, mais ce qu'il disait à propos de la gravité est tout à fait raisonnable.

– Will, tu vas bien ? demanda Chester en posant une main sur son épaule, inquiet de la façon dont allait réagir son ami au saut fatal du Dr Burrows.

Il ne s'attendait certainement pas à ce qui allait suivre.

– C'est logique, la gravité devrait être encore plus faible au centre de la planète, n'est-ce pas, raisonna Will à haute voix.

– Et alors ? bafouilla Chester. On ne va tout de même pas tenter le coup ?

Will opina, mais ne répondit pas pour autant à la question de Chester. On aurait dit qu'il venait de se rappeler quelque chose.

– Martha, vous ne nous avez jamais dit comment s'appelait ce gouffre ? Les Sept Sœurs n'ont-elles pas toutes un nom, comme Marie l'essoufflée, ou le Pore ? demanda-t-il en fouillant dans le Bergen qu'il venait de poser à terre.

– Nathaniel et moi n'en avons jamais parlé, et puis je ne voulais rien avoir à faire avec cet endroit après sa mort, dit-elle.

– Mais ce gouffre devrait avoir un nom. Tout a un nom. Pourquoi on ne le baptiserait pas *Jeanne la fumeuse*, en l'honneur de ma tantine Jeanne, dont l'appartement s'apparente à un trou noir ?

Will sortit plusieurs balises radio et deux traceurs radar plus gros, avant de remettre son Bergen sur son dos. Puis il se tourna vers Chester, Elliott et Martha.

– Parle-moi, Will. Qu'est-ce que tu fais avec ça, bon sang ? demanda Chester en fronçant les sourcils.

Will brandit l'un des deux traceurs. Doté d'une crosse, l'appareil ressemblait à un revolver court sur lequel on aurait fixé une antenne circulaire et un cadran. Il l'alluma et l'orienta vers le vide. Le signal émis par son père fit osciller l'aiguille avec un léger clic.

— C'est mon père, dit-il.

Will effectua alors un quart de tour sur lui-même : le signal s'affaiblit et les clics s'espacèrent.

— Et c'est la direction de l'abri antiatomique. On va déposer une balise ici, d'accord ? dit-il en activant un nouvel appareil qu'il glissa dans l'une des fissures du rocher orné du symbole tridentin. Et en voilà une pour chacun d'entre vous, ajouta-t-il en les distribuant à Chester, Elliott et Martha.

Will avait agi si vite qu'il ne leur avait pas laissé le temps de réagir.

— Qu'est-ce que tu veux que je fasse de ça ? demanda Elliott en brandissant sa balise.

— Will ? demanda Chester, visiblement sur le point de perdre patience.

— Oh, oui, j'ai presque oublié, dit-il en se tournant vers Chester. Vous aurez besoin de ça aussi, ajouta-t-il en lui fourrant un traceur radar entre les mains. Suivez les miettes et vous retrouverez le chemin de la maison.

— Ne sois pas stupide. Je n'irai nulle part sans toi, rugit Chester, désormais très en colère.

Chester tentait en vain de rendre l'appareil à Will lorsque le traceur capta le signal de la balise située dans l'une des fissures du gros rocher, et produisit une suite de clics sonores.

— Mais je n'en veux pas ! s'écria Chester.

Will n'écoutait pas. Il semblait perdu dans son monde.

— Je parie que les jumelles ont réussi à rejoindre le sous-marin et qu'elles sont quelque part au fond de Jeanne la fumeuse, gloussa-t-il. Quelle ironie ! Les Styx se sont servis de leur Lumière noire pour me faire subir un lavage de cerveau et m'inciter à sauter dans le vide. Et maintenant que j'ai réussi à me débarrasser de ce conditionnement avec l'aide de Drake, c'est exactement ce que...

Chester remarqua l'étincelle qui brillait dans le regard de son ami : les ennuis n'allaient pas tarder.

— Explique-moi un peu, Will, si tu... dit-il en l'interrompant, mais il n'eut jamais l'occasion de finir sa phrase.

Will alluma le second traceur radar, puis il détala vers l'abîme et se précipita dans le vide à la suite de son père.

– Nooooon ! Espèce de malade ! hurla Chester, mais Will n'entendait déjà plus que le bruit du vent.

Depuis qu'il travaillait au commissariat, l'officier en second avait vu et entendu des choses qu'une personne ordinaire aurait eu du mal à supporter. Mais il était devenu insensible à toutes ces horreurs, comme s'il avait érigé un rempart tout autour de lui.

Cependant, alors qu'il attendait dans le couloir face à une porte fermée, les cris de Mme Burrows lui glacèrent le sang – c'était l'âme d'une femme qu'on déchiquetait, et le rempart semblait avoir cédé. Mais comment ces cris pouvaient-ils durer autant, alors qu'elle avait à peine le temps de reprendre son souffle entre ses hurlements ?

Le silence se fit enfin, encore plus angoissant que les cris.

L'officier en second entendit les pas lourds de l'officier en chef qui résonnaient sur les dalles humides. Il approchait. Il avait à peine parcouru la moitié du couloir qu'il marqua une pause, jeta un rapide coup d'œil vers la porte encore close et grimaça, dépité que cet interrogatoire durât aussi longtemps. Il tourna lentement les talons et repartit vers l'entrée où se trouvait son bureau, au cas où d'autres Styx viendraient au commissariat.

Soulagé de retrouver sa solitude, l'officier en second s'épongea le front. Pendant un instant, son visage se contracta comme s'il s'apprêtait à pleurer. Il ne savait pas pourquoi il éprouvait de tels sentiments, mais peut-être avait-il été le témoin de tant de souffrance et de détresse en ces lieux qu'il n'en pouvait plus à présent. Il entendit le grondement des voix graves des Styx et se reprit juste à temps. La porte s'ouvrit enfin.

Le vieux Styx sortit de la pièce d'un pas impérieux, suivi par son jeune assistant.

– Terminé ? demanda l'officier en second.

Le vieux Styx le regarda, quelque peu surpris par cette marque d'intérêt.

– Nous avons obtenu ce que nous voulions savoir, répondit-il sèchement. Comme toujours.

– Euh... elle... est-elle... je veux dire... est-elle encore... bafouilla l'officier en second.

Le vieux Styx haussa les sourcils et interrompit ce flot de paroles incohérentes.

— Si vous voulez savoir si la Burrows est toujours en vie, sachez que son cœur semble battre et qu'elle respire encore, dit-il, puis il s'écarta. Voyez par vous-même.

L'officier en second entra dans la pièce inondée de lumière et vit le dossier de la chaise à laquelle Mme Burrows était encore attachée. L'un des Styx avait défait la sangle qui lui retenait le front, si bien que sa tête avait roulé sur sa poitrine, inerte. Il vit trois Styx qui rangeaient des lampes à Lumière noire. Il devait y en avoir six ou sept sur la table, mais l'officier en second était tellement bouleversé qu'il ne pouvait même pas les compter.

— Une dure à cuire, commenta le jeune assistant avec l'air détaché d'un médecin qui commente les résultats d'analyse d'un patient. L'une des plus dures qu'on ait eues jusqu'à présent.

— Oui, acquiesça le vieux Styx. Incroyablement résistante, dit-il en indiquant le corps immobile de Mme Burrows d'un geste de la main. Ce n'est plus qu'une coquille vide. J'ai bien peur qu'il ne reste plus grand-chose à l'intérieur. Il a fallu dézinguer toute la toiture. C'est dommage, car j'espérais qu'elle pourrait encore me servir à l'avenir.

— Elle ne passera sans doute pas la nuit, dit le jeune assistant.

— Je me demandais… commença l'officier en second, mais sa voix lui fit défaut lorsque le vieux Styx le fixa soudain de ses yeux durs.

— Oui ? questionna-t-il.

— Si elle n'en a plus pour longtemps, je pourrais m'en occuper, bredouilla-t-il.

Le vieux Styx baissa la tête, comme pour réclamer une explication. La requête de l'officier en second était pour le moins irrégulière, voire tout à fait illégale.

— Je veux dire… plutôt que de la laisser mourir dans le cachot. Même si c'était une Surfacienne, elle… il m'a semblé que c'était quelqu'un de bon, bredouilla l'officier en second avant de se taire en regardant ses pieds.

Ils gardèrent tous le silence un moment, puis l'un des Styx sortit de la pièce en emportant une lampe à Lumière noire.

Le vieux Styx esquissa un sourire déplaisant. Il venait d'apprendre une chose dont il pourrait se servir, et dont il se servirait d'ailleurs plus tard.

— Vous avez quelqu'un chez vous, officier ? demanda le vieux Styx. Il faudra que quelqu'un s'en occupe pendant que vous êtes de garde.

– Ma mère et ma sœur.

– Emmenez-la, dans ce cas, mais il serait probablement plus doux de la laisser s'éteindre dans le cachot, dit le vieux Styx en s'éloignant.

Son jeune assistant le suivait comme son ombre, quelques pas en arrière.

– « Ni les sujets du roi ni ses chevaux ne purent jamais recoller les morceaux », récita le vieux Styx sans se retourner.

L'officier en second attendit qu'ils soient hors de vue pour glisser son doigt à l'intérieur du col amidonné de sa chemise. Il était en nage. Il ne comprenait pas ce qui venait de lui arriver. Il n'aurait jamais dû parler ainsi, mais il en avait ressenti la nécessité.

Il prit une profonde inspiration et se prépara à retourner dans la pièce illuminée.

Chapitre Trente-cinq

Cette fois, Will était parfaitement conscient.

Il dégringolait dans le vide, partant même parfois en vrille. La force G était si forte qu'il en avait le vertige et la nausée. Mais il découvrit bien vite que s'il écartait les bras et les jambes comme un parachutiste, il pouvait enrayer ces vrilles et adoucir d'autant sa descente en chute libre. En fonction de l'orientation de ses membres, il pouvait aussi modifier sa trajectoire malgré l'encombrant Bergen et les armes qu'il transportait, et éviter ainsi toute collision avec les parois.

Will tombait toujours plus bas et se demandait s'il atterrirait un jour vivant.

– Qu'est-ce que j'ai fait ? hurla-t-il à l'adresse des trombes d'eau salée qui l'accompagnaient dans sa chute.

Il se passa la langue sur les lèvres et tenta d'ôter la buée qui couvrait la lentille de son casque pour y voir plus clair, mais ce geste le déséquilibra et sa trajectoire redevint erratique. Will écarta aussitôt les bras pour la corriger. Il guettait le sous-marin, mais il descendait si vite que tout était flou autour de lui. Il avait promis à Drake de s'occuper des jumelles et du Limiteur, et il n'allait certainement pas manquer à sa parole.

Will voyait osciller l'aiguille du traceur qu'il tenait à la main, mais il entendait à peine les clics que produisait l'appareil. Son père se trouvait quelque part en contrebas.

Son père...

Et si le Dr Burrows avait commis une terrible erreur ? Si la gravité cessait de décroître ou, pour être exact, que se passerait-il si le gouffre n'était pas assez profond et n'atteignait jamais la zone d'apesanteur ?

Oh, mon Dieu, il n'y avait pas pensé !

Will avait cru bien faire lorsqu'il s'était jeté dans le vide... Il avait écouté les propos de son père sur la foi, et ses paroles lui avaient paru raisonnables. Pour la première fois depuis longtemps, Will comprenait pourquoi le Dr Burrows se comportait de façon aussi égoïste et il voulait lui montrer qu'il avait la foi lui aussi, la foi en son père.

Mais à présent... Will se disait qu'il avait dû perdre la tête pour sauter ainsi. Peut-être était-ce là son dernier coup d'éclat ?

Il remarqua soudain que le vent semblait moins vif. Il ne peinait plus à respirer. Il aurait juré qu'il avait ralenti, même si le changement avait été si progressif qu'il ne pouvait en être absolument certain.

Le traceur continuait à émettre des clics, mais il ne voyait toujours rien, excepté les parois incandescentes du gouffre baigné d'une lueur écarlate. Pendant quelques millièmes de seconde, Will sentit une intense chaleur sur sa peau. Il entendait le sifflement des cascades d'eau saumâtre qui se transformaient instantanément en vapeur au contact des roches rougeoyantes.

Il avait ralenti. Il en était désormais certain.

À présent, il pouvait essuyer la buée sur sa lentille sans risque d'acrobaties aériennes. Il voyait plus distinctement les parois du gouffre qui défilaient sous ses yeux, admirant les motifs que formaient les gouttelettes d'eau qui l'accompagnaient.

Quelque temps plus tard, il eut l'impression de flotter mais pensa que son esprit lui jouait des tours après une chute aussi longue. À peu près au même moment, il commença à entendre un grondement sourd. Peut-être ce bruit n'avait-il jamais cessé, mais Will était bien trop préoccupé pour y prêter attention.

Il écouta attentivement, et il lui sembla que le son s'amplifiait, couvrant le sifflement du vent dans ses oreilles, puis il scruta les ténèbres qui s'étendaient en contrebas.

Qu'est-ce qui pouvait bien faire un tel vacarme ?

Will imagina soudain une machine aux rouages et aux leviers monstrueux. Sans doute quelque souvenir d'une histoire pour enfants qu'il avait lue plus jeune, se dit-il en riant pour chasser cette image, mais en vain. Peut-être fonçait-il droit sur la salle des machines de la Terre, où des géants actionnaient des appareils gigantesques.

Will secoua la tête comme pour s'arracher à cette rêverie absurde.

Le grondement couvrait les clics du traceur, mais l'aiguille s'affolait vraiment.

Il scruta de nouveau le vide.

Là-bas !

Du coin de l'œil, il aperçut un minuscule point lumineux, loin, loin en contrebas.

Une bourrasque de vent le frappa de plein fouet, le faisant tournoyer en plein vol, et il perdit définitivement de vue ce petit point lumineux. Avait-il vraiment vu une lueur ? Une chose était certaine : ce n'était pas de la lave, car elle n'avait pas la même couleur.

Will aperçut à nouveau la lueur. Le cadran du traceur sembla capter un signal plus puissant lorsqu'il pointa l'appareil vers le point lumineux. Il modifia donc sa trajectoire en inclinant son corps dans cette direction.

Il douta soudain en voyant le point qui grossissait en contrebas. Était-ce une si bonne idée, après tout ? Même si, d'après les indications du traceur, la balise de son père se trouvait à proximité du point lumineux, il pouvait tout aussi bien s'agir de Styx.

À présent, sa vitesse avait tant décru que Will n'avait plus du tout l'impression de tomber, mais de flotter telle une bulle de savon portée par le vent.

Le point lumineux grossit encore. Il émettait une lueur bleue, mais Will n'arrivait pas à évaluer s'il se trouvait encore loin du but.

Il s'assura qu'il avait bien armé sa Sten, puis il poursuivit son vol plané en direction de la lueur.

Il distingua la longue silhouette d'un bâtiment qu'il percuta de plein fouet, ayant mal évalué la vitesse à laquelle il s'en approchait. Même si l'impact n'avait rien eu de violent, il s'était cogné la tête et se sentait quelque peu désorienté quand, tout à coup, quelqu'un l'aida à se relever.

– Bas les pattes ! hurla-t-il, pensant aussitôt qu'il s'agissait d'un Styx.

Will tentait de se débattre lorsqu'il perçut l'éclat d'une paire de lunettes.

C'était son père. Will vit alors l'intense lueur bleue qui brillait derrière lui : le Dr Burrows avait manifestement allumé l'une des fusées d'alarme de Drake. Will mit quelques secondes à comprendre qu'il se trouvait sur la coque du sous-marin. Il ne l'avait pas immédiatement reconnu, car il était couché sur le flanc. Will avait atterri à un bout du bâtiment, même s'il n'aurait su dire s'il s'agissait de la proue ou de la poupe.

Will se sentait euphorique. Peut-être parce qu'il était encore en vie, ou bien parce qu'il n'était plus seul dans cet endroit lointain et isolé, perdu au fond des entrailles de la Terre. Il prit le Dr Burrows dans ses bras, mais ce simple geste les propulsa le long de la coque du sous-marin, et ils ne s'arrêtèrent qu'après avoir parcouru plusieurs mètres.

L'apesanteur, ah oui, parlons-en ! se dit-il.

Lorsque Will se redressa, il eut l'impression de flotter presque au-dessus de la coque. Il vit son père qui agitait l'index pour le réprimander, puis le Dr Burrows joignit le pouce et l'index pour former un cercle. Gravité zéro – voilà ce qu'il essayait de lui dire. Même s'ils n'étaient pas vraiment en état d'apesanteur, il fallait faire preuve d'une extrême prudence à chacun de leurs déplacements. Will acquiesça pour lui indiquer qu'il avait compris le message, puis il tenta de s'adresser directement à lui, sans succès. Un grondement couvrait le son de sa voix : il prit alors conscience du vacarme environnant.

Encore un peu sonné, Will se laissa guider par le Dr Burrows jusqu'au kiosque qui surplombait le vide. Son père lui indiqua quelque chose loin au-dessous d'eux. Will se pencha en avant et vit de faibles lueurs semblables à des éclairs orageux dans le lointain.

Le Dr Burrows cherchait à lui dire quelque chose dans le creux de l'oreille, mais Will haussa les épaules : il y avait bien trop de vacarme pour qu'il puisse entendre quoi que ce soit.

Le Dr Burrows prit un bout de papier sur lequel il griffonna avant de le tendre à Will. Il n'avait écrit qu'un mot.

– « Triboluminescence » ? articula Will en regardant son père qui opina, tout excité.

Will savait de quoi il s'agissait. Dans l'obscurité de leur cave, à Highfield, son père lui avait montré ce phénomène qui se produisait dès que l'on frottait deux morceaux de quartz l'un contre l'autre. L'expérience lui avait semblé magique à l'époque, et Will s'était émerveillé de voir jaillir des éclairs des cristaux laiteux ; il s'agissait en fait de l'énergie libérée lors de la rupture des liens unissant les atomes de cristal. Les blocs de cristal qui raclaient l'un contre l'autre en contrebas devaient être gigantesques, ce qui pouvait expliquer ce grondement sonore.

Will se demandait s'il avait enfin atteint le centre de la Terre.

Les lumières qui ondoyaient en tous sens comme de la ouate électrisée avaient quelque chose d'hypnotique, si bien que le père comme le fils étaient fascinés par ce spectacle. Mais Will avait d'autres préoccupations, et il s'arracha à sa contemplation pour examiner l'épaisse coque de métal sous ses pieds. Il savait qu'en ce moment même les trois Styx se trouvaient peut-être à l'intérieur de cette coque ruisselante couleur vert-de-gris. En possession du *Dominion*. Peut-être cela n'avait-il plus d'importance maintenant, car ni lui, ni le Dr Burrows, ni aucun des Styx ne pourraient jamais remonter en haut du gouffre. La menace avait été effectivement neutralisée. Mais il devait s'en assurer, puisqu'il se trouvait là à présent.

Will sortit la corde de son Bergen et l'attacha à l'un des barreaux de l'échelle de métal fixée sur la paroi du kiosque. Mieux valait prévenir que guérir – le moindre dérapage sur la coque humide pouvait l'envoyer rejoindre les énormes cristaux tout au fond du gouffre. Il s'approcha très prudemment du sommet du kiosque, désormais incliné.

Compte tenu de la très faible gravité, il se hissa au sommet sans grand effort, sous le regard du Dr Burrows.

Will s'immobilisa en atteignant la plate-forme d'observation.

À moins d'un mètre de lui, il venait d'apercevoir une chose indescriptible accrochée au caillebotis qui se trouvait maintenant à la verticale, étant donné l'inclinaison du sous-marin : deux ailes blanches et froissées ondulaient lentement au gré des courants aériens.

– Un Lumineux ! s'exclama Will entre ses dents.

Mais en y regardant de plus près, il vit que la créature n'avait plus de tête et que la plus grande partie de son abdomen avait disparu. Les griffes qui terminaient ses pattes articulées s'agrippaient au caillebotis : voilà pourquoi il n'avait pas dérivé.

Will n'avait pas sa bombe aérosol sur lui. Il l'avait laissée dans son Bergen posé sur la coque sous la garde du Dr Burrows. Il toucha donc le Lumineux de la pointe du canon de sa Sten. Aucune réaction. Il était bien mort. À voir son état, il en conclut que le Limiteur s'était occupé de son cas et l'avait découpé en morceaux. Will lui donna un nouveau coup, mais la créature ne manifesta aucun signe de vie. Il traversa donc la plate-forme jusqu'à l'écoutille principale et, en essayant de l'ouvrir, découvrit qu'elle était verrouillée.

Gardant un œil méfiant sur le Lumineux mort, il actionna la roue placée au centre de l'écoutille, puis il vérifia que sa Sten était bien armée. Cette fois, il était prêt à affronter les jumelles. Il n'aurait pas la moindre hésitation et ouvrirait le feu dès que l'une d'elles ou leur Limiteur chéri pointerait le bout de son nez. Il ferma les yeux quelques secondes pour s'armer de courage.

Puis, alors même qu'il s'apprêtait à soulever l'écoutille, une petite main lui attrapa le poignet pour arrêter son geste.

Will releva brusquement la tête.

C'était Elliott.

Il n'en croyait pas ses yeux. L'avait-elle suivi jusque-là pour obéir aux ordres de Drake ? Il ne voyait pas quelle autre raison aurait pu la pousser à le suivre ainsi dans sa chute. Il regarda aussitôt si Chester ou encore Martha l'avaient suivie, mais il n'y avait personne derrière elle.

Elliott lui fit signe de se pousser, puis elle entrouvrit à peine l'écoutille et glissa ses doigts à l'intérieur pour en palper le contour. Elle se figea soudain et jeta un regard anxieux à Will. Elle plongea la main dans sa poche et en sortit une ficelle qu'elle attacha soigneusement à quelque chose sous l'écoutille. Sans prêter attention au cadavre du Lumineux, elle en noua l'autre extrémité à l'une des planches du caillebotis. Après s'être assurée que la ficelle était bien tendue, elle sortit une paire de ciseaux rouillés qu'elle inséra sous le couvercle de l'écoutille et procéda en s'aidant des deux mains. Les traits de son visage se détendirent enfin.

Will se tint paré avec sa Sten tandis qu'Elliott soulevait lentement le couvercle de l'écoutille. Elle attira son attention sur un paquet de la taille d'une brique placé à l'intérieur et auquel était relié un fil, ou du moins ce qu'il en restait. Elliott y avait noué la ficelle, puis l'avait coupé, désamorçant ainsi l'explosif que Will avait reconnu. Le Limiteur avait fabriqué une bombe, sans doute en assemblant les produits chimiques qu'il avait trouvés dans le sous-marin. Il n'y avait pas d'autre explication.

Will suivit Elliott à l'intérieur du kiosque.

« Attends ici », fit-elle comprendre en remuant silencieusement les lèvres, et elle sortit du sous-marin.

Accroché à l'échelle, Will restait à l'affût des Styx. Elliott revint en moins d'une minute, accompagnée du Dr Burrows et de Bartleby qui tirait sur sa laisse. Elle referma l'écoutille principale, et ils descendirent tous ensemble sur le pont du sous-marin. À l'intérieur, le grondement était beaucoup moins puissant, ils purent enfin se parler.

– Il était moins une, dit Will en secouant la tête. Une seconde de plus, et j'aurais déclenché cette bombe. Merci.

Elliott posa son doigt sur ses lèvres.

— Pas si fort, murmura-t-elle en examinant prudemment les coursives de part et d'autre du pont. Et ne touchez à rien ! siffla-t-elle à l'adresse du Dr Burrows, qui inspectait déjà le matériel. Il y a peut-être un autre piège quelque part par ici.

— Chester ? Et Martha ? demanda Will. Ils ne sont pas venus avec vous deux ?

— Non, juste le Chasseur et moi.

Elliott fouilla méticuleusement chaque compartiment avec l'aide de Bartleby, vérifiant qu'il n'y avait pas de fils en travers du passage. Will la suivait, couvrant ses arrières avec sa carabine. L'inclinaison du sous-marin et le fait qu'il leur était impossible d'utiliser les coursives n'avaient guère d'importance, car ils flottaient tels des plongeurs explorant une épave immergée. Ne trouvant pas la moindre trace des jumelles ni du Limiteur, ils retournèrent sur le pont où les attendait le Dr Burrows.

— Je n'aurais jamais cru que tu sauterais après moi, dit Will à Elliott d'un ton interrogateur. C'était inutile.

— T'as de la chance que je sois venue, rétorqua Elliott, sans pour autant fournir la moindre explication.

— Et Chester… tu sais ce qu'il compte faire ? lui demanda Will.

— Non, il ne m'a pas vraiment fait part de ses intentions, même si je pense qu'il essaiera de retourner chez lui, en Surface. Mais il a dit que la prochaine fois qu'il te verrait, il te ferait passer le goût du pain. Il estime que tu aurais pu au moins en discuter avec lui avant d'opter pour le saut de l'ange.

— J'avais peur qu'il ne tente de m'arrêter, répondit Will.

Mais Elliott pensait déjà à la suite.

— Les Styx ne sont pas là. Cela dit, étant donné qu'ils avaient piégé l'écoutille principale, on sait qu'au moins l'un d'entre eux a survécu. Ils ont donc caché le virus quelque part dans le sous-marin, ou bien…

— Ou bien ils le transportent sur eux, l'interrompit Will.

— Exact. On n'a donc pas encore fini notre travail.

— Je parie que ce sous-marin appartient à cette nouvelle génération de vaisseaux à moteurs furtifs développée par les Russes et les Américains, intervint soudain le Dr Burrows. Peut-être les Russes s'en servaient-ils pour nous espionner depuis la mer du Nord. Il s'est retrouvé aspiré dans ce gouffre au moment où une plaque sous-marine s'est déplacée.

– Jeanne la fumeuse… j'ai surnommé ce gouffre « Jeanne la fumeuse », corrigea Will.

– D'après la sœur de Célia… Comme c'est bien vu, dit le Dr Burrows avec un large sourire, puis il continua à échafauder sa théorie à propos du sous-marin. Peut-être que personne ne sait que ce sous-marin a disparu, car le gouvernement russe n'aurait certainement pas souhaité rendre cette affaire publique…

– Concentrez-vous ! l'interrompit brusquement Elliott. Il faut qu'on reste concentrés. On n'a aucun intérêt à traîner ici. Je vais placer une charge qui détruira tout à l'intérieur de ce sous-marin, juste au cas où ils y auraient laissé le virus. Ensuite, il faudra qu'on découvre où ils sont partis.

– Mais comment ? Dans cet endroit ? lui demanda Will, puis il jeta un coup d'œil à Bartleby qui se nettoyait le postérieur. On se servira du traître Bartleby pour les pister ?

– On va inspecter tout le périmètre autour du sous-marin, dit-elle en opinant du chef. On ira plus vite si on se sépare. Je m'occupe de la zone située en dessous du sous-marin. Will, occupe-toi de la corniche et des côtés, et puis…

– Hors de question, contra aussitôt Will.

– Pourquoi ça ?

– Parce que chaque fois qu'ils font ça dans les films, il arrive quelque chose de terrible. Alors, on reste groupés et on s'assure que Bartleby ne s'échappe pas, car si jamais l'un d'entre nous doit partir à sa recherche, ce ne sera pas la joie non plus.

– Tu es bien le fils de ta mère, ironisa le Dr Burrows.

– Je ne sais pas de quoi vous parlez, mais si ça peut vous rassurer, on peut rester groupés, répondit Elliott en regardant tour à tour Will et son père, puis elle soupira. Et maintenant, déblayez le terrain pendant que je pose les charges.

Une fois ressortie, Elliott les encorda l'un après l'autre. Will la regardait faire, songeant qu'elle était animée par une sombre détermination, même après avoir tout risqué pour atteindre cette profondeur phénoménale au cœur de la Terre. Elle avait décidé d'accomplir son devoir et de retrouver les Styx, ce qui lui redonnait de la force. Il avait peut-être agi sans réfléchir lorsqu'il avait suivi son père dans le vide, mais il était fier d'avoir risqué sa vie pour accomplir son devoir. C'est ce que Drake aurait attendu de lui.

Ils procédèrent à une fouille méticuleuse de la corniche fongique sur laquelle reposait le sous-marin. Bartleby n'y repéra aucune piste. Ils descendirent donc sur le côté du gouffre, juste sous la corniche, en quête de cavernes, de cavités ou d'autres preuves du passage des Styx. Lorsqu'ils atteignirent un autre plateau fongique en contrebas, Bartleby s'agita soudain. Will ne savait pas si le grondement continu le perturbait tant qu'il ne parvenait pas à repérer leur piste, mais le fait est que Bartleby n'avait pas trouvé la moindre trace des Styx.

Ils descendirent encore un peu dans le gouffre et découvrirent qu'il n'y avait plus de corniches en contrebas ; ils durent s'accrocher à la paroi rocheuse. Au moindre geste brusque, ils risquaient fort de basculer dans le vide.

Lorsque les charges qu'Elliott avait posées dans le sous-marin explosèrent enfin, ils avaient déjà parcouru une bonne distance. Ils n'entendirent pas la déflagration, couverte par le grondement incessant. Alors qu'ils contemplaient le bref éclat de lumière au-dessus de leurs têtes, Will éprouva un sentiment étrange. Maintenant qu'ils avaient détruit l'intérieur du sous-marin, il n'avait nulle part où aller. Ils étaient entièrement seuls dans cet environnement étranger. Quant à leur quête, autant chercher trois aiguilles dans une botte de foin géante perdue dans la nuit la plus noire.

Après un moment, Elliott leur fit signe de s'arrêter et leur indiqua qu'ils devaient rebrousser chemin. Elle estimait manifestement qu'ils étaient allés assez loin et qu'il était temps de poursuivre leurs recherches en amont.

Juste à ce moment, l'un des membres du groupe fit un geste un peu trop vif.

L'instant d'après, ils chutaient déjà en plein milieu du gouffre, filant désormais à toute allure. Will vit le visage paniqué d'Elliott qui hurlait avant de se rendre compte qu'il criait lui aussi, même si le grondement tonitruant couvrait leurs cris. Réduits à l'impuissance, ils s'accrochèrent les uns aux autres tandis que Bartleby suivait au bout de sa laisse, quelques mètres en arrière. L'animal semblait très inquiet.

Ils finirent par perdre de l'élan, et la résistance de l'air arrêta enfin leur chute.

Ils continuèrent malgré tout à dériver au centre du gouffre, tel un bateau livré aux caprices des courants à la suite d'une avarie de moteur en pleine mer.

Bartleby paraissait complètement perdu. Il tentait d'atteindre la paroi en agitant sans cesse ses longues pattes. Will et Elliott l'imitèrent, brassant l'air de leurs mains, tout en battant des pieds pour reprendre de l'élan. En vain. Ils tentèrent de communiquer au fil des heures qui s'égrenaient, mais que faire ? Il n'y avait aucune corniche à l'horizon, et quand bien même c'eût été le cas ils n'avaient aucun moyen d'atteindre la paroi. Comparé à Will et Elliott qui avaient cédé à la panique, le Dr Burrows restait étrangement calme.

Ils dérivèrent jusqu'à un gros rocher qui tournait lentement sur lui-même et purent s'y agripper. Sa surface couleur de rouille était criblée de trous, comme celle d'un astéroïde. Ils s'y accrochèrent un moment, puis le Dr Burrows leur suggéra de prendre appui sur cette masse pour sauter dans le vide tels des nageurs plongeant dans un bassin. *Forces égales et opposées*, se dit Will en constatant que le groupe partait dans un sens et le rocher dans un autre. Toutefois, cette tentative ne fut guère fructueuse. Will inspecta les alentours à l'aide de son casque, priant pour qu'ils trouvent enfin quelque chose qui puisse les aider. Il tressaillit soudain : les parois du gouffre semblaient s'être évanouies. Il regarda par-dessus son épaule et les vit loin derrière eux, rapetissant à vue d'œil.

Ils étaient sortis du gouffre.

Will voulut avertir son père en pointant frénétiquement les parois, mais le Dr Burrows se contenta de hausser les épaules. Ils semblaient avoir lentement dérivé dans une autre zone d'où jaillissaient par intermittence des éclairs triboluminescents.

Will eut soudain des sueurs froides en voyant les ténèbres infinies qui s'étendaient devant eux comme s'ils avaient été projetés par-delà la stratosphère, dans l'espace intersidéral. À une différence près : ils se trouvaient à présent dans une sorte d'espace *intérieur*, au centre de la Terre.

Ils se rapprochaient peu à peu d'une ceinture de cristaux gigantesques qui s'étirait à perte de vue. Elle était régulièrement traversée par des éclairs évanescents produits par les cristaux qui raclaient les uns contre les autres en tournant sur eux-mêmes. On aurait cru voir les photos satellite des anneaux de Saturne. Ces lumières avaient quelque chose d'irréel et d'hypnotique – *l'une des merveilles de la planète*, pensa Will, même s'il savait qu'il n'aurait peut-être jamais l'occasion de raconter cette histoire.

Impossible d'évaluer les distances. Will était submergé par des vagues de nausée successives, non seulement à cause de l'effet de l'apesanteur sur son estomac, mais aussi parce qu'il avait l'impression de tomber d'une hauteur phénoménale, filant droit sur les lumières triboluminescentes. Son esprit lui jouait parfois des tours, et il les croyait si proches qu'il aurait voulu toucher cette guirlande de lanternes chinoises qui s'illuminaient par intermittence. Puis, recouvrant peu à peu le sens de la perspective, il se rendit compte que la ceinture de cristaux gigantesques se trouvait sans doute bien plus loin qu'il ne l'avait pensé. Allaient-ils tout simplement mourir de faim, dérivant ainsi dans cet espace enténébré, ou bien périraient-ils broyés entre les cristaux tournoyants ?

Le Dr Burrows les rassembla pour leur expliquer quelque chose en griffonnant sur un bout de papier avec force gesticulations, sans succès. Il finit par abandonner et s'empara de la Sten de Will dont il ôta la sécurité, puis il mitrailla sans prévenir. Bartleby avait été si surpris par l'éclair qui avait jailli de la gueule du canon qu'Elliott avait le plus grand mal à tenir sa laisse. On aurait dit que le Dr Burrows venait d'allumer une rétrofusée. Le recul de la Sten les avait propulsés à une vitesse considérable, mais ils ne se dirigeaient pas vers le gouffre, s'enfonçant toujours plus profond dans cet espace où tournoyaient les cristaux gigantesques.

Will ne comprenait pas du tout les intentions de son père, mais il ne tenta pas de l'arrêter. Il semblait au moins avoir un plan. Le Dr Burrows continuait à actionner la Sten. À peine avait-il vidé un chargeur que Will et Elliott lui en tendaient un autre. Il arrivait parfois que les tirs les fassent tournoyer à une vitesse vertigineuse, mais le Dr Burrows réussissait le plus souvent à les maintenir sur une trajectoire rectiligne, et ils filaient ainsi à toute allure.

Will avait complètement perdu la notion du temps. Cela faisait des siècles qu'ils n'avaient ni mangé ni dormi, mais ils étaient si époustouflés par une telle immensité qu'aucun d'eux ne s'était attardé très longtemps sur cette question.

Des notions telles que le haut et le bas, la droite ou la gauche n'avaient plus guère de sens, et la ceinture de cristaux constituait leur unique point de repère.

Il leur avait fallu peut-être une journée, Will n'aurait su le dire, pour rejoindre une zone où des particules de poussière et des gouttelettes d'eau flottaient dans l'air brumeux. Quelques heures plus tard, il sembla à Will qu'ils en sortaient enfin et s'éloignaient à présent de la ceinture de cristaux. Au moment même où il se demandait si la poussière qu'ils venaient de traverser se situait à l'extrême périphérie de la ceinture, il crut apercevoir l'endroit que son père avait pris pour cible.

Will entrevit un faisceau lumineux, à peine visible dans le lointain, lequel n'avait rien à voir avec les éclairs triboluminescents, car il brillait d'un éclat continu.

Tous reprirent espoir.

Chaque nouvelle rafale les rapprochait toujours un peu plus du faisceau lumineux. Ils laissaient la ceinture de cristaux derrière eux, se dit Will après avoir jeté un coup d'œil en arrière ; il commençait néanmoins à s'inquiéter. N'allaient-ils pas être bientôt à court de munitions ? C'est alors qu'ils entrèrent dans un cône de lumière dont la nature et la chaleur lui rappelaient celle du soleil, bien qu'une telle idée n'eût pas grand sens dans pareil contexte.

Le Dr Burrows semblait vouloir les entraîner vers la source lumineuse, quand il cessa soudain ses tirs. Il gesticula pour leur indiquer la ceinture de cristaux que le faisceau lumineux éclairait comme un projecteur. Ils virent d'immenses étendues d'eau semblables à de gigantesques gouttes de pluie perdues entre les cristaux qui tournaient sur eux-mêmes. On aurait dit des lacs, voire des mers ou même des océans. Peut-être n'était-ce qu'un effet d'optique, mais ils étaient certains d'y avoir vu nager d'immenses créatures serpentines et des poissons aussi gros que des baleines.

Le Dr Burrows continuait à se rapprocher de la lumière qui atteignit une telle intensité que Will dut éteindre son casque. Elliott souriait : ils venaient de quitter l'espace infini et pénétraient dans un nouveau gouffre dont ils distinguaient les parois. Ils progressaient vers la lumière, remontant toujours plus avant le long de l'abîme. Les effets de la gravité se faisaient sentir peu à peu tandis que le grondement des cristaux s'estompait.

Ce nouveau gouffre aux parois abruptes semblait avoir la forme d'un cône, même s'il était difficile d'en juger, étant donné son immensité. Le Dr Burrows les entraîna à proximité d'une paroi. Ils n'y décelèrent pas la moindre trace du champignon omniprésent, mais virent quelque chose de bien plus surprenant : de petites touffes de plantes alpines poussaient au milieu des éboulis. À mesure qu'ils avançaient dans le gouffre, les taches de verdure se faisaient plus nombreuses. Enfin, apparurent des arbres noueux, piteux spécimens au maigre feuillage qui donnaient l'impression de s'accrocher désespérément aux pentes abruptes. Elliott aperçut bientôt une crête, sur laquelle les fit atterrir le Dr Burrows.

Tels des naufragés, ils parcoururent quelques mètres à quatre pattes, puis ils se couchèrent sur le sol, à bout de souffle, ravis de retrouver la terre ferme. Elliott eut la présence d'esprit d'attacher leur cordage à un arbre. Pour rien au monde ils n'auraient voulu repartir à la dérive.

Ils firent circuler une gourde d'eau, échangeant à peine quelques mots. Pourtant, le grondement, devenu plus tolérable, leur permettait de s'entendre parler ; mais ils ne savaient trop que dire. Lorsqu'ils comprirent enfin qu'ils étaient en vie, ils sombrèrent dans un profond sommeil, submergés par la fatigue.

« Ainsi s'évanouissent les princes de la surface de la Terre, à peine entrevus par l'âme des hommes », déclama le vieux Styx qui se tenait en bordure du Pore, au cœur des Profondeurs.

Non loin de là, des rangs de Limiteurs alignés en file indienne sautaient les uns à la suite des autres dans le vide. Lorsqu'ils déployaient leurs parachutes, ils ressemblaient à des graines portées par le vent dérivant doucement dans l'immensité des ténèbres. Chaque soldat était chargé de matériel, et bon nombre d'entre eux avaient attaché à leur cheville des ballots dont les occupants se contorsionnaient en rugissant.

– Ils emmènent aussi les chiens, dit une voix inquiète. Pourquoi tant de soldats font-ils le grand saut ? C'est une mission suicide, ou il y a quelque chose que j'ignore.

– « Mais quoique obscurcie, telle est la forme du pays de l'Ange », continua le vieux Styx qui se tourna lentement vers la créature difforme à la tête drapée dans un tissu crasseux qui s'était matérialisée à ses côtés. Je me demandais combien de temps il vous faudrait pour venir, Cox, dit le vieux Styx.

Cox resta silencieux un très court instant, puis il reprit la parole sur un ton indigné.

– Personne ne m'a parlé de ça ! Qu'est-ce qu'ils mijotent, vos Limiteurs ? Et pourquoi tous ces chiens ? Pourquoi ont-ils besoin des Limiers ?

– Nous avons récemment appris que les jumelles étaient encore en vie.

– Au fond du Pore ? souffla Cox. Impossible.

– Mais si. Nos informations sont incontestables. Il y a donc de très fortes chances pour que nous récupérions les fioles de *Dominion*.

– Ah, c'est bien. Donc... commença Cox, aussitôt interrompu par le vieux Styx qui le foudroya de son regard d'obsidienne.

– Laissez-moi terminer. Non seulement les jumelles ont survécu, mais aussi l'enfant Burrows, ainsi qu'Elliott, semblerait-il.

– Burrows ? Elliott ? s'étrangla Cox dont la tête tressaillit.

Il recula d'un pas lourd. Aussi vagues fussent les contours de son corps, cette information l'avait visiblement rendu très nerveux.

– Oui, ils sont tous deux quelque part là-bas, dit le vieux Styx en se caressant le menton d'un air songeur. Et si je me souviens bien, votre part du contrat consistait à nous livrer Will Burrows et toute autre personne qui aurait été en contact avec lui. Et pour couronner le tout, Drake se trouve en Surface, et toujours en liberté. Il s'est montré particulièrement agaçant, même s'il ne représente qu'une gêne tout à fait mineure.

Le vieux Styx leva sa main gantée de noir. Deux Limiteurs parurent aussitôt. Ils se placèrent de chaque côté de Cox et le soulevèrent de terre.

– Mais je ne manque pas de compassion, dit le vieux Styx avec un sourire carnassier. Je suis prêt à te donner l'occasion d'honorer tes engagements.

– Non, s'il vous plaît, non, non, bredouilla Cox qui venait de comprendre le sens des paroles du vieux Styx.

– Isaïe, chapitre 28, verset 15 : « Nous avons conclu une alliance avec la mort, avec le shéol nous avons fait un pacte », dit le vieux Styx.

– Non, ne faites pas ça, pas à votre vieil ami.

– Un contrat est un contrat, répondit simplement le vieux Styx.

Sur quoi les Limiteurs jetèrent Cox dans le Pore. Il tournoya au fond du gouffre, tandis que son étole noire de crasse claquait dans le vent. On aurait dit un sorcier d'une laideur sans nom qui aurait perdu son balai.

– Le châtiment est rude, n'est-ce pas ce que tu disais, Cox ? Le châtiment est rude ? hurla le vieux Styx, dont la voix se réverbéra contre les parois du Pore.

Chapitre Trente-six

W ill ouvrit les yeux. Il était allongé sur le ventre, la tête posée entre les éboulis. Il y avait une drôle de créature à quelques centimètres de son nez. Elle ressemblait à une limace dodue, si ce n'est qu'elle arborait sur le dos des rayures vert sombre et vert clair qui semblaient diffuser une lumière iridescente.

Comme il commençait à loucher, Will recula un peu pour mieux voir la limace. L'animal perçut aussitôt son geste et s'immobilisa.

– Bonjour, dit Will.

Voyant que la limace ne bronchait pas, Will souffla légèrement dessus.

Le corps de la limace sembla se retrousser d'un coup, le vert vif cédant la place à un gris terne qu'on avait peine à distinguer de la roche sur laquelle rampait l'animal, puis elle se roula en boule et prit l'aspect d'un galet rond.

Comme elle continuait à jouer les mortes, ou plutôt les cailloux inertes, Will souffla de nouveau dessus, mais n'obtint aucune réaction ; il recommença donc, mais en exhalant plus fort.

La limace se redressa d'un coup, bondit telle une puce et disparut avec un bruit semblable à celui d'un bouchon de champagne.

– Bon sang ! s'exclama Will en se relevant aussitôt.

Il scruta les alentours, vit Elliott et Bartleby encore endormis. En revanche, son père était bien réveillé. Il était adossé à une petite fougère.

– T'as vu ça ? lui demanda Will.

Son père acquiesça, mais son regard brillait d'une intensité qui n'avait rien à voir avec la découverte d'une limace volante.

— Je n'ai jamais rien vu de tel... ça doit être une espèce complètement nouvelle, dit Will.

— Will, c'est vraiment sans importance... Pas maintenant, l'arrêta le Dr Burrows d'un geste de la main.

— Qu'est-ce que tu veux dire ?

— Regarde un peu autour de toi. Tu ne te rends donc pas compte de l'endroit où nous nous trouvons ? On a réussi... nous sommes vraiment à l'intérieur de la planète. *Au centre* de la Terre !

Will ne répondit pas tout de suite, inclinant la tête pour sentir sur son visage la lumière dorée qui tombait d'en haut.

— Mais... non... C'est le soleil qu'on voit là-haut, dans le ciel, dit-il d'une voix hésitante.

— Oui, Will, ce sont bien les rayons du soleil, mais ils ne viennent pas de *notre* soleil, dit le Dr Burrows. Ce peuple antique savait ce qu'il faisait. Ils ont trouvé le moyen de parvenir jusqu'ici, et nous avons suivi leur trace. On y est arrivés, tout comme eux. Bon sang, on a réussi !

Will fronça les sourcils comme s'il venait de comprendre quelque chose.

— Papa... quand on est tombés au milieu du gouffre, j'ai cru que c'était la faute de Bartleby. J'ai cru qu'il nous avait entraînés, mais ce n'était pas le cas, n'est-ce pas ? C'était toi.

Le Dr Burrows soutint le regard de son fils sans rien dire, puis il posa son doigt sur ses lèvres. Elliott venait de marmonner dans son sommeil.

— Chuttt, pas si fort, Will.

Mais Will n'avait pas du tout l'intention de se taire.

— Tu voulais être sûr qu'on ne pourrait pas remonter. Et lorsque tu mitraillais dans le vide avec ma Sten, tu ne savais pas où tu nous emmenais, n'est-ce pas ? Tu ne savais pas si on y arriverait, ni si on allait mourir dans cet endroit atroce ?

— Non, je n'en avais pas la moindre idée, admit son père. J'ai voulu risquer le coup, poursuivit-il, ravi de ce jeu de mot involontaire. Et j'ai tiré à l'aveuglette.

— Espèce de... rugit Will, consterné que son père pût se montrer aussi décontracté après avoir mis leurs vies en danger.

— Tu as tout à fait raison d'être en colère, Will, mais regarde un peu ce que nous avons accompli, dit le Dr Burrows d'une voix douce, en jetant un autre regard sur Elliott. Et je te déconseille de lui en parler. Il faut que nous restions unis si nous voulons atteindre le sommet. Si tu joues les trouble-fête et que tu énerves notre jeune Ellie, ça ne va pas nous simplifier la tâche.

– Elle s'appelle Elliott, et tu es complètement marteau. Tu aurais pu tous nous tuer avec tes idées à la noix, l'accusa Will.

– Eh bien, nous sommes encore en vie, n'est-ce pas ? rétorqua le Dr Burrows. Et si nous étions restés au fond du gouffre, combien de temps crois-tu que nous aurions tenu ? dit-il en levant les yeux vers la lumière. Regarde, Will : quand, parvenus au sommet, on ne trouvera qu'un désert brûlé par le soleil, tu pourras te féliciter, car tu auras eu raison… Et pendant ce temps-là, nous mourrons tous de faim et de cancers de la peau fatals. Tel Icare, nous aurons volé trop près du soleil.

Le Dr Burrows avait semé la confusion dans l'esprit de Will qui ne savait comment réagir. Si jamais il avait raison, ils étaient tous condamnés. Will se recoucha au milieu des rochers. Lorsque Elliott se réveilla enfin, il ne lui dit pas ce que son père venait de lui avouer. Quelle différence cela faisait-il, à présent ?

Toujours encordés, ils gravirent l'immense cratère dont les pans étaient inclinés à 45 degrés environ. L'air devenait plus chaud à mesure que s'intensifiait la lumière. La faible gravité avait facilité leur ascension au début, mais l'attraction terrestre les tirait vers le bas à mesure qu'ils grimpaient, à tel point qu'ils avaient l'impression de patauger dans de la mélasse. La végétation se fit plus abondante, ralentissant un peu plus leur progression. Ils finirent par se désencorder, car la corde s'accrochait sans cesse aux arbres les plus gros, et ils faillirent bien dégringoler à plusieurs reprises au fond du cratère. L'astuce consistait à garder les jambes et les bras écartés tout en s'agrippant au buisson ou à l'arbre le plus proche pour éviter de tomber plus bas.

À mesure que la lumière gagnait en intensité, Elliott peinait de plus en plus à avancer et marchait à tâtons, ce qui contrastait fortement avec son habituelle agilité de féline. Will n'était pas vraiment surpris, cependant. Elliott n'avait en effet jamais connu une telle luminosité auparavant, il espérait qu'elle finirait par s'y habituer.

Ils arrivèrent devant une bande de terre totalement stérile. Les pierres étaient couvertes d'un résidu brun sombre qui affleurait sur le sol de la pente.

– C'est une sorte de nappe de pétrole ? demanda Will à son père en regardant un peu plus loin devant pour essayer d'en comprendre l'origine.

– Oui, en quelque sorte. Je crois que c'est du bitume, répondit le Dr Burrows après avoir reniflé et frotté la substance sombre et gluante entre ses doigts.

– Quoi ? Le même truc qu'on utilise sur les routes ? s'exclama Will, très loin d'être ravi d'entendre pareille explication.

– Oui, mais celui-ci est d'origine naturelle. Il doit suinter des strates rocheuses. Selon la théorie en cours, il s'agirait du produit de l'accumulation de millions d'organismes microscopiques transformés par l'action des bactéries en cette toute petite fraction de matière, expliqua le Dr Burrows en s'essuyant le doigt sur son pantalon. Au fait, il faut éviter tout contact avec la peau, car le bitume contient parfois de l'arsenic et d'autres substances nocives.

– Tu me dis ça un peu tard, marmonna Will en regardant ses mains tandis qu'ils se remettaient en route.

Après plusieurs jours d'escalade au travers d'une végétation de plus en plus abondante et d'autres dépôts de bitume, ils sortirent enfin du cratère et se retrouvèrent sur un plateau.

– Incroyable ! s'écria le Dr Burrows. Nous y sommes !

– Oui, mais où ça ? maugréa Will. J'ai bien cru qu'on n'arriverait jamais au sommet, dit-il en s'étirant le dos, ravi de pouvoir enfin se redresser.

Le Dr Burrows posa son Bergen à terre.

– Je crois que je ne vais pas avoir besoin de ça, dit-il en ôtant son duffle-coat. Pas sous un tel climat. Regardez un peu cet endroit ! s'exclama-t-il en sortant ses jumelles. C'est magnifique.

Will scruta la ligne de crête qui barrait l'horizon de quelque côté qu'il se tournât, puis il examina le sol rouge foncé.

Elliott fit quelques pas chancelants en levant la main pour s'abriter des rayons de la boule incandescente qui brillait au firmament.

– C'est brûlant, dit-elle, essoufflée.

– C'est parce que le soleil est toujours au zénith, l'informa le Dr Burrows, si bien qu'il est toujours midi.

– Qu'est-ce que tu racontes ? lança Will.

Le Dr Burrows étudia sa boussole, puis il leva les yeux.

– La Terre n'orbite pas autour de ce soleil. Ce second soleil reste toujours là-haut dans le ciel, de jour comme de nuit… en fait, il n'y a jamais de nuit ici… Il y fait toujours jour.

– Jamais nuit… répéta Elliott en croisant le regard de Will.

Si le Dr Burrows avait vu juste, ce concept devait être bien étrange pour Elliott qui avait passé toute sa vie sous terre et n'avait rien connu d'autre que l'éternelle pénombre des terres souterraines. Elle passait vraiment d'un extrême à l'autre.

– Le Jardin du second soleil, déclara le Dr Burrows en examinant les alentours. Je le baptise « Terre de Roger Burrows ».

– Papa, je suis désolé, mais je ne crois pas un mot de cette histoire de second soleil, protesta Will qui n'y tenait plus, et il pointa du doigt le paysage qui s'étendait devant eux en secouant la tête. Regarde un peu les bois, ou les forêts, enfin appelle ça comme tu voudras, sur le flanc des collines. Tout est parfaitement normal. Comment peux-tu dire qu'on est au centre de la planète quand tout semble aussi normal ? Et dis-moi un truc. Si tu as raison, comment se fait-il que le sol *ne s'incurve pas* en remontant les parois intérieures de cette sphère ?

– Eh bien, même si ces collines ne nous bouchaient pas la vue, expliqua patiemment le Dr Burrows, l'échelle gigantesque de ce deuxième monde, à quoi s'ajoute la brume de chaleur, nous empêcherait probablement de voir bien loin. Mais peut-être que nous pourrions voir l'autre côté de la sphère à la faveur de conditions microclimatiques adéquates.

– Dans ce cas, c'est quoi, ce gros truc qui brûle dans le ciel ? demanda Will en secouant à nouveau la tête.

– Je te l'ai dit. C'est le second soleil. Il doit être là depuis la nuit des temps, depuis la création de notre planète après le big bang. Il a toujours été là sans que personne ne le sache, menant une existence secrète.

– Tu veux dire que c'est une sorte d'étoile ? risqua Will en fronçant les sourcils.

– Oui, une étoile cachée. J'imagine que ce n'est pas un cas isolé, et qu'il y en a d'autres dans l'Univers. Mais nous ne pouvons bien entendu pas les voir. Le bon sens veut que cette étoile soit bien plus petite que le soleil qui brille au centre de notre système. Sinon, comment pourrait-elle tenir à l'intérieur de notre planète ?

– Allons ! rétorqua vivement Will. Je ne sais pas comment on a fait, mais on a réussi à remonter le long d'un autre gouffre qui communique avec la surface, et nous y voici. Je sais que les plantes sont un peu bizarres… dit-il d'un ton hésitant en posant les yeux sur une grosse fleur bleue de la taille d'un ballon de plage, mais on est peut-être remontés jusqu'en Afrique. Écoute un peu ces criquets. Il n'y en a pas en Afrique, peut-être ?

Ils se turent et écoutèrent les stridulations rythmées qui résonnaient tout autour d'eux.

– Des cigales, décida le Dr Burrows. On dirait des cigales. On les rencontre dans les zones tropicales comme…

– Je te l'avais dit, l'interrompit Will. On est de retour à la Surface.

– Vraiment ? Dans ce cas, que fais-tu de la gravité. Vas-y, essaie.

– Très bien, répondit Will qui releva le défi.

Il sauta plusieurs fois sur place, atteignant des hauteurs incroyables à chaque nouveau bond.

– On dirait qu'elle est plus faible que d'ordinaire, conclut-il, sans conviction.

– Merci, dit le Dr Burrows avec une pointe de mépris. À dire vrai, elle est beaucoup plus faible que la normale. Et c'est principalement grâce à la force centrifuge que nous pouvons marcher à l'intérieur de cette sphère qui tourne sur elle-même. Elle est nettement inférieure à la gravité à laquelle nous sommes habitués à la Surface.

Le Dr Burrows se tut soudain. Ils entendirent alors le gazouillis d'une nuée d'oiseaux au plumage rouge ardent qui passaient dans le ciel. De même taille que des pigeons, ils arboraient de longues et élégantes plumes caudales. Plus remarquable encore, ils avaient deux paires d'ailes et des becs courbes et fins d'une dizaine de centimètres de long. L'un d'eux fondit sur l'énorme fleur bleue dans laquelle il plongea son bec pour en aspirer le nectar, se tenant tel un oiseau-mouche au-dessus de la corolle.

– Tu as déjà vu ça ailleurs ? demanda le Dr Burrows à son fils ?

– Non, pas vraiment, concéda Will à contrecœur.

Au moment où ils se retournaient pour reprendre leur route en direction des montagnes, Bartleby bondit et attrapa l'oiseau rouge ardent entre ses mâchoires.

– Bartleby ! Non ! hurla Will, mais il était déjà trop tard.

Elliott les conduisit vers une échancrure qu'elle avait repérée dans la ligne de crête. Elle avait vu juste, il s'agissait d'un col, ce qui leur épargna d'autres escalades. Cependant, la fameuse forêt dont avait parlé Will était en fait une jungle d'une densité inimaginable. Il leur fallut plusieurs heures pour se frayer un chemin à travers cette végétation touffue. Ils atteignirent enfin les marges d'une zone de broussailles d'un kilomètre carré environ, bordée par une autre jungle qui leur semblait incroyablement haute et plus dense encore que celle dont ils venaient d'émerger.

— Je me demande pourquoi cette zone n'est pas couverte de végétation comme le reste, s'interrogea le Dr Burrows en mettant un genou à terre pour palper les herbes. Il marmonnait quelque chose dans sa barbe... quelque chose à propos de « colonies de plantes pionnières ».

— Hé ! dit Will en voyant des troupeaux d'animaux qui broutaient au loin dans les broussailles.

Le Dr Burrows se redressa aussitôt pour les regarder à travers ses jumelles.

— Des buffles, dit-il. Mais regarde un peu là-bas, dit-il en indiquant le coin le plus éloigné de la zone.

— Des zèbres ? suggéra Will qui distinguait seulement les rayures noires et blanches.

— Ils ressemblent à des zèbres, mais les rayures s'arrêtent au niveau de leurs pattes antérieures... Will... Je crois bien que ce sont des couaggas ! s'exclama le Dr Burrows avec un petit gloussement hystérique.

— Nan, papa, les couaggas sont éteints, dit Will avec dédain. Le dernier est mort dans un zoo dans les années...

— Je sais, je sais, dans les années 1880... un zoo d'Amsterdam. Mais on ne les a pas chassés jusqu'au dernier, ici. C'est comme si on leur avait donné une deuxième chance, dit le Dr Burrows en baissant ses jumelles.

— Tu veux dire que nous avons bénéficié d'une seconde chance, le corrigea Will.

Le Dr Burrows resta silencieux. Il venait d'apercevoir quelque chose, et il passa les jumelles à son fils.

— Juste au-dessus de la ligne des arbres. Dis-moi ce que tu vois.

— On dirait de la fumée. Un gros nuage, répondit Will.

— Oui, j'ai vu ça, répondit le Dr Burrows. Je dirais que c'est un feu de brousse. Les feuillages s'échauffent à un tel point qu'ils s'enflamment spontanément. Après une rapide inspection du sol, on peut voir que cette nouvelle végétation recouvre une épaisse couche de cendres, dit-il avant de marquer une pause. Mais je ne parlais pas de la végétation. Regarde encore, Will.

Will régla les jumelles, mais il ne dit rien. Il les baissa et croisa le regard de son père.

– Des pyramides… deux…

– Oui, dit le Dr Burrows, et elles…

– On dirait des pyramides mayas, l'interrompit Will. Elles ont un sommet en plateau.

– Oui, des pyramides mayas, acquiesça le Dr Burrows, mais j'en ai compté trois pour ma part. Nous devrions aller voir la plus proche, décida-t-il aussitôt.

Ils traversèrent la clairière sans que les animaux qui paissaient là ne semblent leur prêter la moindre attention, comme s'ils n'avaient nullement peur des êtres humains. Mais Will se sentait de plus en plus mal à l'aise. Il tendit l'avant-bras pour l'examiner.

– Qu'est-ce qu'il y a ? lui demanda le Dr Burrows.

– C'est le soleil. Je ne pourrai pas supporter cet enfer encore très longtemps. Ça me brûle terriblement.

Ils longeaient fort heureusement la jungle, et Will put rapidement s'abriter sous l'épaisse canopée.

– Tu es content comme ça ? lui demanda le Dr Burrows lorsqu'ils s'arrêtèrent pour boire un peu d'eau.

Ils continuèrent à se frayer un chemin à travers une jungle presque impénétrable que le Dr Burrows comparait à la forêt amazonienne, expliquant à Will et à Elliott que les arbres étaient bien plus hauts que dans n'importe quelle forêt tropicale surfacienne. Ils traversèrent ensuite plusieurs zones un peu moins denses, ce qui leur accorda un léger répit. Les feuillages étaient si épais qu'il faisait presque nuit au niveau du sol, et bien plus frais ; et mis à part les énormes troncs d'arbre et quelques petits buissons chargés de fruits exotiques, rien ne ralentissait plus leur progression. À présent qu'elle était à l'abri de l'intense lumière du soleil, Elliott semblait dans son élément. Elle prit donc la tête de la troupe et accéléra la cadence.

Ils aperçurent furtivement des antilopes et des gazelles. Elliott repéra au-dessus de leur tête un gros serpent enroulé autour d'une branche et, même s'il était immobile, ils évitèrent de passer juste en dessous. D'autres reptiles plus petits se cachaient entre les feuilles tombées à terre, des lézards aux couleurs vives et des amphibiens semblables à des grenouilles. Ils faisaient les délices de Bartleby qui les reniflait avec curiosité tandis qu'ils détalaient ou bondissaient frénétiquement au loin.

Le Dr Burrows sifflait à nouveau un air atonal en contemplant la faune variée. Il se tut soudain et passa devant Elliott avec un air suffisant. Il venait de décréter que c'était à lui de mener la troupe. Cependant, après avoir failli plonger dans les eaux rapides d'un fleuve dissimulé par un écran de végétation, il retourna en queue de peloton et laissa Elliott reprendre la tête. Après cet épisode, ils firent tous attention où ils mettaient les pieds.

Ils sortirent enfin de la jungle, grâce aux indications de la boussole du Dr Burrows, et pénétrèrent dans une clairière. La plus proche des pyramides se trouvait à une cinquantaine de mètres de là.

Will et son père s'arrêtèrent net. Le Dr Burrows scrutait le bâtiment à travers ses jumelles, absorbant goulûment le détail de chaque degré.

— Dieu tout-puissant, regarde un peu ça ! Tu vois toutes ces sculptures ! C'est stupéfiant ! s'écria-t-il. Will, regarde un peu la taille de cette pyramide. Elle dépasse largement la cime des arbres.

— Qu'est-ce que c'est ? demanda Elliott en regardant le ciel, les yeux plissés.

D'énormes nuages se profilaient au-dessus d'eux et masquaient le soleil, si bien qu'on se serait cru au crépuscule. Le chant des cigales et des oiseaux se tut au même moment, plongeant les lieux dans un silence irréel.

— Ne t'inquiète pas. Ce ne sont que des nuages. Il y en a en Surface aussi, lui dit Will lorsqu'un éclair aveuglant déchira le ciel.

L'instant d'après, des trombes d'eau s'abattaient sur eux.

— C'est une mousson, dit le Dr Burrows en riant.

Will écartait les bras, laissant l'eau ruisseler sur son corps.

— Ah, c'est exactement ce dont j'avais besoin ! hurla-t-il pour couvrir le bruit de l'orage

Quelques secondes plus tard, l'averse était devenue si violente qu'elle faillit bien les assommer.

— Aïe ! Ça fait mal ! cria Will, et ils battirent tous en retraite dans la jungle. Je n'en demandais pas tant ! dit-il d'une voix plaintive.

Alors qu'ils regardaient tous les trois le déluge depuis l'orée de la jungle, ils entendirent un grand fracas : quelque chose tombait au milieu des arbres. Ils ne tardèrent pas à découvrir l'origine de ce vacarme : une grosse branche s'abattit sur le sol à une vingtaine de mètres d'eux.

– Les arbres prennent une sacrée raclée, commenta le Dr Burrows pendant que Will et Elliott examinaient la branche.

Will fronça les sourcils, puis il se pencha pour prélever un fruit énorme.

– Une pomme… aussi grosse qu'une tête ? s'étonna-t-il en la brandissant pour la montrer à son père.

On aurait bien dit une pomme géante à la peau lisse et parsemée de taches rosées. Will en coupa un morceau de la taille d'une tranche de pastèque à l'aide du canif de Cal.

– Fais-moi voir, demanda Elliott, et Will lui tendit la pomme. C'est bon, dit-elle en croquant dedans après l'avoir reniflée. Prends-en un bout, dit-elle en tendant le fruit à Will qui y goûta à son tour.

– Bon ? C'est carrément délicieux, tu veux dire ! s'exclama-t-il en donnant la pomme à son père.

– Non, répondit le Dr Burrows, il faut procéder étape par étape. Si on mange tous la même chose et qu'on tombe tous malades, on pourrait se retrouver hors jeu tous en même temps. Après tout, ce n'est pas notre habitat naturel.

– En tout cas, cette pomme a un goût sacrément naturel, dit Will en croquant une autre bouchée.

Lorsque l'orage s'éloigna, ils sortirent de la jungle, émerveillés par les gouttes d'eau qui brillaient sur les feuillages comme des diamants au soleil.

– Quel endroit vraiment merveilleux ! Parfaitement préservé ! dit le Dr Burrows avec enthousiasme. Comme un Éden secret.

– On a pris une sacrée saucée, dit Will en s'épongeant le visage.

Le bruit de leurs pas sur l'épais tapis végétal évoquait celui d'une éponge que l'on presse, mais la terre commençait déjà à s'assécher sous la chaleur intense du soleil.

– Oui, les feux de brousse sont aussitôt éteints par de telles précipitations. Peut-être que ça marche comme ça ? suggéra le Dr Burrows d'un air songeur.

– Qu'est-ce que tu veux dire ? demanda Will.

– Peut-être s'agit-il d'un cycle continu, alternant l'eau et le feu, la renaissance et la mort, ce qui semble raisonnable car il n'y a pas de saisons dans ce monde-ci. Et la « nuit » ne tombe que lorsque cette couverture nuageuse bloque les rayons du soleil, comme nous venons d'en faire l'expérience, dit-il en fixant son fils. Alors, Will, tu me crois maintenant ? Il ne s'agit pas de la Surface.

– Je crois que je n'ai pas le choix, reconnut Will.

– À la bonne heure, répondit le Dr Burrows avec un large sourire en posant une main sur l'épaule de son fils, puis il se tourna vers la pyramide. Et si on regardait ça d'un peu plus près, maintenant ? proposa-t-il, et ils s'approchèrent de la base de la pyramide en retenant leur souffle. Le symbole tridentin ! s'exclama soudain le Dr Burrows.

– Ouais, j'en vois à tous les niveaux, commenta Will en scrutant les degrés de la pyramide – on avait gravé le motif tridentin sur toutes les pierres de façade.

L'échelle des gravures était telle qu'il n'avait pas besoin de jumelles pour les voir. Will repensa au pendentif que lui avait donné l'oncle Tam et qu'il portait encore autour du cou. Il se demandait comment Tam l'avait obtenu et s'il connaissait le secret qui se trouvait au centre de la Terre. Will n'en aurait pas été surpris, en tout cas.

– Alors, ce peuple oublié, qui précède les Égyptiens et les Phéniciens, et dont j'ai découvert l'existence, a peut-être construit cette pyramide. Peut-être que la cité perdue d'Atlant…

Le Dr Burrows réfléchissait à voix haute lorsque Elliott émit un sifflement semblable à celui d'un oiseau. Ils se tournèrent aussitôt vers la jeune fille qui se trouvait à l'un des angles de la pyramide.

– Qu'est-ce qu'elle essaie de nous dire ? demanda le Dr Burrows.

– Sais pas, répondit Will qui fit aussitôt glisser sa Sten de son épaule.

Il secoua sa mitraillette pour la débarrasser de l'eau de pluie dont elle dégoulinait puis l'arma.

Ils s'approchèrent pour voir ce qui se passait.

Elliott se tenait devant trois crânes plantés sur des pieux. Les os avaient été mis à nu, et blanchis par le soleil.

– Humains ? demanda Will.

– Oui, mais ils ne sont pas récents, commenta le Dr Burrows en guise de consolation.

– Celui-ci porte une blessure à la tempe, dit Elliott en indiquant le crâne du milieu.

Le Dr Burrows et Will en firent le tour et examinèrent le trou irrégulier.

– Comment peux-tu l'affirmer ? contra le Dr Burrows en secouant la tête. C'est peut-être un accident, une chute, par exemple. Et il pourrait s'agit d'un rite funéraire.

– Le trou a été causé par une balle, dit Elliott sans équivoque. Elle est sortie de l'autre côté du crâne.

Will se tourna vers la jungle dense et la contempla d'un autre œil.

– Pourquoi a-t-on placé les crânes ici ? demanda-t-il.

– C'est un avertissement, répondit Elliott.

Will croisa le regard d'Elliott. Elle avait employé cette même phrase lorsqu'ils étaient tombés sur les cadavres des Coprolithes et des renégats que les Styx avaient massacrés avant de les clouer sur des piquets. C'était une scène effroyable. La réaction de Will suite à cet incident l'avait contrariée au plus haut point, et leur relation en avait été lourdement affectée. Mais les choses étaient différentes à présent, comme si on lui avait donné une nouvelle chance et qu'il pouvait repartir de zéro avec elle.

Will détacha son regard d'Elliott et s'adressa à son père.

– Quelle que soit l'origine de leur mort, papa, maintenant on sait que nous ne sommes pas seuls ici, dit-il calmement. Il pourrait s'agir des hommes du sous-marin, des pirates du vieux galion, ou peut-être de bien pire encore.

Le Dr Burrows haussa les sourcils.

– Peut-être qu'après tout cet endroit n'a pas été aussi préservé que tu semblais le croire, papa.

Chapitre Trente-sept

— W ill a dit qu'il leur avait fallu une tonne d'essence pour rentrer, hurla Chester en coupant le moteur du hors-bord, et le silence se fit sur le port.

— Ne t'inquiète pas, mon beau, je vais chercher d'autres bidons, répondit Martha depuis le quai en regardant affectueusement Chester, assis dans l'embarcation.

Il regarda cette femme dodue se dandiner vers les réservoirs de carburant.

— Mon beau ? marmonna-t-il entre ses dents en secouant la tête.

Martha commençait à vraiment l'effrayer. En l'absence de Will, elle semblait concentrer toute son affection sur lui, et il n'appré-ciait pas du tout. Elle le regardait avec des yeux de biche béate, et cela le mettait de plus en plus mal à l'aise.

Le pire s'était produit alors qu'ils arpentaient la brèche en suivant les signaux des balises radio jusqu'au port souterrain. Ils s'étaient arrêtés pour prendre un peu de repos, et Martha avait proposé de monter la garde pendant que Chester prenait quelques heures de repos. Il s'était réveillé en sursaut, certain qu'on lui caressait les cheveux. À travers ses paupières mi-closes, il avait aperçu Martha qui retirait vivement sa main. Il était bien trop embarrassé et, pour tout dire, trop perturbé par cet incident pour lui demander une explication. Il avait la chair de poule rien qu'en y repensant.

Il n'aurait certainement pas tenté de rejoindre l'abri anti-atomique tout seul. Il ne faisait aucun doute pour lui qu'il avait besoin de quelqu'un pour l'accompagner pendant la seconde partie du voyage et l'aider à remonter le fleuve. Mais il n'aurait jamais choisi Martha, et encore moins maintenant qu'elle se comportait de la sorte.

Chester se redressa lentement pour voir ce qui se passait sur la jetée tandis que l'embarcation tanguait sous ses pieds. Il regarda Martha s'éloigner le long du quai.

Vas-y, fonce ! se dit-il en bondissant sur la jetée dès qu'elle eut disparu.

Chester se précipita dans la direction opposée, entra dans l'abri et fila droit sur la cabine de l'opérateur radio dont il referma la porte derrière lui.

– Le téléphone noir... Le téléphone noir... Will a parlé du téléphone noir, bafouilla Chester quelque peu hystérique en attrapant le combiné. Pas de tonalité, constata-t-il.

Mais Will avait dit qu'il n'y avait pas de tonalité, se souvint Chester qui composa à la hâte le numéro qu'Elliott répétait en boucle lorsqu'elle était encore en proie à des accès de fièvre.

Dans sa précipitation, il se trompa de trou et composa un faux numéro. Pris de panique, il aperçut une petite affiche sur le mur qui proclamait en gros caractères gras, noirs sur fond blanc : « Restez calme et continuez. » Quelque plaisantin avait ajouté « à mourir » au stylo bleu, mais Chester avait bien capté le message original. Il prit une profonde inspiration et recomposa le numéro.

Faites que ça marche, faites que ça marche...

Il attendit un peu, au cas où la connexion nécessiterait quelques minutes. Lorsqu'il entendit un grésillement dans le récepteur, il parla à toute allure.

– Drake, c'est Chester, je m'apprête à remonter le fleuve, et je... hum... il faut absolument que vous m'attendiez là-haut, supplia-t-il d'une voix fatiguée. Il le faut, ajouta-t-il, puis il marqua une pause, croyant avoir entendu du bruit dans le couloir, et reprit à voix basse : je compte sur vous, Drake. Je ne peux pas supporter...

À présent, Chester était certain que quelqu'un marchait dans le couloir. Il s'empressa de reposer le combiné puis s'affala sur l'une des chaises. Il posa les pieds sur la console et laissa rouler sa tête sur son torse comme s'il s'était endormi.

La porte s'ouvrit lentement en grinçant.

– Mon beau, tu es là ?... Ah, te voilà donc ! dit Martha un peu étonnée.

– J'ai dû m'assoupir, répondit Chester qui s'étira en bâillant de façon quelque peu théâtrale.

Martha parcourut du regard le matériel posé sur la console d'un œil indifférent.

— Je me suis occupée du carburant et je me demandais si tu étais prêt à manger, maintenant, demanda-t-elle en se grattant le derrière à travers ses jupons volumineux.

— Euh… non… c'est bon, Martha, répondit Chester. J'avais l'intention de vérifier les provisions moi-même un peu plus tard. Vraiment, allez-y et mangez quelque chose. Ne vous en faites pas pour moi.

— Très bien, mon petit chéri, dit-elle sans cacher son dépit, puis elle quitta la pièce.

Chester resta dans la cabane en se demandant à nouveau s'il n'avait pas un moyen de terminer ce voyage seul. L'idée de filer du port sans Martha était très tentante, mais d'après ce que lui avait dit Will, il fallait deux personnes pour se relayer dans le hors-bord. Chester jura en silence. Non, il ne voyait vraiment pas comment il pourrait s'en sortir seul.

Il ne voyait pas non plus comment il se débrouillerait en Surface. Il serait sans cesse sous la menace des Styx, mais il avait la ferme intention d'aller voir ses parents. Ils devaient savoir qu'il était toujours en vie. Mais comment allait-il s'y prendre, avec Martha pendue à ses basques ? Il avait l'impression d'avoir hérité d'un troisième parent, gâteux et plutôt dérangé. Chester imagina soudain une scène atroce : Martha, l'écume aux lèvres et consumée par la jalousie, s'apprêtant à se servir de son arbalète contre son père et sa mère.

— Oh, mon Dieu, non ! s'exclama-t-il en se frictionnant énergiquement le front. Will, où que tu sois, j'ai pas mal de choses à te dire, déclara-t-il en s'esclaffant sans trop savoir pourquoi. Will, Will, Will ! poursuivit-il sans cesser de rire pour autant.

Chapitre Trente-huit

W ill dut admettre que son père avait raison. Ils avaient atterri dans une sorte d'Éden, et bien que la découverte des crânes empalés ait quelque peu troublé cette idylle presque parfaite, ils goûtèrent pleinement aux délices de leur nouveau mode de vie. Cette existence simple leur donnait surtout l'opportunité de se reposer et de récupérer enfin. Ils en avaient tous grandement besoin.

À l'occasion de l'une de leurs premières excursions dans la jungle, Will et son père avaient découvert les traces d'une cité antique. Malgré les arbres à la croissance prodigieuse qui avaient reconquis le terrain, les nombreuses ruines semblaient indiquer que cette cité était immense et couvrait plusieurs kilomètres carrés. Le Dr Burrows restait convaincu d'avoir découvert le lieu où s'était implanté ce peuple nomade – les Anciens, comme il les avait surnommés – pour y établir une métropole tentaculaire. Les frises et les inscriptions figurant sur leurs pyramides montraient qu'ils étaient en avance de plusieurs siècles sur les cultures surfaciennes de l'époque. Leurs avancées en philosophie, mathématiques, médecine et bien d'autres disciplines encore étaient tout simplement époustouflantes.

Selon le Dr Burrows, les Anciens étaient à l'origine de la légende de l'Atlantide. Il était certain que Platon avait entendu parler d'une civilisation cachée pendant le IIIe siècle avant Jésus-Christ, et qu'il en avait parlé dans ses dialogues sans jamais en connaître l'emplacement réel. Toutes les hypothèses émises au cours des siècles suivants étaient donc complètement erronées. La cité d'Atlantis ne se trouvait pas sur une ni plusieurs îles de l'océan Atlantique ou de la Méditerranée qui auraient été englouties par les flots. Le Dr Burrows était persuadé qu'elle était restée cachée là tout ce temps, au centre de la Terre. Will ne se souciait guère de telles préoccupations. Il était ravi de passer ses journées à travailler de concert avec son père à consigner leurs découvertes, un peu comme si son rêve s'était enfin réalisé.

Elliott s'habitua à vivre sous le soleil et sa peau prit une couleur pain brûlé en un rien de temps – sans doute grâce à son patrimoine styx, se dit Will. Les deux Rebecca s'étaient acclimatées avec la même aisance aux conditions qui régnaient en Surface.

Non loin de la pyramide, Elliott avait construit pour eux un abri dans les branches de l'un des arbres géants. Armée d'un arc, elle partait chasser en compagnie de Bartleby, lequel se montrait particulièrement efficace pour traquer les proies, une fois convaincu de dénicher autre chose que des petits rongeurs et des reptiles. La jeune fille et le chat s'absentaient parfois du campement pendant des jours, s'enfonçant loin dans la jungle pour guetter la gazelle et l'antilope qui, en sus de leur cuir, leur fournissaient amplement de quoi se nourrir. Elliott savait les préparer grâce à ce qu'elle avait appris dans les Profondeurs. Elle avait aussi découvert que plusieurs grands fleuves sinuaient dans la jungle. Will l'accompagnait parfois et l'aidait à tendre ses filets pour attraper diverses variétés de gros poissons.

C'est à l'occasion de l'une de ces excursions que se produisit quelque chose d'inattendu.

Will et Elliott avaient emmené Bartleby, suite au refus catégorique du Dr Burrows de surveiller l'animal. Il était bien trop occupé par son travail pour jouer les baby-sitters. Ils comptaient pêcher dans l'un des plus grands fleuves de la zone, situé à un jour de marche du campement. Will avait bondi sur l'occasion pour se retrouver enfin seul avec Elliott et changer un peu de décor.

Ils traversèrent sans un bruit l'épais tapis de débris qui couvrait le sol de la jungle, mais Elliott se montra fort peu loquace avec Will. Elle agissait comme si elle était incapable d'abandonner les techniques de reconnaissance essentielles à sa survie dans les Profondeurs. Will, ne voyant pas l'intérêt de rester sans cesse en alerte, était ravi de pouvoir flâner en observant la faune sauvage ou de laisser vagabonder ses pensées.

Après plusieurs heures, Elliott lui signifia qu'il devait s'arrêter sur-le-champ en brandissant le poing. Will ne remarqua pas immédiatement son geste, l'obligeant à siffler pour attirer son attention.

– Qu'est-ce qu'il y a ? demanda-t-il en se retournant, les sourcils froncés.

Elliott fit glisser sa carabine de son épaule et lui montra Bartleby d'un geste de la main.

Le chat était plaqué contre le sol, sa queue squelettique tendue derrière lui. Comme on le lui avait appris au sein de la Colonie, le chat venait de repérer une odeur et semblait vouloir leur indiquer une piste.

– Il s'agit probablement d'un animal inconnu. Un *éfélant* ou un *nouïfe*, dit Will en gloussant.

Mais Elliott était tout à fait sérieuse.

– Je ne veux pas qu'il file. Je vais le tenir en laisse, murmura-t-elle à Will.

Elle ôta son Bergen et en sortit une corde qu'elle noua autour du cou de Bartleby.

– Et prépare ta Sten, ordonna-t-elle.

Will scruta la jungle devant eux. Les feuillages étaient si épais que seuls quelques rayons de soleil parvenaient à se frayer un chemin à travers la canopée et brillaient comme des lasers entre les troncs gargantuesques, s'étirant à l'infini à travers la jungle en oscillant légèrement. Il arrivait qu'ils s'éteignent d'un coup lorsqu'un vent puissant soufflait dans les branchages. Tout avait l'air tellement inoffensif et innocent dans cet environnement, mais Elliott avait aperçu un gros prédateur félin dont la description avait beaucoup ému le Dr Burrows qui pensait qu'il s'agissait peut-être d'un tigre à dents de sabre. Will savait qu'il se montrait peut-être un peu trop insouciant dans un monde où tout était possible. Il prit donc sa Sten en poussant un soupir contrarié, vérifia son chargeur puis arma sa mitraillette.

– Par ici, murmura Elliott qui se laissait entraîner par Bartleby.

– Hé, attends un peu, objecta Will. Tu veux dire que tu comptes vraiment suivre cette piste ? Pourquoi on ne laisse pas tomber ? Continuons plutôt vers le fleuve.

Mais Elliott se montra inflexible.

– Non, on doit vérifier nous-mêmes de quoi il s'agit. Et en découvrir le plus possible sur cet endroit si on veut éviter les mauvaises surprises.

– D'accord, comme tu voudras, répondit Will en pinçant les lèvres d'un air mécontent.

Il avait l'impression que son arme appartenait déjà à une autre époque, qu'il était ravi d'avoir laissée derrière lui. Et rien au monde – ni au centre de la Terre d'ailleurs, pensa-t-il avec ironie – ne pourrait le forcer à revivre ces jours effroyables.

Bartleby continuait à renifler les feuilles. Il leur sembla que la piste contournait les rais de lumière verticaux où des mouches et d'autres insectes bourdonnaient tranquillement. Ils entendirent bientôt une symphonie de chants d'oiseaux tandis que la stridulation des cigales semblait s'intensifier.

– Elliott, tu connais cet endroit ? demanda Will.

Elle tressaillit. Will n'avait pas pris la peine de baisser la voix, et elle lui répondit par un mouvement de tête renfrogné. Avait-elle déjà vu ces lieux, ou bien était-elle agacée parce qu'il ne se montrait pas assez silencieux ? Will penchait plutôt pour la seconde solution.

Très bien, si tu veux jouer au petit soldat… pensa-t-il. *On passe donc en mode furtif.* Il se baissa et se mit à imiter la manière dont se déplaçait Elliott sur le tapis de feuilles en touchant à peine le sol.

Peu de temps après, ils virent une large zone ensoleillée qui s'étendait au-devant d'eux : ils arrivaient au bout de la partie la plus épaisse de la canopée. Ils entrèrent dans une forêt d'acacias aux grosses épines, chargés de gousses qui pendaient à leurs branches. Ils étaient bien plus petits que les géants de la jungle, et leurs feuillages nettement moins développés. L'endroit n'était pas très différent des bois qu'on trouvait en Surface.

Will leva les yeux vers le ciel d'une blancheur éblouissante. Il vit alors une falaise à pic, droit devant eux, et baissa de nouveau les yeux.

– On n'escalade pas ça, dit-il à Elliott d'un ton résolu.

Ils s'arrêtèrent pour contempler l'escarpement en pierre blanche qui s'élevait à quarante mètres au-dessus du sol. La jungle semblait retrouver sa luxuriance au sommet de la falaise.

– On dirait que la falaise s'étend assez loin, observa Elliott en regardant des deux côtés.

Will se dit aussitôt qu'il devait s'agir d'une ligne de faille dans l'écorce terrestre. Il ne s'était pas fait à l'idée que la Terre pût avoir deux écorces – une à l'extérieur, sur laquelle il avait passé le plus clair de sa vie, et une autre à l'intérieur, semblable à la chair blanche d'une noix de coco. Il avait discuté pendant des heures avec son père de ce qu'ils pourraient découvrir dans ce nouveau monde, comme d'immenses chaînes de montagne et de vastes mers et océans sans navires. Il décida que cette falaise pouvait résulter d'une ligne de faille : cela signifiait donc que le terrain sur lequel ils se tenaient avec Elliott s'était effondré, ou bien que l'autre côté de l'escarpement s'était soulevé, voire les deux. Elliott le tira de ses pensées. Elle l'appelait en chuchotant.

Accroupie, Elliott étudiait une zone boueuse couverte de feuilles pourries. Elle avait l'air inquiète, mais Will ne comprenait pas ce qui la préoccupait tant.

Elle passa un index le long de l'empreinte puis se déplaça tel un crabe en posant presque sa joue contre le sol boueux pour examiner une zone adjacente. Bartleby tirait sur sa laisse, mais elle l'ignora et avança à plat ventre sur quelques mètres, les yeux rivés au sol. Elle les leva soudain vers Will en brandissant trois doigts, puis elle pointa l'index au-devant d'eux.

C'était l'un des signaux dont elle se servait pour communiquer avec Drake dans les Profondeurs.

Will n'en connaissait que trop bien la signification.

Il sentit une montée d'adrénaline. Son cœur battait la chamade. Comme il ne réagissait pas et restait là, les bras ballants, Elliott se redressa d'un bond et vint le rejoindre.

— Des gens. Trois empreintes différentes. Un adulte et deux autres personnes plus petites, confirma-t-elle.

Will secoua la tête. Non, il ne voulait rien entendre, il ne voulait pas comprendre ce qu'elle lui disait. Les yeux écarquillés, il la regarda fixement, les mains accrochées à sa carabine.

— Des gens ? demanda-t-il d'un air hébété. Ou des Styx ? Es-tu en train de me dire qu'il s'agit des jumelles et du Limiteur ?

Elliott se tourna vers la piste qu'ils avaient laissée derrière eux.

— L'une des empreintes pourrait appartenir à un homme qui marche en posant à peine le pied sur le sol, comme quelqu'un qui aurait reçu un entraînement militaire.

— Sur la pointe des pieds, murmura Will en se remémorant la façon de se déplacer qu'Elliott avait tenté de lui enseigner dans la Grande Plaine.

— Oui, c'est ça, confirma-t-elle. Mais les deux autres empreintes sont beaucoup plus petites, et de même taille, poursuivit-elle.

— Oh, mon Dieu ! On fait quoi, maintenant ?

— Ce que Drake nous a demandé de faire. Il a dit qu'il fallait s'assurer que les deux Rebecca et le Limiteur étaient hors d'état de nuire, et que le risque posé par le *Dominion* avait été neutralisé, répondit-elle brièvement.

– Hors d'état de nuire… neutralisé, bafouilla Will.

Tant que l'on s'en tenait à ces deux mots bien nets comme on aurait pu les trouver dans un livre ou dans un journal, il n'y avait aucun problème. Mais cette fois, c'était différent, car la situation était bien réelle. S'il voulait atteindre les objectifs de Drake, Will n'avait pas d'autre choix que d'accomplir des actes loin d'être aussi *nets*, et dont il n'était peut-être plus capable maintenant. Des actes qui le changeraient à jamais. Évidemment, Elliott avait raison. Il était de leur devoir de s'assurer, de toutes les façons possibles, que le virus ne remonterait jamais en Surface. Mais alors qu'il était dévoré par le doute, Elliott semblait prête, en revanche, à s'atteler à la tâche sans plus attendre et sans la moindre réserve.

Will jeta un coup d'œil dans la direction qu'ils s'apprêtaient à suivre. Il se sentait coupable, car, au fond de lui-même, il souhaitait que les trois Styx aient levé le camp depuis longtemps, et que, de fait, Elliott ne puisse les retrouver. Mais c'était impossible. Ces traces étaient forcément fraîches, sans quoi les fréquentes moussons les auraient déjà effacées.

Elliott attacha Bartleby à un arbre, puis elle tira son filet de pêche de son sac et le cacha sous quelques branches. Elle vérifia ensuite le matériel au fond de son Bergen avant de le remettre sur son dos. Elle se préparait à livrer bataille.

– En file indienne, à quatre pas d'intervalle, dit-elle à Will, puis elle avança lentement en suivant la piste.

Will observait les alentours avec une terreur grandissante. Les arbres et le feuillage avaient perdu leur innocence. Le Limiteur pouvait se cacher derrière n'importe quel buisson, et les jeunes filles malveillantes qui avaient tenté de le tuer à la moindre occasion pouvaient se terrer derrière chaque tronc d'arbre. Les pensées se bousculaient dans sa tête, martelant la même rengaine. *Je ne peux plus faire ça. Je ne suis pas prêt. Pas maintenant.* Will avait l'impression que son crâne allait exploser.

Arrivés au pied de l'escarpement, ils levèrent les yeux. Il y avait très peu de végétation sur la face de la falaise ; un arbuste, un buisson avaient parfois réussi à s'ancrer dans les fissures, tandis que de longues racines d'arbres et des végétaux desséchés pendaient telle une collerette vert pâle qui en aurait orné la partie supérieure.

Elliott l'entraîna sous un surplomb.

– Ils se sont arrêtés ici pendant un moment, peut-être pour se protéger du soleil, murmura Elliott à l'oreille de Will en inspectant le sol. Ils longèrent ensuite la falaise, escaladant parfois des éboulis. Il arrivait qu'ils passent devant des galeries, mais il ne s'agissait guère que d'étroits couloirs envahis par d'épaisses broussailles qu'Elliott ne prenait pas la peine d'inspecter, car elle voyait que la piste se poursuivait encore devant eux.

Ils arrivèrent enfin devant une autre brèche d'une vingtaine de mètres de large, bien plus importante que les précédentes. Will remarqua lui-même que quelqu'un était passé là, écartant la dense végétation, laissant ses empreintes derrière lui.

– Ne t'éloigne pas, lui avait dit Elliott en entrant.

Will n'avait nullement l'intention de bouger de là où il était.

Elliott déchiffrait les empreintes sur le sol, découvrant des brins d'herbe brisés, ou même un buisson foulé au pied.

Au moment où la galerie décrivait une légère courbe, Elliott fit signe à Will de se baisser. Ils se couchèrent tous deux à plat ventre, et elle se toucha le lobe de l'oreille. Will se mit à l'affût. Sans en être absolument certain, il crut avoir entendu une voix.

La voix d'une jeune fille.

Elliott commença à avancer très lentement en s'assurant qu'il n'y avait rien en travers de sa route, car le craquement d'une brindille aurait pu révéler sa présence.

Elle s'immobilisa quelques secondes puis elle tourna la tête vers Will. Elle pointa son œil du doigt puis tapota le sol, et Will s'avança vers elle. Arrivé à ses côtés, il chercha du regard ce qu'elle avait repéré.

Le passage s'élargissait, débouchant sur une zone vaguement circulaire, d'un diamètre de 40 mètres environ. Les parois étaient aussi abruptes et aussi hautes que le reste de l'escarpement. On aurait dit une crique creusée dans le flanc d'une falaise au bord de l'océan. Il ne semblait pas y avoir d'autre issue que le passage par lequel ils étaient entrés. Une masse végétale tentaculaire, brune et desséchée s'étalait le long des parois de cette zone circulaire. Il y faisait certainement beaucoup plus chaud que dans la forêt d'acacias ; Will en conclut que les murs blancs agissaient comme un four en concentrant les rayons du soleil.

Il vit alors une chose qui n'avait rien à faire là : une sorte de petite cabane se dressait presque au centre de la zone. Son toit plat et ses murs brun rouge étaient criblés de trous, comme s'ils avaient été rongés par la rouille.

De la tôle ondulée, songea Will. *Bon sang, mais qu'est-ce que ça fiche là ?*

Il entendit alors la voix nasillarde de l'une des deux Rebecca qui couvrait le chant des cigales. Elle s'exprimait dans la langue des Styx.

Le cœur de Will, qui battait déjà la chamade, accéléra encore la cadence. Le garçon avait l'impression que ses tympans résonnaient au son du canon.

Il déplaça légèrement la tête pour mieux voir la scène à travers la végétation. Il localisa l'endroit d'où provenait la voix et vit alors le profil de Rebecca. Elle était assise sur un rocher, semblait-il, non loin de la cabane.

Elle agita une jambe, et il entendit un léger clapotis, suivi d'un grand éclaboussement. Alors parut l'autre jumelle, juste devant la première Rebecca, dégoulinante d'eau. D'un geste de la main, elle balaya ses cheveux défaits qui pendaient le long de son visage, éparpillant des gouttelettes qui brillaient comme des diamants sous un soleil intense. Étaient-elles en train de nager ? Ou peut-être se lavaient-elles dans une sorte de bassin ? Will n'en revenait pas. Les jumelles avaient l'air si détendues… Elles ne se doutaient pas le moins du monde qu'il avait réussi, lui aussi, à atteindre ce monde intérieur. Elles avaient baissé leur garde, se croyant en sécurité. Mais où était passé le Limiteur ?

Will continua à les regarder tandis que la seconde Rebecca plongeait à nouveau hors de vue. Elles continuaient à bavarder. Il les entendit employer quelques mots d'anglais. La scène était inondée de soleil. Bercé par le gazouillis d'un oiseau, Will se remémora les étés passés à Highfield. Sa chambre donnait sur le petit jardin à l'arrière de la maison où Rebecca étalait souvent sa serviette pour prendre un bain de soleil, tandis qu'il devait s'en protéger du fait de son absence de pigmentation. Ces jours-là, lorsqu'il n'était pas parti effectuer des fouilles quelque part et qu'il lisait allongé sur son lit, le son de sa voix montait jusqu'à sa fenêtre. Rebecca chantait en écoutant la radio.

Elliott lui donna un coup de coude pour le ramener à la réalité et lui montrer quelque chose. Mais oui, c'était bien ça… Du fait de leur camouflage marron, elles se confondaient si bien avec la couleur du métal rouillé qu'il avait peine à les discerner, mais… il s'agissait bien de deux vestes de combat de Limiteur, suspendues au coin arrière de la cabane.

Les vestes des jumelles.

Will n'en revenait pas.

Il croisa le regard d'Elliott. Il savait qu'elle pensait à la même chose que lui. Il était prêt à parier que si les jumelles s'ébattaient dans le bassin, elles avaient laissé les fioles quelque part en sûreté. Et quel meilleur endroit que leurs vestes ? Mais Will se reprit. Peut-être les avaient-elles remises au Limiteur. *Mais où était donc passé ce satané Limiteur ?*

Lorsque Elliott lui indiqua qu'il était temps de se retirer, Will ne fut pas mécontent de pouvoir enfin s'éloigner des jeunes Styx, et du Limiteur qui manquait toujours à l'appel. Il avait l'impression de ressortir la tête de la gueule d'un lion particulièrement affamé et de fort méchante humeur, mais il était encore indemne.

Quand ils furent cachés derrière la courbe de la paroi, et suffisamment loin de la crique, Elliott s'empressa de poser son Bergen sur le sol et fouilla dedans. Elle en sortit deux grosses charges explosives dotées de minuteurs qui faisaient partie du paquet que Drake avait demandé à Will de lui remettre.

– Je vais placer ces charges ici, lui murmura-t-elle à l'oreille. Retourne à l'entrée de la galerie et monte la garde. Si l'une de ces charges explose, ou si jamais tu entends des coups de feu, va-t'en, et vite. Bartleby connaît le chemin du retour.

Will acquiesça, puis il se faufila le long du passage. Parvenu au pied de l'escarpement, il s'abrita du soleil sous un arbre et surveilla l'entrée de la galerie en attendant Elliott.

Mais à mesure que le temps passait, il se sentait de plus en plus mal à l'aise. Les paroles d'Elliott résonnaient dans sa tête. Il était évident qu'elle prenait tout sur ses épaules pour le préserver du danger. Elle semblait prête à se sacrifier pour s'occuper des Styx. Alors qu'il ruminait tout cela, il décida soudain qu'il ne la laisserait pas agir seule. Ce combat était également le sien, et ce n'était que justice qu'il y prenne part lui aussi

Quel ne fut pas son soulagement lorsque Elliott reparut à l'entrée de la galerie. Il commençait à se demander s'il la reverrait jamais en vie.

– Les deux charges exploseront dans vingt minutes. Je les ai placées en hauteur pour pouvoir tirer dessus au besoin. Je vais essayer d'escalader la falaise, histoire d'avoir un meilleur point de vue sur ce qui se passe en bas.

– Mais je pourrais…

– Non, il vaut mieux que je tente le coup. Je sais me servir de ça, l'interrompit-elle en tapotant sa carabine de Limiteur à lunette télescopique. J'ai juste besoin que tu couvres cette zone.

— Et si jamais ils sortent ?

— Sers-toi de ta Sten. Quoi qu'il arrive, empêche-les de sortir de la galerie. Maintiens-les à l'intérieur, dit-elle en jetant un coup d'œil à la brèche qui s'ouvrait dans l'escarpement. Je vais voir si je peux les abattre, en commençant par le Limiteur. Quand je l'aurai éliminé, les jumelles devraient être plus faciles à supprimer.

Will acquiesça d'un air sombre. Elliott partit aussitôt vers la falaise en quête d'une voie d'escalade.

Will trouva un meilleur poste d'observation et s'allongea derrière le tronc d'un acacia. Il ajusta son emprise sur sa Sten, laissant des traces de sueur sur l'acier azuré de sa mitraillette.

— Bloque-les à l'intérieur de la galerie, répéta-t-il en fixant si intensément l'ouverture du passage qu'elle lui sembla perdre peu à peu toute réalité, comme s'il contemplait une illustration.

Il essaya de se détendre en remuant les épaules, mais en vain. Il ne pouvait s'empêcher de tressaillir au moindre mouvement, si bien qu'il faillit même tirer sur une feuille qui tombait d'un arbre. Il sentait la chaleur du soleil sur son dos. Il comprit soudain qu'il vivait l'un des moments essentiels de son existence, l'un de ces moments qui vous donnent l'occasion de prouver votre valeur. Si jamais il ne prenait pas les devants et que les choses tournaient mal, cet échec ne cesserait de le hanter. Or, sa courte vie comportait déjà bien assez de regrets comme ça. Il n'allait pas rester là, à regarder la scène sans rien faire comme le passager d'une voiture. Il devait agir, et il *allait* agir.

— Allons-y, se dit-il.

Il ne savait pas très bien ce qu'il allait faire, mais il quitta son poste et commença à esquisser un plan alors qu'il entrait dans la galerie. *Vingt minutes*, se rappela-t-il en apercevant les charges qu'Elliott avait placées sur les branches hautes des arbres de part et d'autre du passage. C'était rusé. Les parois s'effondreraient sous l'effet de l'explosion, et les Styx se retrouveraient piégés à l'intérieur, à moins, bien sûr, qu'ils ne puissent escalader les parois à pic du cirque rocheux.

Will s'approcha très lentement du point d'observation d'où ils avaient espionné les jumelles. Elles étaient à présent assises côte à côte. Will se sentait extrêmement vulnérable. Il avait une boule au creux de l'estomac, car il savait bien qu'il n'allait pas en rester là.

Qu'est-ce que je fais maintenant, au juste ? se demanda-t-il.

Elliott n'avait pas encore atteint le sommet de l'escarpement, et les charges ne devaient pas sauter avant une bonne quinzaine de minutes.

Il décida enfin de ce qu'il allait faire.

Il déglutit, et rampa vers la droite. Centimètre par centimètre, il s'avançait le long d'une trajectoire qui devait le conduire à l'arrière de la cabane. Il pourrait l'atteindre sans que les jumelles ne le voient, car elles se trouvaient de l'autre côté de la bâtisse et, qui plus est, trop absorbées par leur conservation pour le remarquer.

Balayant les feuilles mortes hors de son chemin, Will continua à ramper, s'arrêtant tous les deux mètres pour relever la tête. Il ne cessait de regarder les deux vestes qu'il s'imaginait déjà en train d'emporter. Tel était son objectif, telle était sa récompense.

Mais où était donc le Limiteur ?

Il n'essuya pas la sueur qui lui coulait dans les yeux, essayant de s'en débarrasser en battant des paupières car le moindre geste était devenu essentiel. La moindre seconde pouvait faire la différence. Le corps plaqué au sol, il s'assurait systématiquement qu'il était bien caché par les buissons, au cas où l'une des jumelles, ou le Limiteur, aurait décidé de venir faire une petite balade à l'arrière de la cabane en tôle ondulée.

Will continuait à s'en rapprocher. Il n'en était plus très loin. Il balayait encore plus soigneusement les brindilles qui jonchaient le sol, car la végétation était particulièrement sèche dans cette zone, les parois de pierre blanche intensifiant les rayons du soleil. Or, au moindre bruit, la partie serait finie.

Les vestes n'étaient plus qu'à quelques mètres de lui.

Il avait réussi à arriver jusque-là !

Il jeta un rapide coup d'œil devant lui ; la voie semblait libre. Les jumelles se trouvaient encore de l'autre côté de la cabane, et il n'y avait pas la moindre trace du Limiteur.

Will se releva à demi, s'avançant à croupetons vers les vestes, puis il les décrocha du clou rouillé auquel elles étaient suspendues.

Il se demandait si Elliott avait réussi à atteindre le sommet de l'escarpement et si elle l'observait à travers sa lunette télescopique. Auquel cas, que pensait-elle en ce moment ? Elle jurait probablement comme un charretier.

Will déposa les vestes sur l'herbe calcinée, s'agenouilla sur le sol et en vida rapidement les poches. Il y trouva des bouts de papier, des globes lumineux et quelques objets protégés par des étuis en cuir qu'il décida d'emporter au cas où ils contiendraient les fioles. Il n'avait pas le temps de vérifier, pas maintenant.

Il découvrit ce qu'il cherchait dans une poche intérieure fermée par un rabat à bouton-pression qui émit un léger clic lorsqu'il l'ouvrit. Il retint son souffle, à l'affût, mais n'entendit que le murmure des jumelles en pleine conversation. Il palpa l'intérieur de la poche et trouva deux petits objets qu'il sortit. Enveloppées dans un carré de tissu à motif camouflage, il s'agissait bien des deux fioles. Il les mit soigneusement dans sa poche puis continua à fouiller les vestes au cas où il trouverait d'autres fioles. Il ne voulait pas s'être donné tout ce mal pour se retrouver ensuite avec deux fioles factices remplies de *Supervirus*.

À présent qu'il avait fini, il se sentait le cœur léger. Son visage ruisselait de sueur. Il s'éloigna en rampant.

Il n'avait pas fait vingt mètres en suivant soigneusement la piste qu'il avait empruntée à travers les broussailles, qu'il entendit le cri strident de l'une des jumelles.

Will tourna la tête et fut soudain frappé d'effroi.

La jumelle se tenait pile à l'endroit où il avait laissé les vestes qui gisaient à présent sur le sol.

Son visage ruisselant s'était transformé en un masque de pure colère. Elle regardait droit dans sa direction.

– Espèce de petite ordure ! hurla-t-elle en brandissant une faucille comme si elle s'apprêtait à la lancer. C'en est fini de toi !

Will roula sur le dos et mit sa Sten en joue. Il gardait le doigt sur la détente. Il ne ressentait pas la moindre hésitation. Il avait l'impression que la scène se déroulait en monochrome. Il devait le faire. Il ne savait pas s'il avait récupéré l'authentique *Dominion*, donc aucun des Styx ne devait en réchapper. Il aurait échoué dans son entreprise si jamais l'un d'eux parvenait à s'enfuir.

Pris de panique, Will tira sans prendre le temps de viser correctement et il arrosa la cabane, criblant de balles la tôle ondulée. Il continua à balayer la scène, et la jumelle s'effondra sur le sol.

C'en était assez pour lui.

Il se redressa et fila dans le passage en courant.

Il entendit alors un autre cri.

Une voix d'homme, cette fois.

Will tourna vivement la tête et vit le Limiteur qui se rapprochait de lui à grandes enjambées. Il courait d'un pas cadencé, telle une mécanique, le bras armé d'une lance qu'il tenait au-dessus de sa tête. Comme un oiseau de proie, le soldat poussa un cri si déchirant qu'il sembla persister dans l'air ambiant longtemps encore après son émission.

Will ne savait pas quelle distance il avait parcourue, mais il n'avait pas encore accompli la tâche qu'il s'était fixée.

Il s'arrêta en dérapant et se tourna pour ajuster sa visée. Tout allait si vite qu'il voyait flou.

Alors retentirent deux déflagrations. Will ne savait pas ce qui s'était passé. Il avait entendu au même moment une détonation aiguë suivie d'un sifflement. La chevelure du Limiteur sembla se soulever, et il s'effondra sur le sol. Il courait encore à terre, comme si, une fois lancée, la mécanique ne pouvait plus s'arrêter.

Will sentit une vive douleur au bras qui déclencha aussitôt un spasme dans sa main. Il lâcha sa Sten.

Il y eut alors un éclair lumineux, puis un second, et Will se retrouva projeté dans les airs. Il avait l'impression de planer sur une incroyable distance, sans doute était-ce dû à la faible gravité. Il atterrit au milieu d'épais buissons, fit plusieurs roulades et s'immobilisa enfin.

Il tenta de se relever, mais il avait trop mal au bras. Il ruisselait de sang et il eut tout à coup très froid. Il ne comprenait pas pourquoi le soleil brillait encore. *Mais le soleil brille toujours ici,* se dit-il aussitôt.

Au prix d'un nouvel effort, il réussit à se relever en prenant appui sur un seul bras et tourna les yeux vers le passage.

Un rideau de flammes tourbillonnantes et une épaisse fumée noire s'élevaient à vingt mètres de là.

— Cool, dit-il en admirant les couleurs vives qui dansaient sur le fond blanc de la falaise, puis il s'évanouit.

Il revint à lui quelques instants plus tard. Il releva la tête, et remarqua qu'on lui avait posé un bandage au bras.

— Espèce de malade ! Seul un amateur pouvait tenter un coup pareil et s'en sortir vivant, dit Elliott qui venait d'entrer dans son champ visuel. La prochaine fois, on s'en tient au plan, tu veux bien ?

— Oh mon Dieu, ne me dis pas que je t'ai mise en colère ! J'ai l'impression que c'est ce qui m'arrive à chaque fois avec les filles. Je dis ou je fais toujours un truc qu'il ne faut...

— Tais-toi, Will, dit Elliott.

— Qu'est-ce qui s'est passé ? demanda-t-il en essayant de bouger le bras, mais la douleur était trop vive.

– Le Limiteur t'a touché avec sa lance avant que je ne l'abatte. Désolée, mais je n'ai pas réussi à ajuster ma visée plus tôt, répondit-elle en s'agenouillant à côté de Will pour ajuster son bandage.

– Et les jumelles ?

– Je crois que tu en as descendu une, et l'autre ne risque pas d'en avoir réchappé. Constate par toi-même.

Elliott l'aida à se redresser sur son séant. Il se souvenait avoir vu de la fumée et des flammes avant de s'évanouir. Un immense incendie faisait rage au pied de l'escarpement que surplombait un nuage de fumée, semblable à ceux qu'ils avaient parfois repérés avec le Dr Burrows dans d'autres zones de la jungle à travers leurs jumelles.

– J'ai déclenché les charges d'un coup de feu, et le passage s'est effondré sur lui-même. L'autre jumelle est restée coincée à l'intérieur. Avec toutes ces broussailles, la galerie s'est embrasée comme une poudrière. Et même si tu n'as fait que blesser la première jumelle, elle était aussi à l'intérieur, dit Elliott. J'observais la scène depuis le sommet de la falaise, et je n'ai vu aucune d'entre elles. Elles ne pouvaient pas s'échapper.

– On a donc réussi ?

Elliott acquiesça.

– Et tu n'es pas fâchée contre moi ? demanda encore Will en clignant des yeux.

– Comment pourrais-je l'être ? répondit-elle avec un grand sourire en brandissant les deux fioles.

Elliott se pencha et déposa un baiser sur sa joue.

Will sourit. Elle lui avait presque fait oublier son bras douloureux.

Chapitre Trente-neuf

Dans une petite maison mitoyenne au cœur de la Colonie, Mme Burrows était assise sur une chaise, une épaisse couverture grise sur les genoux, les yeux fermés. On avait placé des coussins de chaque côté de sa tête, car elle était incapable de la tenir droite et ne maîtrisait plus un seul de ses membres.

Assise sur une autre chaise, plus près de l'âtre où brûlait un feu, une vieille dame reprisait une chaussette en se parlant à elle-même.

– C'est criminel, la paye qu'ils donnent aux policiers d' nos jours, surtout quand y z'ont une vieille mère, une sœur, et pis maintenant… v'là-ti' pas qu'une invalide leur tombe sur les bras en prime.

La vieille dame cessa ses travaux d'aiguille et se tourna vers Mme Burrows. Elle pinça les lèvres d'un air soucieux, mais sans aucune méchanceté.

– J' lui ai ben dit, mais oui, c'est ben gentil d' jouer les bons Samaritains, mais c'est comme d' se retrouver avec un bébé sur les bras, un gros bébé qui ne grandira peut-être ben jamais. Mais jamais il m'écoute, celui-là… J' crois ben qu'il ramollit avec l'âge, dit-elle en reprenant son ouvrage. J' me demande comment ça va finir tout ça, et pis comment on va joindre les deux bouts, vraiment, j' me l' demande, en tout cas, c'est pas avec sa paye !

La vieille dame, qui jacassait encore toute seule, n'entendit pas que la respiration de Mme Burrows avait changé, couverte par le crépitement du feu. Elle respirait plus profondément comme si elle s'apprêtait à tenter l'impossible, quelque chose qui, vu son état, tenait des douze travaux d'Hercule. Mme Burrows continua à exercer sa respiration ventrale pendant plusieurs minutes, s'attelant à la tâche, puis elle retint brusquement sa respiration et continua à lutter.

Tel un animal sauvage pris au piège dans une caverne plongée dans les ténèbres de l'hiver, Mme Burrows était coupée du reste du monde. Seules quelques étincelles sporadiques déchiraient parfois l'obscurité tandis qu'une pensée ou une envie, ou un souvenir se formait pendant un bref instant, avant de disparaître presque aussitôt.

Mais elle était à présent déterminée à accomplir quelque chose. Quelque part, dans un recoin de son esprit, avait surgi la volonté d'y parvenir et de survivre.

Au prix d'un immense effort, Mme Burrows retint son souffle, parvint à soulever un peu sa paupière droite et à la maintenir ainsi à demi close. Une étincelle brilla soudain dans son œil alors que la lumière du feu s'imprimait sur sa rétine, ranimant les cellules visuelles. Elles se mirent alors à générer d'infimes impulsions électriques que le nerf optique achemina jusqu'au cerveau, qui s'efforça de les interpréter. Quelques-uns de ces signaux atteignirent son cortex, et elle devina la lueur rosée qui baignait la pièce sans vraiment la voir.

Mais c'était déjà beaucoup pour elle. Elle avait entrevu une lueur à l'extérieur de la caverne. Elle s'accrocha à cette sensation avec un instinct animal et y plaça toutes ses espérances.

Puis sa paupière retomba d'un coup. Cet effort excessif l'avait vidée de la moindre parcelle d'énergie. Elle relâcha son souffle et sombra de nouveau dans un profond sommeil. La vieille dame continuait à parler toute seule. Elle n'avait rien vu du miracle qui venait de se produire.

Will et Elliott discutèrent longuement de ce qu'il convenait de faire des deux fioles. Ils allèrent même jusqu'à envisager un voyage retour à travers la ceinture de cristal pour remonter en Surface et remettre les fioles à Drake. Mais ils n'y pensaient pas sérieusement, car ils estimaient avoir peu de chances d'y parvenir. Pire encore, ils risquaient d'endommager les fioles en cas d'accident, laissant ainsi s'échapper le virus. Le Dr Burrows les avait mis en garde contre les courants aériens qui sillonnaient le globe. Il y avait peut-être une chance sur un million pour que le vent transporte le virus jusqu'à la Surface, les probabilités n'étaient donc pas nulles.

Ils ne pouvaient prendre un tel risque, alors Will décida de chercher un endroit sûr pour enterrer les fioles. Le bras toujours en écharpe, mais en bonne voie de guérison, il avait quitté le campement pour explorer seul la jungle environnante, lorsqu'il crut voir quelqu'un parmi les ombres d'un bosquet d'arbres. Tous ses poils se dressèrent d'un coup, non seulement parce qu'il savait qu'il ne s'agissait ni de son père ni d'Elliott, mais surtout parce que cet homme ressemblait énormément à l'oncle Tam.

Will avança furtivement vers les arbres, puis comprit qu'il ne s'agissait que d'un nœud de lianes pendant d'une branche basse : il n'y avait personne là-bas. Il avait beaucoup pensé à Tam, ces derniers temps. Il découvrit une petite source qui bouillonnait entre quelques gros rochers gris, juste derrière le bosquet.

La source était entourée par un cercle d'herbe rase. L'endroit était si paisible et isolé qu'il décida d'y enterrer les fioles. Il mit un peu d'herbe dans l'un des flacons de médicament qu'il avait pris dans l'infirmerie du sous-marin, puis il y plaça soigneusement les fioles avant de rajouter encore un peu d'herbe. Il creusa un trou dans la terre riche, puis s'assura que les fioles étaient bien fermées avant de les y déposer. Enfin, il plaça quelques pierres rondes par-dessus pour marquer l'endroit et protéger les fioles de la curiosité des animaux.

Après avoir découvert cette source, il eut envie d'y retourner souvent. Il se passait rarement un jour sans qu'il ne s'y rende. L'eau fraîche semblait attirer les libellules et les papillons les plus délicats qui venaient se rafraîchir sur les pierres mouchetées de lichens – cela lui semblait paradoxal alors qu'une arme biologique mortelle se trouvait enterrée là. Will aurait dû associer cet endroit à la mort et au chaos, mais il trouvait un certain apaisement auprès de cette source. Il pouvait baisser sa garde, se remémorer les terribles événements de son passé et commencer à panser ses blessures.

Il entreprit de construire trois gros tas de cailloux, et sur chacun il érigea une croix, de l'autre côté de la source. Même si les corps ne se trouvaient pas là, il grava les noms de Tam, de Sarah Jérôme et de Cal dans le bois. Il trouvait un grand réconfort à s'asseoir non loin de ces pierres tombales, observant les couleurs magnifiques des papillons qui voletaient tout autour de lui. Les deux Rebecca avaient fini par payer pour leurs crimes. Will avait l'impression de tourner enfin la page et de clore un chapitre. Il ne vivait plus dans leur ombre et n'éprouvait plus aucune soif de vengeance. Il se sentait libéré, et pouvait enfin se remémorer les membres de sa famille que les Styx avaient massacrés.

Un beau jour, alors qu'il était plongé dans ses pensées, il tressaillit en entendant quelqu'un s'éclaircir la voix juste derrière lui.

— J'espère que je ne te dérange pas, dit Elliott. Je voulais voir par moi-même où tu avais mis les fioles.

Will lui indiqua l'endroit, mais elle semblait plus intéressée par les trois monuments commémoratifs qu'il avait érigés pour sa famille.

— Je ne savais pas que tu avais fait tout cela, dit-elle calmement. Je... euh... c'est une... une bonne idée.

Will acquiesça, et ils gardèrent le silence quelques instants en contemplant les croix. Pour une fois, Elliott semblait beaucoup moins sûre d'elle. Elle balaya d'un geste brusque les mèches de cheveux noir de jais qui lui barraient le visage — depuis qu'ils avaient quitté les Profondeurs, les poux n'étaient plus un problème ; alors elle avait cessé de les couper, si bien qu'ils lui arrivaient à l'épaule. Will se souvenait à peine de son visage lorsqu'elle avait encore les cheveux courts.

— Je ne sais pas du tout si elle est morte ou vive, mais ça te dérangerait si je construisais quelque chose pour ma mère ? demanda Elliott.

— Bien sûr que non, dit Will, sincèrement ravi.

Il pensa soudain à sa propre mère adoptive, Mme Burrows. Il espérait qu'il ne lui était rien arrivé. Mais Drake était là pour veiller sur elle.

Le lendemain, il découvrit qu'Elliott avait déjà érigé une croix non loin des siennes. Elle vint s'asseoir à ses côtés. Tandis que Bartleby se prélassait sur une tache de soleil filtrée par les arbres tout en mâchant mollement quelques touffes d'herbe, Elliott s'ouvrit enfin à Will. Ils partageaient un sentiment de camaraderie depuis leur rencontre avec les Styx, mais c'était différent maintenant. Elle lui parla de son enfance au cœur de la Colonie, et comment on l'avait forcée à partir en faisant chanter sa mère. Puis elle lui parla de son père, le Limiteur, dont elle savait si peu de choses.

Tout à coup, Elliott se tourna vers Will.

— Tu te sens coupable, après ce qu'on a fait aux deux Rebecca ? Ça te dérange lorsque tu y repenses ?

Will ne s'attendait pas à une telle question et la regarda de travers.

— Oui. Je suis certain que nous avons fait ce qu'il fallait faire, mais ce n'est pas facile à oublier, n'est-ce pas ?

— Non, répondit-elle. Ça ne cessera jamais de nous hanter.

Elliott prit deux galets plats et polis à côté de la source, puis les soupesa, comme si elle cherchait à déterminer lequel était le plus lourd des deux.

– Je peux te demander quelque chose ? risqua Will.

– Bien sûr, répondit-elle en haussant les épaules.

– L'homme que tu as abattu était un Limiteur, comme ton père, dit Will.

Il la regarda extraire de la terre un autre galet poli, qu'elle jeta dans le bassin. Bartleby roula sur lui-même et se redressa en entendant le clapotis, comme s'il venait de manquer un poisson qui aurait bondi hors de l'eau, ou tout autre amphibien infortuné qu'il aurait bien volontiers croqué.

– Et s'il avait été ton père ? Est-ce que tu aurais pu l'abattre, lui aussi ?

– Je n'y ai jamais pensé, répondit Elliott. Mon père est mort et enterré. Ça ne risque donc pas d'arriver.

Un homme seul, vêtu d'un épais pardessus, était affalé sur une table au coin d'un pub bondé au cœur de Soho. Ses cheveux étaient mal peignés et son visage rougeaud. Il avait manifestement trop bu. Il examina maladroitement son verre. Le voyant vide, il marmonna quelque chose dans sa barbe et tapa du poing sur la table, envoyant valdinguer le verre, qui se brisa sur le sol. Il releva alors la tête.

– Les Styx ! cracha-t-il. Qu'ils aillent au diable ! hurla-t-il en articulant à peine ses mots.

Personne ne semblait l'avoir remarqué dans le pub, et le bourdonnement des conversations continua comme si de rien n'était. L'homme regarda la foule qui l'entourait d'un œil trouble. Il y avait là des gens qui prenaient un verre rapide avant de rentrer chez eux après leur journée de travail.

Il ricana en souriant de travers.

– Et puis allez donc au diable, tous autant que vous êtes ! Vous ne voyez rien de ce qui se passe !

Personne ne semblait faire attention à lui, excepté un homme au visage have et au teint cireux qui s'assit à sa table.

– Reprends-toi, Drake. Si tu continues comme ça, tu vas finir par te faire arrêter. Et tu sais ce que signifie une nuit en cellule, gronda l'homme de grande taille d'une voix caverneuse avant de se pencher vers lui pour éviter d'être entendu par les autres clients. Je t'ai aidé car j'avais une dette d'honneur envers toi. Tu as sauvé ma fille, mais je ne suis pas ta bonne fée. Je ne pourrai pas forcément te tirer d'affaire la prochaine fois.

Drake s'essuya la bouche d'un revers de main.

– Je me dis parfois que c'est Elliott qui m'a sauvé, et non l'inverse, dit-il d'une voix traînante, les paupières lourdes, tandis qu'il levait les yeux vers l'ancien Limiteur qui l'avait sorti de la camionnette ce jour fatal dans le parc de Highfield.

L'agressivité de Drake céda soudain au découragement, et il baissa la tête.

– À chaque fois, les Cols d'albâtre sont sortis vainqueurs. J'ai laissé tomber Célia. J'ai laissé tomber le Tanneur. Je les ai tous laissés tomber. Et pour autant que je sache, les Styx ont encore le virus. Autant jeter l'éponge. Je suis fini. Nous sommes tous finis, dit-il en lançant un regard désespéré à l'homme maigre. Qu'est-ce qu'il reste de moi ? Qu'est-ce que je peux faire maintenant ?

– Oh, on trouvera bien quelque chose, dit l'homme avec confiance en aidant Drake à se relever. Rentrons à la maison, maintenant.

Chapitre Quarante

– J'en ai assez pour aujourd'hui, décida Will.

– Vraiment ? Déjà ? marmonna le Dr Burrows qui continuait à travailler sur un croquis.

– Mon bras me lance un peu, ajouta Will, même si la blessure que lui avait infligée le Limiteur était depuis longtemps guérie.

– Tu retournes voir Elliott ? demanda le Dr Burrows, d'un ton entendu.

Will l'ignora et leva les yeux vers le soleil qui ne cessait jamais de briller.

– Je ne veux pas abuser, dit-il en ajustant le chapeau à bords larges que lui avait fabriqué Elliott avec une peau de bête. C'est tout.

Son père et lui se trouvaient sur le flanc de la pyramide et, malgré la protection que lui offrait son chapeau, il devait prendre garde à la réverbération.

– En effet, répondit enfin le Dr Burrows en levant les yeux de son dessin.

Will se frotta les yeux, puis cligna des paupières plusieurs fois.

– De tous les endroits où nous aurions pu atterrir, c'est le pire cauchemar d'un albinos. Dis, papa, tu crois que tu pourrais nous dénicher un monde où il y aurait un peu plus de nuages, la prochaine fois ? demanda-t-il en souriant.

– Je vais voir ce que je peux faire. Tu peux partir, si tu veux, répondit le Dr Burrows d'un air sombre.

Il avait besoin de l'aide de son fils pour consigner toutes les inscriptions et les fresques figurant sur les degrés de la pyramide. C'était une entreprise immense. Tout était écrit dans l'une des langues de la Pierre de Burrows, qu'il déchiffrait peu à peu. Ils avaient commencé par la base du bâtiment et remontaient méthodiquement jusqu'au sommet, sachant que deux autres pyramides les attendaient.

— Je te retrouverai au campement, papa, dit Will.

— Oui... murmura le Dr Burrows.

Il regarda son fils descendre les degrés par bonds successifs, ce qui aurait été impensable en Surface. Puis il reprit son travail, sur une séquence numérique dont il ne comprenait pas du tout la signification.

Un instant plus tard, il fut déconcentré par un vrombissement lointain qu'il attribua aussitôt au vent. C'était sans doute un autre de ces violents orages. Le bruit semblait trop distant pour qu'il s'en soucie, inutile donc qu'il se mette à l'abri. Mais il entendit de nouveau ce même bourdonnement, plus fort cette fois. Il n'avait plus rien à voir avec le bruit du vent. Le Dr Burrows s'épongea le front et se releva pour scruter le ciel.

Il ne voyait rien qui sorte de l'ordinaire, mais il ne se trouvait pas au meilleur endroit. Il remonta les degrés en bondissant jusqu'au sommet de la pyramide et traversa le plateau sur lequel Will avait déposé une balise radio la première fois qu'il avait gravi le monument.

— Quelle vue... soupira le Dr Burrows, toujours aussi impressionné par le panorama.

Il surplombait largement la canopée de la forêt tropicale qui s'étirait à ses pieds, tel un océan de verdure ininterrompu duquel émergeait le sommet des deux autres pyramides.

— Mais où est donc cet orage ? s'interrogea-t-il en ne voyant aucun nuage à l'horizon.

Il distingua quelque chose dans le lointain.

Il s'avança lentement de l'autre côté de la pyramide et mit sa main en visière pour discerner ce dont il s'agissait.

— Bon sang ! Qu'est-ce que c'est que ce truc ?

Un objet se déplaçait dans le ciel d'un blanc immaculé.

Cela avait quelque chose de terriblement familier.

Il vacilla, perdant presque l'équilibre au bord du vide.

L'appareil modifia sa trajectoire et se dirigea vers la pyramide. Le Dr Burrows entendait désormais distinctement le gémissement de son moteur à hélice.

— Un avion ? Ici ? dit-il dans un souffle.

Il aurait bien voulu avoir des jumelles.

Aucun doute, c'était bien un avion.

Et il avait quelque chose d'étrangement familier.

Le Dr Burrows reconnut la forme en W de ses ailes. L'avion se trouvait encore assez loin, mais alors qu'il plongeait en piqué vers le sol, il fit entendre le hurlement caractéristique d'une sirène, synonyme de terreur pendant la Seconde Guerre mondiale.

– Un bombardier allemand... souffla le Dr Burrows qui manqua encore une fois de trébucher, au risque de basculer dans le vide. Un Stuka !

Remerciements

« Ce sont les hommes qui nous emmurent,
et non les philosophies. »

WILLIAM GOLDING

Nos plus vifs remerciements s'adressent à...

Charles Lyell, auteur de *L'Ancienneté de l'homme prouvée par la géologie*.

Le professeur Lidenbrock, son neveu Axel et Hans Bjelke, bien entendu.

L'équipe de Chicken House : Rachel Hickman, Elinor Bagenal, Imogen Cooper, Mary Byrne, Ian Butterworth, Steve Well... et le grand, l'unique Barry Cunningham, notre éditeur aux nombreuses et magnifiques paires de chaussures.

Catherine Pellegrino de Rogers, Coleridge & White.

Katie Morrison, qui travaillait autrefois chez Colman Getty, et à présent pour l'Unicef.

Susan Collinge et Roger Gawn, pour nous avoir permis d'accéder au terrain d'aviation de West Raynham.

Jo Brearley et les élèves de Gresham's School.

Simon Wilkie,

Karen Everitt.

Et enfin, George.

Note des auteurs : « Rotor », terme que Will et le Dr Burrows ont repéré sur une carte dans la cabane de l'opérateur radio, désigne un système de défense radar étendu, construit au cours des années 1950 par le gouvernement britannique sur 66 sites, en réaction à la menace supposée de l'Union soviétique. Ce n'est pas un acronyme, ce qui montre bien que le Dr Burrows ne sait pas tout...

Composé par Nord Compo Multimédia
7, rue de Fives, 59650 Villeneuve-d'Ascq

Dépôt légal : avril 2009
ISBN : 978-2-7499-1010-9
LAF 1050 C

Achevé d'imprimer au Canada
sur les presses de Imprimerie Lebonfon Inc.